BASTEI
LÜBBE
TASCHENBUCH

Weitere Titel des Autors:

Der Jesus-Deal
Das Jesus-Video
Todesengel
Herr aller Dinge
Ausgebrannt
Ein König für Deutschland
Exponentialdrift
Eine Billion Dollar
Der Letzte seiner Art
Der Nobelpreis
Eine unberührte Welt
Kelwitts Stern
Solarstation
Die Haarteppichknüpfer
Perfect Copy: Die zweite Schöpfung
Die seltene Gabe
Quest
Eine Trillion Euro

DAS MARSPROJEKT
Bd. 1: Das Ferne Leuchten
Bd. 2: Die Blauen Türme
Bd. 3: Die Gläsernen Höhlen
Bd. 4: Die Steinernen Schatten
Bd. 5: Die Schlafenden Hüter

Titel in der Regel auch als Hörbuch und E-Book erhältlich

Über den Autor:
Andreas Eschbach, 1959 in Ulm geboren, studierte Luft- und Raumfahrttechnik und arbeitete zunächst als Softwareentwickler. Als Stipendiat der Arno-Schmidt-Stiftung »für schriftstellerisch hochbegabten Nachwuchs« schrieb er seinen ersten Roman DIE HAARTEPPICHKNÜPFER. Bekannt wurde er durch den Thriller DAS JESUS-VIDEO. Mit EINE BILLION DOLLAR (2001) stieg er endgültig in die Riege der deutschen Top-Autoren auf. Es folgten u. a. Bestseller wie AUSGEBRANNT (2007), HERR ALLER DINGE (2010), TODESENGEL (2013) und DER JESUS-DEAL (2014). Andreas Eschbach lebt heute als freier Schriftsteller in der Bretagne.

Weitere Infos zum Autor unter www.andreaseschbach.com

ANDREAS ESCHBACH

TODES ENGEL

Thriller

BASTEI LÜBBE
TASCHENBUCH

BASTEI LÜBBE TASCHENBUCH
Band 17238

Dieser Titel ist auch als Hörbuch und E-Book erschienen

Vollständige Taschenbuchausgabe
der im Gustav Lübbe Verlag erschienenen Hardcoverausgabe

Copyright © 2013 by Andreas Eschbach
TB-Ausgabe 2015 by Bastei Lübbe AG, Köln

Dieses Werk wurde vermittelt durch die
Literarische Agentur Thomas Schlück GmbH, 30827 Garbsen

Titelillustration: © shutterstock/RivusDea; shutterstock/shoeberl
Umschlaggestaltung: Johannes Wiebel, punchdesign, München
Satz: Dörlemann Satz, Lemförde
Gesetzt aus der Giovanni Book
Druck und Verarbeitung: CPI books GmbH, Leck – Germany

Printed in Germany
ISBN 978-3-404-17238-2

5   4   3   2   1

Sie finden uns im Internet unter www.luebbe.de
Bitte beachten Sie auch: www.lesejury.de

Ein verlagsneues Buch kostet in Deutschland und Österreich jeweils überall
dasselbe.
Damit die kulturelle Vielfalt erhalten und für die Leser bezahlbar bleibt, gibt
es die gesetzliche Buchpreisbindung. Ob im Internet, in der Großbuchhand-
lung, beim lokalen Buchhändler, im Dorf oder in der Großstadt – überall bekommen Sie Ihre verlagsneuen Bücher zum selben Preis.

Sie finden uns im Internet unter: www.luebbe.de
Bitte beachten Sie auch: www.lesejury.de

PROLOG   Wir Menschen sind sensibler, als die meisten von uns ahnen. Hätten wir keinen Filter im Hirn, die Flut der Sinneseindrücke würde uns überwältigen.

Man kann diesen Filter ausschalten. Ich kann es.

Man sollte es nur tun, wenn man mit der Flut umgehen kann. Auch das kann ich.

Deswegen durchquere ich die Nacht, als bewege ich mich durch einen ungeheuren, lebendigen Organismus. Ich höre die Dunkelheit. Ich fühle die Stimmen Tausender von Menschen. Ich spüre sie atmen, reden, lachen, seufzen. Ich sehe ihre Ängste. Ich rieche ihre Hoffnungen. Ich schmecke ihre Traurigkeit, ihre Verzweiflung, ihre Enttäuschungen.

Ich bin eins mit allem. Das sagt sich leicht, aber kaum einer von denen, die es gesagt haben, hat je gewusst, wovon er redet. Ich weiß es. Ich bin es.

Ich bin auf dem Pfad des Kriegers.

Symphonien flackernder Leuchtreklamen umspülen mich. Scharfkantige Hochhäuser stempeln ihre Silhouetten gegen den nachtfarbenen Himmel. Autos, Taxen, Busse flirren als hektische Interpunktionen, Motorräder sägen in der Ferne, und ich bin der einzige Mensch weit und breit, der zu Fuß geht.

Alles ist ruhig. Aber es ist die Art Ruhe, auf die Stürme folgen. Ich ahne es. Ich spüre es. Ich weiß es.

Ich mache mir keine Gedanken. Ich bin seit Stunden unterwegs, doch ich habe Geduld – nein, ich *bin* Geduld. Alles wird zur richtigen Zeit geschehen. Es gibt nichts zu beschleunigen, nichts zu bremsen, nichts zu verpassen.

Und es gibt nichts zu entscheiden.

Weil alles längst entschieden ist.

Es ist längst entschieden, dass ich den Abgang einer U-Bahn-Station in genau dem Augenblick erreiche, in dem Schmerz daraus zum Himmel flammt wie ein Fanal, schrecklicher Schmerz und Todesangst.

Auch, dass ich die Treppe hinabsteige, ist längst entschieden.

Ich bin im Zustand der Gnade. Ich werde im richtigen Moment am richtigen Ort sein.

Und das Richtige tun.

1 *Zivilcourage!* Das Wort lag ihm quer, seit Evelyn es ihm ins Gesicht geschleudert hatte. Was verstand sie schon von diesen Dingen? Seine Schwiegertochter war ein Kind gewesen, als die Mauer gefallen war, und überdies im Westen aufgewachsen: Sie hatte die Zeit damals nicht erlebt.

Ein kalter Herbstwind fegte die Straße herab, schien nach einem Ausgang aus den Häuserschluchten zu suchen. Erich Sassbeck schlug den Mantelkragen hoch und bedauerte es, keinen Schal mitgenommen zu haben. In seinem Alter musste man Erkältungen fürchten.

Außerdem hatte er sich nichts vorzuwerfen. Er hatte nur seinen Dienst getan. Seine Pflicht erfüllt. Die Grenze hatte *anti-imperialistischer Schutzwall* geheißen, und so ganz falsch war diese Bezeichnung ja auch wieder nicht gewesen, oder?

Wenn man sich so ansah, wie das Leben heute war. Da hatten sie es früher in mancher Hinsicht schöner gehabt.

Aber das durfte man ja auch nicht sagen.

In Sachen Meinungsfreiheit hatte sich gar nicht so viel geändert. Es waren nur andere Dinge, die man sagen durfte oder eben nicht. Da sollte ihm keiner was anderes erzählen.

Es herrschte wenig Verkehr. Trotzdem blieb Erich Sassbeck an der Fußgängerampel stehen, wartete, dass sie grün wurde. Ein Taxi hielt; der Fahrer blickte ihn an, als erwarte er, in ihm einen Fahrgast zu finden.

Sassbeck schüttelte unwillkürlich den Kopf. Seine Rente reichte gerade so zum Leben. An Extravaganzen wie Taxifahrten durch die halbe Stadt war im Traum nicht zu denken.

Zum Glück war es nicht mehr weit bis zur U-Bahn-Station. Dort unten würde es wärmer sein.

»Aber *hättest* du es getan?«, hatte Evelyn insistiert. »Hättest du auf jemanden geschossen, der versucht zu fliehen?«

Er hatte geantwortet, dass er das nicht wusste. Dass man nicht wissen konnte, wie man in so einer Situation handeln würde, ehe es so weit war.

»Du redest dich raus«, hatte sie sich aufgeregt. »Du hast bloß Glück gehabt. Mit mehr Zivilcourage hättest du gesagt, ich mach das nicht, ich mach diesen Dienst nicht, weil ich nicht auf Leute schießen werde, die nichts Böses getan haben!«

Ihm wurde jetzt noch ganz heiß, wenn er an diesen Streit zurückdachte. Es stimmte; er war froh, nie in eine solche Lage gekommen zu sein. Er hatte ja mitgekriegt, wie es anderen ergangen war, nachdem sie auf Republikflüchtlinge geschossen hatten. Ein jüngerer Kollege, Rolf aus Karl-Marx-Stadt, hatte eine Frau getötet, die nach Westberlin fliehen wollte. Rolf hatte angefangen zu saufen, geradezu klassisch. Kurz darauf war er versetzt worden, und man hatte nie wieder etwas von ihm gehört.

Endlich, die U-Bahn. Erich Sassbeck seufzte, als er in den warmen Mief eintauchte, der die Treppe heraufkam. Die seltsamen Schmierereien, die auf den ersten Blick aussahen wie eine Inschrift, die man aber nicht lesen konnte, waren immer noch da. Die Stadt hatte es schon lange aufgegeben, der Sprayer Herr werden zu wollen, hatte kapituliert.

Das jedenfalls, dachte Sassbeck und spürte seine Knie wieder, während er die Stufen hinabstieg, hätte es früher nicht gegeben. Und sei es nur, weil niemand Farbe übrig gehabt hätte. Oder wenn, hätten die Leute etwas Besseres damit anzufangen gewusst.

Noch 12 Minuten, behauptete die Anzeigetafel. Komfortable Sache, das musste man zugeben. Sassbeck studierte trotzdem den Fahrplan im Schaukasten. Die vorletzte Bahn Richtung Stadtmitte. Hatte er sich also richtig erinnert. Beruhigend, dass er sich wenigstens auf seinen Kopf noch verlassen konnte.

Ein lautes Geräusch – ein dumpfer Schlag auf Metall – ließ ihn aufhorchen. Es kam vom Ende des Bahnsteigs, unterhalb der Treppe, die aus dem Mittelgeschoss herabführte. Sassbeck trat ein paar Schritte zur Seite, um zu sehen, was da los war.

Es waren zwei Jugendliche, von denen einer es aus irgendeinem Grund auf eine dort angebrachte Sitzbank abgesehen hatte. Jetzt wieder: Er ging rückwärts, um Anlauf zu nehmen, plusterte sich auf und sprang dann mit voller Wucht gegen die Plastikschalensitze. Diesmal knallte es nicht nur dumpf, man hörte auch etwas brechen.

Der andere Junge stand dabei und schien sich großartig zu amüsieren. Sassbeck verstand nicht, was er sagte, aber es klang, als feuere er seinen Kumpanen an.

Sassbeck wollte sich schon abwenden, als ihm Evelyn wieder einfiel und der Streit mit ihr.

Zivil wie in *Zivilisation*. Wie in *Zivilist*.

Courage – das französische Wort für Mut.

Zivilcourage. Der Mut des Bürgers.

Der andere Junge nahm jetzt ebenfalls Anlauf. Die beiden schienen entschlossen zu sein, die Sitzbank zu zertrümmern.

Noch 10 Minuten, stand auf der Anzeigetafel.

Erich Sassbeck gab sich einen Ruck, ging auf die Jugendlichen zu. »He«, rief er, als er nahe genug heran war. »Ihr da. Das tut man nicht.«

Die beiden hörten auf, schauten ihn an, grenzenlose Verwunderung im Blick. Offensichtlich war es lange her, dass ihnen jemand gesagt hatte, was sich gehörte.

»Diese Bank«, fuhr Sassbeck fort, »ist Gemeineigentum. Es ist nicht in Ordnung, das Eigentum aller zu beschädigen.«

Die Sachen, die sie trugen, sahen neu und teuer aus, aber sie passten ihnen nicht, und sie passten auch nicht zusammen. Als hätten sie viel Geld ausgegeben, um hässlich gekleidet zu sein.

»Ey«, sagte der eine, »bist du scheiße im Kopf oder was?«
Es klang wie ein Akzent, aber zugleich so, als mache er diesen
Akzent nur nach.

»Ich sage nur –«

»Willst du Streit, Mann?«

Sassbeck holte Luft. »Nein. Nein, ich suche keinen Streit.
Ich möchte nur, dass ihr das lasst.«

Sie ließen es. Es war unübersehbar, dass die Bank sie nicht
mehr interessierte.

Sie kamen auf ihn zu. Er war viel interessanter.

»Ey«, sagte der andere, »meins' du, ich lass mir von alten
Knackern was vorschreiben?«

Es klang unangenehm, wie er das sagte.

Es klang richtig *gefährlich*.

Erich Sassbeck sah sich um. Der Bahnsteig lag verlassen;
außer ihm und den zwei Jugendlichen war niemand da. Und
er war sechsundsiebzig – zu alt, um davonzurennen.

Sassbeck sah die beiden auf sich zukommen, wollte etwas
sagen, etwas, das die Situation wieder entspannte, bis in

8 Minuten

die U-Bahn kam, aber er wusste nicht, was.

Das mit der Zivilcourage kam ihm auf einmal vor wie eine
verdammt hinterhältige Falle.

Vielleicht würde er jetzt sterben. Das las man oft in der Zeitung, von Leuten, die in aller Öffentlichkeit zusammengeschlagen wurden und von denen es manche nicht überlebten.

Irmina Shahid sah auf die Uhr, während sie die Treppe zur
U-Bahn hinabeilte. Doch, die Bahn würde sie noch kriegen.
Gut. Es wäre auch zu peinlich gewesen, wenn sie ihre Freundin noch einmal herausklingeln und um Geld für ein Taxi
nach Hause hätte bitten müssen.

Sonst nahm sie immer die Bahn eine halbe Stunde früher, nicht die letzte. Die hier würde nur bis zur Wendeschleife
hinausfahren und dann noch einmal stadteinwärts ins Depot.

Die Lumpensammler-Fahrt. Da hockten oft seltsame Gestalten in den Wagen, und man erlebte bisweilen unerfreuliche Dinge. Doch sie hatten sich seit Claires Operation nicht gesehen und einander viel zu erzählen gehabt.

Am unteren Ende der Treppe, in dem Gang, der vorne auf den Bahnsteig führte, hörte sie ungewöhnliche Geräusche. Sie blieb stehen, lauschte angespannt. Da schrie jemand. Zwei Leute, die Schreie ausstießen, deren Aggressivität einen erschaudern ließ. Dazu dumpfe Schläge, wieder und wieder.

Auch das noch. Eine Prügelei.

Irmina Shahid überlegte. Am liebsten hätte sie sich umgedreht und wäre wieder gegangen, letzte Bahn hin, letzte Bahn her. Sie zog es vor, derlei hässlichen Dingen aus dem Weg zu gehen.

Andererseits war das nicht richtig. Wenn alle so handelten, war es kein Wunder, dass solche Dinge immer öfter vorkamen.

Ihr Blick blieb wie von selbst auf einem uralten, schmierig aussehenden Notrufkasten hängen. Sie konnte die Polizei rufen. Ungern, weil sie aus Erfahrung wusste, was das für Unannehmlichkeiten nach sich zog, aber das war etwas, das sie tun konnte.

Jetzt hörte sie auch jemanden stöhnen.

Sie schlich an der Wand entlang, die von oben bis unten vollgeklebt war mit Konzertplakaten, Wohnungsgesuchen und Ankündigungen von Flohmärkten. Vorne angekommen, spähte sie behutsam um die Ecke.

Tatsächlich. Auf dem gegenüberliegenden Bahnsteig traten zwei Jugendliche auf einen alten Mann ein, der am Boden lag, die Hände vor dem Kopf, und nur noch zuckte, wenn ihn die Stiefel trafen. Sie hörten nicht auf, schrien und traten, schrien und traten …

Irmina Shahid fuhr zurück, lehnte sich für einen Moment gegen die Wand. Ihr Herz schlug auf einmal wie wild. Gewiss, die Gleise lagen zwischen ihr und den beiden Schlägern, aber was hieß das schon?

Sie musste etwas tun. Sie griff in ihre Handtasche, kramte darin und zog ihr Handy heraus.

So also würde er sterben. Das war alles, was Erich Sassbeck denken konnte. Dass dies sein letztes Stündlein war, wie man so sagte.

Auch wenn er sich das freilich anders vorgestellt hatte.

Sie traten auf ihn ein, schrien ihn an, bespuckten ihn. Er schmeckte sein eigenes Blut, spürte seine Rippen unter ihren Tritten brechen. Sie waren außer sich, übten keinerlei Zurückhaltung. Dass er alt und gebrechlich war, schienen sie überhaupt nicht wahrzunehmen, geschweige denn, dass es sie gebremst hätte. Erich Sassbeck lag am Boden, sah ihre Fußtritte kommen und ihre wutverzerrten Gesichter und begriff nicht, wie so etwas möglich war. Sie tobten eine Wut an ihm aus, deren Ursache er unmöglich sein konnte, und sie taten es ohne jedes Mitgefühl und ohne einen Rest von Menschlichkeit. Er hatte aufgehört, um Hilfe zu schreien, und er winselte auch nicht mehr um Gnade. Er wartete nur noch darauf, dass es endlich vorbei war.

Doch da, genau in dem Moment, in dem er mit seinem Leben abgeschlossen hatte, geschah etwas. Etwas, mit dem Erich Sassbeck noch weniger gerechnet hätte als mit einem solchen Ende.

Er sah einen Engel.

Es war ein Wunder. Es war eine Erscheinung. Es konnte unmöglich wahr sein. Ein strahlend weißer Engel war lautlos hinter den beiden tobenden Jugendlichen erschienen, die ihn nicht bemerkten, sondern weiter schrien und zutraten, bloß dass ihre Tritte und Schreie auf einmal wie im Nebel zu verschwinden schienen.

Erich Sassbeck war zutiefst erschüttert von diesem Anblick. Er war im Geist des Marxismus-Leninismus erzogen worden, hatte Religion stets als Opium fürs Volk betrachtet und erwartet, mit dem Tod einfach zu verlöschen. Niemals hätte er geglaubt, am Ende seines Lebens ausgerechnet einem wahrhaftigen Engel zu begegnen.

Aber der Engel war da. Sassbeck sah ihn so deutlich vor sich wie die Pfeiler, die die Decke der U-Bahn-Station stützten, so deutlich wie die Anzeige, die gleichmütig verkündete: *Noch 3 Minuten.* Der Engel sah aus wie ein schlanker, schöner, ernster junger Mann. Sein Blick war kühl und, seltsamerweise, gnadenlos. Er trug ein weites, von innen heraus in strahlendem Weiß leuchtendes Gewand, und er hatte lange, weiße Haare, die ein Luftzug wehen ließ und die ebenfalls leuchteten wie illuminiert.

Erich Sassbeck spürte die Tritte seiner Peiniger kaum noch. Er hatte nur mehr Augen für die Erscheinung. War der Engel gekommen, um ihn abzuholen? Würde er sich nun zu ihm hinabbeugen, um seine Seele zu bergen und mitzunehmen in eine bessere Welt?

Der Engel tat nichts dergleichen. Stattdessen hob er die Arme, in jeder Hand eine Pistole, und schoss die beiden jugendlichen Angreifer in den Kopf.

2 Ingo Praise ließ sich gegen die knirschende Lehne seines Schreibtischstuhls sinken und starrte den Text auf dem Monitor an wie einen Feind.

Er machte sich etwas vor, und er wusste es.

Heute Vormittag finden in den drei Sälen des Amtsgerichts drei Verhandlungen statt, hatte er geschrieben. *In Saal 1 steht ein Kunstfälscher vor Gericht, der zwölf Jahre lang Gemälde von wenig bekannten Künstlern so überzeugend geschaffen hat, dass nicht einmal Experten den Schwindel durchschauten: Er wird zu sechs Jahren Gefängnis verurteilt. In Saal 2 wird gegen einen Importeur verhandelt, der mithilfe von Strohmännern fünf Millionen Euro Umsatzsteuer hinterzogen hat: Er wird zu vier Jahren und sechs Monaten Freiheitsentzug verurteilt, und für eine Steuerhinterziehung in dieser Höhe ist ein Aussetzen der Strafe auf Bewährung ausgeschlossen.*

Ich aber sitze unter den Zuschauern im Saal 3. Es ist der letzte Verhandlungstag in einem Fall schwerer Körperverletzung, der sich vergangenen März zugetragen hat. Damals hat ein 19-Jähriger zusammen mit einem jüngeren Freund einen 38-jährigen Elektroinstallateur um einen Euro angebettelt, der ihnen noch für Zigaretten fehlte. Als der Mann sich weigerte, ihnen Geld zu geben, schlugen sie unvermittelt auf ihn ein. Im Lauf der Auseinandersetzung stürzte der Elektroinstallateur unglücklich gegen die Kante einer Schaufenstervitrine und erlitt dabei so schwere Schädelverletzungen, dass er heute geh- und sprechbehindert ist, vermutlich für immer. Seinen Beruf wird er nie wieder ausüben können.

Diese beiden Angeklagten erhalten dafür, dass sie das Leben eines Menschen zerstört haben, zwei Jahre Freiheitsstrafe.

14

Auf Bewährung.

Er hörte schon förmlich, wie Rado an dieser Stelle seufzen und sagen würde: »Ingo – begreif es doch endlich! Diese Art von Artikel passt nicht in die politische Großwetterlage.«

Im Grunde war es zwecklos, weiterzuschreiben. Er konnte es nur nicht lassen. Würde es nie können.

Ingo griff nach der Flasche, goss sich Wein nach, den billigen roten Fusel, den sein Budget hergab. Den hatte er nach Tagen wie diesem nötig.

Es hätte noch viel mehr über diesen Prozess zu schreiben gegeben. Über das Gerangel, ob die Öffentlichkeit vom Verfahren ausgeschlossen werden müsse, weil einer der beiden Täter zum Zeitpunkt der Tat erst 17 Jahre alt gewesen war. Darüber, wie die Ehefrau des Opfers nach der Urteilsverkündung zusammengebrochen war. Darüber, dass ein Zeuge ausgesagt hatte, die beiden hätten noch auf den Mann eingetreten, als dieser schon bewusstlos am Boden gelegen habe, und wie der Richter ihn mit dem Argument abgewürgt hatte, aus dem Gutachten des Sachverständigen gehe bereits hervor, dass es wesentlich der unbeabsichtigte Sturz des Mannes gegen die Vitrine gewesen sei, der zu dessen Behinderung geführt habe. Darüber, wie das Opfer das Gericht im Rollstuhl durch den Hinterausgang verlassen hatte, während die beiden Täter, zwei große, muskelbepackte Gestalten mit ausrasierten Nacken, vor dem Haupteingang von einer Schar Beifall klatschender Freunde erwartet worden waren.

Wie sie einander *High Five* gegeben hatten, ehe sie in das Auto gestiegen waren, das bereitstand, um sie abzuholen. Davon war Ingo sogar ein Foto geglückt.

Aber auch das konnte er vergessen. »Wir haben eine gesellschaftliche Aufgabe«, pflegte Radoslav Törlich, Redakteur des *Abendblatts* und einer seiner wenigen verbliebenen Kontakte in die Medienwelt, gern salbungsvoll zu erklären. »Ein solches Bild abzudrucken würde nur ungute Stimmungen schüren. Dafür dürfen wir uns nicht hergeben.«

In Wirklichkeit war Rado so ungefähr der Letzte, der auf irgendwelche gesellschaftlichen Aufgaben Rücksicht nahm. Alles, was ihn interessierte, waren Quoten und Verkaufszahlen. Er fragte nicht nach dem Wahrheitsgehalt einer Nachricht, sondern nur nach ihrem Medienwert.

Und was das Thema anbelangte, dem Ingo mehr Zeit und Energie widmete als jedem anderen, vertrat Rado einen glasklaren Standpunkt: »Opfer interessieren niemanden. Opfer sind peinlich. Niemand will etwas über die Schicksale von Opfern lesen, weil er sich sonst sagen müsste, dass es ja auch ihn treffen könnte. Und das will niemand wissen.«

Das Dumme war, dass Ingo ihm da nicht einmal widersprechen konnte.

Er kippte das Glas hinab, hatte das Gefühl zu spüren, wie der Wein sich mit seinem Blut vermischte und es am Sieden hinderte. Verdammt noch mal!

Ein Blick auf die Uhr. Kurz vor Mitternacht. Außerdem wurde er in zwei Jahren dreißig, ohne dass sich so etwas wie eine Perspektive in seinem Leben aufgetan hätte.

Die Vorstellung, eines Tages einen ordentlichen Job zu haben, mit Anstellungsvertrag, Urlaubsanspruch und Krankengeld, hatte er längst aufgegeben. Wie viele fest angestellte Journalisten gab es überhaupt noch? Ingo las die Statistiken nicht mehr, wusste nur, dass es immer weniger wurden. Alle Redaktionen wurden ausgedünnt, immer mehr Seiten einfach mit umformulierten dpa-Meldungen gefüllt. Der Journalismus starb aus, zumindest die Art, die er machen wollte. Die Art Journalismus, die Missstände aufdeckte. Die Art, der es um die Wahrheit ging, nicht darum, was »die Leute« angeblich lesen wollten, was »angesagt« war oder welche Sau die Konkurrenz gerade durchs Dorf trieb.

Ingo griff nach der Tastatur, drückte die Tastenkombination, die seine Ideen-Sammel-Datei aufrief, und tippte: *Ich bin ein Journalismosaurus*. Konnte man vielleicht mal brauchen. Auf alle Fälle fühlte er sich im Moment wie einer.

Draußen war ein Martinshorn zu hören. Ingo sah zum Fenster. Blaulicht zuckte über die Fassaden der gegenüberliegenden Straßenseite. Bestimmt die Polizei. Er musste wieder an den Tag heute im Amtsgericht denken und wie frustriert die als Zeugen geladenen Polizisten gewirkt hatten.

Dann horchte er auf. Das Martinshorn war nicht, wie sonst, allmählich in der Ferne entschwunden, sondern ausgeschaltet worden. Und das Blaulicht zuckte noch immer.

Ingo ging zum Fenster, öffnete es und schaute hinab. Tatsächlich: ein Streifenwagen, der vor den Treppenabgängen zur U-Bahn-Station angehalten hatte. In der Ferne hörte er ein weiteres Martinshorn, aus Richtung des Ringhospitals. Was vermutlich hieß, dass es sich um einen Krankenwagen handelte.

Er fröstelte. Hier oben im fünften Stock blies ein scharfer Wind. Allmählich wurde es amtlich mit dem Herbst. Wieder einmal war ein Sommer verstrichen, ohne dass er Zeit gefunden hatte, ins Freibad zu gehen. Und in eine Straßenwirtschaft hatte er es auch kein einziges Mal geschafft.

Tatsächlich, ein Krankenwagen. Zwei Sanitäter in orangeroten Jacken holten eine Trage heraus, eilten damit die Treppe hinab.

Ein Unfall also. Ingo überlegte, ob er Rekorder und Kamera schnappen und hinuntergehen sollte. Wenn er schon mal einen Fall frei Haus geliefert bekam. Dann fiel ihm wieder ein, dass ihm Kollegen immer rieten, *nicht so besessen* zu sein. Was je nach Sachlage hieß, so zu schreiben, dass es den großen Anzeigenkunden gefiel, oder die Kunst zu verfeinern, Pressemitteilungen so umzuformulieren, dass sie sich wie richtige Artikel lasen, aber nur zehn Prozent der sonst dafür nötigen Arbeit machten.

Also: nein. Wenn er mit einem Fünfzeiler über einen Unfall in der U-Bahn ankam, würde er nur seinen eigenen Marktwert senken.

Obendrein war ihm zu kalt. Hing vielleicht mit dem Rotwein zusammen. Er schloss das Fenster wieder und leerte den

Rest der Flasche in sein Glas. Während der Computer herunterfuhr, schaltete er die Stereoanlage ein. Er hatte ein paar neue Alben heruntergeladen, die es zum Aktionspreis gegeben hatte, aber nach kurzem Überlegen entschied er sich für eine alte CD von U2. *I Still Haven't Found What I'm Looking For* – das war jetzt genau das, was er brauchte.

Die Nachtschicht war ihr vorgekommen wie die ideale Gelegenheit, erst recht, wenn das Krankenhaus, wie heute, Notaufnahme hatte. Da gab es immer so viel zu tun, dass niemand mitkriegen würde, was sie tat. Leichtes Spiel also.

Zumindest hatte Theresa Diewers sich das so überlegt.

Und dann das.

Zuerst war es ein ganz normaler Notfall gewesen. So einer, bei dem diensthabende Ärzte rennen, Türen krachen, aufgeregte Stimmen durch die Flure hallen. Not-OP, hatte Theresa nur gedacht und sich weiter ihren Patienten gewidmet. Die Station war gut gefüllt, viele der Frischoperierten unruhig, sodass auch nach Mitternacht keine wirkliche Ruhe einkehrte.

Doch dann stand plötzlich dieser Polizist vor ihr und fragte nach einem Getränkeautomaten. Ein breitschultriger Mann, Mitte dreißig, mit Grübchen auf den Wangen, in Uniform und Lederjacke. Sie erklärte ihm den Weg. Als er endlich ging und sie seine Schritte über den lackierten Boden davonquietschen hörte, musste sie sich setzen, weil ihr am ganzen Körper der Schweiß ausgebrochen war.

Sie sagte sich etwa hundertmal, dass die Polizisten aufgrund des Notfalls da waren. Sie bewachten jemanden. So etwas kam vor. Nicht oft, aber sie hatte es schon erlebt. Die waren nicht wegen der kleinen weißen Pappschachtel in Theresas Rucksack hier, garantiert nicht. Davon ahnten die nicht einmal was.

Trotzdem schwitzte sie.

Dass das aber auch ausgerechnet heute passieren musste!

Es war eine so günstige Gelegenheit gewesen; eine, die sie

sich unmöglich hatte entgehen lassen dürfen. Biene und Nessi hatten in der Spätschicht angefangen, den Arzneischrank auszumisten. Natürlich nicht, weil sie nichts Besseres zu tun gehabt hätten, sondern weil die Apothekerin die Station zum dritten Mal angemahnt hatte und diesmal in einem Ton, der klarmachte, dass keine Ausreden mehr akzeptiert wurden. Und natürlich waren Biene und Nessi nicht fertig geworden. Deswegen stand die Kiste mit den abgelaufenen Medikamenten zur Rückgabe an die Krankenhausapotheke immer noch im Stationszimmer.

Es war die einfachste Sache der Welt gewesen. In einem unbeobachteten Moment hatte Theresa den Betäubungsmittelschrank aufgeschlossen, eine Schachtel Morphiumtabletten herausgenommen, als abgelaufen in die Liste eingetragen und, anstatt sie in die Metallkiste mit dem Apothekenzeichen auf dem Deckel zu stecken, in ihrem Rucksack verschwinden lassen.

Es war ja für einen guten Zweck, sagte sie sich. Und es würde niemandem auffallen. Die Apotheke war genauso unterbesetzt wie die Stationen. Die würden das Zeug einfach in den Sondermüll kippen, die Liste abheften und nicht weiter drüber nachdenken. Selbst in dem unwahrscheinlichen Fall, dass jemand kam, um nachzufragen, brauchte sie nur stur zu behaupten, nicht zu wissen, wie die Packung verschwunden sei. Bis die Arzneikiste zurück in der Apotheke war, würden Dutzende von Leuten darauf Zugriff gehabt haben, und bestimmt würde sie nicht die ganze Zeit abgeschlossen sein. Es gab hundert Möglichkeiten, wie so etwas passieren konnte, und keine, die nicht schon irgendwann mal passiert war.

So hatte sich Theresa das zurechtgelegt. So hatte sie es gemacht. Und nun war sie froh, dass gleich zwei Lampen auf einmal aufleuchteten und sie keine Zeit mehr hatte, sich Sorgen zu machen.

Später kam Dagmar von Chirurgie II herüber, der Nachbarstation. »Hat dich Doktor Schneider erreicht?«

»Nein, wieso?«

»Er braucht ein Einzelzimmer für einen Notfall. Ihr habt eins gemeldet.« Sie ächzte. »Wir sind mal wieder total voll, sogar im Bad liegt einer. Ich dreh bald durch.«

»Ich war auf Glocke«, sagte Theresa, während sie so tat, als studiere sie den Belegungsplan. »Was ist denn passiert?«

»Ein alter Mann, den sie in der U-Bahn-Station Dominikstraße zusammengeschlagen haben«, sprudelte Dagmar heraus. »Rippenfrakturen und mehr Hämatome als heile Haut, hat Doktor Schneider gesagt. Aber wohl nichts Lebensbedrohliches, jedenfalls soll er heute Nacht noch auf Station verlegt werden.«

Sie hatten zwei Einzelzimmer, und eins davon war tatsächlich frei; Theresa hatte es zu Beginn der Nachtschicht selber gemeldet.

Ein bisschen voreilig.

»Die Elf ist nicht mehr belegt«, gestand sie. »Bloß sieht es da drin aus wie Schwein. Der Patient ist erst gestern Nachmittag gestorben; seine ganzen Sachen sind noch da, Verbandsmaterial liegt rum, das Bett ist nicht frisch …«

»Ich helf dir aufräumen«, bot Dagmar an.

»Nein, du hast ja auch deine Patienten«, wehrte Theresa ab. »Ich krieg das schon irgendwie hin.«

»Auch gut«, erwiderte Dagmar.

Es verletzte Theresa ein bisschen, dass Dagmar ihr Angebot derart schnell annahm. Als sei es eine Selbstverständlichkeit. Dagmar, sagte sie sich, hatte noch nicht begriffen, dass es im Beruf der Krankenschwester vor allem darauf ankam, zu *geben*. Und sich selber und die eigenen kleinen Wünsche zurückzustellen.

Sie zögerte. »Da hält dann ein Polizist Wache, oder?«

»Ich denk schon. Der, der jetzt vor Intensiv sitzt.«

Später, als Theresa das Zimmer hergerichtet hatte, erschöpft im Stationszimmer saß und nur noch auf den Patienten warten musste, erwog sie, die Schachtel wieder zurück in den Schrank zu tun. Vielleicht war das Risiko doch zu groß.

Andererseits stand die Packung bereits als »abgelaufen und entsorgt« in der Liste. Den Eintrag konnte sie nicht streichen, ohne dass jemand Fragen stellen würde.

Außerdem *brauchte* sie die Tabletten.

Ach, es würde sie schon niemand durchsuchen. Die waren wegen des alten Mannes hier, Punkt. Sie würde ihren Dienst zu Ende machen und nach der Übergabe einfach gehen wie immer. Und so tun, als sei nichts.

Ulrich Blier parkte am äußersten Ende des vor der Zufahrt zur Kaserne gelegenen Parkplatzes, schaltete den Motor und die Scheinwerfer ab und blieb noch einen Moment hinter dem Steuer sitzen. Er war müde, nein, richtiggehend erschöpft.

Es war Wahnsinn, was er trieb. Völliger Wahnsinn.

Aber es half nichts, sich das zu sagen. Er konnte einfach nicht anders.

Er gab sich einen Ruck, stieß die Tür auf, stieg aus. Holte seinen langen, schwarzen Mantel vom Beifahrersitz, schlüpfte hinein. Drückte die Tür wieder zu, so leise wie möglich, wartete. Merkte, dass er den Atem anhielt.

Bewegung in der Dunkelheit hinter dem Maschendrahtzaun. Endlich.

»Ulrich!« Theos Stimme. Sie klang erleichtert. »Ich dachte schon …«

»Sorry, ist ein bisschen später geworden.« Ulrich Blier dachte daran, *warum* es später geworden war. »Hat jemand was gemerkt?«

»Natürlich *nicht*«, erwiderte Theo. »Was denkst du, was sonst los wäre?« Schlüsselklappern, dann öffnete sich die schmale Tür im Zaun.

Blier holte die Schachtel aus der Manteltasche, eingewickelt in Geschenkpapier, und reichte sie ihm. »Hier. Kleines Mitbringsel. Außerdem hast du jetzt was gut bei mir.«

Theo machte große Augen. »Ist das etwa –?«

»Na klar«, sagte Ulrich Blier.

Er spürte seine Müdigkeit wie eine schwere Last im ganzen Körper. Der Tag morgen würde eine Qual werden.

Aber das war die Sache wert gewesen.

Alles war weiß, und ein Frauengesicht schwebte über ihm, das ihn im ersten Moment an seine Hertha erinnerte. Aber es war nicht Hertha, es war eine Ärztin.

»Herr Sassbeck?«, sagte sie. »Verstehen Sie mich?«

Schade, dass es nicht Hertha war. Hertha hatte daran geglaubt, in den Himmel zu kommen. Sie hatte es für sich behalten, um ihm keine Schwierigkeiten zu machen, aber er wusste, dass sie daran geglaubt hatte.

»Herr Sassbeck?«

Ach so. Richtig. Die Frau wartete auf eine Antwort. Er bewegte seinen Unterkiefer, der sich seltsam taub anfühlte, und brachte etwas heraus, das wie »Ja. Ich verstehe Sie« klang.

»Wir verlegen Sie jetzt auf Station«, sagte die Frau übertrieben deutlich artikuliert. »Sie sind nur leicht verletzt, Sie brauchen sich keine Sorgen zu machen. Wir behalten Sie zur Beobachtung da, aber wahrscheinlich können Sie schon übermorgen nach Hause. Was sagen Sie dazu?«

Der Unterkiefer fühlte sich wirklich seltsam an.

»Gut«, sagte Erich Sassbeck.

Dann schlief er ein und bekam überhaupt nichts mit, bis er wieder aufwachte und in einem Zimmer lag und es heller Tag war.

Ein junger Mann in einem dunkelblauen Parka stand am Fußende seines Bettes, sah ihn an und meinte: »Na, das trifft sich ja gut. Guten Morgen, Herr Sassbeck. Ich bin Kriminalhauptkommissar Justus Ambick. Wie geht es Ihnen?«

Sassbeck musste den Mund ein paar Mal auf und zu machen, ehe sich genügend Speichel angesammelt hatte, dass er antworten konnte. »Die haben mich angegriffen.«

Der Kommissar nickte. Erstaunlich jung für einen Kommissar.

»Ich hab denen nur gesagt …« Er hielt inne. Wie war das gewesen? Ach so, ja. »Die Bank. Die wollten die Sitzbank kaputt machen.«

»Verstehe.«

»Ich habe nur gesagt …« Hätte er es nur gelassen. Zivilcourage. Verdammt, alles nur wegen eines Wortes! »Gemeineigentum. Ich habe denen gesagt, dass sich das nicht gehört.«

Der Kommissar sah ihn an. Hatte freundliche braune Augen. Wirkte überhaupt sympathisch.

»Und dann?«, wollte er wissen.

Oh je. Sassbeck dachte ungern daran zurück. »Dann sind sie auf mich los. Einfach so.«

Er dachte wirklich sehr ungern daran zurück. Natürlich, es musste sein. Natürlich. Aber er konnte es nicht, ohne sich zu fragen, was er ihnen denn getan hatte? Er hatte ihnen nichts getan. Sie hatten ihn zusammengeschlagen, einfach so. Das tat man doch nicht. Doch nicht einen alten Mann. Wo hatte es das früher gegeben, dass zwei junge Männer einen Greis verprügelten? Das hatte es nicht gegeben. Als er so jung gewesen war, da hatte man sich mal geprügelt, aber nicht zwei gegen einen. Und erst recht nicht gegen einen alten Mann. Da war irgendwas kaputt in der Welt, dass heute so etwas passieren konnte.

Und sie hätten ihn totgeschlagen, wenn nicht …

Er dachte wirklich sehr ungern daran zurück. Doch der junge Kommissar fragte noch einmal: »Und dann?«

Also erzählte er ihm, was dann passiert war. Es fiel ihm nicht leicht, die passenden Worte zu finden, aber im Großen und Ganzen brachte er es am Ende so zusammen, wie es gewesen war. Es dauerte halt eine Weile. Und es strengte ihn an zu sprechen. Der Unterkiefer. Taub, irgendwie.

»Ein Engel«, wiederholte der junge Kommissar. Man merkte, dass er mit so etwas nicht gerechnet hatte.

»Na ja«, meinte Erich Sassbeck und hätte gerne gehustet. »Zumindest sah er so aus. Vielleicht war es nur das Licht.«

Der Kommissar furchte die Stirn. »So richtig mit Flügeln und so?«

Mit Flügeln? Daran erinnerte er sich nicht. »Ich weiß nicht. Ich glaube nicht.«

»Verstehe.« Der junge Kommissar zog einen Stuhl heran, setzte sich bedächtig. »Herr Sassbeck – ich bin gekommen, um Ihnen ein paar Fragen zu stellen. Falls Sie sich schon fit genug dafür fühlen.«

»Ja, ja«, beeilte Sassbeck sich zu sagen. »Gern.« Das musste ja raus. Das musste geklärt werden. Es musste alles seine Richtigkeit haben.

»Danke.« Der Kommissar holte einen Notizblock hervor, blätterte darin, aber ein bisschen wirkte es, als wisse er längst, was er fragen wollte, und sammle nur seine Gedanken.

»Als wir Ihre Personalien ermittelt haben«, begann er endlich, »haben wir festgestellt, dass Sie vor Ihrer Pensionierung den Grenztruppen der DDR angehört haben. Ist das richtig?«

Sassbeck musste lachen, doch das geriet ihm nur zu einem schmerzhaften Husten. »Pensionierung!«, stieß er hervor. Guter Witz. Er spürte ein Stechen im Brustkorb. Bestimmt von den Tritten. »Die haben mich halt rausgeschmissen nach der Wende.«

»Aber Sie waren Grenzsoldat?«

»Ja. Zuletzt Grenzkreiskommando Wernigerode.«

Der Kommissar nickte, als wisse er das schon. »In Ihrem Dienst – besaßen Sie da eine persönliche Schusswaffe?«

»Eine Pistole.«

»Darf ich fragen, von welchem Typ?«

»Eine Makarow PM.«

»Besitzen Sie die noch?«

Erich Sassbeck runzelte die Stirn, spürte die Pflaster, die dort klebten. »Nein. Die habe ich bei Dienstende abgegeben. Das war Vorschrift.«

»Sie haben auch keine andere Waffe behalten?« Der Kommissar machte eine vage Handbewegung. »Ich meine, Vorschriften sind dehnbar, und in einer Umbruchszeit wie damals ...«

»Nein. Ich habe meine Pistole abgegeben.« Sassbeck schluckte mühsam. »Wieso fragen Sie mich das alles?«

»Weil die beiden Jungen mit einer Makarow erschossen wurden«, erklärte der Kommissar. Er hob die Schultern. »Diese Waffe hat anscheinend ein unverkennbares Kaliber, 9,2 mal 18 Millimeter. Unser Ballistiker hat nur einen Blick auf die Kugeln geworfen und Bescheid gewusst.«

Erich Sassbeck verwünschte den Umstand, so hilflos ans Bett gefesselt zu sein. Er hätte sich zu gerne aufgesetzt, hätte zu gerne ...

»Ich hab Ihnen doch gesagt«, stieß er hervor. »Das war der –«

»Der Engel. Ja. Das habe ich schon verstanden«, unterbrach ihn der Kommissar. Er schwieg einen Moment, kratzte sich mit einem Finger an der rechten Augenbraue und sagte dann: »Es ist so, Herr Sassbeck, dass ich mit der Geschichte, die Sie mir erzählt haben, ein Problem habe.«

»Was für ein Problem?«

»In der U-Bahn-Station Dominikstraße werden die Zugänge und ein Teil der Bahnsteige videoüberwacht.« Er räusperte sich. »Auf diesen Videos ist niemand zu sehen, auf den Ihre Beschreibung auch nur annähernd zutrifft. Da *war* kein Engel.«

Erich Sassbeck sah ihn fassungslos an.

»Aber wer hat dann geschossen?«

Der Kommissar nickte langsam. »Genau das fragen wir uns.«

3 Ingo erwachte mit schwerem Kopf und verspanntem Rücken. Er blinzelte in das Sonnenlicht, das ihm durch das Fenster direkt ins Gesicht fiel, und begriff, dass er mal wieder auf dem Sofa eingeschlafen war.

Das wurde allmählich zur schlechten Gewohnheit.

Er stemmte sich hoch, drehte den Kopf hin und her, bis das Knirschen im Nacken nachließ. Dann brachte er die leeren Flaschen und Gläser in die Küche und ging duschen. Heiß und kalt, und besonders das kalte Wasser half.

Er blieb erst mal im Bademantel, befüllte seine alte Zwei-Tassen-Kaffeemaschine und schaltete sie ein. Wie so oft, während sie zischend und röchelnd in Gang kam, starrte Ingo die alte Weltkarte an, die an der Wand darüber hing. Er hatte sie damals nur mit Stecknadeln befestigt, vorläufig, bis er einen besseren Platz dafür fand, aber sie hing immer noch da, war im Lauf der Jahre vergilbt und speckig geworden.

Nach seinem Abschluss an der Journalistenschule hätte Ingo einen Job in Paris haben können, bei der dortigen Niederlassung einer Nachrichtenagentur. Einen Job, der nicht nur in vielerlei Hinsicht interessant gewesen wäre, sondern der ihn wahrscheinlich auch in die Laufbahn eines Auslandsjournalisten katapultiert hätte, wie es immer sein Traum gewesen war.

Doch damals war er gerade mit Melanie zusammengezogen und hochgradig verliebt gewesen. Als er ihr von dem Angebot erzählte, hatte sie nur mit diesem unnachahmlichen Melanie-Ton in der Stimme gesagt: »Das ist aber nicht dein

Ernst?«, und damit war die Sache gestorben. Blutenden Herzens hatte Ingo den Tipp an einen Kommilitonen weitergegeben, Norbert Fiehr, der den Job an seiner Stelle angenommen hatte. Der nachher tatsächlich Auslandskorrespondent geworden war. Ingo hatte den Kontakt mit ihm aufrechterhalten, hatte die Stationen von Norberts Karriere akribisch auf der Weltkarte festgehalten, die nun an seiner Küchenwand hing. Rote Punkte für jeden Ort, an dem Norbert gewesen war.

Und ein schwarzes Kreuz in Somalia, wo er vor zwei Jahren in einer Schießerei ums Leben gekommen war. Mit gerade mal siebenundzwanzig.

Ingo wusste immer noch nicht, was er von dieser Geschichte halten sollte. Wenn er zu lange darüber nachdachte, verknotete sich irgendetwas in seinen Eingeweiden.

Das Brot war schon Tage alt und begann trocken zu werden; höchste Zeit, dass er es aufaß. Er schmierte sich zwei Marmeladenbrote, nahm den Teller und die erste Tasse Kaffee mit an den Schreibtisch und klappte seinen Rechner auf. Er las sich mampfend durch, was er am Vortag geschrieben hatte, und überlegte beim Kaffee, was sich daraus machen ließ, ohne sich zu sehr zu verbiegen. Dass seine Wut über Nacht verraucht war und die Resignation wieder eingesetzt hatte, die sein Leben überwucherte wie unsichtbarer Schimmelpilz, machte es zumindest technisch einfacher.

Er holte sich die zweite Tasse und ging an die Arbeit. Am Laptop klemmte mal wieder eine Taste, das R diesmal. Eigentlich brauchte er längst ein neues Gerät, aber das war im Moment indiskutabel. Kurz vor elf Uhr hatte er trotz allem einen Artikel der gewünschten Zeilenzahl, der nichts Unwahres sagte und an dem trotzdem niemand Anstoß nehmen konnte, kurz, der dazu beitragen würde, seine Miete zu bezahlen. Er las ihn ein letztes Mal durch und mailte ihn dann an die Redaktion.

Anschließend checkte er sein Blog, wo er sich manchmal Dinge von der Seele schrieb. Aber seine Seele interessierte niemanden; die Zugriffszahlen waren nach wie vor enttäuschend gering, und kommentiert hatte auch wieder keiner.

Das Telefon klingelte. *Bestimmt Rado*, dachte Ingo, ehe er abnahm, und natürlich war er es. »Bist du wach?«, rief der Redakteur, der an der Strippe immer klang, als sei er auf Speed.

»Hast du meinen Artikel nicht gekriegt?«, fragte Ingo zurück.

»Deswegen ruf ich an. Den muss ich erst mal auf Eis legen.«

Ingo spürte eine Ader in seinem Ohr so laut pochen, dass er sie hören konnte. Es war immer dasselbe: Erst wurde ein Artikel *auf Eis gelegt*, weil andere Themen wichtiger oder dringlicher waren oder beides, später hieß es dann mit Bedauern, er sei *nicht mehr aktuell*. Weswegen er nur das Ausfallhonorar bekam. Und das auch nur, wenn er Glück hatte.

»Und wieso?«

»Du hast die neueste Schlagzeile deiner Lieblingszeitung also noch nicht gesehen.«

»Hätte ich sollen?« Ingos Finger waren schon in Bewegung, riefen den Browser und die Website des *Abendblatts* auf.

»Ein Fall von Selbstjustiz, letzte Nacht«, erklärte Rado genüsslich. »So richtig Charles-Bronson-mäßig. Und wir waren die Ersten, die es gebracht haben. Nicht zuletzt dank meiner Genialität, wie üblich. Heute Abend dürfte die gedruckte Ausgabe weggehen wie geschnitten Brot.«

Jetzt sah Ingo, was Rado meinte. Der Aufmacher belegte den halben Bildschirm: SAH DIESER RENTNER ROT?, schrie die erste Zeile neben dem Foto eines älteren Mannes, und die zweite: 2 JUGENDLICHE ERSCHOSSEN.

»Sobald ich dazu komme, werde ich vor Bewunderung auf die Knie sinken«, erwiderte Ingo grimmig. »Falls du deswegen angerufen hast.«

»Quatsch. Ich ruf an, weil ich will, dass du das Amtsgericht und all den anderen Tüddelkram vergisst und dich vorrangig um diese Sache kümmerst.«

»Was gibt's da noch zu kümmern?«

»Details. Neue Aspekte. Mein Job ist die große Linie, die Strategie. Und ab und zu ein Geniestreich, um mein exorbitantes Gehalt zu rechtfertigen.«

Ingo verdrehte die Augen. »Okay. Und wieso ich?«

»Na, zum Beispiel, weil es bei dir in der Nähe passiert ist. U-Bahn-Haltestelle Dominikstraße. Da wohnst du doch, oder?«

Ingo fiel das Blaulicht wieder ein, der Streifenwagen, der Krankenwagen. Mist! »Kann ich von meinem Fenster aus sehen.«

»Also. Ich denke, das müsste eine Story nach deinem Geschmack sein, oder?«

Da war sich Ingo noch nicht so sicher. Er starrte auf den Monitor, auf die Fotos der beiden Jugendlichen und des Rentners. Letzteres sah aus wie aus einem Pass kopiert. »Was ist überhaupt passiert?«

»Also – heute in aller Frühe kommt ein Polizeibericht per Mail an alle Medien. Ein gewisser Erich S., sechsundsiebzig, ist bewusstlos und mit Verletzungen, die möglicherweise von einer Schlägerei herrühren, auf dem U-Bahnsteig aufgefunden worden, zwischen zwei erschossenen Jugendlichen, beide neunzehn. Tathergang unklar, keine Zeugen, und die Videokameras haben in die falsche Richtung geguckt.«

»Wow«, sagte Ingo, die Schlagzeile vor sich. »Daraus so eine Meldung zu dichten ist aber verdammt riskant, wenn du mich fragst.«

»Warte, ich bin noch nicht fertig. Schlau, wie ich bin, hab ich mir nämlich die Mühe gemacht, auf die Internetseite der Polizei zu gehen. Dort stand dasselbe, aber unmittelbar davor ein Aufruf, dass nach einer Makarow-Pistole gefahndet wird, die eventuell in der Dominikstraße oder Umgebung weggeworfen wurde.«

Ingo hob die Augenbrauen. »Die Tatwaffe.«

»Bingo. Jetzt musst du wissen, dieser Pistolentyp – Makarow PM – war die Standard-Handfeuerwaffe der Streitkräfte der Ostblockstaaten. Die hat ein ungewöhnliches Kaliber; ein Fachmann erkennt das wohl auf den ersten Blick. Oha, denkt der Sohn meiner Mutter, angenommen, dieser Erich S. ist ein ehemaliger DDR-Grenzer, der noch so ein Ding zu Hause rumliegen hatte? Google verrät mir, dass es eine Ehemaligenorganisation gibt. Die haben eine Website und ein Verzeichnis. In dem finde ich mehrere Dutzend Namen, die man mit *Erich S.* abkürzen könnte, aber ich mach mir die Mühe, ein bisschen über Telefonbuch und Stadtplan zu brüten, und was finde ich schon beim zweiten Namen? Eine Evelyn Sassbeck, wohnhaft Brunnerstraße.«

Ingo stutzte. »Das ist auch hier in der Nähe.«

»Merkst du was?« Rado war in seinem Element. »Ich nicht faul, rufe bei der an und tue so von wegen, ich hätte das gehört mit Erich, und sie heult gleich los – da war klar: Treffer, versenkt. Der Mann war nach einem Besuch bei Schwiegertochter und Enkel auf dem Heimweg. Liegt jetzt im Ringkrankenhaus und wird abgeschirmt. Aber er hat sie frühmorgens angerufen und gesagt, er bräuchte einen Anwalt.«

»Einen Anwalt? Wozu das denn?«

»Na, was denkst du, wie sich die Polizei die Sache erklärt?«

»Dass *er* geschossen hat?« Das war ja noch unglaublicher als Rados infame Methoden. Über die nachzudenken Ingo sich abzutrainieren versuchte.

»Hundert Punkte. Der Mann hat ein Einzelzimmer und einen Polizisten vor der Tür. Ich hab Kleemann hingeschickt, aber der hat nichts erreicht. Kein Herankommen, meint er. Zutritt nur für medizinisches Personal, Anwalt und Familienangehörige.« Rado seufzte. »Na ja, du kennst ja Kleemann. Keine Fantasie, der Mann.« In verschwörerischem Ton fuhr er fort: »Deine Chance, es besser zu machen.«

Oha. »Ist das ein Auftrag?«, fragte Ingo.

»Doppelter Satz, wenn ich für die Printausgabe morgen Abend einen Artikel habe, in dem mehr steht als das, was alle anderen schreiben«, antwortete Radoslav. »Die konzentrieren sich auf die toten Jugendlichen, rennen den Angehörigen die Bude ein. Aber das interessiert mich nicht. Mich interessiert der Alte. Ich träume von einem Exklusivinterview, am besten eins mit dem Tenor: Seit 23 Uhr 30 wird zurückgeschossen.« Er lachte lauthals.

»Du bist wirklich völlig moralfrei«, stellte Ingo fest.

»Das Geheimnis meines Erfolges«, erwiderte Rado unbeeindruckt. »Also, du weißt Bescheid. Ich zähl auf dich.«

»Und mein Artikel über die Verhandlung gestern?«, fragte Ingo schnell, ehe Rado auflegen konnte.

»Ähm, ach so …?« Rados Stimme bekam diesen angeekelten Klang, wie immer, wenn ihm etwas lästig war. »Ist mir zu zahm, ehrlich gesagt. Ist mal wieder so ein Artikel, der mich denken lässt, du solltest statt zu schreiben besser was anderes –«

»Vergiss es«, sagte Ingo entschieden. »Kein Fernsehen.« Während seines Studiums an der Journalistenschule hatte Ingo eine nachmittägliche Spieleshow für Kinder moderiert, ein dämliches Format, das aber aus ihm unerfindlichen Gründen ziemlich populär gewesen war. Ingo war dazu gekommen wie die Jungfrau zum Kinde – genau genommen hatte er auf der Suche nach einem Volontariat nur die falsche Tür aufgemacht –, und er hatte es gemacht, um die happigen Studiengebühren zahlen zu können. Seither verfolgte ihn das.

»Wir brauchen einen neuen Moderator für unsere ›Anwalt‹-Reihe«, nervte Rado unverdrossen weiter. »Thorsten Kunze will nämlich aufhören.«

»Kann ich gut verstehen«, erwiderte Ingo. »Die Reihe ist ja *nur* peinlich.«

»Ich dachte mal wieder an einen Titelwechsel. ›Anwalt der Jugend‹, wie klingt das?«

»Genauso bescheuert wie ›Anwalt der Bürger‹.«

»Hey, ich versuch nur, dir zu helfen.«

»Vergiss es. Fernsehen ist Schrott. Ich mach das nicht noch einmal. Wenn du mir helfen willst, dann druck meine Artikel.«

Rado seufzte abgrundtief. »Na schön. Ich schau mal, wo ich den hier verbuddle. Du kriegst dein Geld, keine Sorge. Kümmer dich um Sassbeck, und alles wird gut.« Zack, aufgelegt.

Ingo legte auch auf. *Du kriegst dein Geld, keine Sorge.* Das sagte Rado in solchen Fällen immer, aber meistens versandete die Sache dann doch irgendwie.

Er sah aus dem Fenster. Unten vor dem Abgang zur U-Bahn stand ein weißer Lieferwagen, völlig neutral, und ein Teil der Treppe war mit Absperrband gesichert, das schwarz-gelb im Wind flatterte. Die Spurensicherung war also noch zugange.

Er kehrte an seinen Computer zurück, las die Meldung hinter der Schlagzeile und dann rasch, was die anderen Zeitungen schrieben. Die hatten sich alle auf dieselbe Linie eingeschossen: Der Rentner Erich S., hieß es, sei *belästigt, angepöbelt* oder *tätlich angegriffen* worden. Ingo merkte förmlich, wie sein Blutdruck mit jedem der Artikel stieg. Wie konnte jemand, der sich Journalist nannte, in einem Satz das Wort *belästigt* verwenden und im nächsten ungerührt schreiben, dass man den Mann ins Krankenhaus hatte bringen müssen?

Immerhin: Rado hatte wenigstens von einem *gewalttätigen Übergriff* der Jugendlichen auf den alten Mann geschrieben.

Ansonsten kam Erich S. nicht gut weg. Einer von denen halt, die damals an der innerdeutschen Grenze nur darauf gelauert hatten, Republikflüchtlinge abzuknallen. Der nun auch noch Rente vom deutschen Staat kriegte.

Der größte Teil der Artikel war tatsächlich den zwei toten Jugendlichen gewidmet, die als Philipp F. und Dardan A. bezeichnet wurden. Beide hatten viele Geschwister gehabt, die nun von den guten Seiten ihrer dahingeschiedenen Brüder erzählten: dass sie Fußballfans gewesen seien, gern Musik gehört und darauf gehofft hätten, endlich eine Lehrstelle zu finden. Die reinsten Engel. Nur das *Abendblatt* erwähnte, dass der aus Albanien stammende Dardan A. schon einmal wegen Körperverletzung zu einer sechsmonatigen Bewährungsstrafe verurteilt worden war und dass gegen Philipp F. mehrfach Schulverbote verhängt worden waren, weil er Mitschüler attackiert hatte. Das hatte auch so im Polizeibericht gestanden, wie Ingo durch einen raschen Vergleich mit der Website der Polizei feststellte. Aber so, wie es Rado geschrieben hatte, klang es fast niedlich, so nach *Wir haben alle unsere kleinen Fehler*.

Genug, sagte er sich. Zeit, Hektik zu entfalten. Ingo rief das Telefonbuch auf, suchte und fand die Nummer von Evelyn Sassbeck, Brunnerstraße 50, griff nach dem Telefon und wählte.

Es klingelte lange, dann meldete sich eine dunkle Frauenstimme. »Sassbeck?«

»Guten Tag«, sagte Ingo rasch und in seinem verbindlichsten Tonfall, »mein Name ist Ingo Praise, ich bin Journalist und rufe –«

»Ihr seid alles Schweine!«, fauchte die Frau und knallte den Hörer auf.

Na super. Ingo legte das Telefon beiseite, lehnte sich zurück und rieb sich mit den Händen übers Gesicht. Das war unüberlegt gewesen. Klar, dass sie nach der Nummer, die Rado bei ihr durchgezogen hatte, nicht mehr gut auf Journalisten zu sprechen war.

Was im Umkehrschluss hieß, dass sie schon mitgekriegt haben musste, was die Onlineausgaben der Zeitungen schrieben. Ingo kehrte zurück zu den Meldungen, versuchte einen Hinweis zu finden, seit wann diese draußen waren. Allzu lange konnte das noch nicht her sein; das ging heutzutage viel schneller als früher. Gedruckt würde die Nachricht erstmals heute im *Abendblatt* erscheinen, und wenn den Tag über nicht mindestens ein Staatsstreich passierte, war die Geschichte garantiert morgen früh in allen übrigen Blättern der Aufmacher.

Und er startete erst jetzt ins Rennen. Da musste er sich echt was einfallen lassen.

Er sprang auf, schnappte seine Umhängetasche vom Haken und machte sich ausgehfertig: Laptop ausstöpseln und in das mittlere Fach. Handy und Fotoapparat in die beiden aufgesetzten Taschen vorne. Notizblock, mehrere Stifte, Netzteil (die Batterie des Laptops war natürlich längst hinüber), Kabel und sonstiger Kleinkram war immer drin. Er verließ das Haus selten ohne dieses lederne, abgewetzte, aber unkaputtbare Ungetüm.

Ah, halt. Er zog den Unterschrank mit den Hängemappen auf. Was er noch brauchte, war –

Das Telefon klingelte wieder. Die Sassbeck, die es sich anders überlegt hatte? Oder ihn wüst beschimpfen wollte?

Nichts dergleichen. Es war Melanie. Und alles, was sie sagte, war: »Macho!«

»Nein«, rief Ingo.

»Doch.«

Macho war Melanies Papagei. Ein mittlerweile vierzehn Jahre alter Kongo-Graupapagei mit, vorsichtig ausgedrückt, eigenwilligen Manieren, den Melanie von einer Freundin übernommen hatte. Angeblich litt der Mann, den besagte Freundin damals hatte heiraten wollen, an Allergien, die nicht zur Haltung dieser Art Tiere passten, aber Ingo hegte bis heute den Verdacht, dass ihr einfach die viele Arbeit damit lästig geworden war. Zumal aus der Heirat nichts geworden war.

Macho war schlau genug, den Verschluss seiner Voliere zu öffnen, wenn dieser nicht durch ein Schloss gesichert war. Und wenn er es schaffte, das Wohnzimmer zu verlassen, konnte es zur tagesfüllenden Aufgabe ausarten, ihn wieder einzufangen. Wäre Melanie in praktischen Dingen so penibel gewesen wie bei ihren literaturtheoretischen Arbeiten, bei denen sie jedes Wort mehrmals umdrehte, hätte das kein Problem dargestellt, aber so war es eben nicht.

»Ich hab keine Zeit«, erklärte Ingo und bemühte sich, unerbittlich zu klingen. »Null. Nada. Niente.«

»Aber du bist der Einzige, auf den er hört!« Es klang wie ein Vorwurf. So, als sei es seine Idee gewesen, das blöde Vieh anzuschaffen.

»Was ist mit deinem Matschi?«, fragte Ingo, die Hand über

den Hängemappen. Was hatte er noch mal gesucht? »Wird Zeit, dass der's auch mal lernt, oder?«

»Er heißt Markus«, erwiderte Melanie pikiert.

»Markus Matschi. Sag ich doch.«

»Du bist kindisch.«

Ingo ging die Hängemappen durch. »Nein, ich hab einfach ein schlechtes Gedächtnis. Dafür kann ich doch nichts.«

»Neci«, erklärte Melanie ernst. »*Professor* Neci.«

»Klingt wie *Netti*«, befand Ingo, zog ein Blatt heraus, überflog es und ließ es wieder zurück in die Mappe rutschen. »Ich glaube, so kann ich's mir endlich merken.«

»Und? Wann kommst du?«, fragte Melanie inquisitorisch. »Heute nicht.«

»Ingo!« Dem Panikgrad in ihrer Stimme nach zu urteilen, plagte sie sich schon mindestens zwei Stunden mit dem Papagei herum. »Macho ist raus in den Hausflur! Er sitzt oben auf dem Querbalken und quasselt ohne Pause!«

Das war Machos Lieblingsplatz. Vielleicht, weil es dort ein Fenster gab, durch das man eine gute Aussicht über die Stadt haben musste.

»Lass ihn doch.« Ingo nahm sich die nächste Mappe vor. Sein Ordnungssystem ließ wirklich zu wünschen übrig.

»Und wenn er da oben verdurstet? Ich hab gestern Abend vergessen, seinen Trinkautomat nachzufüllen. Das heißt, er hat vielleicht seit einem Tag nichts mehr getrunken!«

Kein Wunder, dass er abgehauen ist, dachte Ingo und schüttelte den Kopf. »Tiere verdursten nicht. Die können auf sich aufpassen.«

»Macho nicht. Der ist ein Opfer der Zivilisation. Das Leben in Gefangenschaft hat seine Instinkte verkümmern lassen.«

»Tja«, meinte Ingo, der endlich gefunden hatte, was er suchte. »Ich hab jedenfalls keine Zeit. Ein dringender Auftrag.«

Er hörte Melanie schnauben. »Das ist mal wieder typisch. Deine Arbeit war dir schon immer wichtiger als alles andere.«

»Entschuldige, dass ich keine reichen Eltern habe, die ich

mal beerben werde.« Er klemmte den Hörer zwischen Ohr und Schulter, faltete das Blatt sorgsam zusammen und schob es in das vorderste Fach seiner Tasche.

»Das war schon immer das Problem mit uns«, lamentierte Melanie weiter.

»Was? Dass ich keine reichen Eltern habe?«

»Nein. Dass du dich der Diskussion entziehst, sobald es unangenehm wird.«

»Ich weiß nicht, was das Problem mit uns war, aber *das* war es jedenfalls nicht.«

»Du wirst es nie einsehen, oder?«

Ingo ließ den Verschluss der Tasche zuschnappen. »Muss ich auch nicht, stell dir vor. Deswegen haben wir uns ja getrennt, und du hast dir deinen Professor Matschi geangelt. Der steht dir sowieso besser, ehrlich. Ruf ihn an. Wenn er jetzt noch deinen Vogel in den Griff kriegt, ist er der ideale Mann für dich.«

»Du enttäuschst mich, Ingo!« In ihrer Stimme irrlichterte blanke Panik.

»Wie immer. Tschüss«, sagte Ingo und legte auf. Dann machte er, dass er loskam, und schaffte es, aus der Wohnungstür zu sein, ehe das Telefon wieder klingelte. Auf dem Weg die Treppe hinunter schaltete er sein Handy ab.

Die Leute von der Spurensicherung waren bereits am Einpacken, als Ingo ankam. »Sie sind spät dran«, lachte ihn eine Frau aus, die eine Stupsnase hatte und Rundungen, die auch der weiße Ganzkörperanzug nicht verbergen konnte. »Ihre Kollegen haben uns alle schon vor acht Uhr belästigt.«

Ingo nickte nur und machte, dass er die Treppe hinabkam. Unten auf dem Bahnsteig fand er einen Beamten, der eine Spur auskunftsfreudiger war. »Der Tatort wurde von der Schutzpolizei nach dem Auffinden der Tatbeteiligten bis zu unserem Eintreffen gesichert«, erklärte er steif, während er Absperrband aufwickelte. Es klang auswendig gelernt; die üblichen Sprüche im Polizeideutsch. »Bei der Bergung der noch lebenden Person standen gesundheitliche Aspekte im Vordergrund. Mit der erkennungsdienstlichen Tätigkeit wurde unmittelbar danach begonnen.«

»Und Sie sind erst jetzt fertig geworden?«, wunderte sich Ingo. Der Vorfall lag wie lange zurück? Zwölf Stunden?

Der grauhaarige Mann sah ihn tadelnd an. »Fertig waren die Kollegen von der Nachtschicht gegen ein Uhr zwanzig. Die weiträumige Absperrung des Tatortes wurde routinemäßig aufrechterhalten für den Fall, dass die Laboruntersuchungen weiteren Handlungsbedarf entstehen lassen. Heute früh ab etwa fünf Uhr konzentrierte sich eine zweite Aktion auf die Suche nach der Tatwaffe. Die Zeit bis zum Beginn des Linienverkehrs auf dieser Strecke wurde genutzt, um die Schienen abzusuchen.«

»Und? Haben Sie sie gefunden?«

»Dazu kann ich aus ermittlungstaktischen Gründen nichts sagen«, erwiderte der Beamte. »Im Übrigen darf ich Sie für Fragen an den ermittelnden Staatsanwalt Dr. Ortheil verweisen.«

Ingo nickte. Der Name sagte ihm etwas. Vor seinem inneren Auge tauchte das Bild eines Mannes mit langen, blonden Locken auf: Lorenz Ortheil war ein Staatsanwalt von der Sorte, die Auftritte vor Kameras genossen.

»Wenn Sie sie gefunden hätten, stünde der Suchaufruf nach einer Pistole vom Typ Makarow PM bestimmt nicht mehr auf Ihrer Website, oder?«, hakte Ingo nach.

»Wie gesagt, dazu kann ich nichts sagen«, beharrte der Mann im weißen Overall.

»Und wenn die Waffe nicht hier irgendwo ist, dann muss eine Person geschossen haben, die den Bahnhof danach verlassen hat.«

»Wie gesagt, kein Kommentar.«

»Wer hat eigentlich die Polizei alarmiert? Der Fahrer der nächsten U-Bahn, nehme ich an?«

»Wie gesagt.«

Ingo seufzte. Der Mann war wirklich ein harter Brocken. »Darf ich noch ein paar Fotos machen?«, fragte er matt.

»Bitte«, sagte der Spurensicherer. »Sie wissen, dass Sie gehalten sind, ermittelnde Beamte nicht in einer Weise abzubilden, die deren Identifizierung erlaubt?«

»Ja, ja«, brummte Ingo, nestelte seine Kamera heraus und knipste ein Dutzend Bilder in dem Bewusstsein, dass er nichts damit anfangen würde.

Dann bedankte er sich und stieg wieder hinauf ans Tageslicht. Oben fand er einen PKW vor, der quer vor dem Treppenabgang stand; zwei Männer waren dabei, ringsum Wahlplakate aufzuhängen. Die Sonne, die ihn heute früh geweckt hatte, war derweil endgültig hinter einer Wolkendecke aus unentschlossenem Grau verschwunden.

Okay. Was nun? Es in der Klinik zu versuchen konnte er sich sparen. Wenn Radoslav sagte, dass dieser Erich Sassbeck abgeschirmt wurde, dann war das so. In derlei Dingen war auf ihn Verlass.

Andererseits hatte Rado ihm die Adresse dieser Schwiegertochter gegeben, Evelyn Sassbeck, und sicher nicht ohne Hintergedanken, weil Rado nie etwas ohne Hintergedanken tat. Wenn überhaupt, dann würde Ingo über sie an Informationen herankommen. Oder sogar an den alten Mann selber.

Immer, wenn Pfarrer Peter Donsbach von Hausbesuchen in seiner Gemeinde zurückkam, hielt er in dem Moment, in dem er seine Kirche wieder betrat, unwillkürlich den Atem an.

Er sah sich um, ließ seinen Augen die Zeit, sich auf das Halbdunkel einzustellen. Eine alte Frau, die eine Opferkerze aufstellte, ein grauhaariger Mann, der in einer Bank saß, ins Gebet versunken. Zumindest auf den ersten Blick war nichts beschädigt, nichts beschmiert oder gestohlen worden.

Er umrundete die Sitzreihen, spähte in die dunklen Ecken. Kein schlafender Penner irgendwo, auch kein Junkie.

Gut. Seine innere Anspannung ließ allmählich nach, wenngleich nie ganz.

Was hatte es ihn anfangs beeindruckt, als junger Priester unmittelbar nach der Weihe gleich eine Kirche wie diese zugeteilt zu bekommen: die Sankt-Jakob-Kirche am Niendorfer Platz – groß, geschichtsträchtig, altehrwürdig, ein Baudenkmal, das in keinem Reiseführer unerwähnt blieb! Einen allzu kurzen Moment der Ahnungslosigkeit lang war er so etwas wie glücklich gewesen, hatte sich aufgehoben gefühlt im Dasein und beinahe angefangen, doch an Gott zu glauben.

Dann aber hatte er feststellen müssen, dass diese Kirchengemeinde in einer Gegend lag, für die die Bezeichnung *sozialer Brennpunkt* noch geschmeichelt war. In diesem Teil der Stadt war die Krise der Normalzustand. Kein Monat verging, ohne dass sein Opferstock aufgebrochen oder etwas aus der Kirche gestohlen wurde. Keine Woche, ohne dass er irgendwelche Graffiti entfernen lassen musste. Und was er im Beichtstuhl zu hören bekam, raubte ihm nicht selten den Schlaf.

Der Pfarrer, der diese Gemeinde vor ihm gehabt hatte, war tablettensüchtig geworden. Inzwischen verstand Peter Donsbach, warum.

Zwei Frauen warteten beim Beichtstuhl, beide deutlich über fünfzig, ärmlich gekleidet und einander in auffallender Weise ignorierend. Peter sah auf seine Uhr. Er war spät dran.

Das immerhin gefiel ihm an dieser Kirche: dass sie noch einen richtigen alten Beichtstuhl besaß, aus dunklem Holz, handgeschnitzt und abgegriffen von Sündern mehrerer Jahrhunderte. Er nickte den beiden Frauen knapp zu. Es befremdete ihn nach wie vor, dass sich betagte, lebenserfahrene Menschen ausgerechnet ihm anvertrauten, der so wenig von der Welt gesehen hatte und so wenig vom Leben verstand. Dann betrat er das Abteil des Priesters, verriegelte die Tür und setzte sich auf der schmalen, unbequemen Bank zurecht.

Nach den beiden Frauen mit ihren ungemein langweiligen Sünden schlüpfte eine dritte Person in den Beichtstuhl, jemand, der sich flink und leicht bewegte. Peter hörte, wie die Person den Vorhang hinter sich zuzog, sich aber nicht hinkniete, wie es üblich war, sondern sich setzte.

Und sie begann auch nicht mit den vorgeschriebenen Worten *Im Namen des Vaters und des Sohnes und des Heiligen Geistes, Amen*, sondern mit: »Hallo, Peter.«

Peter Donsbach zuckte zusammen. Es war eine Stimme, die er jederzeit wiedererkannt hätte, unter Tausenden.

»Du?« Mehr brachte er nicht heraus.

»Ich«, flüsterte die Stimme von jenseits des Gitters.

»Seit wann bist du … Was willst … Was *machst* du hier?«

»Hast du das mit dem alten Mann gelesen? In der U-Bahn? Gestern Abend?«

»Ja, wieso?« Eines der Gemeindemitglieder, die er heute Vormittag besucht hatte, war ein pensionierter Gymnasiallehrer, der mehr oder weniger den ganzen Tag im Internet verbrachte. Der hatte ihm die Nachricht gezeigt.

»Die Polizei verdächtigt ihn, die beiden Jugendlichen selber erschossen zu haben«, fuhr die Stimme fort.

»Hab ich gelesen.«

»Die Polizei irrt sich«, sagte die Stimme. »Ich war es.«

»Was? Warum das?«

»Du weißt genau, warum.«

Peter hatte das Gefühl, keine Luft zu bekommen. »*Rächt euch nicht selber, sondern gebt Raum dem Zorn Gottes*«, brachte er mühsam heraus, »*denn es steht geschrieben: Mein ist die Rache; ich will vergelten, spricht der HERR.*«

Leises, verächtliches Lachen auf der anderen Seite des holzgeschnitzten Gitters war die Antwort.

»Schön gesagt. Und wo war dein Gott, als du ihn gebraucht hättest?«, fragte die Stimme aus der Vergangenheit. »*Hat* er dich denn gerächt? Hat er dir geholfen? Hat dir *irgendjemand* geholfen?«

Peter wollte schlucken, konnte es nicht, weil seine Kehle wie zugeschnürt war. Er sah wieder Bilder, die er hatte vergessen wollen, spürte Gefühle, vor denen er geflohen war, all die Jahre.

»Nein«, flüsterte er. »Niemand.«

»Außerdem geht es nicht um Rache«, fuhr die Stimme nüchtern fort. »Da hätte ich ganz andere Leute erschießen müssen.«

»Was willst du? Die Beichte ablegen? Meine Absolution? Die kann ich dir nicht geben.«

»Ich brauche deine Absolution nicht.« Es klang, als schlucke der andere etwas hinunter. »Ich will, dass du Bescheid weißt. Wenigstens du.«

4 Das Haus Brunnerstraße 50 war ein hässlicher, grauer Bau mit sechs Stockwerken. Hier und da bröckelte der Putz, vor dem Eingang drängelten sich die Mülleimer, von denen etliche mit Schlössern gesichert waren. Viele der Gardinen, die man sah, schienen seit Jahrzehnten nicht mehr gewaschen worden zu sein.

Ihr Name stand am Klingelbrett: *E. Sassbeck*. Aber würde es etwas bringen, wenn er klingelte? Ingo bezweifelte es.

Während er noch dastand und überlegte, wie er vorgehen sollte, kam eine alte Frau heraus, die mit Gehstock und Einkaufstasche hantieren musste und sich mit der Tür schwertat. Ingo stürzte hinzu und hielt sie ihr auf.

»Danke, junger Mann«, sagte sie, im Türrahmen stehend. »Wollten Sie gerade rein?«

»Ehrlich gesagt, ja.«

Sie musterte ihn prüfend, dann nickte sie und gab ihm den Weg frei. »Ist gut. Sie haben nichts Böses vor. Gehen Sie nur.«

Damit ließ sie ihn stehen und humpelte davon, in Richtung des kleinen türkischen Supermarkts an der Ecke.

Ingo zögerte einen Moment, fühlte sich ertappt. Ja, er hatte darauf gehofft, dass jemand aus der Tür kommen würde. Hatte einen Plan für diesen Fall. Aber er hatte es heimlich tun wollen, unbemerkt, war nicht darauf gefasst gewesen, nach der Lauterkeit seiner Absichten befragt zu werden.

Hatte er Böses vor? Nein, sagte er sich, trat in den Hausflur und ließ die schwere Holztür hinter sich zufallen.

Der Flur war dunkel. Es roch nach Kohl, fremdländischen

Gewürzen und schmutzigen Windeln. Er suchte und fand den Lichtschalter. Es machte irgendwo kolossal *KLONK!*, als er ihn drückte. Die Beleuchtung ging an, derart minimal, dass man kaum einen Unterschied zu vorher erkannte.

Evelyn Sassbeck wohnte im fünften Stock rechts. War sie da? Er wollte nicht lauschen. Er setzte sich auf den Treppenabsatz, öffnete seine Umhängetasche und holte das Blatt heraus, das er aus seinem Archiv gefischt hatte.

Es war die Kopie eines Artikels, den er vor gut einem Jahr ins *Abendblatt* geschmuggelt hatte. Rado war damals im Urlaub und nicht erreichbar gewesen, weil seine Verwandtschaft in Serbien größtenteils in den Funklöchern des dortigen Handynetzes lebte. Ingo hatte das gewusst und ausgenutzt, und er war immer noch ziemlich stolz darauf, trotz Rados säuerlicher Reaktion nach seiner Rückkehr.

Ingo hatte einen jungen Mann interviewt, den eine Gruppe Gleichaltriger im Lauf einer grundlos begonnenen Schlägerei mit zwanzig Messerstichen niedergemetzelt hatte. Ein Lungenflügel war kollabiert, eine Niere und die Leber verletzt worden – laut seiner Ärztin ein Wunder, dass er das überlebt hatte. Ingo hatte sein neues Leben porträtiert: Wie ihn schon ein paar Treppenstufen außer Puste brachten, selbst kleinste Anstrengungen erschöpften. Dass er seine Ausbildung abbrechen musste, weil er in seinem Beruf als Gebäudetechniker viel Staub hätte einatmen müssen, was seine Lunge nicht mehr mitmachte. Wie ihn die Narben an seinem Körper beeinträchtigten, auf dem Bauch, dem Rücken, am Kopf und an den Beinen. Zwanzig Stück. Und wie es ihn getroffen hatte, als die Lokalzeitung behauptete, er habe die Angreifer durch ausländerfeindliche Sprüche gereizt, obwohl er in Wirklichkeit überhaupt nichts gesagt hatte, nur an der Gruppe vorbeigegangen war.

Ingo nahm einen Stift zur Hand und schrieb auf den freien Platz unterhalb des Artikels: *Mein Name ist Ingo Praise. Ich bin Journalist und möchte Ihrem Schwiegervater eine Stimme geben.*

Ich stehe gerade vor Ihrer Tür, aber falls Sie nicht da sind – oder nicht da sein wollen –, können Sie mich unter folgender Nummer erreichen.

Er fügte seine Telefonnummer hinzu, dazu das Datum und die Uhrzeit, stand auf, schob das Blatt mit der Schriftseite nach oben unter ihrer Tür durch, klingelte kurz und wartete.

Schritte. Sie war also da. Dann wieder Stille. Er malte sich aus, dass sie das Blatt gefunden hatte und jetzt den Artikel las. Der Türspion verdunkelte sich, wurde wieder hell. Dann, nach einem sehr langen Augenblick, ging die Tür auf.

»Sie sind ziemlich impertinent, was?«

Die Kette war eingehängt. Sie spähte durch den Türschlitz, er sah nur ein Auge. Aber das war unglaublich. Tiefblau, intensiv, ein Blick, der Ingo elektrisierte.

»Impertinent?«, wiederholte er und musste sich räuspern. »Ja, kann sein. Das ist wohl etwas, das man als Journalist lernt. Weil man andernfalls bald aufhört, einer zu sein.«

»Was wollen Sie?«, fragte sie. Ihre Stimme klang ganz anders, als ihm von dem kurzen Telefonat in Erinnerung war. Dunkler. Lebendiger. *Rauchig* wäre auch ein passendes Wort, dachte er.

»Was ich geschrieben habe«, sagte Ingo. »Ich würde gerne Ihrem Schwiegervater die Möglichkeit geben, seine Seite darzustellen.«

»Was gibt es da groß darzustellen? Er ist überfallen worden. Er ist feige zusammengeschlagen worden von zwei Vollidioten, die mit ihrem Leben nichts anzufangen gewusst haben.«

Ja. Genau. Ingo spürte, wie Wut in ihm hochstieg, diese alte, hilflose Wut, die ihn antrieb, seit er denken konnte. »Ja, Frau Sassbeck«, stieß er hervor. »Genau so ist es. Genau das ist passiert – aber die Zeitungen schreiben nur über die beiden *Täter*. Sie stellen nur deren Seite dar und lassen es so aussehen, als seien *sie* die eigentlichen Opfer. So etwas passiert andauernd, und ich kann Ihnen gar nicht sagen, wie mich das aufregt. Deswegen würde ich gerne beschreiben, wie die Geschichte aus der Sicht Ihres Schwiegervaters aussieht. Ich möchte der Welt sagen, dass *er* das Opfer war, nicht seine beiden Angreifer.«

All das war geradezu aus ihm herausgebrochen. Eine Stille folgte, die sich ohrenbetäubend anfühlte. Ihm kam wieder zu Bewusstsein, wo er sich befand: in dem müffelnden dunklen Flur eines fünfzig Jahre alten Hauses, vor der Wohnung einer Frau, die er nicht kannte.

Sie drückte die Tür zu, löste die Kette, öffnete. »Kommen Sie herein.«

Ingo starrte sie an. Er fühlte sich auf einmal unpassend gekleidet mit seiner abgeschabten Jacke und seinem fadenscheinigen T-Shirt. Wie sie da in der offenen Tür stand, sah er wenig mehr von ihr als ihren Schattenriss, aber der hatte etwas an sich, das ihn verwirrte.

Ganz schlechte Ausgangsbasis für das, was er wollte.

»Kommen Sie«, wiederholte sie. »Hier im Haus wohnen ziemlich neugierige Leute.«

Er nickte, holte Luft, trat über ihre Schwelle. Der Geruch von Tomatensoße empfing ihn.

»Ich hab nicht viel Zeit.« Sie ging ihm voraus in die Küche. »Mein Sohn kommt jeden Moment aus der Schule und muss gleich essen, damit er rechtzeitig wieder dort ist.«

»Riecht gut«, sagte Ingo, froh, überhaupt etwas herauszubringen. Das kannte er so gar nicht von sich, doch die Situation überwältigte ihn gerade.

Er sah sich um. Ein kleiner Tisch unter dem Fenster, an den nur zwei Stühle passten: alleinerziehende Mutter also. Liebevoll eingerichtet alles, aber mit Möbeln, denen man ansah, dass sie wenig gekostet hatten. In einem Kiefernregal Dosen und Nudelpackungen einer billigen No-Name-Sorte, an einer Pinnwand ausgeschnittene Einkaufsgutscheine und Zettel mit aktuellen Sonderangeboten. Geld war nicht viel da.

Sie nahm den Deckel ab, rührte um. »Sportunterricht. Das hasst er. Zum Trost koche ich ihm sein Lieblingsessen.«

»Da hat er doch Glück.«

»Ich weiß nicht. Vielleicht verwöhne ich ihn auch. Er hat es nicht leicht.« Sie warf ihm einen Blick zu, einen blauen Laser-Blick, so kam es ihm vor. »Sie schreiben das jetzt aber nicht in Ihrem Artikel, oder?«

»Nein«, sagte Ingo. »Gar nichts über Sie, wenn Sie nicht wollen.«

»Gut. Will ich nämlich nicht.« Sie wog Spaghetti aus der Packung ab. Sie hatte dunkles Haar, zu einem Pagenkopf geschnitten. »Von welcher Zeitung sind Sie überhaupt?«

Ingo räusperte sich. »Ich arbeite freiberuflich. Meistens für die City-Media-Gruppe. Dazu gehören vor allem das *Abendblatt* und der Sender *City-TV*. Neben ein paar Anzeigenblättern und diversem Kleinkram. Und Sie?«

»Büro«, sagte sie und zupfte Salat in eine Schüssel. Sie hatte schlanke, schöne Finger. »Eine Halbtagsstelle bei einem griechischen Importeur. Wir versorgen fast alle griechischen Restaurants in der Stadt mit Lebensmitteln aus Griechenland – frischer Fisch, Schafskäse, Oliven, Ouzo, Retsina, solche Sachen.«

»Dann sprechen Sie Griechisch?«

Sie lachte auf. »O je. Nein. Ein paar Worte. Ist auch nicht nötig; ich mache die Buchhaltung und alles, was mit den deutschen Behörden zu tun hat. Papierkriegsführung.« Die Schüssel war voll. Sie griff nach einer Zwiebel und begann, sie klein zu schneiden. »Der Vorteil ist, dass das Büro nicht weit von hier liegt. Ich kann zu Fuß hingehen, und ich kann mir die Zeit fast nach Belieben einteilen. Griechen halt, wenn Sie verstehen. Meinem Chef ist wichtig, dass der Fisch frisch ist, wenn der Kühllaster aus Athen ankommt, und dass er keine Probleme mit den Behörden und dem Finanzamt bekommt. Wie lange und wann ich arbeite, ist ihm egal. So kann ich mittags zu Hause sein für meinen Sohn.«

»Klingt doch gut«, meinte Ingo.

Sie schabte die geschnittene Zwiebel in den Salat, wischte

sich mit dem Handrücken über die Augen. »Ich wollte mir heute eigentlich freinehmen, nach der Nacht – erst hat mich das Krankenhaus rausgeklingelt, später die Polizei. Aber dann musste ich doch noch kurz ins Büro, was erledigen. Bei der Gelegenheit hab ich mitgekriegt, was die Zeitungen schreiben.«

»Wie geht es ihm denn? Ihrem Schwiegervater, meine ich.«

»Er sagt, gut.« Sie zerteilte eine Tomate mit geübten Bewegungen. »Allerdings würde er das auch noch sagen, wenn ihm die Eingeweide aus dem Bauch hängen, also weiß ich eigentlich nichts. Er sagt nie, wie's ihm wirklich geht. Die alte Schule halt.«

Ingo nickte. »Wie ist Ihr Verhältnis?«

Sie seufzte. »Muss ja. Nicht immer einfach, weil er manchmal doch ziemlich andere Vorstellungen hat ... Wie alte Leute eben so sind. Aber er ist nun mal alles an Familie, was mein Sohn und ich haben.«

»Ihre Eltern leben nicht mehr?« Aus irgendeinem Grund wollte Ingo nicht fragen, wo der Vater ihres Sohnes abgeblieben war.

»Ach, doch. Und wie. Die hat auf ihre alten Tage der Rappel gepackt, nach Neuseeland auszuwandern. Sie haben in Christchurch ein Hotel übernommen, von einem früheren Studienkollegen meines Vaters.« Sie rührte die Vinaigrette an, mit Bewegungen, die zornig wirkten. »Jedenfalls konnte ich die nicht anrufen und bitten, einen Abend auf Kevin aufzupassen. Egal. Inzwischen ist er vierzehn, da ist das eh nicht mehr nötig.«

»Kevin ist Ihr Sohn.«

»Sein Vater wollte, dass er so heißt. Aber heutzutage ist man gestraft mit dem Vornamen, ehrlich.« Sie hob den Deckel vom großen Topf. Das Wasser brodelte. »Jetzt könnte er allmählich kommen.« Sie setzte den Deckel wieder auf, wischte sich die Hände an einem Handtuch ab und wandte sich Ingo zu. »Ich dachte, es geht Ihnen um Erich? Meinen Schwiegervater?«

Ja, richtig. Das hatte Ingo irgendwie aus den Augen verloren. »Was hat er Ihnen über den Vorfall erzählt?«

»Nicht viel. Nur, dass er überfallen worden ist und einen Anwalt braucht. Einen Anwalt! Als ob ich Anwälte kennen würde!« Sie schüttelte den Kopf. »Und er hat gesagt, es sei besser, er sagt so wenig wie möglich.«

»Halten Sie es für denkbar, dass er die beiden Jungen tatsächlich erschossen hat? In Notwehr?«

»Nee.« Sie überlegte, spähte aus dem Fenster. Der fünfte Stock überragte das Haus gegenüber, dadurch kam viel Licht in die Wohnung. »Dann müsste er ja eine Pistole bei sich gehabt haben, oder? Oh, Mann – da würde er was zu hören bekommen von mir. Uns besuchen kommen und eine Pistole mitbringen? Nee!« Sie drehte das Gas unter dem Wassertopf herunter. »Ich meine: Man merkt schon, dass er Soldat gewesen ist. Aber er ist sechsundsiebzig, hat Probleme mit dem Herzen, mit der Hüfte, mit allem Möglichen … Außerdem isst er zu wenig und zu ungesund. Wenn er nicht so an seinem Enkel hängen würde, wäre er wahrscheinlich längst nicht mehr am Leben.« Sie schüttelte den Kopf. »Nein. Er hat nicht geschossen. Ganz bestimmt nicht.«

»Ich würde ihn gerne interviewen«, sagte Ingo. »Sobald wie möglich.«

»Und was hindert Sie?«

»Die Polizei schirmt ihn ab. Einerseits, weil er verdächtig ist, andererseits, weil er gefährdet sein könnte. Derzeit hat außer Familienangehörigen und seinem Anwalt niemand Zutritt.«

»Er ist sozusagen verhaftet?«

»Sozusagen.«

Sie hob die Augenbrauen. »Und was kann ich da machen?«

»Ihn besuchen und mich mitnehmen. So tun, als gehörte ich zur Familie.«

Sie musterte ihn nachdenklich und ziemlich lange, ehe sie antwortete. »Ich weiß nicht, ob ich das tun soll. Ich glaube, da muss ich ihn erst fragen.« Sie überlegte. »Ich gehe heute Nachmittag in seine Wohnung, ein paar Sachen für ihn holen – Schlafanzug, Waschbeutel und so. Wenn ich ihm die bringe, frage ich ihn.«

Ingo versuchte, sich seine Enttäuschung nicht anmerken zu lassen. Sie hatte offensichtlich keine Vorstellung davon, wie hektisch es im Nachrichtengeschäft zuging. »Können Sie ihn nicht einfach anrufen?«

»Wenn ich ihn anrufe, sagt er nein.« Sie lächelte flüchtig. »Und dann ändert er seine Meinung auch nicht mehr. Das können Sie mir glauben.«

»Mein Problem ist«, erklärte Ingo behutsam, »dass ich das Interview bis spätestens zwölf Uhr in der Redaktion abgeben muss, wenn es morgen Abend in der Zeitung sein soll. Und es *muss* morgen Abend in der Zeitung sein, sonst ist es zu spät.« Er lächelte zurück. »Und das können Sie *mir* glauben.«

Sie zuckte herrlich unbekümmert mit den Schultern. »Die Besuchszeit im Krankenhaus beginnt um acht Uhr morgens.«

Ingo verzog das Gesicht. »Das wird stressig.«

»Ich dachte immer, Journalisten lieben das? Rasender Reporter und so.« Sie merkte auf, als die Wohnungstür aufgeschlossen wurde, lächelte unwillkürlich. »Ich ruf Sie an, sobald ich mit meinem Schwiegervater gesprochen habe. Ihre Nummer hab ich jetzt ja.«

Eine Schultasche, die schwer auf den Boden schlug, Schritte im Flur, dann stand er in der Tür: ein schlaksiger Junge, den Kopf leicht zwischen die Schultern gezogen, der sichtlich zusammenzuckte, als er Ingo sah.

»Hi«, sagte Ingo. »Ich bin Journalist.«

Kevins Blick verfinsterte sich. »Geht's um meinen Opa?«

»Ja.«

»Hmm.« Was das wohl hieß?

Seine Mutter warf die Spaghetti ins kochende Wasser. »Geh dich waschen, Schatz. Wir essen in sieben Minuten.«

»Okay.« Kevin schlappte davon, jeder Zoll ein Teenager, der gerade in die Pubertät kam.

Ingo räusperte sich wieder. »Ich geh dann mal besser«, sagte er und fügte hinzu: »Vielen Dank soweit schon mal.«

»Na, so viel war das ja noch nicht«, meinte sie. »Ich melde mich. Finden Sie alleine raus? Ich muss aufpassen, dass die Spaghetti nicht überkochen.«

»Kein Problem.«

Auf dem Weg zur Tür kam er am Badezimmer vorbei. Die Tür stand offen. Kevin wusch sich die Hände, sah zu ihm herüber. »Was werden Sie über meinen Opa schreiben?«, wollte er wissen.

»Nur das, was er sagt«, erwiderte Ingo. Er mochte den Jungen, hatte sich ihm vom ersten Augenblick an verbunden gefühlt, und jetzt begriff er, warum: Weil er diesen misstrauischen Blick auf die Welt *kannte*, diese Körperhaltung, sich schon prophylaktisch zu ducken vor dem nächsten Schlag, der unausweichlich kommen würde. Er war in dem Alter genauso gewesen. Er wusste, wie es war, der zu sein, auf dem alle herumhackten. Jeden Tag in eine Schule gehen zu müssen, die man hasste. Leuten ausgeliefert zu sein, die stärker waren und das hemmungslos ausnutzten. »Ich hab nicht vor, was Schlechtes über deinen Opa zu schreiben«, erklärte er. »Ich bin auf seiner Seite.«

Kevin nickte. »Gut.« Noch nie hatte Ingo so viel Erleichterung in einem einzigen Wort gehört.

»Tschüss«, sagte er, ging und zog die Tür hinter sich zu. Die dumpfe Stille des Treppenhauses hüllte ihn ein, der Duft von Tomatensoße wich dem Mief von fünfzig Jahren Bohnerwachs. Ingo musste auf dem Weg hinab einen Moment stehen bleiben, um das Gefühl loszuwerden, das alles gerade nur geträumt zu haben.

Als er wieder auf der Straße stand und sein Handy einschaltete, sah er, dass Melanie nicht weniger als elf Mal angerufen hatte. Und noch während er überlegte, was er nun machen sollte, klingelte es wieder, wieder Melanie.

Er nahm den Anruf an. »Und? Ist er tot?«

»Wo warst du?«, kreischte eine kaum wiederzuerkennende Stimme aus dem Hörer. »Ich hab mindestens zehnmal versucht, dich anzurufen!«

»Elfmal, wenn du 's genau wissen willst«, sagte Ingo.

»Du musst mir helfen!«

»Du wirst doch mit einem verdursteten Vogel zurechtkommen. Aufkehren und ab damit in den Mülleimer.«

»Lass die blöden Witze.« Er wusste genau, was für ein Gesicht sie machte, wenn sie so klang. »Er ist zurück in der Wohnung, aber ich hab ihn nicht in den Käfig gekriegt. Jetzt sitzt er in Markus' Arbeitszimmer oben auf dem Regal und …« Ihre Stimme bebte regelrecht. »Und er hat ein paar Seiten aus seinem *Manuskript* in den Krallen!«

Ingo unterdrückte ein Gähnen. »Na und?«

»Markus' neues Buch! Das er in zwei Wochen abgeben soll!«

»Du meine Güte, Mel, das ist doch nicht so tragisch. Dann soll er sich die Seiten halt noch mal ausdrucken.«

»Markus«, belehrte sie ihn hochnäsig, »schreibt auf einer Schreibmaschine.« Es klang wie: Er schreibt mit Gänsekiel auf handgeschöpftem Bütten.

Ingo musste unwillkürlich lachen. »Ist nicht wahr.«

»Markus sagt, dass moderne Computer die Flüchtigkeit des Wortes zum Prinzip erheben und durch ihr Angebot jederzeitiger Reversibilität dazu verleiten –«

»Ja, ja. Und ich sage: Selber schuld.« Er hatte null Lust, den Rest des Nachmittags an einen gemütskranken Papagei zu verschwenden. »Dann rufst du ihn jetzt am besten an und sagst ihm, dass seine getippten Worte wider Erwarten doch flüchtig sind.«

»Markus hat Fachbereichstagung. Da kann ich ihn unmöglich rausholen.«

»Da lob ich mir doch den Computer mit seinem Angebot jederzeitiger Reversibilität.«

»Ingo«, bat Melanie. »Bitte!«

Jetzt war jener Klang in ihrer Stimme, dem Ingo nichts entgegenzusetzen hatte. Der ihn an Zeiten erinnerte, die nie wiederkommen würden. Mit dem sie ihm etwas versprach, das sie nicht halten würde. Er wusste es. Er wusste es genau. Genau das hatte er befürchtet.

Er seufzte. »Okay, okay. Ich komm ja.«

»Justus«, sagte Johannes Barth in der Teeküche. »Auf ein Wort.«

»Ja?«, meinte Ambick zurückhaltend. Polizeipsychologen neigten seiner Erfahrung nach dazu, aus jeder Begegnung zu zweit ein therapeutisches Gespräch zu machen.

»Staatsanwalt Ortheil. Es gibt etwas, was du über ihn wissen solltest. Im eigenen Interesse.«

Ambick musterte sein Gegenüber skeptisch. Was sollte das werden, eine Verbrüderung mit dem Neuling? In seiner bisherigen Laufbahn hatte er gelernt, dass man sich in einer neuen Umgebung am besten erst einmal aus allem raushielt, solange man noch nicht verstanden hatte, was für Spielchen liefen. Das gedachte er auch hier so zu handhaben, nicht zuletzt, weil seine Beförderung zum Kriminalhauptkommissar ebenfalls erst zwei Monate her war. Also gab er nur ein unbestimmtes Brummen von sich, das Jo interpretieren mochte, wie er wollte.

»Ortheil nimmt diesen Fall persönlich«, erklärte der Psychologe. »*Sehr* persönlich. Würde er natürlich nie zugeben, vor allem nicht vor sich selbst. Aber er hatte einen jüngeren Bruder, der von DDR-Grenzern erschossen worden ist.«

»Aha.«

»Ist hier im Haus ein offenes Geheimnis. Jeder weiß es, niemand erwähnt es. Der Bruder hieß Niklas. War siebzehn, als er versucht hat, über die Ostsee zu schwimmen. Sie haben ihn einfach abgeknallt und seelenruhig abgewartet, bis sein Leichnam an Land gespült worden ist.« Jo tätschelte Ambicks Schulter. »Nur, damit du Bescheid weißt.« Er nahm seine Kaffeetasse und ging.

Na toll. Ambick stellte seine Tasse unter den Füllstutzen, drückte die Taste. Während die Maschine summte, dampfte und rumorte, bewegte er seinen Kopf in dem vergeblichen Versuch, seine Verspannungen loszuwerden. Er hatte eine Besprechung mit den Ermittlern hinter sich, die für ihn arbeiteten, und das Gefühl, bei denen immer noch auf dem Prüfstand zu stehen. Auf dem Rückweg in sein Büro überlegte er, ob er das mit Ortheils Bruder lieber nicht erfahren hätte, kam aber zu keinem Schluss.

Als Neuling im Dezernat war er natürlich im unattraktivsten Büro gelandet: eng, seltsam geschnitten, mit schmalen Mattglasfenstern, die auf einen ohnehin zu engen Lichtschacht hinausgingen, sodass man zu jeder Tageszeit künstliche Beleuchtung brauchte. Er teilte es sich mit Kriminaloberkommissar Enrique Kader, den alle nur Enno nannten und der nebenher so etwas wie der inoffizielle Computerguru der Abteilung war; derjenige, der widerspenstige Drucker zum Laufen brachte, sich mit Treibern auskannte und dergleichen. Was den Effekt hatte, dass man ihn nur selten an seinem Schreibtisch antraf.

Staatsanwalt Dr. Lorenz Ortheil war schon da. Er saß auf dem Besucherstuhl, wie immer piekfein gekleidet: sichtbar teurer Anzug, Weste, Einstecktuch, eine fast geckenhaft gebauschte Krawatte mit goldener Nadel. Die Kollegen behaupteten, Ortheil besäße so viele Krawatten, dass es Jahre dauere, bis man eine ein zweites Mal zu Gesicht bekäme.

Eine goldene Armbanduhr besaß er natürlich auch. Die schwenkte er, als Ambick hereinkam. »Fünf nach.«

»Ihnen ebenfalls einen schönen guten Morgen«, sagte Ambick, ging um ihn herum an seinen Schreibtisch und stellte die Tasse ab. »Wollen Sie einen Kaffee?«

»Danke, ich bin schon auf hundertachtzig«, erwiderte der Staatsanwalt. »Neue Erkenntnisse wären mir lieber.«

Eine der Neonröhren flimmerte enervierend, immer noch, obwohl Ambick bereits zwei Bedarfsanforderungen an den

Hausdienst geschickt hatte. An der großen Pinnwand hinter ihm hingen Fotos und Dokumente anderer Mordfälle, größtenteils noch von seinem Vorgänger ererbt.

»Die Theorie, dass es Sassbeck war, können wir, glaube ich, beerdigen.« Ambick zog den Laborbericht aus der Schublade. »Die Schmauchspuren an Sassbecks Händen sind so schwach, dass sie die Nachweisgrenze streifen. Er kann nicht selber geschossen haben.«

»Nicht so voreilig«, sagte der Staatsanwalt und streckte die manikürte Hand nach dem Bericht aus. Ambick reichte die Mappe über den Tisch.

Das Auffallendste an Ortheils Erscheinung waren seine langen, blonden Locken, die ihm so prachtvoll bis auf die Schultern herabfielen, als sei er einem mittelalterlichen Gemälde entstiegen, beispielsweise dem Selbstbildnis Albrecht Dürers. Mit seinen weichen, fast weiblich wirkenden Gesichtszügen hätte man ihn, wäre der Anzug nicht gewesen, für einen Kindergärtner oder einen Grundschullehrer halten können, und in keinem Fall hätte man ihn für so alt gehalten, wie er war, nämlich knapp fünfzig. Staatsanwalt Dr. Lorenz Ortheil schien nicht nur das Geheimnis unbegrenzten Reichtums zu kennen, sondern auch das ewiger Jugend.

Lediglich das Geheimnis des höflichen Umgangs mit seinen Mitmenschen hatte sich ihm bisher weitgehend entzogen.

»Wir haben keine nennenswerten Schmauchspuren, weder an seinen Händen noch an seinem Mantel«, zählte Ambick an den Fingern ab. »Um als Täter infrage zu kommen, hätte er Handschuhe tragen und, ehe er ohnmächtig geworden ist, einen anderen Mantel anziehen müssen. Er hätte außerdem nicht nur die Tatwaffe, sondern auch die Handschuhe und den ersten Mantel verschwinden lassen müssen. Zweitens – beide Jungen wurden in den Hinterkopf geschossen. Wie hätte er das machen sollen, wenn sie auf ihn einschlagen?«

Die Tür öffnete sich. Johannes Barth. Der Psychologe blieb beim Aktenschrank neben der Tür stehen – er setzte sich bei

Besprechungen grundsätzlich nie – und machte eine Geste, die wohl bedeutete, man solle ihn gar nicht groß beachten.

»Vielleicht haben sie aufgehört, ihn zu schlagen, sich abgewandt und peng, da erschießt er sie?«, schlug Ortheil vor. »Aus Rache?«

»Und legt sich danach zwischen sie?«

»Man hat schon Pferde kotzen sehen.« Der Staatsanwalt blätterte ziellos in dem Bericht. »Haben Sie den Bahnsteig auf Kampfspuren an anderen Orten untersucht? Blut? Sonstige Spuren?«

Ambick gab ein unwilliges Brummen von sich. »Auf so einem Bahnsteig findet man *alles*. Auf dieser Linie werden die Bahnhöfe morgens um fünf Uhr gereinigt. Das heißt, als Sassbeck aufgefunden wurde, war der Dreck eines ganzen Tages drauf. Da sind Untersuchungen wenig beweiskräftig.« Er hob die Hand, ließ sie auf die Schreibunterlage patschen. »Es war jemand anders.«

»Der Engel?« Das kam von Jo, gefolgt von einem meckernden, humorlosen Lachen. »Nein, nein. Diese Engelsgeschichte riecht geradezu nach Verdrängung. Er projiziert. Das tut man, wenn man etwas getan hat, an das zu erinnern man sich nicht erlauben kann. Also erfindet man eine Erinnerung, die einen besser dastehen lässt.«

»Jo«, sagte Ambick, »der Mann war in der NVA. Soldat. Warum sollte so einer Gewissensbisse haben, wenn er sich verteidigt?«

Barth strich sich eine Haarsträhne aus der Stirn. »Mein Lieber, die menschliche Seele funktioniert nicht so simpel, wie du dir das vorstellst. Eine Menge DDR-Flüchtlinge haben es nur deshalb über die Grenze geschafft, weil die Wachen absichtlich danebengeschossen haben.«

»Das hat doch damit nichts zu tun.«

»Und warum redet er dann ausgerechnet von einem *Engel*?«

»Frag ich mich auch«, warf Ortheil ein. Er deutete auf den Monitor. »Lassen Sie die Videos noch einmal laufen.«

Wie oft denn noch? Ambick griff nach der Fernbedienung. Die Kriminaltechnik hatte die zur Verfügung stehenden Aufnahmen so zusammenkopiert, dass sie sechs Bilder gleichzeitig sahen, jeweils mit identischem Zeitcode. Zwei Bilder zeigten die beiden Bahnsteige, wenn auch nur deren Mittelteil, wo die Fahrgäste ein- und ausstiegen. Drei weitere Bilder zeigten die Treppenaufgänge – die erste Ebene der U-Bahn-Station diente gleichzeitig als Unterführung und hatte drei Ausgänge –, das sechste Bild zeigte einfach einen Teil des langen Nordgangs.

»Ich weiß echt nicht, wer sich so etwas ausdenkt«, knurrte Ortheil. »Wenn man schon eine Videoüberwachung installiert, warum nicht gleich so, dass man den ganzen Bahnsteig sieht? Dann müssten wir uns jetzt nicht den Kopf zerbrechen.«

Das hatte er seit Beginn der Untersuchungen bereits mindestens dreimal gesagt. Sie wussten alle, dass es daran lag, dass die Kameras in erster Linie zur Überwachung des Verkehrs angebracht worden waren, nicht um Verbrechen leichter aufklären zu können. Ambick sagte nichts, ließ das Video einfach laufen.

Zuerst sahen sie die beiden Jugendlichen, Philipp Flach und Dardan Ademi, aus einem Zug der Linie 4 kommen. Offenbar hatten sie hier umsteigen wollen. Sie redeten miteinander, mit großspurigen, aufgebracht wirkenden Gesten, und gerieten aus dem Bild. Der Eindruck, dass sie schwankten, trog nicht: Die Obduktion hatte einen beträchtlichen Alkoholpegel im Blut beider festgestellt.

Eine dritte Person, ein Mann mit einem Aktenkoffer, der aus einem anderen Wagen ausgestiegen war, verschwand ebenfalls in Richtung Treppe aus dem Bild. Man sah ihn gleich darauf in der Unterführung zum nördlichen Ausgang.

Dann kam Sassbeck. Man sah, dass ihm das Treppensteigen nicht leichtfiel. Hüftprobleme, vielleicht auch die Kniegelenke. Kurze Zeit später tauchte er auf dem Bahnsteig Richtung Innenstadt auf. Man sah ihn die Fahrpläne studieren. Er blickte ab und zu zur Seite, dorthin, wo Flach und Ademi aus dem Bild verschwunden waren: Vermutlich bekam er mit, wie sie die Sitzbank am äußersten Ende des Bahnsteigs demolierten.

Er schien mit sich zu ringen. Wandte sich ab, schaute wieder hin.

Gleichzeitig tauchte auf der schmalen Südtreppe, die man benutzte, wenn man einen Zug stadtauswärts nehmen wollte, eine schmächtige Frau auf. Ihr Gesicht war nicht zu erkennen, sie blickte die ganze Zeit zu Boden. Es war ihnen nicht gelungen, diese Frau zu identifizieren; sie trug einen Allerweltsmantel, hatte eine Allerweltsfrisur, zeigte keinerlei auffällige Merkmale.

»Die Frau, die Alarm geschlagen hat?«, fragte der Psychologe.

»Höchstwahrscheinlich«, meinte Ambick. Sie würde erst nachher, wenn die Linie 1 in Richtung Marienweiler einfuhr, auf dem Bahnsteig auftauchen und sofort einsteigen. Er hatte sich diesen Teil des U-Bahnhofs angeschaut: Sie musste die Schlägerei gehört und sich versteckt gehalten haben.

Nun sah man, wie Sassbeck in Richtung der Jugendlichen ging. Er sagte etwas, geriet aus dem Bild. Ortheil knurrte unleidig. Von der Schlägerei, die nun vermutlich folgte, war nicht das Geringste zu sehen.

Lediglich eine weitere Person tauchte in dieser Zeit auf den Bildern auf; ein magerer junger Mann mit kurzen schwarzen Haaren, der einen dunklen Mantel trug und die Unterführung raschen Schrittes von der Nordtreppe her passierte.

»Der hier«, sagte Ambick und hielt das Bild an. »Warum benutzt der die Unterführung? Um diese Uhrzeit ist dort auf der Straße praktisch nichts los. Man kann sie problemlos überqueren, wo und wann man will.«

Jo lachte wieder meckernd. »Wie ein Engel sieht der aber nicht gerade aus.«

»Vielleicht ist es ein vorsichtiger Mensch«, meinte Ortheil.

»Oder er macht es aus Gewohnheit. Auf jeden Fall haut es zeitlich nicht hin.«

»Ja«, musste Ambick zugeben. Er ließ die Videos weiterlaufen. Der Mann verschwand aus dem Bild des Nordgangs, um wenig später auf einem anderen Bild in genau demselben leichtfüßigen Schritt die Südtreppe emporzusteigen und in der Nacht zu verschwinden.

Ambick merkte, dass er an einem Nagel kaute. Schlechte Angewohnheit. Er legte die Hand in den Schoß und sagte: »Und wenn es jemand war, der gar nicht auf den Bildern auftaucht? Jemand, der sich schon auf dem Bahnsteig befunden hat. Auf der anderen Seite der Treppe zum Beispiel. Wenn er von dort aus eingegriffen hat, würde er auf den Videos überhaupt nicht auftauchen.«

»Und wie ist er danach verschwunden?«, fragte Ortheil.

»Wenn er sich die Nacht über im Fahrtunnel versteckt hätte, hätten wir ihn nicht bemerkt.«

»Wie unwahrscheinlich ist *das* denn?« Ortheil richtete sich entschlossen auf. »Nein, es war der Alte. Er hatte seine frühere Dienstpistole dabei. Vielleicht, weil ihm irgendwann schon mal einer dumm gekommen ist. Er hat die beiden abgeknallt, und als er nachschauen wollte, ob er sie auch erledigt hat, ist er umgekippt. Die Aufregung, was weiß ich.« Der Staatsanwalt nahm die Mappe mit den Berichten, warf sie Ambick wieder auf den Schreibtisch. »Wir müssen noch einmal nach der Waffe suchen. Und Klein soll einen zweiten Schmauchspurentest machen. Oder halt – nein, nicht Klein, der ist mir zu schlampig. Schicken Sie jemand anders. Die Hoffmann vielleicht. Die hat doch damals –«

In diesem Moment klopfte es kurz, dann wurde die Tür aufgestoßen, dem Psychologen ins Kreuz.

»Entschuldigung«, sagte der sommersprossige junge Mann, der den Kopf hereinstreckte. Sein Blick suchte Ambick. »Herr Kommissar? Die Resultate aus der ballistischen Untersuchung. Sie wollten die gleich haben.«

»Geben Sie her.« Ambick griff nach der Mappe, die der Mann ihm reichte. »Danke. Sagen Sie den Kollegen einen schönen Gruß von mir.«

Während Jo Barth etwas murmelte von wegen, man habe ihm beinahe das Rückgrat gebrochen, und Ortheil rasch seine SMS sichtete, überflog Ambick den Bericht. Als er lachen musste, sahen beide zu ihm her.

»Es wird immer unwahrscheinlicher«, erklärte Ambick und reichte die Mappe an den Staatsanwalt weiter. »Die Kugeln stammen eindeutig aus zwei verschiedenen Waffen. Beide vom Typ Makarow PM – aber eben *zwei*.«

»*Fuck!*« Abgrundtiefe Missbilligung klang aus der Stimme Ortheils.

Ambick lehnte sich zufrieden in seinen Sessel. Damit war die Theorie beerdigt. Dass ein Rentner gleich zwei Waffen dabeigehabt, mit beiden geschossen haben sollte und beide spurlos hatte verschwinden lassen, war mehr als unwahrscheinlich.

Der Staatsanwalt stand ruckartig auf. »Wir halten das zurück«, ordnete er an. »Kein Wort davon an die Öffentlichkeit. Falls hier gerade ein Bandenkrieg anfängt, will ich kein Öl ins Feuer gießen.«

Professor Doktor Markus Neci wohnte nicht irgendwo, sondern in einem altehrwürdigen Gründerzeithaus am vornehmsten Ende von Blankenhagen. Alter Baumbestand hinter schmiedeeisernem Gartenzaun und eine Garage, groß genug für drei Autos: Der Inhaber des Lehrstuhls für Soziologie fuhr einen silbergrauen Jaguar X300, ein jederzeit auf Hochglanz poliertes Liebhaberstück. Gegenüber wohnte der Aufsichtsratsvorsitzende der Landesbank, nebenan genoss ein ehemaliger Verfassungsrichter seinen Ruhestand. Und so weiter.

Ausgeschlossen, damit konkurrieren zu wollen, ging es Ingo durch den Kopf, als er den hundert Jahre alten Klingelknopf aus massivem Messing drückte.

In Wahrheit finanzierte Neci das alles nicht etwa aus dem Salär, das ihm die Universität zahlte, und auch nicht aus seinen Buchtantiemen, Vortragshonoraren und seinen zahlreichen sonstigen Nebentätigkeiten, sondern schlicht aus seinem elterlichen Erbe: Sein Vater hatte eine lukrative Import-Export-Gesellschaft geführt und kurz vor seinem Tod für etliche Millionen verkauft, sodass sein einziger Sohn ohne jedes Zutun zum reichen Mann geworden war.

Aber solche profanen Details interessierten natürlich niemanden.

Melanie riss die Haustür auf. »Na endlich.«

Sie wirkte aufgelöst und irgendwie zornig, wobei Ingo nicht hätte sagen können, ob der Zorn ihm galt oder dem Papagei. Er kannte diese Stimmung bei ihr. Früher, wenn sie gestritten hatten, aus Anlässen, deren Streitwürdigkeit ihm meistens unverständlich blieb, war es so ähnlich gewesen. Da hatte oft dieselbe Spannung in der Luft gelegen.

Nur, dass sie sich damals manchmal in spontanem Sex gelöst hatte. Sex, der Melanie dann immer gar nicht hart genug sein konnte.

Ingo räusperte sich. »Okay. Wo ist er?«

»Hab ich doch gesagt«, fauchte sie. »Im Arbeitszimmer.«

Das Allerheiligste des Herrn Professor lag im Obergeschoss und nahm dessen gesamte nach Westen gerichtete Hälfte ein: ein kolossales Zimmer, dessen Decke bis unter das Dach hinauf erweitert worden war und sich dadurch wie ein großes, dunkles Zelt über dem Besucher erhob. Drei mächtige Regale mitten im Raum, vollgestopft mit Büchern und ungemein imposant. Vor der Fensterfront ein endloser Schreibtisch, von einer Seite des Hauses zur anderen, weiß lackiert und teuer wirkend. Ein wuchtiger Ledersessel direkt vor der bewussten Schreibmaschine, die gut und gerne fünfzig Jahre alt sein musste. Erstaunlich, dass es dafür noch Farbbänder gab.

»*Eeengo!*«, krakeelte es aus luftiger Höhe, kaum dass sie das Arbeitszimmer betreten hatten.

Ingo hob den Kopf. Unter dem Dach lagen mehrere Querbalken frei; auf einem davon vergnügte sich Macho, ein gutes Dutzend Manuskriptseiten fest in den Krallen.

Wenn Blicke töten könnten, wäre er im nächsten Moment leblos herabgestürzt, so, wie Melanie ihn ansah. »Hör dir dieses undankbare Viech an. Ich rotiere tagein, tagaus um ihn herum, und was macht er? Schreit *Eeengo*, sobald du auftauchst.« Sie funkelte Ingo an, und er meinte, durchaus so etwas wie Bewunderung in ihren Augen zu lesen. »Wie machst du das?«

»Keine Ahnung«, gestand er. »Ich kann ihn ja nicht mal leiden.«

»Okay.« Ein letzter mörderischer Blick in dunkle Höhen. »Ich geh dann mal und schau, ob ich im Internet ein Rezept für Papagei am Spieß finde.«

Sie schlug die Tür so wütend zu, dass es nachhallte.

Ingo hatte das Gefühl, dass eine Last von ihm abfiel. Er schaute sich um. Dies war das erste Mal, dass er das Arbeitszimmer von Melanies Neuem zu Gesicht bekam. Jede Wette, dass es Neci nicht recht gewesen wäre, hätte er es gewusst. Egal. Das war Melanies Problem, nicht seins. Ingo ging die Buchregale entlang, ließ die Finger über die teils ledernen, teils aus abgewetzter Pappe bestehenden Einbände gleiten. Er kannte praktisch keines der Bücher, die hier standen, kannte nicht einmal die *Autoren*! Er war halt kein Professor, nur ein Journalist. Und bekanntlich waren Journalisten ungebildet und wussten bestenfalls, wo sie etwas nachschlagen konnten. O-Ton Markus Neci, der überdies der Auffassung war, die Journalisten aus Ingos Generation würden sich ohnehin ausschließlich in der Wikipedia bedienen.

Entlang der Wände, unter den Dachschrägen, standen kniehohe Kommoden, die entfernt japanisch anmuteten und allerlei seltsame Sammlungen präsentierten: metallene Tabaksdosen, Unmengen von Pfeifen, handgeschnitzte Pinguine in allen Größen und Varianten und anderen Krimskrams. Was halt so das Herz eines Soziologen erfreute. Ingo nahm, während er über sich Papier rascheln hörte, einen der Pinguine in die Hand und betrachtete ihn. Was war das für ein Material? Elfenbein womöglich? Würde sich ein Professor ein moralisch derart fragwürdiges Artefakt zulegen?

»Pinguine mag er offenbar«, erklärte er dem Papagei. »Und die sind ja zumindest entfernt mit dir verwandt. Ich glaube, du musst dir keine allzu großen Sorgen machen.«

Er stellte die Figur wieder hin, wanderte weiter. Ja, der Raum hatte unverkennbar die Atmosphäre eines Refugiums, fast eines Heiligtums. Und der Vogel da oben unter der zeltartigen Decke war eindeutig ein Störfaktor, wie er da hin und her trippelte, die Seiten aus dem Manuskript in den Krallen.

»Na, Macho?« Ingo streckte die Hand aus. »Was treibt dich denn um, du alter Gauner? Komm.«

Der Graupapagei ließ die Blätter fallen. Wie Herbstlaub kamen sie herabgesegelt, verteilten sich zwischen den Regalreihen. Ingo sammelte sie auf, strich sie wieder glatt und ordnete sie nach den Seitenzahlen. Alles noch lesbar, der Herr Professor würde sie einfach nur abschreiben müssen. Falls Melanie das nicht selber erledigte.

Er trug die Papiere zum Schreibtisch, überlegte, was er damit tun sollte. Melanie hatte den Rest des Manuskripts wohlweislich weggeräumt; vermutlich lag es in einer der zahllosen Schubladen. Die wollte er lieber nicht durchstöbern. Er überflog den Text, stutzte. Na, so was – in Necis neuem Buch ging es ausgerechnet um Jugendgewalt und ihre Ursachen! Das passte ja mal wieder wie die Faust aufs Auge.

Ingo las alles, was er in der Hand hielt, von vorn, versuchte ernsthaft zu verstehen, was sein Nachfolger an Melanies Seite da in pompös geschwollenem Professorendeutsch von sich gab. Dabei sollte das gar kein Fachbuch werden, wo Imponieren ja bekanntlich vor Informieren ging, sondern ein populärwissenschaftliches Sachbuch für einen Verlag, dessen Name sogar Ingo etwas sagte. Neci hatte wirklich Glück, nicht von seinen Tantiemen leben zu müssen.

Flügelrascheln über seinem Kopf, dann landete der Graupapagei auf seiner Schulter und krächzte: »*Eeengo!*«

Ingo sah kaum auf, las weiter. Natürlich galten auch Professor Necis Gedanken einzig den Tätern; Opfer kamen nur als deren Attribute vor (»vergewaltigte vier junge Frauen«, »verletzte mehrere Passanten mit Messerstichen« und so fort). Es ging um die Reifeentwicklung der Täter, ihre Schuldfähigkeit, um fehlende Anerkennung und missglückte Integration und die Versäumnisse der Gesellschaft, die dazu geführt hatten.

Tja. Rado hatte einfach recht. Opfer waren nun mal nicht sexy. Ingo knallte die geretteten Seiten auf den Tisch und wuchtete eine kleine, vermutlich echt bronzene Büste als Beschwerer darauf, von der er nicht wusste, wen sie eigentlich darstellen sollte. Es war ihm auch egal.

Mit dem Vogel auf der Schulter verließ er das Arbeitszimmer. Melanie kam aus einem Zimmer geschossen und kreischte auf, als sie ihn sah. Nachdem Ingo ihr versichert hatte, dass die Seiten aus dem Manuskript vollzählig gerettet waren, packte sie das gleichmütig gewordene Tier und verfrachtete es zurück in die Voliere. Dort begab sich der Papagei auf den obersten Ast seines Kletterbaums, um missmutig vor sich hin zu brummeln.

Die Voliere wiederzusehen, überhaupt das Wohnzimmer, das trotz der fremden Möbel Melanies Handschrift erkennen ließ, rief in Ingo schmerzhafte Erinnerungen an ihre gemeinsame Zeit wach.

Sie kam auf ihn zu, sichtlich erleichtert. »Du bist halt doch einer von den Guten«, sagte sie und streckte die Arme aus, als wolle sie ihn küssen.

Ingo trat einen Schritt zurück. »Mel«, bat er. »Nicht.«

»Ich bin so froh. Ehrlich.«

»Ist ja gut.« Alles in ihm schrie danach, es zuzulassen, der Gunst des Augenblicks nachzugeben, sehnte sich nach nichts mehr als nach einer Umarmung, und wenn es Melanies Arme waren, nun, warum nicht? Einzig sein Kopf beharrte darauf, dass er sich damit keinen Gefallen tun würde, dass er im Gegenteil endlich mit dieser Geschichte abschließen müsse.

Vielleicht wäre er am Ende doch noch schwach geworden, hätte sich nicht genau in diesem Moment ein Schlüssel deutlich hörbar im Haustürschloss gedreht.

Es war niemand anders als der Hausherr höchstpersönlich. Er kam herein, eine Aktenmappe in der einen Hand und den Autoschlüssel in der anderen, als sei er unschlüssig, ob er ihn einstecken oder nach jemandem werfen solle. »Ach, sieh an«, sagte er, als er Ingo erblickte.

Melanie hatte die Augen aufgerissen. »Du bist schon zurück?«

»Eine geradezu tautologische Frage.« Aus den Bewegungen, mit denen er seinen Mantel auszog, sprach Überdruss, als wäre ihm gerade alles lästig, insbesondere, womöglich gar höfliche Worte mit ihm, Ingo, wechseln zu müssen. »Ach, Melanie – falls du vorhaben solltest, wieder mit deinem Ex herumzumachen, sei so freundlich und sag mir rechtzeitig Bescheid, ja? Dann würde ich nämlich im Gegenzug einigen meiner Studentinnen entsprechende Aufmerksamkeit widmen.«

»Ich dachte, du hättest Sitzung bis –«

»Ja, ich auch.« Neci entschied sich, den Autoschlüssel einzustecken. Seine langen, vornehm ergrauten Haare, die er normalerweise straff gekämmt und hinter seinem kantigen Schädel zum Pferdeschwanz gebunden trug, wirkten ungewöhnlich zerwühlt. »Aber gewisse Institutsleiter hatten andere Prioritäten.«

»Ingo hat mir nur geholfen, Macho wieder einzufangen«, verteidigte sich Melanie hastig.

»So, so«, sagte der Professor mit unüberhörbarer Skepsis. Dann geruhte er den soziologischen Blick auf Ingo zu richten. »Macho. Ich habe mich immer gefragt, nach wem das Vieh eigentlich benannt ist.«

»Der Name stammt von der Vorbesitzerin«, erwiderte Ingo

und hätte sich im gleichen Moment am liebsten die Zunge dafür abgebissen, dass er auf die Provokation eingestiegen war.

Markus Neci lächelte dünnlippig. »Die wir nicht fragen können, ob das stimmt.«

Ingo sah Melanie hilflos an, aber sie sagte nichts zu seiner Unterstützung, stand nur da wie ein gemaßregeltes Kind. Die erotische Spannung, die gerade eben noch zwischen ihnen geherrscht hatte, war spurlos verpufft.

»Okay«, sagte Ingo, an Melanie gewandt. »Ich geh dann mal besser.«

»Ja«, meinte sie, ihn nur mit einem flüchtigen Blick bedenkend. Kein *danke*, kein *ich bring dich zur Tür*. Er ließ die beiden stehen, und als er die Haustür hinter sich zuzog, tat er es mit dem Gefühl, wieder einmal besiegt worden zu sein.

5 In der Straßenbahn zurück in die Stadt klingelte sein Handy. Ingo wollte es schon abschalten, weil er es im Moment nicht ertragen hätte, mit Melanie zu sprechen, erst recht nicht, falls sie sich entschuldigen wollte. Aber er sah noch rechtzeitig, dass die Nummer eines alten Bekannten angezeigt wurde, Thorsten Reuß, mit dem er vor Urzeiten gemeinsam ein Praktikum beim Rundfunk absolviert hatte.

Er zögerte trotzdem, den Anruf anzunehmen. Thorsten war seit damals durchgestartet, hatte Karriere in einem Zeitschriftenkonzern gemacht, jettete durch die Welt und schmiss mit Geld um sich. Sie hatten schon seit Jahren nicht mehr miteinander gesprochen.

Ach, was sollte es? Ein Tiefschlag mehr oder weniger, darauf kam es jetzt auch nicht mehr an. Ingo drückte die grüne Taste. »Hallo, Thorsten?«

»Hi, Ingo«, dröhnte Thorsten. »Ich steh grade im Stau – schrecklicher Verkehr heute wieder – liegt bestimmt an der Riesenbaustelle vor Neuahlsdorf – jedenfalls, ich musste grade an dich denken und hab ausnahmsweise Zeit – also: Wie geht's dir?«

Immer noch der Alte. Redete immer noch in Bindestrichsätzen und so schnell, als gäbe es Geschwindigkeitszulage dafür. Wie es wohl war, mit einem Bentley im Stau zu stehen? »Ich sitz grad in der Straßenbahn«, begann Ingo, aber das reichte Thorsten schon als Befindlichkeitsmeldung. Er wisse, brauste er weiter, von einer Stelle, die in Kürze frei würde, hervorragend bezahlt, ob ihn das interessiere?

»Die Redakteurin geht in Elternzeit – inoffiziell weiß man bereits, dass sie nicht mehr zurückkommt – wäre also eine langfristige Sache«, erklärte Thorsten mit der Begeisterung eines Staubsaugervertreters. »Du müsstest dich nur etwas eingewöhnen – es ist eins von diesen Lifestylemagazinen – die haben ihren ganz eigenen Sound, wenn du verstehst, was ich meine.«

Mit anderen Worten, der Job würde darin bestehen, in Form von Artikeln Werbung für überteuerten, nutzlosen Kram zu machen. »Nett, dass du an mich denkst«, sagte Ingo. »Aber ich glaube, dafür bin ich nicht der Richtige.«

So schnell gab ein Thorsten Reuß nicht auf. »Nur die Ruhe, Ingo. Ich sag ja nicht, dass du dich sofort entscheiden musst. Guck es dir an – schlaf drüber. Klar, klingt auf den ersten Blick doof – andererseits bringen die unglaublich viele Interviews, und Interviews – hey, das ist doch deine Stärke!«

»Findest du?«

»Ja unbedingt«, versicherte ihm die Stimme im Ohr. »So im Alltag, da bist du zu schüchtern – das muss ich dir nicht erzählen – aber in Interviewsituationen – also, damals das Interview mit dieser Theatertussi, die dich auflaufen lassen wollte – ganz großes Kino, wie du da pariert hast!«

Ingo furchte die Stirn. So hatte er das noch nie gesehen. Okay, Interviews fielen ihm leicht, aber das ging den meisten Journalisten so, oder etwa nicht? Das Radiointerview, auf das Thorsten anspielte, hatte er des Geldes wegen gemacht. Für ein Band mit einem Gespräch, in dem die Interviewte nur blockte, hätte ihm niemand etwas gezahlt, also hatte er sich was einfallen lassen müssen. Ganz einfach.

»Oder dein Studentenjob da beim Fernsehen – diese Spieleshow – wie du mit den Gören klargekommen bist, alle Achtung, hätt ich nie im Leben gekonnt.«

»Fang nicht du auch noch davon an«, knurrte Ingo.

»Du kannst es ja als was Vorübergehendes betrachten – kein Problem«, fuhr Thorsten mit der Energie eines Intercity-

Zugs fort. »Die zahlen gut – du könntest deine Reserven ein bisschen aufstocken – klar, deine Ambitionen – aber die verschwinden ja nicht. Du tust eine Weile den Deckel drauf, sammelst Druck an, und dann – Peng! Gehst du los wie eine Rakete. Schreibst endlich dein Buch.«

»Was für ein Buch?«, wunderte sich Ingo. Er hatte nie daran gedacht, ein Buch zu schreiben. Seit wann veränderten Bücher die Welt? Artikel, das war sein Ding. Aktualität.

»Jeder schreibt heutzutage ein Buch«, behauptete Thorsten.

»Ich nicht.« Ingo räusperte sich. Er musste ihn irgendwie stoppen. »Hör mal, das ist wirklich total super von dir, dass du an mich denkst, aber ehrlich gesagt bin ich grade an was dran, das äußerst interessant werden könnte.« Atemberaubend, wie glatt ihm diese Lüge über die Lippen ging.

»Tja, Sportsfreund«, meinte Thorsten pikiert, »dann kriegt den Tipp jemand anders. Ist das okay?«

Ingo malte sich noch einmal aus, wie es wäre, in einem hochmodern designten Großraumbüro an einem Schreibtisch zu sitzen und hymnische Artikel auf Parfüms, Luxusreisen, Golfschläger oder Börsentipps zu schreiben. Er spürte, wie sich bei der bloßen Vorstellung alles in ihm verkrampfte. »Absolut.«

»Was anderes: Hast du nicht Lust, heute Abend mit auf die Piste zu gehen? Vier, fünf von den alten Jungs treffen sich im *Good and Evil* – so gegen zehn? Sich mal wieder sehen – ein paar Takte reden – den Frauen nachgucken … Vielleicht ergibt sich was. Kann man nie wissen. Wie sieht's aus? Lust?«

Das *Good and Evil* war eine Diskothek in Fuhlsberg, ziemlich angesagt, ziemlich teuer, ziemlich anspruchsvoll, was das Outfit der Gäste anbelangte. Schon das war ein Problem. Außerdem würde es, wie Diskotheken es nun einmal an sich haben, zu laut sein, um wirklich zu reden. Ingo wusste, wie der Abend verlaufen würde, falls er sich darauf einließ: Er würde verloren an der Bar herumstehen, ein paar Leuten von früher »Hallo!« zuschreien, viel zu viel Geld für Drinks ausgeben, die ihm nicht schmeckten, zusehen, wie andere mit Porsche-Schlüsseln klimperten und mit einer aufgebrezelten Frau am Arm abzogen, und schließlich mit angeknackstem Selbstbewusstsein nach Hause gehen. Allein, selbstverständlich.

Wobei er gerade gar keine Lust auf irgendein Abenteuer hatte. Irgendwie musste er an Evelyn Sassbeck denken. Die würde er heute Abend in keiner Diskothek der Stadt antreffen.

»Nee, du«, sagte er. »Was das anbelangt, bin ich auch an was dran, das interessant werden könnte.«

Thorsten gab einen Pfiff von sich. »Ah, verstehe. Okay. Na, vielleicht ein andermal.«

»Ja. Vielleicht ein andermal«, log Ingo.

Als er zu Hause ankam, erschien es ihm wie ein Fehler, Thorstens Einladung abgesagt zu haben. Allein daheim herumzusitzen würde seinem Selbstbewusstsein auch nicht gerade zuträglich sein.

Doch dann rief Evelyn Sassbeck an. Das klappte mit dem Besuch bei ihrem Schwiegervater; sie hatte mit ihm gesprochen. Sie verabredeten sich für acht Uhr vor dem Haupteingang des Ringhospitals.

Wie *gut*, dass er Thorstens Einladung abgelehnt hatte! Einem plötzlichen Impuls folgend, begann Ingo, seine Wohnung aufzuräumen. Gründlich. So gründlich, dass sich sogar eine Frau darin würde wohlfühlen können.

Daniel Wiechert, einundzwanzig Jahre alt, führte ein Doppelleben.

Tagsüber stand er, adrett frisiert und beschlipst und mit einem preiswerten Anzug aus dem Kaufhaus bekleidet, wie es seinem Status als Auszubildender entsprach, hinter einem Bankschalter. Er zahlte Geld aus, nahm Geld entgegen und erledigte Überweisungen für alte Leute, die mit der Selbstbedienung am Computer nicht zurechtkamen. Wurde er etwas gefragt, das sie in der Berufsschule noch nicht behandelt hatten, holte er den zuständigen Betreuer zu Hilfe. Die Omis aus der

Umgebung der Filiale waren sich einig, dass er ein »netter junger Mann« sei, und nannten ihn auch so.

Doch abends, wenn er nach Hause kam, war seine erste Handlung, diese Tarnexistenz abzuwerfen wie Superman seine Verkleidung als Clark Kent und sich in sein wahres Selbst zu verwandeln: in Daniel, den Punker. Auf den Bügel mit dem Anzug, her mit dem Haargel und der auswaschbaren Farbe, der Lederjacke und den Stiefeln! Ohne seine knallgrüne Stachelfrisur und das mit überdimensionalen Sicherheitsnadeln zusammengehaltene T-Shirt seiner Lieblingsband *Die Arschlochkarten* setzte er sich grundsätzlich nicht an den Abendbrottisch – zum Leidwesen seiner Mutter. Aber die hatte sich inzwischen damit abgefunden, im Gegensatz zu seinem Vater, der, wenn er mal da war, fast immer sagte: »Ich kann's kaum erwarten, dass du dir endlich 'ne eigene Wohnung suchst.«

Danach ging es raus, einen draufmachen. Kumpels treffen. Abhängen. Für Schlaf blieb unter der Woche nicht viel Zeit, klar, aber das Problem hatten Superhelden sicher auch. Schlief er eben am Wochenende lange, dafür gab es das schließlich, oder?

Heute war er mal wieder in geheimer Mission unterwegs: Plakate für das nächste Konzert der *Arschlochkarten* kleben. Er kannte die Musiker gut, gehörte ein bisschen zu deren Umfeld, was ja nun nicht jeder von sich behaupten konnte. Klar, so eine Punkband hatte nicht die Knete, Plakatflächen zu mieten – die waren schon froh, wenn sie das Benzin für ihren Transporter nicht klauen mussten. Da waren Initiative und Findigkeit gefragt. Daniel machte es so, dass er die Plakate zusammengerollt in der Innentasche seiner Jacke trug und den Kleister zusammen mit dem Pinsel in einem alten Blecheimer, auf dem ein Bieraufkleber pappte: Das reichte, damit sich die Leute nichts dabei dachten, dass da einer einen Eimer durch die Gegend schleppte. Ein Punker halt mit seinem Bölkstoffvorrat, sagten sich die meisten. Dann hieß es nur noch, geeignete Flächen auszuspähen: elektrische Schaltschränke, Hauseingänge, Unterführungen, Wartehäuschen und dergleichen. Einen unbeobachteten Moment abpassen, zack, raus mit dem Pinsel, zweimal drüber, Pinsel weg, Plakat raus, auf der bekleisterten Fläche ausrollen und glatt streichen – und zusehen, dass man Land gewann.

Heute lief es gut. Daniel hatte vierunddreißig Plakate an, wie er fand, hervorragenden Stellen angebracht. Mit jedem Plakat war seine Vorfreude auf das Konzert im Mülmarschener Jugendzentrum gestiegen.

Zwei Plakate hatte er noch. Und einen Spitzen-Platz für eins davon im Auge: der mächtige Entlüftungsschacht des Parkhauses unter dem Stuttgarter Platz. Ein dicker Zylinder aus weiß lackiertem Stahl, der direkt neben dem Fußweg zwischen dem Alexander-Langenstein-Gymnasium und der Bushaltestelle Teichmannstraße aus dem Boden ragte wie eine jungfräuliche Litfaßsäule. Die Stadt verwendete viel Mühe darauf, das Ding von Graffiti und Aufklebern frei zu halten, und auch jetzt, im fahlen Schein der Straßenbeleuchtung, war die Fläche makellos.

Mit anderen Worten: Wer hier zuerst klebte, genoss die maximale Aufmerksamkeit der Passanten.

Daniel sang leise eines seiner Lieblingslieder der *Arschlochkarten* vor sich hin, während er sich dem Zylinder näherte.

»Sie brennen dir das Hirn raus,
verkaufen dich für blöd,
sie woll'n dich gar nicht haben,
weil du doch bloß störst …«

Gerade als er den Kleisterpinsel aus dem Eimer ziehen wollte, sagte eine gehässige Stimme: »Gut erkannt, Zecke.«

Daniel fuhr herum. Sah drei Paar Springerstiefel. Drei Bomberjacken. Drei Glatzen.

Und irgendwo in dem sträflingsartigen Outfit auch Gesichter. Augen, die ihn hasserfüllt musterten.

Scheiße. Drei gegen einen. Und solche Typen hatten für Fairness nichts übrig. Die wussten nicht mal, was das war.

»Hey«, sagte Daniel behutsam, »ich will keinen Streit, okay?«

Breites Grinsen. »Schon möglich. Aber wir vielleicht?«

Wirf ihnen den Kleistereimer in die Fressen, durchzuckte es ihn. *Und dann nichts wie ab!*

Er kam nicht mehr dazu, diesen Impuls in die Tat umzusetzen. Noch ehe er auch nur ausholen konnte, traf ihn von irgendwoher ein mörderischer Schlag, und im nächsten Moment fand er sich am Boden wieder. Sie prügelten auf ihn ein wie die Wahnsinnigen, traten ihn, bespuckten ihn, brüllten irgendwas, schrien ihren Hass raus. Unmöglich, zurück auf die Füße zu kommen. Gott, die schlugen ihn tot. Seine arme Mutter. Vielleicht würde es sogar seinem Vater leidtun. Hoffentlich ging es nicht zu lange. Fetzen von Erinnerungen zuckten ihm im Takt der Schläge und Tritte durch den Kopf. Geschichten, die er gehört hatte, von einem, den Neonazis mit Glasscherben misshandelt hatten, mit glühenden Zigaretten, mit Abflussreiniger, dem sie den Kehlkopf zertrümmerten und die Hände und schließlich den Schädel …

Dann verlor er das Bewusstsein.

Den Punker hatten sie fertiggemacht. Der zuckte bloß noch. Schwacher Gegner. Stachelmähne und Lederklamotten mit Nieten, aber nix dahinter. Würde ihm eine Lehre sein. Sven Dettar trat noch mal zu, rein mit dem Stiefel ins Weiche, hören und spüren, wie da was knackst in dem Körper am Boden. Geiles Geräusch.

Dann lief auf einmal alles schief.

Da war plötzlich ein Licht hinter ihnen. Wie Neonlicht, nur heller, aber nicht wie ein Suchscheinwerfer der Bullen, sondern irgendwie anders. Ehe Sven reagieren konnte, krachten zwei Schüsse, und Nico rechts von ihm und Tim links riss es nach vorne. Blut spritzte und Zeug, die beiden knallten auf den Boden neben dem Typen und hatten Löcher im Kopf und waren verdammt noch mal tot.

Sven fuhr schreiend herum – und stand einem Engel gegenüber. Einem Engel ohne Flügel. Einem Engel in einem langen, strahlend weißen Mantel.

Einem Engel, der in jeder Hand eine Pistole hielt.

Und eine davon war auf ihn gerichtet.

Der Engel sprach. Er sprach mit einer dünnen, hohen, irgendwie unwirklichen Stimme, und Sven kam es vor, als reiche der Klang dieser Stimme allein aus, einen umzubringen.

»Von jetzt an«, sagte der Engel, »werden alle, die Schwächere oder Unschuldige angreifen, sterben. Du bist die letzte Ausnahme, die ich mache.«

Es gab kein Entrinnen. Sven stand mit dem Rücken zur Wand, und der Typ ... falls es ein Typ war ... kam auf ihn zu. Die Pistole zielte auf Svens Kopf, genau zwischen seine Augen.

»Bitte ...«, würgte Sven hervor, oder zumindest versuchte er es, aber er hatte das Gefühl, nur bedeutungslose Laute zu produzieren.

»Sag allen, dass ich von jetzt an über diese Stadt wache«, verlangte der Engel. »Und dass ich alle bestrafen werde, die sich an Schwachen vergreifen, so wie du, du Stück Scheiße.«

Sven sah noch, wie der Arm mit der Pistole herabzuckte, hörte einen Knall, dann explodierte ein unglaublicher Schmerz in seinem Knie und ließ ihn zusammenbrechen.

6 Die Krankenwagen standen beide noch da, als Kommissar Ambick den Ort des Vorfalls erreichte. Zwei Beamte der Spurensicherung waren dabei, das Areal großzügig mit Absperrband zu sichern; zwei Gestalten in weißen Ganzkörperoveralls, die schläfrig durch die Dunkelheit tappten. Es war kurz nach zwei Uhr früh.

»Ein Schwerverletzter – Rippenfrakturen, Hämatome, Schädeltrauma, die übliche Liste; der Patient ist bewusstlos und in kritischem Zustand«, sagte die Kollegin vom Kriminaldauerdienst, eine bullige Frau mit ausgeprägtem Unterkiefer. Sie deutete in Richtung der einen Ambulanz, hinter deren Fenster man Notärzte hektisch hantieren sah. »Der andere ist eine Schussverletzung, zertrümmertes Knie. Kann nicht mehr laufen und wird es wohl auch nie wieder können. Aber er wäre vernehmungsfähig.« Sie zeigte auf den anderen, irgendwie verlassen dastehenden Krankenwagen. »Und, wie gesagt, zwei Tote.«

»Danke«, sagte Ambick. »Wer hat die Polizei alarmiert?«

»Ein Anwohner, der die Schüsse gehört hat.« Sie wies auf eines der Häuser direkt am Stuttgarter Platz. Die meisten davon waren Büro- und Geschäftshäuser, aber hinter ein paar Fenstern in den oberen Stockwerken brannte Licht, und man sah die Silhouetten Neugieriger, die herausschauten. »Ein gewisser Theo Mohn.«

Ambick nickte. »Nehm ich mir nachher gleich zur Brust.« Er betrachtete den Schauplatz. Zwei tote Skinheads, und der Schwerverletzte war, wenn er das richtig verstanden hatte, ein Punker. Sah nach einem simplen Fall aus.

Was nicht hieß, dass er leicht zu lösen sein würde.

»Okay,« sagte er und rieb sich die Hände. Er war müde, und wenn er müde war, kribbelten seine Finger. »Zuerst der Kunde im Krankenwagen. Der mit dem Knie.«

Die Kollegen hatten dem Verletzten Handschellen angelegt, ihn festgebunden und sich dann selber überlassen – der permanente Personalmangel der Polizei machte sich vor allem nachts bemerkbar. Ambick stieg ein, zog die Tür hinter sich zu, setzte sich auf den Klappsitz neben der Liege und musterte den Jungen. Sein kahl geschorener Schädel erschwerte es, sein Alter zu schätzen; neunzehn Jahre vielleicht oder zwanzig. Ein Skinhead wie aus dem Klischeebaukasten, mit einer Ausnahme: In seinem Blick irrlichterte panische Angst. Das sah man bei dieser Klientel sonst eher selten. Genau genommen, nie.

»Okay«, sagte Ambick. »Was ist passiert?« Es war zu spät am Abend, als dass er sich mit den Formalien einer Zeugeneinvernahme – Personalien klären, über den Gegenstand der Befragung informieren, über das Aussageverweigerungsrecht belehren und so fort – aufhalten wollte. Die Strafprozessordnung kannte auch die formlose informatorische Befragung; er musste dafür im Moment nur davon ausgehen, dass der Bursche mit dem zerschossenen Knie auch einfach ein unbeteiligter Passant gewesen sein könnte.

Die Augen weit aufgerissen, flüsterte der Junge: »Da war … da war …«

Ambick nickte auffordernd. »Ja?«

»Da war ein Engel«, fuhr der Junge fort.

Scheiße, dachte Ambick.

Eine gute Viertelstunde später kletterte er wieder aus dem Krankenwagen. Die andere Ambulanz war inzwischen abgefahren. Er zog sein Handy aus der Tasche, wählte die Nummer von Staatsanwalt Ortheil an, atmete noch einmal durch und drückte dann auf den grünen Button.

Der Herr Staatsanwalt war eher ungehalten.

»Ja, ich weiß, wie spät es ist«, verteidigte sich Ambick auf seine entsprechenden Vorhaltungen hin. »Ich glaube nur, Sie hätten mir morgen früh den Kopf abgerissen, wenn ich Sie nicht geweckt hätte.«

»Da bin ich aber gespannt«, sagte Ortheil.

Worauf Ambick berichtete, was ihm der Junge mit dem zerschossenen Knie erzählt hatte.

Danach herrschte erst mal Stille am anderen Ende der Leitung.

Dann Räuspern. »Und er hat wirklich gesagt, er *wacht* von jetzt an über die Stadt?«, fragte Ortheil in einem Ton, als sei er sich nicht sicher, das alles nicht nur zu träumen.

»Wortwörtlich.«

»Gnade uns Gott«, ächzte der Staatsanwalt. »Hören Sie, Ambick, diese Story darf auf keinen Fall an die Öffentlichkeit. Isolieren Sie den Zeugen. Ich beschaff gleich morgen früh einen Haftbefehl. Der setzt mir nicht solche Gerüchte in die Welt, klar?«

»Glasklar«, sagte Ambick.

»Und ich will, dass der Tatort diesmal nach allen Regeln der Kunst untersucht wird. Nach dem Lehrbuch, mit sämtlichen Fußnoten. Klingeln Sie die gesamte Kriminaltechnik wach, wenn es sein muss. Falls diesem angeblichen Engel auch nur eine einzige Feder aus den Flügeln gefallen ist, dann will ich die im Labor haben!«

Das komplette Programm. Das war die Anweisung des Hauptkommissars. Also spulten sie das komplette Programm ab.

Was in diesem Fall ein Riesenaufwand war: Weil für den Verlauf der Nacht Regen angekündigt war, überdachten sie den Tatort zunächst großräumig mit einer Schutzplane. Anschließend spannten sie ein Gitter aus Schnüren über das Areal, um jedes Fundstück einem Planquadrat zuordnen zu können, was auch weggeworfene Zigarettenkippen, Flaschenverschlüsse, Sohlenabdrücke und vieles mehr umfasste, von denen es aller Voraussicht nach jeweils Hunderte geben würde.

In den frühen Morgenstunden transportierten sie schließlich die Leichen ab; nur die Umrissmarkierungen und die Nummerntafeln blieben. Um sechs Uhr dreißig öffnete endlich das Café an der Ecke, worauf die Kriminaltechniker die Sicherung des Tatorts den Kollegen von der Streife überließen und geschlossen zum Frühstück abzogen.

»Sinnloser Aktivismus, wenn ihr mich fragt«, meinte Günther Klein nach dem ersten Schluck frischgebrühten Kaffees. »Goldlöckchen hat Angst, dass ihn der Bürgermeister nicht mehr lieb hat.«

»Auf die Weise krieg ich meine Überstunden jedenfalls nicht rechtzeitig vor Jahresende abgebaut«, maulte Birgit Hoffmann und biss in ein Croissant, dass die Brösel flogen.

Peter Bauer rührte schweigend seinen Kaffee um und genoss die Wärme im Café, die die Kälte der vergangenen Stunden allmählich vertrieb. Er schwieg außerdem, weil Birgit mit ihrem Job verheiratet war und immer ermahnt werden musste, ihren Urlaubsantrag einzureichen. Niemand hatte eine Vorstellung davon, was sie mit freier Zeit eigentlich anfing.

»Ich frage mich«, sagte er, als das allgemeine Genöle nachgelassen hatte, »wie Ambick das gemeint hat von wegen, falls da ein Engel war, will er eine Feder aus seinen Flügeln im Labor haben. Sollen wir jede Feder erfassen, die wir finden? Das artet dann aus, würde ich sagen.«

»Das war nur so ein Spruch«, meinte Günther. »Was Kommissare halt so sagen.«

»Der Kerl mit dem zerschossenen Knie hat so was behauptet«, meinte Birgit. »Dass ein Engel aufgetaucht ist und die anderen erschossen hat.« Sie zuckte mit den Schultern. »Quatsch natürlich.«

»Und was machen wir mit den Federn, die wir finden?«

Birgit war nicht die Chefin, aber die Älteste und Erfahrenste in der Gruppe. »Vogelfedern, die wir identifizieren können, ignorieren wir«, meinte sie. »Aber eventuelle Engelfedern nehmen wir natürlich mit.«

»Und du weißt natürlich, wie Engelfedern aussehen.«

»Meine leichteste Übung«, behauptete sie großspurig.

Als sie gestärkt, durchgewärmt und gedopt genug waren, machten sie sich auf den Rückweg zum Tatort und an die Arbeit. Sie nahmen sich Planquadrat für Planquadrat vor, jeder an einer anderen Ecke. Als der Berufsverkehr einsetzte, blieben Passanten an den Absperrbändern stehen und glotzten: Damit lernte man zu leben in dem Beruf. Irgendwann blendete man die Welt ringsum aus, hatte nur Augen für die paar Quadratzentimeter vor den eigenen Knien – die auf eigentümliche Weise wiederum eine eigene Welt bildeten. Nach ein paar Stunden sah Peter Bauer in Grashalmen Bäume, in Steinchen Felsen, in umherirrenden Ameisen urzeitliche Monster und in herumliegenden Zigarettenkippen fremdartige Bauwerke.

In diesem geistigen Zustand stieß er auf eine einzelne schwarze Kunststofffaser, die ihm irgendwie ungewöhnlich vorkam. Er fasste sie mit seiner Pinzette, betrachtete sie unter der Lupe und fragte sich, womit er es hier zu tun hatte. Mit einer Pinselborste? Mit einem Kunsthaar aus einer Perücke? Mit bedeutungslosem Abfall?

Einen Moment lang erwog er, das Ding einfach wegzuwerfen – was konnte eine *Plastikfaser* mit einem Doppelmord zu tun haben? –, aber dann überlegte er es sich anders, zog einen Probenbeutel heraus, verstaute den Fund darin, notierte Namenskürzel, Fallnummer, Datum, Uhrzeit und Planquadrat auf dem Etikett und legte den Beutel in den Kasten zu den übrigen.

Gleich darauf stieß er auf einen winzigen Knochensplitter, der ganz frisch aussah, und vergaß die Faser wieder.

Evelyn Sassbeck wartete schon, als Ingo vor dem Krankenhaus ankam. Er versuchte, sich nichts anmerken zu lassen – nicht, dass er gerannt war, nicht, dass er sich seiner über fünf Minuten Verspätung bewusst war, und vor allem nicht sein Entsetzen darüber, wie teuer heutzutage Blumensträuße waren. Er hatte im Laden den, den er zuerst ausgesucht hatte, zurückgeben und einen anderen, billigeren nehmen müssen, weil er nicht genug Geld bei sich gehabt hatte. *Wir nehmen auch Kreditkarten*, hatte die Verkäuferin gesagt, aber Ingo hatte nur abgewinkt. Er besaß schon seit Jahren keine Kreditkarte mehr: Das Los vieler freier, unterbezahlter Journalisten, wie er wusste.

»Alles klar?«, fragte er, und sie nickte nur wie jemand, der eine unangenehme Sache möglichst rasch hinter sich bringen will.

Sie gingen hinein. Krankenhausgeruch, Leute in Schlafanzügen und Bademänteln, von denen manche fahrbare Infusionsständer mit sich schoben, weiße Wände mit zerschrammten Holzleisten auf Hüfthöhe, auffallend breite Türen mit elektrischen Öffnern. Ingo folgte ihr, sie kannte den Weg offensichtlich.

Ein vierschrötiger Polizist hielt vor einem Zimmer am Ende eines Ganges Wache. Als er sie kommen sah, stand er auf und verschränkte die Arme.

»Ich bin die Schwiegertochter«, erklärte Evelyn und streckte ihm ihren Personalausweis hin. »Ich war gestern Nachmittag schon einmal hier.«

Der Polizist konsultierte eine Liste, fand ihren Namen, nickte und musterte Ingo.

»Und das«, fuhr Evelyn fort, »ist mein ... Partner.« Ihr winziges Zögern vor dem Wort *Partner* ließ Ingo nervös werden. Wie verräterisch das klang! Zweifellos würde der Polizist jetzt Verdacht schöpfen.

Doch der sagte nur: »Dann müsste ich auch Ihren Ausweis sehen. Und was Sie in der Tasche da haben.«

»Ähm – Wäsche vor allem«, erwiderte Ingo hastig und öffnete seine Umhängetasche. Er hatte zwei seiner eigenen Schlafanzüge hineingestopft, ein paar Unterhemden und Unterhosen, einen Notizblock und einen Kugelschreiber. Nur die letzten beiden Gegenstände gedachte er drinnen auszupacken.

»Mmmh«, machte der Polizist, während er den Inhalt der Tasche inspizierte. »Gut. Dann noch den Ausweis, bitte.«

Ingo reichte ihm seinen Reisepass. Der Mann notierte sich die Daten in der Liste und gab endlich den Weg frei.

Das Zimmer, das sie betraten, war ein Einzelzimmer, was komfortabler klang, als es war. Tatsächlich fühlte man sich durch die Dimensionen – der Raum war dreimal so lang wie breit – und das hohe, vergitterte Fenster eher an eine Gefängniszelle erinnert.

Erich Sassbeck saß aufrecht im Bett und grübelte an einem Kreuzworträtsel. Man sah ihm an, dass er einmal eine stattliche Erscheinung gewesen war, doch das Alter hatte ihn gebeugt. Er legte das Heft und den Stift beiseite, als sie hereinkamen, und blickte ihnen teils erwartungsvoll, teils abweisend entgegen. Sein Kopf war noch verpflastert, und wo er es nicht war, war die Haut übersät von gelben und blauen Flecken: zweifellos Spuren der Tritte, die er abbekommen hatte. Die linke Hand war bandagiert.

»Ingo Praise«, stellte sich Ingo vor. »Ihre Schwiegertochter hat Ihnen gesagt, worum es geht?«

Sassbeck nickte knapp. »Sie wollen eine Story. Wie das halt so läuft heutzutage.«

»Ich bin auf Ihrer Seite, Herr Sassbeck.«

»Sagen Sie.«

Ingo spürte, dass er ungeduldig wurde. Niemand wusste, wie viel Zeit sie haben würden. Jeden Moment konnte eine Krankenschwester hereinkommen oder ein Arzt oder jemand von der Polizei. Jede Minute, die sie mit unnötigem Vorgeplänkel vertaten, konnte eine Minute zu viel sein.

»Haben Sie mitbekommen, was die Medien über Sie schreiben?«, fragte er und zog sein Smartphone aus der Tasche. Ihm das wegzunehmen wäre dem Polizisten vermutlich nicht einmal dann eingefallen, wenn dieser ihn leibesvisitiert hätte; Ingo hatte eine App darauf, die die früher üblichen digitalen Rekorder mühelos ersetzte.

Erich Sassbeck nickte missmutig. »Ja. Klar hab ich das mitbekommen.« Er musterte das Smartphone, als Ingo es mit aktivierter Rekorder-App auf den Beistelltisch legte. »Nehmen Sie das jetzt auf?«

»Wenn Sie nichts dagegen haben«, sagte Ingo. Er zog auch noch Block und Kugelschreiber aus der Tasche und setzte sich auf den Stuhl neben Sassbecks Krankenbett. Handnotizen plus Aufnahmegerät, das war in solchen Fällen die ideale Kombination.

»Die glauben, *ich* hätte die Jungen erschossen!«, stieß Sassbeck hervor, den Blick unverwandt auf das Mikrofonsymbol auf dem Bildschirm des Telefons gerichtet. »Gestern Abend war eine Labortechnikerin da und hat meine Hand untersucht. Sie hat Wattebäusche benutzt, die mit irgendeiner Chemikalie getränkt waren.« Er hob seine rechte Hand zur Nase, schnüffelte. »Man riecht es immer noch. Trotz fünfmal Händewaschen.«

»Ein Schmauchspurentest«, sagte Ingo.

»Hat sie mir auch erklärt.«

»Hat sie Ihnen auch gesagt, dass so ein Test nicht beweist, dass Sie geschossen haben?«

»Nein.« Erich Sassbeck stutzte. »Wozu macht man ihn dann?«

Aus den Augenwinkeln sah Ingo, dass Evelyn, die bis jetzt in einigem Abstand stehen geblieben war, ans Bett trat. »Das würde mich auch interessieren«, sagte sie.

»Sie können keine Waffe abfeuern, ohne dass Schmauchspuren an Ihrer Hand und Ihrer Kleidung zurückbleiben«, wiederholte Ingo, was ihm ein Kriminaltechniker einmal erklärt hatte. »Wenn man Sie mit einem Kopfschuss und mit einer Pistole in der Hand auffindet, aber keine Schmauchspuren an Ihrer Hand nachweisbar sind, dann heißt das, dass Sie nicht Selbstmord begangen haben können. Aber Schmauch – also die Verbrennungsrückstände der Treibladung einer Patrone – hält sich in der Umgebung eines Schusses sehr lange, weil es sich um feinste Schwebepartikel handelt. Man kann auch Schmauchspuren abbekommen, wenn man einfach nur einen Raum betritt, in dem eine Pistole abgefeuert worden ist.«

Sassbeck ließ sich das durch den Kopf gehen, und auf schwer definierbare Weise schien sich seine Stimmung dabei zu verändern. So, als habe er angefangen, Vertrauen zu Ingo zu fassen.

»Ich habe nicht geschossen«, sagte er schließlich. »Ganz egal, was die finden. Ich hab nicht geschossen. Aber«, fügte er rasch hinzu, als Evelyn etwas sagen wollte, »ich *hätte!* Wenn ich eine Pistole gehabt hätte und dazu gekommen wäre zu schießen, hätte ich es getan.«

»Erich!«, stieß Evelyn hervor.

Er warf ihr einen zornigen Blick zu. »Was? Soll es mir leidtun, dass die beiden tot sind? Es tut mir nicht leid. Kein bisschen.« Er sah Ingo an. »Schreiben Sie das ruhig so. Warum sollte es mir leidtun, ganz im Ernst? Das waren zwei widerliche, unnütze Kerle. Wenn sie jetzt nicht tot wären, wäre ich es. Und ich habe ihnen nichts getan. Verstehen Sie? Nichts. Ich habe ihnen nur gesagt, dass es nicht in Ordnung ist, diese verdammte Sitzbank zu demolieren. So etwas wird man ja wohl noch sagen dürfen, ohne dass man gleich zusammengeschlagen wird.«

Ingo nickte nur, sagte nichts. Es gab Momente, in denen es für einen Interviewer besser war, nichts zu sagen, es einfach laufen zu lassen, und dies war einer davon.

»Aber ich hatte keine Pistole«, fuhr Sassbeck fort. »Ich weiß nicht, wie sich die Polizei das vorstellt. Wenn ich eine Pistole dabeigehabt hätte, hätten sie die ja finden müssen, oder?«

Ingo nickte. »Und wer hat dann geschossen?«

Erich Sassbeck sank in sich zusammen. Starrte eine Weile ins Leere, als sei alle Kraft aus ihm gewichen.

Doch schließlich richtete er sich mit einem Seufzer wieder auf. »Das klingt jetzt idiotisch, ich weiß«, sagte er leise. »Aber es war ein Engel.«

Die Sonne erhob sich eben über den malerischen Herrenhäusern, für die der Stadtteil Wanndorf berühmt war, als der elektrisch angetriebene Lieferwagen in die Igelstraße einbog, die in sanftem Bogen leicht bergauf führte. Der Fahrer warf einen raschen Blick auf das Klemmbrett mit der Liste, das neben ihm auf dem Beifahrersitz lag, und dann einen auf die Uhr im Armaturenbrett. Sieben Uhr dreißig stand neben dem nächsten Namen, es war aber schon fast acht. Verdammt.

Wobei … hier sollte es schnell gehen. Soweit er das verstanden hatte, war diese Kundin jedenfalls keine, die einen in lange Gespräche verwickelte. Vielleicht konnte er ein bisschen von der Verspätung aufholen.

Nummer 14. Da war es. Er hielt zwischen zweien der dünnen, jungen Bäume, die die Straße säumten, stieg aus, holte die grüne Plastikkiste mit dem Gemüse aus dem Laderaum. *Victoria Thimm, Igelstraße 14* stand auf dem Ausdruck, der neben den beiden Salatköpfen und dem Lauch steckte. Korrekt.

Als er sich damit umdrehte und das Haus sah, durchzuckte ihn etwas wie ein Schmerz, ein Schmerz, der von seinem linken Schienbein ausging. Nein, die Erinnerung an einen Schmerz. Er blieb verwirrt stehen, dann fiel es ihm wieder ein: Als Kind war er einmal im Winter diese Straße heruntergerodelt, hatte nicht aufgepasst und sich hier, an diesem eisernen Schuhabstreifer, vor diesem Treppenaufgang, das linke Schienbein angeschlagen, und zwar so heftig, dass die Wunde bis auf den Knochen durchgegangen war und man die kreisförmige Narbe bis heute sah.

Das hatte er ganz vergessen. Wie sich der Körper so etwas merkte! Schon erstaunlich.

Die Verspätung fiel ihm wieder ein. Er setzte sich in Bewegung, stieg die fünf Stufen hinauf. An der Klingel stand der Name verkürzt zu *V. Thimm*. Er drückte den Knopf.

Die Sprechanlage knackte. »Ja?«, fragte eine dünne, weibliche Stimme.

»Guten Morgen, ich bringe Ihren Biokorb«, rief er. »Und das Abo für die nächsten vier Wochen wäre fällig.«

Einen Moment Stille. »Sie sind nicht Sebastian.«

»Nein«, gab der Fahrer zu. »Ich bin die Vertretung. Sebastian ist krank. Ich heiße Bernd.«

»Verstehe.« Es klang, als beunruhige sie das.

Ich hab die Frau noch nie gesehen, hatte Sebastian ihm erklärt. *Ich kenne auch niemanden, der sie je gesehen hat. Angeblich verlässt sie das Haus niemals, lässt sich alles liefern.*

»Ich werde jetzt die Tür öffnen«, verkündete die Stimme aus der Sprechanlage. »Bitte stellen Sie die Kiste an der Treppe ab und nehmen Sie die leere Kiste vom letzten Mal mit. In der liegt auch ein Briefumschlag mit dem Geld.«

Wie hatte Sebastian gesagt? *Unsere treueste Kundin. Die Einzige, die jede Woche einen Korb nimmt. Kein Urlaub, keine Winterpause, nichts.*

»Okay«, sagte er.

Der Türöffner summte. Er stieß die schwere, altmodische Tür auf. Dahinter ein Flur, seitlich eine helle Holztreppe, die in den ersten Stock führte. Auf dem untersten Absatz stand ein leerer Plastikkorb, auch der Briefumschlag war da.

Wenn sie das Haus nie verließ, wie kam sie dann an Bargeld?

Und wieso zahlte sie nicht einfach per Dauerauftrag?

Na ja. Konnte ihm egal sein. Er stellte den vollen Korb ab und schnappte sich den leeren. »Tschüss!«, rief er der Sprechanlage zu, doch es kam keine Antwort. Die Tür fiel krachend ins Schloss.

Zurück hinter dem Steuer, rieb er sich kurz das linke Schienbein, ohne sich dieser Bewegung bewusst zu werden. Dafür fiel ihm auf, dass auf der Liste neben der Adresse von Victoria Thimm stand: *Beachten! Kundin wünscht keine Verwendung von Zeitungspapier!*

Er runzelte die Stirn. Was manche Leute so für Marotten pflegten! Die Möhren waren in Zeitungspapier eingewickelt gewesen, wegen des Sandes, und die Kartoffeln auch. Das würde ja wohl nicht so tragisch sein, sagte er sich und fuhr weiter.

Je mehr Erich Sassbeck davon erzählte, was ihm widerfahren war, desto wilder schlug Ingos Herz. Was für eine Geschichte! Was für eine Vorstellung!

Und Sassbeck log nicht. Es sei denn, er wäre der beste Schauspieler gewesen, dem Ingo je begegnet war. Das, was er erzählte, hatte er so erlebt, ganz genau so.

Ein Engel. Ein Racheengel. Der nicht mit einem flammenden Schwert kam, sondern mit zwei Pistolen!

Zwischendurch musste Ingo durchatmen, sich bewusst machen, dass etwas in ihm nur zu bereit war, das, was er hörte, zu glauben, zu *glauben* in einem nahezu religiösen Sinn. Doch das durfte er nicht. Seine Pflicht war, skeptisch zu bleiben, Distanz zu wahren, den Dingen fragend auf den Grund zu gehen, nach inneren Widersprüchen, Unlogik und Schwachstellen zu fahnden.

Seine Pflicht als Journalist war, die *Wahrheit* zu suchen. Nicht, sie zu *finden* – das überstieg die Möglichkeiten des Menschen. Aber sich ihr so weit zu nähern, wie es ging.

Schließlich war Sassbeck fertig. Er schwieg und sah Ingo erwartungsvoll an.

Ingo räusperte sich. »Ehrlich gesagt, hatte ich mit so etwas nicht gerechnet.«

Sassbeck lachte auf, musste husten. »Meinen Sie etwa, ich?« Er legte die Hand auf die Brust, verzog das Gesicht. »Oh je. Ich darf doch nicht lachen.«

Ingo musterte ihn, hatte Mühe, sich von den Bildern zu lösen, die Sassbecks Schilderung in ihm ausgelöst hatte, und den Mann zu sehen, der vor ihm saß. »Sie haben gebrochene Rippen?«

»Drei Stellen«, sagte Sassbeck. »Der Arzt hat gesagt, ich könne froh sein, dass die Lunge heil geblieben ist. Wobei sich's nicht so anfühlt.«

Das Interview. Fragen stellen. Seine journalistische Pflicht. »Was für Verletzungen haben Sie sonst erlitten?«

Sassbeck betastete sein Kinn. »Ein paar Zähne sind hin. An einem hat eine Brücke gehangen; die Zahnärztin hat gemeint, das wird schwierig. Langwierig. Und teuer.« Er hob die bandagierte Hand. »Angeknackst. Muss vielleicht operiert werden. Na ja – und Prellungen überall. Ob die anderen inneren Organe was abgekriegt haben, wissen sie noch gar nicht. Sagen sie.«

»Doktor Schneider hat gesagt, du hättest Glück im Unglück gehabt«, warf Evelyn ein.

»Ja, ja«, grummelte Sassbeck. »Mir sagt er, ich soll nicht davon ausgehen, dass ich vor Ende der Woche nach Hause kann. Das passt doch nicht zusammen. Oder sie verdienen gut an mir. Weiß man ja auch nicht, heutzutage.«

Ingo betrachtete die Notizen auf seinem Block. Er erinnerte sich kaum, sie gemacht zu haben; sie kamen ihm ganz fremd vor. Notizen zu machen, das lief bei ihm fast reflexhaft ab. »Mich würden da noch ein paar Dinge genauer interessieren«, sagte er und sah wieder auf. »Sie haben erwähnt, die Gestalt habe *geleuchtet*?«

Sassbeck nickte. »Wie ’ne Neonröhre. So …« Er suchte nach Worten. »Von innen heraus, verstehen Sie? Deshalb sage ich ›Engel‹. Weil mir kein anderes Wort dafür einfällt.«

»Hat er irgendetwas gesagt?«

»Nein. Nein, er ist aufgetaucht, hat die beiden erschossen und ist wieder gegangen.«

»Haben Sie gesehen, wohin?«

Sassbeck schüttelte den Kopf, kurz und knapp, als schmerze ihn selbst diese Bewegung. »Ich hab nur gesehen, wie er sich wegdreht. Dann bin ich ohnmächtig geworden.« Er gab ein unwilliges Schnauben von sich. »Falls es ein Engel war, der Unschuldige beschützt, hat er ja auch jede Menge zu tun, heutzutage. Da kann ich verstehen, dass er gleich weitermusste.«

Ingos Blick fiel auf einen Lichtfleck, der auf der Bettdecke vor Sassbecks Händen zitterte und waberte, verursacht von einem Sonnenstrahl, der ausgerechnet in diesem Moment seinen Weg durch die Wolken und das Baumgeäst vor dem Fenster fand. Es kam ihm vor, als fühle sich der Himmel bemüßigt, Zustimmung zu signalisieren. Ingos Herz pochte wild. Jagdfieber? Oder etwas anderes, Größeres?

Der Lichtfleck erlosch wieder, das angegraute Weiß der Bettdecke kehrte zurück.

»Glauben Sie das?«, fragte Ingo. »Glauben Sie wirklich, dass es ein Engel im Sinne des Wortes war, der Sie gerettet hat? Dass eine überirdische Macht zu Ihren Gunsten eingegriffen hat?«

Sassbecks Gesicht verlor jeden Ausdruck. Der alte Mann blickte zur Seite. »Ich verstehe von diesen religiösen Sachen nichts. Ich denke bloß, wenn Gott … wie immer man sich den vorstellen muss … also, wenn es ein Abgesandter einer höheren Macht gewesen wäre, dann hätte er keine Pistolen gebraucht, oder? So jemand könnte den Leuten einfach das Herz stehen lassen, und aus wäre es.« Er winkte ab, ärgerlich. »Sehen Sie, und deshalb glaube ich nicht an einen Gott. Wenn der wollte, hätte der so viele Möglichkeiten, einzugreifen … Aber er tut es nicht. Unterlassene Hilfeleistung, wohin Sie schauen. Auf so einen Gott können wir auch verzichten.«

»Sie denken also, es war trotz allem ein Mensch?«

»Ja. Keine Ahnung, wieso er so geleuchtet hat. Aber ein himmlischer Bote war's ganz bestimmt nicht. Auch wenn's mir in dem Moment so vorgekommen ist.« Er sah wieder beiseite, fixierte das Aufnahmegerät auf dem Beistelltisch. »Man klammert sich halt an alles, wenn's ans Sterben geht. Ist ein natürlicher Reflex.«

»Aber wenn es ein Mensch war«, wandte Ingo ein, »woher wusste er, dass Sie Hilfe brauchten? Wie hat er es geschafft, genau im richtigen Augenblick aufzutauchen?«

Sassbeck hob die Schultern, verzog das Gesicht. Also tat

ihm auch das weh. »Weiß nicht. Zufall vielleicht.« Er rieb sich die Brust. »Außerdem ist er nicht genau im richtigen Moment aufgetaucht. Ein paar Minuten eher wäre besser gewesen.«

Zufall?, notierte Ingo auf seinem Block und zog einen Kreis um das Wort. Wie wahrscheinlich war es, dass jemand, der eine Pistole bei sich trug und in eine U-Bahn-Station hinabstieg, dort eine Schlägerei vorfinden würde?

Er fuhr sich mit dem Handrücken über die Stirn. Ihm war heiß, fast, als hätte er Fieber. Das war eine große Story, eine aufregende Story – und mehr als das.

Ingo merkte, dass er im Begriff war, seine Distanz zu verlieren. Er taumelte am Rand dessen herum, was er bei anderen Journalisten noch als vertretbar bezeichnet hätte, und es war keineswegs ausgemacht, dass er auf die richtige Seite kippen würde.

Aber wenn das stimmte … wenn tatsächlich eine solche Gestalt unterwegs war … wenn wahrhaftig ein Beschützer der Wehrlosen durch die Nacht zog …

Ja, er *wollte* es glauben. Wollte, dass es so war.

Weil es die Erhörung seiner stummen Gebete gewesen wäre.

Ingo holte tief Luft. Blinzelte. Räusperte sich, warf Evelyn einen Blick zu, die steinern am Ende des Bettes stand und alles verfolgt hatte. Er musste wirklich aufpassen. Durfte sich nicht vereinnahmen lassen. Musste objektiv bleiben. Nüchtern. Sachlich.

Aber davon abgesehen: Hatte die Welt nicht auf jemanden gewartet, der *genau das tat*, was der Unbekannte getan hatte?

Er sah auf die Uhr, überschlug im Kopf die Fahrzeiten der Straßenbahn. Im Grunde hatte er, was er brauchte, oder? Er griff nach seinem Smartphone, stoppte die Aufnahme.

»Ich danke Ihnen, Herr Sassbeck. Leider muss ich jetzt los, alles aufschreiben«, erklärte er. »Wenn ich das Interview rechtzeitig einreiche, kommt es noch in die heutige Abendausgabe. Und das sollte es, damit die Berichte von gestern nicht noch einen weiteren Tag unwidersprochen bleiben.« Er schob Telefon und Notizblock in die Tasche, stand auf und fügte, aus einem Impuls heraus, hinzu: »Das könnte eine Sensation werden.«

Ungeschickt. Evelyn zuckte zusammen, er sah es. Und Sassbecks Miene verdüsterte sich.

»Das ist es vor allem, was ihr Journalisten wollt, nicht wahr?«, grollte er. »Eine Sensation.«

Ingo stand bestürzt da, wusste nicht, was er sagen sollte. »Ich bin auf Ihrer Seite, Herr Sassbeck«, wiederholte er schließlich.

Doch die beiden sahen ihn nur traurig an.

Egal. Er hatte keine Zeit mehr. Es würde ohnehin knapp werden. Also verabschiedete er sich ungeschickt und ging.

An diesem Tag kam Theresa Diewers später als gewöhnlich von der Nachtschicht nach Hause. Es war wieder einmal alles drunter und drüber gegangen, und kurz vor Schichtende hatte einer der Frischoperierten angefangen, heftig zu bluten, was das Chaos dann perfekt gemacht hatte. Sie hatte den Kolleginnen von der Frühschicht geholfen, die Sauerei zu bereinigen, weil die sonst vor der Visite nicht durchgekommen wären, und jetzt war sie so erledigt, dass sie Mühe hatte, in der U-Bahn wach zu bleiben und ihre Station nicht zu verpassen.

Als sie die Tür zu ihrer Wohnung aufschloss, empfing sie völlige Stille.

Und dieser eigenartige Geruch. Schon wieder.

»Alex?«, rief sie. »Bist du da?«

Keine Antwort. Beunruhigend. Sie drückte die Tür hinter sich zu, hängte ihre Jacke auf, ließ die Tasche auf die Kommode sinken, streifte die Schuhe ab. Dann ging sie nachsehen, doch das Bett war leer. Zerwühlt, wie immer, aber kalt.

Auf dem Tisch lag die Schachtel mit den Morphium-Tabletten, angebrochen. Geistesabwesend zählte Theresa die Blisterstreifen durch, überschlug, wie lange sie reichen würden. Nicht lange.

Hatte er wenigstens etwas gegessen? Sie legte die Packung

wieder hin, ging in die Küche. Eine der Schachteln mit pürierter Gemüsesuppe stand im Kühlschrank, zur Hälfte geleert, und eine schmutzige Kasserole im Spülbecken. Immerhin. Sie ließ heißes Wasser in den Topf laufen, um die verkrusteten Reste einzuweichen. Diese Fertigsuppen bekamen immer etwas Ekliges, wenn sie trockneten; was die Hersteller da wohl an Chemie zufügten? Besser, man wusste es nicht.

Ihre Augen brannten. Von der langen Nacht. Höchste Zeit, dass sie ins Bett kam. Sie schleppte sich ins Bad, zog den Pullover aus, musterte sich im Spiegel. Ein erschöpftes, geisterhaftes Wesen blickte ihr entgegen. *Bin das wirklich ich?*, dachte sie und streifte sich die Haare nach hinten, stand eine Weile so, vergaß, wozu sie hier war.

Dann ging sie zurück ins Wohnzimmer. Schob den Vorhang vor dem Fensterbrett beiseite. Ein Blumentopf, leer. In der dunklen Erde ein Loch.

»Oh Gott«, sagte sie.

Wieder einmal machte ihr all das, worauf sie sich eingelassen hatte, Angst.

Andererseits: Was hätte sie denn anderes tun können?

Nichts.

Zehn vor zwölf erreichte Ingo die Pforte des City-Media-Gebäudes. In der Hand trug er einen Ausdruck des Interviews, die zugehörige Datei hatte er auf einem USB-Stick in der Hosentasche.

Wie immer warf der Pförtner nur einen flüchtigen Blick auf seinen Ausweis, sagte freundlich: »Guten Tag, Herr Praise«, und drückte die Taste, die das Schloss der Zugangstür summend freigab.

Zu Ingos Gewohnheiten gehörte es, am Schwarzen Brett in der Eingangshalle jeweils die Stellenausschreibungen zu überfliegen. Auch heute lenkten ihn seine Schritte wie von selbst dorthin, bis ihm zu Bewusstsein kam, dass dies nicht der Augenblick dafür war.

Weil ab heute sowieso alles anders werden würde.

Das Büro des Chefredakteurs lag im drittobersten Stock des Westturms, direkt unter den Etagen, in denen die Herausgeber residierten, die man so gut wie nie zu Gesicht bekam. Ingo fragte sich jedes Mal, wenn er durch Rados Tür trat, ob dieser die grandiose Aussicht auf die Stadt überhaupt noch wahrnahm. Rado saß mit dem Rücken zum Fenster, drei Computerschirme neben sich, zahllose Papierstapel vor sich, und pflegte mehr oder weniger pausenlos zu telefonieren.

Das tat er auch heute, aber im Unterschied zu sonst ließ er Ingo nicht warten, sondern würgte das Gespräch ab und fragte, kaum dass er aufgelegt hatte: »Und?«

»Hier«, sagte Ingo und reichte ihm den Ausdruck.

Rado sagte nicht *Wow* oder *Prima* oder so etwas, weil er nicht viel davon hielt, Mitarbeiter zu loben. Machte sie seiner Meinung nach nur eingebildet und geldgierig. Er nahm die Blätter kommentarlos, kippte seinen Sessel zurück und las.

Je weiter er las, desto stärker furchte sich seine Stirn.

Als er auf der letzten Seite anlangte, sah er Ingo an. »Was ist das für einer? Ein Spinner?«

Ingo schüttelte den Kopf. »Schlecht gelaunt, aber völlig klar im Kopf. Der hat das so erlebt.«

»Hmm.« Rado las zu Ende, warf die Blätter dann vor sich auf den Tisch, lehnte sich zurück und fuhr sich mit gespreizten Händen durch die Haare. Die Bewegung wirkte wie aus einem Kinofilm abgeschaut. »Damit würden wir uns weit aus dem Fenster lehnen.«

»Es ist ein exklusives Interview«, sagte Ingo.

»Schon. Aber ich weiß nicht …«

Ingo trat dichter an den Tisch, zog den USB-Stick aus der Tasche und platzierte ihn demonstrativ neben das Manuskript. »Du hast gesagt, ein exklusives Interview mit Sassbeck wäre dein Traum. Du wolltest es, hier hast du es. Wo ist das Problem?«

»Dass der Mann *klingt* wie ein Spinner.«

»Hey«, sagte Ingo. »Du kannst mich jetzt nicht hängen lassen. Ich hab dem versprochen, dass seine Perspektive eine Stimme kriegt. Das war die Bedingung für das Gespräch.«

»Verstehe.« Rado warf einen Blick aus dem Fenster, ganz der Chefredakteur, der unter der Last der Verantwortung für die gesellschaftlichen Konsequenzen seiner Entscheidungen ächzt. In Wirklichkeit kalkulierte er vermutlich nur Verkaufszahlen, Quoten und erzielbares Echo in der übrigen Medienlandschaft. Und natürlich vor allem sein persönliches Risiko bei der Sache.

Schließlich kippte Rado wieder mit dem Stuhl nach vorn, drehte sich dem Schreibtisch zu. Die Entscheidung war gefallen. »Okay, wir machen es. Aber wir formulieren die Überschrift in eine Frage um, dann haben wir uns nicht festgelegt.«

Er griff nach dem Telefon, drückte eine der zwanzig Schnellwahltasten darauf. »Mike? Stopp den Satz der ersten Seite, wir schmeißen um. Ich melde mich gleich noch mal mit dem Text.« Er unterbrach, hieb auf die nächste Taste. »Tatjana? Such das Template für exklusive Sonderstorys raus, ich hab was, das in spätestens einer Stunde online sein muss.« Dritte Taste. »Eva? Schick mir einen Grafiker, der ein Phantom zeichnen kann. Was wie Batman, nur in Weiß. Ja, sofort. Mittag essen kann er hinterher.«

7 Was für ein Tag! Ingo beeilte sich, nach Hause zu kommen. Dort fuhr er als Erstes den Rechner hoch, konnte es kaum erwarten, dass das Interview in der On-line-Ausgabe erschien. Und vor allem die Reaktionen, die es auslösen würde.

Das Interview würde als exklusive Sondermeldung kommen. Das hieß, ein Strom von Tickern, Tweets, Newslettern und sonstigen Benachrichtigungen strömte in diesen Minuten ins Netz, die Nachrichtenagenturen bekamen einen Hinweis, Werbung wurde geschaltet. Wenn das keine Reaktionen hervorrief, was dann?

Noch eine halbe Stunde.

Stimmte etwas nicht mit der Sekundenanzeige seines Computers? Die kam ihm langsamer vor als sonst.

Ingo sprang auf, eilte zum Kühlschrank. Da musste doch irgendwo eine Dose Cola sein … Ach nein, die hatte er neulich getrunken, nebenbei, Doping für eine lange Schreibnacht. Er zog eine Scheibe Wurst aus einer Packung, steckte sie sich in den Mund, kehrte kauend an den Schreibtisch zurück.

Da. Da war es. Und keine fünf Minuten später schon der erste Tweet.

- Der Hammer: Ein Superheld geht um. –
  http://bit.ly/NCCctY

Es wurde gelesen! Ingo ballte triumphierend die Faust. Im nächsten Moment betrachtete er sie irritiert: In Filmen und Werbespots fand er diese Geste immer total lächerlich, und nun …?

Da, es folgten schon Antworten.

- Endlich macht mal einer was gegen solche Scheiß-kerle. Die verprügeln keinen alten Mann mehr.
- Yeah! Beschützer der Witwen und Waisen! #Racheengel
- Das ist Selbstjustiz, @foo42! Willst du, dass demnächst jeder mit ner Knarre rumläuft und einen auf Charles Bronson macht?
- Unser Waffenrecht ist immer noch zu lasch.
- Polizei ist doch nur bei Demos gegen Banken präsent. Das Kapital wird geschützt, nicht der Bürger. #Racheengel
- Ich glaub das nicht. Sensationsmache. Sommerloch im Herbst.

Pause. Vielleicht nur eine Gruppe von Twitterern, die sich gegenseitig folgten. Ingo wechselte in den Kommentarbereich von *Abendblatt Online*. Dort liefen die Beiträge schneller auf, als man mitlesen konnte.

Wenn Jugendlichen heutzutage derart langweilig ist, dass ihnen nichts anderes einfällt, als Unbeteiligte zu verprügeln, dann geschieht es ihnen recht, wenn sie eine vor den Latz kriegen, schrieb ein *Peter_der_Kleine,* worauf eine *MutterMalteser* wütend erwiderte: *Es ist unerträglich zynisch, das Vorgefallene als ›eine vor den Latz kriegen‹ zu beschreiben. Diese Halbwüchsigen wurden *umgebracht*! Jeder von denen hatte eine Mutter, die jetzt um ihn trauert!*

Da hätten die beiden vielleicht ein bisschen eher an ihre Mütter denken sollen, schrieb *Peter_der_Kleine* ungerührt zurück.

Unser Rechtssystem schützt die Täter, nicht die Opfer. Höchste Zeit, dass jemand anders die Opfer schützt, schrieb ein *Bürger 1024.*

Ingo überflog eine Reihe von Postings, die einen äußerst unangenehm nationalistischen Unterton hatten. Sie kreisten nur darum, dass einer der Jugendlichen albanischer Herkunft gewesen sei; man verstand nicht wirklich, was die Schreiber der Einträge eigentlich sagen wollten.

Er überschlug den zugehörigen Diskussionsbaum, las, sah hilflos die Zahl der Kommentarseiten mit jedem Umblättern weiter anschwellen. Das Thema traf auf Resonanz, ganz klar. Die halbe Stadt schien etwas dazu zu sagen zu haben.

Bald meldeten sich auch Stimmen, die Sassbecks Aussage anzweifelten.

Das ist die dreisteste Ausrede, die ich je gehört habe, meinte ein *RadikalerRationalist*, und ein *testdriver* pflichtete ihm bei: *Würde mich wundern, wenn der Typ damit durchkommt. Man lese mal genau nach, was bisher über den Fall bekannt ist. Wo soll dieser Superheld denn so plötzlich hergekommen sein? Und genau im richtigen Augenblick? Das ist doch Humbug. Der will die Leute für dumm verkaufen.*

Ingo las weiter. Erstaunlich, wie viele Leute Sassbecks Geschichte nicht glaubten. Manche argumentierten derart überzeugend, dass Ingo selber ins Zweifeln kam. Ja, Sassbeck hatte geglaubt, was er gesagt hatte. Das schon. Aber was hieß das? Es konnte trotzdem alles ganz anders gewesen sein.

Das Mailprogramm meldete zwei neue Mails. Ingo sah sofort nach, aber das eine war nur ein Newsletter und das andere Spam. Was hatte er erwartet? Stellenangebote?

Er schob den Computer weg, ließ sich zurücksinken, schloss die Augen. Durchatmen. Es hatte keinen Sinn, jetzt hektisch zu werden. Er stand auf, öffnete das Fenster. Der Regen hatte aufgehört, die Sonne blinzelte müde durch graue, schwere Wolken.

Angenommen, es meldeten sich andere Zeitungen oder Magazine bei ihm. Nur mal angenommen. Was dann? Ab wann war man in der Position, feilschen zu können? Das hätte er Thorsten fragen sollen; wenn das einer wusste, dann er.

Wobei es Ingo nicht um Geld ging. Es ging darum, sich zu positionieren. Falls sich andere Medien meldeten, konnte er vielleicht Bedingungen aushandeln, die seinen Namen, sein Anliegen bekannter machen würden. *Geld ist nicht wichtig. Nur nötig.* Wer hatte das gesagt? Er kam nicht darauf. Aber das traf es jedenfalls. Er hatte eine Mission: Den Wehrlosen und Gepeinigten eine Stimme zu geben. Und dieser Artikel heute – auf der Titelseite – war sein bisher größter Erfolg.

Theresa erwachte in der stickigen Dunkelheit eines Schlafzimmers, dessen Fenster geschlossen bleiben mussten, damit man trotz des Verkehrs draußen schlafen konnte. Sie fühlte sich benommen, war verschwitzt, war immer noch müde. Aber sie wusste, dass sie nicht mehr einschlafen würde, also stemmte sie sich erschöpft hoch.

Der heutige Morgen fiel ihr wieder ein. Mit einem Satz war sie aus dem Bett, mit zwei hastigen Bewegungen in ihrem verschlissenen rosafarbenen Morgenmantel, dann riss sie die Schlafzimmertür auf und stürmte hinüber.

Alex war wieder da. Saß still im hohen Lehnsessel, ganz in sich gekehrt.

Theresa blieb auf der Schwelle stehen, erschrocken von seinem Anblick. Wie dünn er war!

»Hi«, sagte sie zaghaft.

Er sah auf, lächelte matt. »Hi.«

»Hast du was gegessen?«

Er schüttelte den Kopf. »Ich glaub, das gewöhn ich mir ab.«

»Wo warst du?« Zwecklos, wegen des Essens zu streiten.

»Bin rumgelaufen«, sagte er.

»Wo denn?«

»Weiß nicht mehr. Überall.«

Theresa schlang den Morgenmantel fester um sich, wusste nicht, was sie sagen sollte. »Und sonst?«

»Nichts sonst.«

»Besuchst du irgendjemanden? Freunde?«

»Nein.«

»Hast du irgendwelche Lieblingsplätze, an die du gehst?«

»Nein.«

»Und was machst du dann?«

»Nichts. Ich laufe herum.«

Sie setzte ihren nackten Fuß über die Schwelle, kam näher. »Du kannst doch nicht bloß herumlaufen.«

Alex musterte sie, als müsse er sich dieses Argument gründlich durch den Kopf gehen lassen. Dann sagte er: »Alles andere hat keinen Sinn.« Er lächelte traurig. »Nicht einmal das, was ich mache, scheint einen Sinn zu haben.«

Theresa blieb ratlos stehen. Sie hätte ihm gern mehr gesagt, aber sie wagte es nicht. Wenn sie versuchte, Druck auf ihn auszuüben, würde er verschwinden, das wusste sie, und sie würde ihn nie wiedersehen.

Alex sagte nichts mehr. Er schloss die Augen, legte den Kopf zur Seite und schlief ein, einfach so, vor ihren Augen. Theresa ging leise rückwärts, sah ihn dabei die ganze Zeit an. Er war so blass, dass man meinen konnte, seine Haut sei durchsichtig.

Wie nicht von dieser Welt, dachte sie erschaudernd.

Irgendwann rauchte Ingo der Kopf von all den Foren, Tweets und Blogposts. Er nahm die Hände von Maus und Tastatur, atmete einmal tief durch und klappte dann den Laptop einfach zu. Genug. Außerdem verhungerte er allmählich.

Er schlüpfte in seine Jacke und stürmte aus der Wohnung, die fünf Treppen hinab, zu dem Kiosk an der Ecke. Der wurde von einem Türken betrieben, der sich nicht groß um Öffnungszeiten kümmerte, womit er Ingo oft vor nächtlichen Entbehrungen rettete. Das *Abendblatt* war schon da, ein dickerer Stapel als sonst. Ingo nahm gleich zwei Exemplare und einen Schokoriegel. »Soll ich jemandem mitbringen«, sagte er verlegen, als er beides an die Kasse legte. »Die zweite Zeitung, meine ich.«

Der Kioskbesitzer hob nur gleichgültig die Augenbrauen und kassierte schweigend. Als Ingo sich umdrehte, warteten bereits zwei andere Zeitungskäufer, beide mit dem *Abendblatt* in der Hand.

Das sah doch schon mal gut aus.

Er vertilgte den Schokoriegel auf dem Weg zum Supermarkt. War nicht gut, mit leerem Magen einzukaufen. Nachdem er die Verpackung entsorgt hatte, prüfte er seinen Bargeldbestand. Ausreichend. Heute würde er nicht nur die gewohnten Vorräte ergänzen, sondern sich auch etwas gönnen. Und die Fächer mit der Verfallsware ausnahmsweise ignorieren.

Es war viel los, als er den Laden betrat, aber als sollte es so sein, gab es Sekt im Sonderangebot. Na also. Dazu Nein zu sagen wäre dem Schicksal gegenüber respektlos gewesen.

Als er zurück in die Wohnung kam, zwei volle Plastiktüten in Händen, weil er natürlich die Einkaufstasche vergessen hatte, blinkte der Anrufbeantworter hektisch. Die Digitalanzeige zeigte eine altersschwach zitternde 5 – fünf Anrufe, alle von Rado. Wo er sei? Er solle zurückrufen. Er solle *dringend* zurückrufen. So bald wie möglich. Und wieso er sein Handy ausschalte, verdammt noch mal?

Das Handy lag neben dem Laptop. Konnte ja mal passieren. Ingo stellte grinsend die Einkäufe ab. Bestimmt wollte Rado ihm zu seinem Artikel gratulieren.

Voller Vorfreude wählte er die Nummer seines Lieblingschefredakteurs, doch der bellte sofort los: »Scheiße! Wo warst du? Hast du das gesehen?«

»Ich … Was?«

»Die Tagesschau. Schau's dir an und melde dich wieder.« Weg war er.

Ingo legte auf in dem Gefühl zu träumen. Konnte das wahr sein? Hatte er es in die Tagesschau geschafft?

Aber warum war Rado deswegen aufgebracht? Irgendwie hatte sein Tonfall nicht gepasst. Ganz und gar nicht.

Mit einem unguten Gefühl rief Ingo die Website der Tagesschau auf. Die letzte Sendung war die von siebzehn Uhr, das Video schon online verfügbar. Das vorletzte Thema, direkt vor dem Sport, war betitelt: *Wende im U-Bahn-Fall?* Er klickte den Link an.

Vor ein paar nichtssagenden Bildern vom Tatort erklärte

ein Sprecher kurz die Hintergründe des Falls. Dann, während die Onlineausgabe des *Abendblatts* eingeblendet wurde, fuhr er fort, ein Interview mit dem »Überlebenden« stelle Behauptungen auf, die den Mutmaßungen der Polizei widersprächen: Ein offenbar als »Superheld« Verkleideter habe angeblich in die Auseinandersetzung eingegriffen und die beiden Jugendlichen erschossen.

Schnitt auf das Gesicht des Staatsanwalts. »Wir halten das für eine Schutzbehauptung«, erklärte der ungehalten. »Zwar haben wir leider keine Videoaufzeichnung der Tat selber, aber dafür lückenlose Videos aller Zugänge zur U-Bahn-Station. Auf diesen Aufzeichnungen ist niemand zu sehen, auf den die Beschreibung auch nur annähernd passen würde.«

»Von diesen Videos war bisher keine Rede«, hakte der Interviewer nach.

»Aus ermittlungstaktischen Gründen. Aber wir stellen sie morgen Vormittag auf einer Pressekonferenz vor. Dann werden Sie feststellen, dass diese fantasievollen Behauptungen jeder Grundlage entbehren.«

Ende des Berichts.

Das klang tatsächlich nicht gut. Ingo rieb sich nachdenklich den Hals. Gar nicht gut sogar.

Wie konnte das sein? Er verstand es nicht.

Er vertippte sich, als er zurückrief, und musste ein zweites Mal wählen.

»Hast du's gesehen?«, schnaubte Rado, als er abnahm, ohne Gruß, ohne alles.

»Ja.«

»Was ist mit diesen Videos? Hast du das nicht gegengecheckt?«

»Nein.«

Rado gab ein zorniges Grollen von sich. »Mann! Muss ich dir deinen Job beibringen?«

Hatte Ingo sich schon vor dem Anruf unwohl gefühlt, fühlte er sich nun richtiggehend schuldig. Kam ihm sein Artikel wie reinste Stümperei vor. Wäre er am liebsten einfach spur- und schmerzlos vom Antlitz der Erde verschwunden.

»Also, Rado«, meinte er hilflos, »du hast gesagt, dein Traum wäre ein exklusives Interview. Und das hab ich dir gebracht, auf den letzten Drücker. Wie hätte ich da noch irgendwas checken sollen?«

»Du hättest mir wenigstens *sagen* können, dass du nicht dazu gekommen bist!«

Ja. Richtig. Das hätte er tun können. Er war zu hektisch gewesen, zu begeistert von der Vorstellung, dass ein weißer Rächer –

»Ich hab einfach aufgeschrieben, was Sassbeck mir erzählt hat«, beteuerte Ingo und war sich in dem Moment nicht mehr sicher, beim Abhören der Aufnahme auch wirklich alles korrekt verstanden zu haben. »Ich kann dir nur sagen, der Mann glaubt, was er sagt. Hundertprozentig. Er irrt sich vielleicht, aber er hat mich nicht angelogen.«

Rado atmete laut hörbar. »Na und? Solche Feinheiten interessieren doch kein Schwein. Wie stehen wir jetzt da?«

Natürlich meinte er damit: Wie stehe *ich* jetzt da?

»Soll ich morgen auf diese Pressekonferenz?«, bot Ingo an. Er würde auch nichts dafür berechnen, nicht einmal *sagen*, dass er nichts berechnete, und hoffen, dass es Rado trotzdem irgendwann auffiel.

Doch der bekam erst mal Schnappatmung. »Auf keinen Fall! Du lässt dich da nicht blicken.« Grollender Atemzug, ein dahingeworfenes: »Ich schick jemand anders.«

Mit anderen Worten: Ingo war den Fall los.

Er räusperte sich. »Hat sich die Zeitung wenigstens gut verkauft? An meinem Kiosk –«

»Weiß ich doch *jetzt* noch nicht«, knurrte Rado. »Wir haben mehr ausgeliefert, ja. Ob sich das gerechnet hat, muss man sehen. Das Problem ist ja, dass sich die Zeitung morgen Abend auch wieder verkaufen muss. Und übermorgen. Und so weiter.«

Damit kappte er die Verbindung ohne ein weiteres Wort.

Ingo legte auf mit dem Gefühl, nur noch aus einer Hülle um ein großes Loch zu bestehen. Er musterte seine Einkäufe, den Hals der Sektflasche, die zwischen den anderen Sachen herausragte.

Jetzt hatte er keinen Hunger mehr.

Als Ambick am nächsten Morgen im Kommissariat eintraf, waren die Vorbereitungen für die Pressekonferenz schon in vollem Gang. Konferenzraum 1, der größte, den sie hatten, füllte sich ungewöhnlich schnell und früh. Das Thema war heiß, da hatte Ortheil recht.

»Ambick. Sie schauen besorgt aus«, begrüßte ihn der Staatsanwalt. Er war heute wieder bestens aufgebrezelt, absolut kameratauglich. Und erstaunlich guter Laune, nachdem er am Vortag wegen des Zeitungsartikels fast ausgerastet wäre.

»Offen gestanden macht mir Ihr Dementi von gestern Bauchschmerzen«, bekannte Ambick. »Ich meine, nach der Aussage des Jungen vom Stuttgarter Platz –«

»Ja, ja«, unterbrach ihn der Staatsanwalt, schon merklich weniger gut gelaunt. »Aber sollte an dieser Geschichte tatsächlich was dran sein – was ich irgendwie immer noch nicht glauben kann –, dann hieße das, dass da draußen irgendein durchgeknallter Profilneurotiker unterwegs ist, der nur darauf giert, sich in den Medien wiederzufinden. Dem dürfen wir unter keinen Umständen auch noch Zucker geben, verstehen Sie?«

»Ja, aber uns hinsichtlich des alten Mannes so festzulegen ... ich weiß nicht«, beharrte Ambick. »Denken Sie daran, der Teufel ist ein Eichhörnchen.«

»Ich würde was drauf wetten, dass diese DDR-Grenzer auch Eichhörnchen abgeknallt haben. Kommen Sie.« Ortheil fasste ihn am Arm, um ihn in Bewegung zu setzen. Die Uhr zeigte neun. »Überlassen Sie das Reden mir, dann blamiert sich im schlimmsten Fall nur einer.«

Sie betraten den Konferenzraum. Kameras blitzten. Ortheil

setzte sein Filmstarlächeln auf. Die Gelegenheit, Bedenken vorzubringen, war vorüber.

Justus Ambick setzte sich voller Unbehagen neben den Staatsanwalt. In seinem bisherigen Leben hatte er bei solchen Veranstaltungen höchstens eine Nebenrolle gespielt; einen der Plätze einzunehmen, auf die die Objektive der Kameras gerichtet waren, war eine neue Erfahrung.

Er war froh, als er Enno Kader ausmachte. Der kümmerte sich wohl um das Technische, war gerade mit der Verkabelung des Beamers beschäftigt.

»Zum Anlass dieser Pressekonferenz muss ich, glaube ich, nicht viel erklären«, begann Ortheil. »Eine große Zeitung hat gestern ein Interview mit dem Überlebenden des Vorfalls in der U-Bahn-Station Dominikstraße veröffentlicht. Darin macht dieser Aussagen, die wir im Hinblick auf die Ermittlungen und vor allem auf den Betreffenden selbst einstweilen lieber unveröffentlicht gesehen hätten.« Er hob das *Abendblatt* vom Vortag hoch, dessen Titelseite die Zeichnung eines schneeweißen Superhelden mit Flügeln zierte. »Ich spreche von der Behauptung, ein *Engel* habe eingegriffen.«

Niemand lachte. Rote Lämpchen über den Objektiven. Alles wurde aufgezeichnet. Ambick bemühte sich, ein ausdrucksloses Gesicht zu machen.

»Sie haben die Schilderungen alle gelesen, also will ich nicht weiter darauf eingehen«, fuhr Ortheil fort. Man konnte, wenn man wollte, Missbilligung aus dem Klang seiner Stimme heraushören. »Ich will mich auch nicht über die theologischen oder philosophischen Fragwürdigkeiten dieser Behauptung auslassen, sondern schlicht und einfach feststellen, dass sie sich mit den Beweismitteln, die uns vorliegen, nicht in Übereinstimmung bringen lässt. Ich rede von den Aufzeichnungen der Überwachungskameras.«

Er erklärte noch einmal ausführlich, was man an dieser Stelle wissen musste, nämlich dass die installierten Kameras vor allem der Überwachung des Verkehrs dienten, nicht der

Überwachung der Passanten, und dass es deshalb viele blinde Flecken gab, unter anderem eben auch den Tatort selbst. »Aber – und das ist der springende Punkt«, schloss Ortheil, »sämtliche Zu- und Ausgänge der U-Bahn-Station sind erfasst. Bitte, Herr Kader.«

Enno dunkelte den Raum ab und ließ das Video ablaufen. Auf der großen Leinwand wirkte es noch einmal anders. Eindrucksvoller. Ambick verfolgte die sattsam bekannten Bewegungen der Menschen, die auf den verschiedenen Bildern zu sehen waren, und merkte plötzlich, dass ihn etwas daran störte. Irgendetwas war unrund an diesen Aufnahmen, er wusste nur nicht, was.

Es war eine Irritation von der Art, über die man nicht einfach hinweggehen durfte.

»Sie sehen insgesamt drei Menschen«, erläuterte Ortheil mit seiner sonoren *Ich-habe-alles-im-Griff*-Stimme. »Von der Frau denken wir, dass sie es war, die den Notruf abgesetzt hat. Der Mann – der, wie Sie mir zweifellos zustimmen, ohnehin nicht die geringste Ähnlichkeit mit einem Engel hat – ist vermutlich ein Passant, der lediglich die Straßenseite gewechselt hat.« Er gab Enno ein Zeichen, wieder auszuschalten. »Wir haben natürlich vorwärts und rückwärts nach einem Mann in weißer Kleidung gesucht. Aber wir haben keinen gefunden. Die Aufnahmen des Überwachungssystems werden routinemäßig fünf Tage lang aufbewahrt. Ein schneeweiß gekleideter Eingreifer müsste sich also fast eine Woche vorher versteckt haben, was man getrost als extrem unwahrscheinlich betrachten darf. Zudem«, fügte der Staatsanwalt trocken hinzu, »wäre er nach einer Woche in dieser U-Bahn-Station garantiert nicht mehr *weiß*.«

Das gab ein paar Lacher.

Eine gut aussehende, aber etwas verträumt wirkende Journalistin hob die Hand. »Könnte es sich um ein *wirkliches* Eingreifen höherer Mächte handeln?«, wollte sie wissen. »Die wären auf menschliche Zugänge nicht angewiesen.«

»Sie meinen, ob Gott einen Erzengel geschickt hat, um Erich S. zu retten?«, fragte Ortheil verdutzt zurück.

»Nun, eine höhere Macht eben. Wie immer man die nennen will.«

Der Staatsanwalt faltete bedachtsam die Hände. Ambick sah seine Mundwinkel zucken. »Wir schließen bei unseren Ermittlungen grundsätzlich nichts aus«, erklärte er mit mühsam im Zaum gehaltener Belustigung. »Aber ehrlich gesagt würde es mich erschüttern zu erfahren, dass himmlische Sendboten ausgerechnet die Standardhandfeuerwaffe der ehemaligen sowjetischen Streitkräfte benutzen, um den Willen Gottes durchzusetzen.«

Gelächter. Die Frau machte sich so klein, als wolle sie verschwinden.

»Wer könnte der weiß gekleidete Mann Ihrer Ansicht nach gewesen sein?«, fragte ein anderer Journalist.

»Wir sehen keinen Anlass zu glauben, dass da wirklich ein weiß gekleideter Mann war«, erwiderte der Staatsanwalt kühl.

Ambick wurde heiß und kalt zugleich. Wie konnte Ortheil das sagen? Er hatte die Stimme von diesem Jungen, diesem Sven Dettar, noch im Ohr, wie der von einem Engel berichtete. Das war keiner, der sich so etwas *ausdachte!*

Ambick spürte fast so etwas wie Zorn in sich aufsteigen.

»Wer hat dann die beiden Jungen erschossen?«, fragte der Journalist weiter.

»Das zu ermitteln sind wir im Begriff. Und wir wären dankbar, wenn die Medien uns dabei unterstützen würden, anstatt zu versuchen, daraus auf plumpe Weise Kapital zu schlagen. Ja?« Ortheil deutete auf einen anderen Reporter, der die Hand erhoben hatte.

»Würden Sie es denn begrüßen, wenn es einen solchen Kämpfer für Recht und Ordnung wirklich gäbe?«, wollte der wissen.

»Nein«, sagte Ortheil scharf. Er hob mahnend den Zeigefinger. »Lassen Sie mich das bitte an dieser Stelle ein für alle

Mal klarstellen: Recht und Ordnung zu bewahren ist Aufgabe der dafür bestimmten staatlichen Organe, von Polizei und Justiz. Es ist *nicht* die Aufgabe von selbst ernannten Kämpfern für was auch immer.«

»Aber jemanden gegen einen Angriff zu schützen, notfalls mit Gewalt, ist doch Notwehr?«

»Der Notwehrparagraf, meine Damen und Herren«, dozierte der Staatsanwalt streng, »ist hinsichtlich seiner Gültigkeit mit Bedacht sehr eng gefasst worden. Auf keine legale Weise lässt sich daraus ein Freibrief für Abenteurer ableiten, denen Computerspiele zu langweilig geworden sind. Ich warne ausdrücklich, dass wir jeden, der so etwas versuchen sollte, unnachsichtig verfolgen. Dass das Gewaltmonopol beim Staat liegt, ist eine Regelung, mit der unsere Gesellschaft gut gefahren ist und an der wir deshalb mit aller Kraft festhalten werden.«

»Aber es gibt doch schrecklich viele solcher Übergriffe«, beharrte der Journalist, ein stämmiger Typ mit Karohemd. »Stichwort Jugendgewalt. Die Polizei kann ja nicht überall sein.«

»Da sind die Statistiken eindeutig: Die Jugendgewalt sinkt seit Jahren kontinuierlich«, erwiderte Ortheil unnachgiebig. »Ich wiederhole: seit Jahren! Das Einzige, was zunimmt, ist sensationsheischende Berichterstattung über Einzelfälle, die natürlich jeweils sehr zu bedauern sind. Aber es sind eben Einzelfälle, und ich würde mir wünschen, die Medien sähen ihre Aufgabe vorrangig darin, ein realistisches Bild der Welt zu zeichnen.«

Als Enno Kader sich neben ihn setzte, beugte sich Ambick zu ihm hinüber und fragte leise: »Du hast doch einen Tabletcomputer? So ein tragbares Ding?«

»Ja«, antwortete Enno verdutzt. »Wieso?«

»Spiel die Videos da mal drauf, damit wir sie mitnehmen können. Ich will was ausprobieren.«

Victoria Thimm saß vor ihrem Computer und versuchte, sich auf ihre Arbeit zu konzentrieren. Es wollte ihr nicht gelingen, gelang ihr schon den ganzen Tag nicht. Genauer gesagt, seit –

Dass sie aber auch keinen Ofen im Haus hatte, in dem man Papier verbrennen konnte! Vielleicht sollte sie sich einen einbauen lassen. Einen guten alten Kohleofen. Für alle Fälle. Für schlechte Zeiten. Etwas einfach in der Spüle zu verbrennen, das wagte sie nicht.

Schluss jetzt. Sie musste eine Übersetzung aus dem Vietnamesischen bewältigen, die Beschreibung eines pflanzlichen Heilmittels. Da durfte ihr kein Fehler unterlaufen. Und die Stelle, an der sie gerade hing, war besonders vertrackt.

Sie stand auf, schritt die Vorhänge ab, die das Sonnenlicht dämpften, drapierte die apricotfarbenen Falten. Sie hatte nicht viel übrig für Sonnenlicht. Überhaupt war die Welt draußen heute irgendwie lauter als sonst, aufdringlicher, fast, als wolle sie ungebeten zum Fenster hereinkommen.

Zurück an den Computer. Sie ging in diverse Foren, suchte, fragte herum. Immer wieder rief sie ihre E-Mails ab, in der Hoffnung, dass ihr der Professor, an den sie sich manchmal mit Fragen zum Vietnamesischen wandte, schon geantwortet hatte.

Das hatte er nicht, aber es war eine E-Mail eines Verlages da, der wegen einer Übersetzung anfragte: ein Roman, zweihundertzehn Seiten, aus dem Bengali ins Deutsche. Bis spätestens Ende Januar.

Sie spürte die Verlockung, sofort zuzusagen. Das klang einfach, und nach all den Tagen, die sie jetzt schon über diesem eingescannten alten Dokument brütete, sehnte sie sich nach etwas Einfachem.

Aber das wollte gut überlegt sein. Zweihundertzehn Seiten, das war ein ziemlicher Brocken. Sie zog ihren Kalender hervor, einen simplen Jahreskalender aus Karton, den ihre Bank mit beruhigender Regelmäßigkeit alljährlich schickte, und studierte die farbigen Linien, die sie darin eingezeichnet hatte.

Jede Linie stand für einen Auftrag, jedes ausgefüllte Quadrat für einen Termin. Sie würde etwas schieben müssen, um noch Platz zu finden.

Darüber musste sie nachdenken. Sie nahm ihre Tasse und ging in die Küche, frischen Tee machen. Während sie darauf wartete, dass das Wasser kochte, konnte sie nicht verhindern, dass ihr Blick wieder auf die Zeitung fiel.

Die Zeitung.

Die da immer noch lag.

Die Karotten aus dem Biokorb waren darin eingewickelt gewesen. Und das, obwohl sie ausdrücklich – *ausdrücklich!* – darum gebeten hatte, dass man sie mit Zeitungen verschone! Man hatte es ihr zugesagt! Und es hatte all die Jahre funktioniert!

Bis gestern eben.

Das Wasser kochte. In ihr kochte es auch. Sie goss den Tee auf. Ob sie sich beschweren sollte? Sie hatte den Telefonhörer gestern schon in der Hand gehabt. Und es dann doch nicht getan. Warum nicht? Das Ganze war einfach … *ärgerlich!* Sie verwendete große Mühe darauf, die Erinnerung daran, dass es da draußen eine Welt gab, in der unfassbar viele schreckliche Dinge passierten, möglichst selten aufkommen zu lassen. Sie besaß weder Fernseher noch Radiogerät. Nachrichtenseiten, die einem im Internet so begegnen konnten, hatte sie auf ihrem Rechner blockiert. Und nun das.

Wobei es immer noch nicht so schlimm gewesen wäre, wenn nicht –

Sie griff nach dem zerknitterten, sandigen Stück Papier. Ausgerechnet die Titelseite. Mit einem Bericht über einen alten Mann, der angegriffen worden war und sich gewehrt hatte. Verdammt. Ausgerechnet. Verdammt, verdammt, verdammt!

Sie knüllte die Zeitungsseite zusammen, presste sie voller Ingrimm zu einer Kugel, so klein wie möglich, und stopfte sie in den Mülleimer, tief hinein. Weg damit. Aus den Augen, aus dem Sinn. Sie wollte von solchen Dingen nichts wissen.

Und ganz sicher würde sie das nicht dazu bringen, irgendetwas zu *tun*. Nein. Ganz bestimmt nicht.

Ingo verbrachte den Vormittag damit, seine Wohnung weiter aufzuräumen. Der Abend neulich war ein guter Anfang gewesen, aber er hatte dabei vor allem gemerkt, *wie* nötig sie es hatte und dass sich der Saustall von Monaten nicht innerhalb von ein paar Stunden beseitigen ließ. Zumal sich manche Tätigkeiten – Staubsaugen zum Beispiel – des Nachts verbaten.

Um die Mittagszeit herum erhielt er einen Anruf von Gerald Kleemann, einem der festangestellten Journalisten. »Herr Törlich hat mir die Berichterstattung im Fall Sassbeck übertragen«, erklärte dieser. Er klang genauso dumpf und langweilig wie die Artikel, die er schrieb. »Er meinte, Sie sollen mir alles Material, das Sie haben, zur Verfügung stellen.«

Obwohl Ingo eine Entscheidung wie diese erwartet hatte, traf es ihn doch. Er war also tatsächlich raus. Hatte es wieder einmal versiebt.

»Was für Material?«, fragte er grimmig.

»Was Sie eben haben«, sagte Kleemann, als interessiere es ihn im Grunde nicht.

Wahrscheinlich tat es das auch nicht. Kleemann war ein gehorsamer Befehlsempfänger, der dröge Artikel schrieb und alles machte, was man ihm sagte, darüber hinaus aber nichts. Ein betulicher Erbsenzähler mit Stirnglatze, fliehendem Kinn und einem Kleidungsstil, der sich an Filmen aus den Fünfzigern zu orientieren schien.

»Ich habe nur die Aufnahme des Interviews und ein paar Fotos«, erklärte Ingo. »Die kann ich Ihnen mailen.«

»Ja, danke«, sagte Kleemann. Es klang wie: *Ich hab eh keine Ahnung, was ich damit machen soll.*

Rado würde ihm vorgegeben haben, wie der Artikel auszusehen hatte, und Kleemann würde ihn dann genau so schreiben.

»Was hat Herr Törlich Ihnen denn gesagt, über welche Aspekte Sie berichten sollen?«

»Öhm«, machte Kleemann, »also ... eher so die menschliche Ebene. Sie wissen schon. In der Pressekonferenz heute hat die Polizei angedeutet, dass der alte Mann vielleicht nicht mehr ganz richtig im Kopf ist. Da wäre es interessant, herauszuarbeiten, wie er so geworden ist, was ihn dazu gebracht hat, sich diese Engel-Geschichte zusammenzufantasieren. Ob andere ehemalige Grenzbeamte ähnliche Entwicklungen durchgemacht haben. Und so weiter. Die menschliche Ebene halt. Das geht immer, meint Herr Törlich.«

Ingo legte die freie Hand vor die Augen, massierte sich die Schläfen. Das würde Evelyn bestimmt nicht gefallen.

»Okay«, sagte er matt. »Ich schick Ihnen die Dateien.«

Nach dem Gespräch ließ er sich auf den nächstbesten Stuhl fallen, weil ihn auf einmal alle Energie verließ. Er konnte richtig spüren, wie sie davonfloss und spurlos versickerte.

Zum Teufel mit dem Aufräumen. Er schickte Kleemann die versprochene E-Mail und blieb anschließend vor dem Computer sitzen, um den Rest des Tages sinnlos herumzusurfen.

Wie immer stieg Gülay Azmi auf dem Heimweg von der Schule eine Station früher aus, um den Rest des Weges zu Fuß zurückzulegen: Das sparte ihr fünfzehn Euro im Monat für die Fahrkarte, weil sie auf diese Weise eine Zone weniger brauchte. Und so weit war das nicht; die Straßenbahn fuhr einen Bogen, den man abkürzen konnte. Man brauchte sich dazu nur durch ein Absperrgitter zu zwängen, dann kam man in eine Geisterstraße: alte, verlassene Häuser, die Fenster und Türen zugenagelt, seit Jahren schon, weil hier irgendetwas Großes gebaut werden sollte. Man wusste nur noch nicht, was – ein Stadion? Ein Einkaufszentrum? Alle hofften, dass es kein Industriegebiet werden würde.

Auf halber Strecke zwischen all den zerfallenden Häusern war ein Grundstück leer geblieben. Ein Baum stand darauf, schön gewachsen wie im Bilderbuch, ringsum Wiese, und von einem Ast hing ein Stück Seil herab, vielleicht das Überbleibsel einer Schaukel, die da mal gehangen hatte. Gerade als Gülay diese Stelle passierte, pingte es leise in ihrer Tasche. Eine SMS.

Sie blieb stehen, sah nach. *Ruf mich an, sobald du kannst. Ich muss dir was total Dringendes sagen. Timo.*

Gülay las es mit Unbehagen. Timo war ihr Ex-Freund. Sie hatte mit ihm Schluss gemacht, weil er ihr zu zudringlich geworden war. Er hatte nicht akzeptieren wollen, dass für sie Sex vor der Ehe nicht infrage kam; hatte richtig hässliche Dinge zu ihr gesagt, als sie ihm das erklärt hatte. Es war ihr gar nichts anderes übrig geblieben, als die Sache zu beenden. Es tat ihr selber noch weh.

Seither bedrängte er sie. Rief dauernd an. Sie hatte schließlich den Klingelton für seine Nummer auf lautlos gestellt, doch für SMS funktionierte das nicht.

Was er ihr wohl so Dringendes zu sagen hatte?

Sie hatte ein schlechtes Gefühl dabei, aber sie rief ihn trotzdem zurück.

Er ging sofort ran. »Hi, Gülay«, sagte er mit dieser Stimme, die sie trotz allem immer noch mochte. »Wo bist du grade?«

»Auf dem Heimweg«, erwiderte sie. »In der Heisigstraße. Weißt du doch.«

»Wie war die Schule?«

»Pff. Langweilig. Zwei Stunden Mathe am Nachmittag halt.«

»Du klingst auch so. Echt hart. Kann ich mir vorstellen.«

Auf einmal klang er wieder richtig nett. Was war los? »Du wolltest mir was Dringendes sagen«, erinnerte Gülay ihn.

»Ja, aber nicht am Telefon. Können wir uns treffen?«

Na, das war ja irgendwie klar gewesen, oder? »Ich weiß nicht«, meinte sie unbehaglich.

»Och, komm.«

»Wo denn?«

»Hier zum Beispiel.«

Im selben Moment, in dem er das sagte, bog er vor ihr um die Ecke, das Handy am Ohr, und sie hörte ihn zweimal.

Gülay erschrak. Ja, er breitete die Arme einladend aus, lächelte sein seltsames Lächeln … Trotzdem war ihr plötzlich mulmig. »Was soll das?«

»Hey«, rief er. »Ich hab's akzeptiert, dass du Schluss gemacht hast. Ehrlich.«

Sie schaltete ihr Handy aus, steckte es ein. »Dann ist es ja gut.«

»Es ist bloß so«, fuhr er fort, »dass ich finde, du schuldest mir noch was.«

»Was denn?«

»Das weißt du genau.«

Gülay streckte sich, sah ihn fest an und hoffte, dass er den Zorn aus ihren Augen sprühen sah. »Du spinnst ja. Ich schulde dir überhaupt nichts, und das schon gar nicht. Geh! Hau ab! Lass mich in Ruhe!«

»Und wenn nicht?«, fragte er mit einem schrecklichen, boshaften Grinsen.

Es war ein Fehler gewesen, sich auf ihn einzulassen. Sie hatte es gewusst. Von Anfang an hatte sie gespürt, dass unter der freundlichen Oberfläche etwas Gemeines, Rücksichtsloses lauerte – etwas, das sich jetzt Bahn brach.

Sie sagte nichts mehr. Sie setzte sich in Bewegung, umrundete ihn und ging weiter, so schnell sie konnte.

Mist, dass das hier eine so verlassene Gegend war. Mist, dass es noch gut ein Kilometer war, bis die Siedlungen von Dahlow anfingen. Ganz großer Mist.

8   Enno deutete, den Tabletcomputer in der Hand, auf die unterste Stufe der Treppe, die in die U-Bahn-Station Dominikstraße hinabführte. »Hier ist er bei genau 23 Uhr, 10 Minuten und 32 Sekunden.«

Ambick klebte ein Stück weißen Klebebands auf die Kante. »Okay.« Er sah hoch, sah, wie Enno sich den Unterkiefer rieb. »Was ist?«

»Ach, nichts«, sagte Enno.

»Zahnschmerzen?«

»Nein, nicht richtig Zahnschmerzen, eher …« Enno seufzte. »Ja. Doch. Zahnschmerzen.« Er ließ das Video weiterlaufen, stoppte es sofort wieder und ging zu einer Trennfuge in der Seitenwand der Unterführung. »Hier ist er bei 10 Minuten und 41 Sekunden. Gleich darauf kommt er außer Sicht.«

»Du solltest danach schauen lassen. Ist nicht gut, wenn man so was vor sich herschiebt.« Ambick brachte das nächste Stück Klebeband an, drehte sich dann um und betrachtete die Strecke dazwischen. »Neun Sekunden. Neun Schritte, plus minus. Straffer Schritt.«

»So geht man spätabends, wenn man nach Hause will.«

»Wahrscheinlich.« Hoffentlich würde Enno es für sich behalten, falls sich die Aktion hier als peinliche Zeitverschwendung entpuppte.

»Ist es nicht schrecklich, dass es so etwas wie Zahnärzte geben muss?«

»Absolut«, meinte Ambick und ging die neun Schritte ab, versuchte, sich das dafür nötige Tempo einzuprägen.

»Allein schon der Geruch, wenn man in die Praxis kommt!«

»Noch schlimmer finde ich das Geräusch des Bohrers«, gestand Ambick. »Aber was sein muss …« Er kam zurück. »Okay. Die andere Seite.«

Sie gingen tiefer in die Station hinein, vorbei am Treppenabgang. Ambick entdeckte einen seltsam funktionslosen Haken, der von der Decke ragte. War hier womöglich mal eine weitere Kamera installiert gewesen?

Ach, das wollte er gar nicht wissen. Er würde sich nur ärgern, und helfen würde es ihnen ja doch nicht.

Enno konsultierte das Video, suchte nach einem identifizierbaren Punkt in dem langen Gang, der zum dritten Ausgang führte. Schließlich deutete er auf ein Graffiti an der Wand. »Hier. Hier ist er bei 23 Uhr, 12 Minuten und 9 Sekunden.«

»Hmm«, machte Ambick. Er musterte die Distanz zu ihren anderen Markierungen. Irgendwas stimmte da nicht. »Bist du sicher?«

Enno hielt ihm das Tablet wortlos hin. Das Video stand, der dunkle Unbekannte sah aus wie eingefroren, die Zeitmarkierung zeigte 23:12:09.

»Okay.« Während er sich bückte, um das dritte Stück Klebeband auf dem Boden anzubringen, kam ein Vater mit seinem kleinen Sohn vorbei, der wissen wollte, was *die Männer da* machten. »Die drehen hier bestimmt einen Film«, bekam das Kind mürrisch zur Antwort.

Ambick sah den beiden nach. Der Mann war ungefähr in seinem Alter gewesen.

Nicht drüber nachdenken.

Er richtete sich wieder auf. Hoffentlich würde das, was er vorhatte, überhaupt funktionieren, mitten am Tag, wenn jederzeit ein Strom von Fahrgästen vom Bahnsteig hochkommen konnte.

Na ja. Sie mussten es eben versuchen.

»Gut, fangen wir an«, sagte Ambick. »Ich laufe, du stoppst.«

Enno nickte, steckte den Computer weg und holte eine Stoppuhr heraus. Er nahm an der dritten Markierung so Aufstellung, dass er die anderen Markierungen im Blick hatte. Ambick ging zurück zu der Treppe, die der Unbekannte herabgekommen war. Er stieg ganz hinauf, um von oben zu beginnen, damit er schon ein gleichmäßiges Tempo hatte, wenn er auf die erste Markierung trat.

»Achtung!«, rief er und marschierte los. Die Treppe hinab, gleichmäßig, zielstrebig … die unterste Stufe erreicht, im gleichen Tempo weiter … die zweite Markierung, weiter …

Da sah er Enno schon winken. Er blieb stehen. »Was?«

»Zu langsam.«

Okay. Noch mal von vorn. Neuer Anlauf, diesmal richtig zackig …

Enno winkte wieder ab. »Zu schnell.«

Aller guten Dinge waren drei, oder? Ambick wollte umdrehen, als er hörte, wie unten ein Zug einfuhr. Türen öffneten sich zischend, Gemurmel breitete sich aus, gleich darauf kamen etwa zwanzig Leute die Treppe herauf. Sie verteilten sich in die Gänge, die meisten waren in Gedanken oder mit ihren Handys beschäftigt und nahmen ihn und Enno nicht zur Kenntnis. Nach ein paar Minuten war wieder alles ruhig.

»Okay«, rief Ambick. »Neues Spiel.«

Wieder zurück an den Startpunkt. Diesmal entfernte er sich noch ein paar Meter von der Treppe. Zwei Frauen an einem Wahlwerbestand, unter einem Sonnenschirm in Parteifarben, beobachteten ihn argwöhnisch. Er tat, als bemerke er sie nicht.

Und los. Hinab. Erste Markierung. Zweite Markierung. Enno hob den Daumen: endlich das richtige Tempo. Ambick behielt es bei, marschierte auf die dritte Markierung zu …

Und erreichte sie viel zu früh.

»Zweiundsechzig Sekunden zu schnell«, sagte Enno.

Ambick betrachtete den zurückgelegten Weg. »Das war es, was mich gestört hat«, meinte er. »Für diese Strecke braucht man keine anderthalb Minuten.«

»Er wird zwischendurch stehen geblieben sein«, schlussfolgerte sein Assistent.

»Dann hätte er die Schlägerei unten hören müssen.« Ambick sah sich um, suchte nach etwas, das einen veranlassen konnte, stehen zu bleiben. »Hier hängt nicht mal ein Fahrplan.«

Tatsächlich hing an den Wänden gegenüber dem Treppenaufgang überhaupt nichts. Eine Plakatwand, leergekratzt. Sonst nichts.

»Vielleicht hat er die Schlägerei gehört, ist stehen geblieben, hat dann Muffe gekriegt und ist weitergegangen«, schlug Enno vor.

»Lass das Video noch mal sehen«, bat Ambick.

Sie schauten es sich im Lichte der neuen Überlegungen noch einmal an. Man sah keinen Unterschied. Der Unbekannte wirkte in den Aufzeichnungen beider Kameras einfach wie jemand, der zügig eine Unterführung durchquerte.

»Ich probier mal was«, meinte Ambick. »Du stoppst wieder.«

Er kehrte an denselben Startpunkt zurück wie vorhin, bekam auch das Tempo wieder hin, Enno zeigte den Daumen als Zeichen dafür. Doch diesmal ging er nicht geradeaus weiter, sondern marschierte die Treppe zu den Bahnsteigen hinab, tat die paar Schritte bis zum Tatort, hob die Hände, sagte leise »Peng, Peng«, ignorierte die verwunderten Blicke eines wartenden Fahrgastes, drehte sofort um, stieg im genau gleichen Tempo die Treppen wieder hinauf und setzte dann erst seinen Weg durch die Unterführung fort.

»Unglaublich«, stieß Enno hervor, als Ambick die dritte Markierung erreichte.

»Und?«, fragte er, etwas außer Atem. »Welche Zeit?«

»Fast auf die Sekunde pünktlich.«

Ambick nickte grimmig. »Er könnte es also gewesen sein. Er könnte die Schlägerei gehört und eingegriffen haben.«

»Bloß dass die Beschreibung nicht passt.« Enno rieb sich

gedankenverloren wieder den Unterkiefer. Er holte den Computer hervor, und sie schauten sich das Video noch einmal an. Es war nicht daran zu deuteln: Der Unbekannte trug einen Mantel, doch der war tiefschwarz, nicht strahlend weiß. Und seine Haare waren nicht hell und lang, sondern dunkel und kurz. »Absolut nicht.«

»Okay.« Ambick konnte sich leiser Enttäuschung nicht erwehren. »Lassen wir das beiseite. Die Zeit passt auf jeden Fall.«

Enno ließ das Tablet sinken, musterte ihn zweifelnd. »Ja, aber wer macht so etwas? Hat zwei Pistolen bei sich, geht mal eben schnell 'ne Treppe runter, knallt zwei Typen ab und geht weiter, als sei nichts gewesen?«

»Weiß ich auch nicht.« Ambick kaute ratlos auf seiner Unterlippe. »Ich hab bloß das Gefühl, dass wir an irgendetwas dran sind.«

Gülay begann zu rennen, als sie Timos Schritte hinter sich hörte, doch da hatte er sie schon eingeholt, packte sie hart am Arm und hielt sie fest.

»Ich weiß genau, dass du mit Steffen rummachst«, zischte er.

Sie versuchte, sich loszureißen. »Mit Steffen? Spinnst du?«

»Lüg mir nichts vor.«

»Ich lüg dir nichts vor.«

Und plötzlich tauchten noch drei Typen auf, alle in Timos Alter. Gülay kannte kein einziges der dreckig grinsenden Gesichter. Sie wollte schreien, doch da war schon eine Hand, die ihr den Mund zuhielt, und dann noch mehr Hände, die sie packten, begrapschten, in Richtung auf eines der verlassenen Häuser zerrten.

»Wir werden jetzt alle ein bisschen Spaß haben«, erklärte Timo.

Es klang drohend. Es klang *böse*. Und Gülay wusste, dass sie in diesem »wir« nicht mit eingeschlossen war.

Einer trat die nur noch halb in ihren Angeln hängende Tür

auf. Gemeinsam schleppten die vier sie hinein, stießen sie in ein leeres, völlig heruntergekommenes Zimmer und warfen sie auf eine stinkende Matratze, die dort schon bereitlag, mitten darin.

Gülay schrie, als die Hand ihren Mund freigab. Die hatten das alles geplant! Timo hatte ihr eine Falle gestellt, das hier von Anfang an vorgehabt! Derselbe Timo, der sie gestreichelt und zu ihr von unsterblicher Liebe geflüstert hatte!

Das tat von allem fast am meisten weh.

Bis jetzt jedenfalls. Sie lag da, unten gehalten von einem, und spürte die Hände der anderen überall. Sie zerrten ihr die Jeans herunter und den Slip auch, sie hatte keine Chance. Sie wimmerte, dachte an ihren Vater, der von Anfang an gegen ihre Freundschaft mit Timo gewesen war, ihr immer gesagt hatte, dass Timo ein schlechter Mensch wäre. Das hatte sie ihm natürlich nicht geglaubt, türkische Väter eben, denen war doch keiner gut genug, erst recht, wenn es kein Türke war …

Ob ihr Vater sie wohl verstoßen würde, wenn er davon erfuhr? Oder würde er sie rächen? Sie wusste es nicht, spürte nur, wie sie ihr die Hose immer weiter und weiter nach unten zerrten gegen ihren Widerstand, ihr Strampeln, ihr Winden.

»Warte, ich mach Fotos«, rief einer. »Das ist zu geil.«

Gülay drehte den Kopf zur Seite, brachte die Hände so weit frei, dass sie ihr Gesicht damit verdecken konnte. Dreckiges Gelächter um sie herum. Sie packten ihre Knie, spreizten ihr roh die Beine. Blitzlichter zuckten, sie sah es durch die geschlossenen Augen und die Tränen und den Rotz und alles. Sie wimmerte. Und noch mehr Gewieher, böses, erregtes Geschrei, Hände überall, an Stellen, an denen noch nie eine andere Hand gewesen war als ihre eigene. »Eine knackige Kanackin«, schrie einer, und sie kriegten sich kaum ein über diesen Witz.

Gülay starb innerlich. Alles in ihr erstarrte. Das Einzige, was sie noch fühlte, war das brennende, überwältigende, alles ausfüllende Verlangen, zu überleben. Sie war entschlossen, alles hier reglos über sich ergehen zu lassen, und dann –

Plötzlich war wieder Licht, ein anderes Licht, fahl und gleichmäßig. Filmten die das jetzt auch noch? Aber warum das Geschrei, diese Panik auf einmal? Man ließ sie los. Es knallte, viermal, ohrenbetäubend laut, dann erlosch das fahle Licht.

Stille.

Gülay nahm behutsam die Hände vom Gesicht. Die vier Jungen lagen rings um sie am Boden, reglos, mit weggeschossenen Schädeln, Löchern im Kopf, Blutlachen unter sich, blutige Spritzer an den Wänden hinter ihnen. Blut und Spritzer einer schleimigen grauen Masse.

Und es roch wie in Silvesternächten, wenn alle Raketen abgefeuert waren.

Gülay richtete sich auf, innerlich zu Eis erstarrt. Die Matratze hatte nichts von all dem Blut abbekommen, ihre Kleidung auch nicht. Sie würgte, als sie sah, wie sich schon die ersten Fliegen auf die Toten setzten. Weg. Nichts wie weg. Sie stand auf, zog sich wieder an, schnell, machte, dass sie aus dem Haus kam.

Ihre Tasche lag auf der Straße, es war noch alles darin. Sie beschloss, nicht zu rennen, als sie weiterging. Sie beschloss, sich umgehend ein Zusatzticket für die fehlende Tarifzone zu kaufen. Und sie beschloss zu schweigen. Sie würde niemandem etwas von dem erzählen, was vorgefallen war, niemandem, niemals.

Ingo hatte sich gerade ein Brot gemacht, das er im Stehen aß, mit Blick aus dem Fenster, als das Telefon klingelte.

Es war Evelyn.

»Ich wollte Ihnen nur sagen, dass ich es inzwischen von Herzen bereue, Sie zu meinem Schwiegervater geführt zu haben«, erklärte sie eisig. »Aber jetzt habe ich hoffentlich endgültig gelernt, was ich von Journalisten zu halten habe. Das wird mir nicht noch einmal passieren.«

»Halt, halt«, rief Ingo hilflos. »Ich habe doch –«

»Der Staatsanwalt hat beantragt, dass mein Schwiegervater

auf seinen Geisteszustand hin untersucht werden soll«, fuhr sie fort. »Und der Richter hat es gerade genehmigt. Es wäre besser gewesen, Erich hätte zu niemandem auch nur ein Wort gesagt.«

Ingo seufzte. »Das wollte ich nicht.«

»Das glaube ich Ihnen sogar.« Eine unerträgliche Pause. »Aber davon hat er nichts. Guten Tag.« Sie legte auf.

Ingo stand noch eine ganze Weile mit dem Hörer in der Hand da, fühlte sich wie gelähmt. Geräusche umfluteten ihn – Straßenlärm, ein Hubschrauber in der Ferne, Hupen, Musik, rumpelnde Schritte im Treppenhaus –, die ihm in diesem Augenblick wie ein sorgfältig komponierter Soundtrack vorkamen.

Erinnerungen stiegen auf. Wie er auf dem Heimweg von der Schule ist, dem langen, einsamen. Wie plötzlich drei Jungs aus seiner Klasse vor ihm auftauchen. Er weiß ihre Namen noch, sie sind in seinem Gehirn eingraviert: Dietmar, Imre, Erik.

Sie verprügeln ihn. Malträtieren ihn. Es ist ein Sommertag. Mohnblumen säumen den Weg, Vögel fliegen, es riecht nach Gras und Kühen. Überall sind Fliegen. Er versucht sich zu wehren, aber er hat keine Chance. Nicht gegen drei, und nicht als der Hänfling, der er ist.

Ingo schüttelte die Erinnerung ab, legte den Hörer auf. Er verstand nur zu gut, wie es Erich Sassbeck jetzt zumute sein musste. Und er konnte es ihm nicht einmal sagen. Das schmerzte ihn mehr als der Umstand, dass die zarten, sowieso nur halb eingestandenen Hoffnungen, die er mit Evelyn verbunden hatte, dahin waren.

Frau Bedow, die Küsterin, stand sichtlich aufgebracht am Kirchenportal, als Peter von seinen Gemeindebesuchen zurückkehrte. Also war etwas vorgefallen. Er war nicht überrascht, als sie ihm berichtete, dass jemand den Opferstock aufgebrochen hatte.

»Am hellen Tag«, schimpfte sie. Sie war Mitte fünfzig, kleidete sich immer sorgfältig und nahm alles rings um die Kirche sehr ernst. »Dass die Leute sich nicht schämen!«

»Ja«, meinte Peter resigniert. »Wir könnten eigentlich einen Korb hinstellen. Oder den Schlüssel danebenhängen. Das käme auf die Dauer billiger.«

Sie besichtigten den Tatort. Der Dieb hatte ein banales Brecheisen verwendet, das beliebteste Werkzeug aller Kirchendiebe, wie es Peter schien. Vielleicht sollte er mit dem Schreiner, der das reparieren musste, mal über einen Mengenrabatt verhandeln.

Anfangs hatte er jeweils noch die Polizei gerufen, obwohl die Küsterin ihm prophezeit hatte, dass das zu nichts führen würde. Inzwischen ließ er es. Es brachte nur Papierkrieg mit sich.

Etwas Weißes am Boden fiel ihm auf, das halb unter die Kirchenbank gerutscht war. Er hob es auf. Es war ein Umschlag, in dem ein Zettel steckte, auf dem in kleinen, mit blauem Kugelschreiber geschriebenen Einzelbuchstaben stand: *Bitte eine Messe lesen für Philipp Flach. 100 € anbei. Danke.*

Das Geld war natürlich nicht mehr da. Der Dieb hatte sich die Mühe gemacht, den Umschlag aufzuschlitzen und das Geld herauszunehmen. Wirklich ganz schön dreist.

»Wer ist Philipp Flach?«, fragte Peter.

»Einer von den Jungen, die der alte Mann erschossen hat«, erklärte Frau Bedow mit hörbarem Ingrimm. »Sie wissen schon – über den die Zeitungen jetzt ständig schreiben. Dieser ehemalige DDR-Grenzer.«

Peter dachte an den unerwarteten Besuch im Beichtstuhl vor zwei Tagen zurück und überlegte, ob er ihre Sicht der Dinge korrigieren sollte. Aber wozu? Kam es denn darauf an, was er oder die Küsterin über den Fall wussten oder dachten?

»Das war bestimmt die Mutter«, fuhr sie fort. »Das muss entsetzlich für sie sein. Sie wird ihrer Kinder schon lange nicht mehr Herr. Dominik – ihr Großer – ist noch schlimmer, ein richtiger Gewalttäter.«

»Was ist mit dem Vater?«

»Weiß ich nicht. Der soll Sachbearbeiter sein, heißt es. Aber ich hab ihn noch nie in der Kirche gesehen, nur sie ab und zu.« Sie machte eine unbestimmte Geste. »Die Familie wohnt in der Von-Metzler-Straße, soweit ich weiß.«

Das wunderte Peter. Unwillkürlich hatte er erwartet, von Alkohol, Arbeitslosigkeit und verwahrlosten Zuständen zu hören. Aber die Von-Metzler-Straße war eine gutbürgerliche Wohngegend, eine der besseren Straßen in der Umgebung.

»Haben Sie übrigens gesehen, was die Zeitungen jetzt schreiben, Herr Pfarrer?«, fragte die Küsterin. »Ein Engel soll eingegriffen und die beiden Jungen erschossen haben. Ein Engel, der Leute erschießt! Wie kann jemand bloß auf die Idee kommen, so etwas zu behaupten? Ich versteh das nicht.«

Peter wog den Umschlag unschlüssig in der Hand. Er fühlte sich auf unbestimmte Weise gedrängt, etwas zu unternehmen, aber was denn? Und wieso er?

Das war ihm alles lästig. Er sehnte sich nach geordneten Bahnen, nach einem gleichmäßigen, geregelten Tagesablauf ohne ständige böse Überraschungen und Herausforderungen – mit einem Satz, er sehnte sich zurück ins Priesterseminar.

»Ich werde eine Messe lesen«, erklärte er hilflos und wusste immer noch nicht, was er mit dem Briefchen machen sollte. Schließlich steckte er es ein.

Irgendwann brach der Abend an, und es wurde dunkel, doch Ingo konnte sich nicht aufraffen, Licht zu machen. Wozu brauchte er Licht, wenn er nur dasaß und Löcher in die Luft starrte?

Das plötzliche Klingeln an der Tür überraschte ihn völlig. Er fuhr hoch, durchzuckt von der jähen Hoffnung, Evelyn sei gekommen, um sich für ihre harten Worte zu entschuldigen. Er sprang auf, stolperte auf dem Weg zum Lichtschalter über irgendetwas, rief: »Ich komme!«, erwischte den blöden Schal-

ter endlich und daneben den Taster der Gegensprechanlage.
»Hallo?«

Niemand antwortete.

Stattdessen klopfte es an der Tür. Ingo legte das Auge an
den Spion: Es war nicht Evelyn, die davor stand – natürlich
nicht! –, sondern eine kleine, alte Frau, die ihm vage bekannt
vorkam. Als sei er ihr schon einmal begegnet, wenn er auch
nicht wusste, wann und wo. Niemand aus dem Haus auf jeden
Fall. Er öffnete.

»Guten Abend, Herr Praise«, sagte die Frau höflich, fast ho-
heitsvoll. »Entschuldigen Sie die späte Störung.«

»Kein Thema«, erwiderte Ingo, der sich erst jetzt zu wundern begann.

»Mein Name ist Irmina Shahid.« Sie mochte um die siebzig
sein, trug einen schlichten Mantel und eine Handtasche und
hatte graues, sorgfältig frisiertes Haar. Eine Perlenkette zierte
ihren Hals. »Ich habe im gestrigen Abendblatt Ihren Artikel gelesen. Heute kam im Radio, dass die Polizei den armen Mann
für einen Lügner hält oder sogar für geistesgestört. Ich würde
gern …« Sie lächelte sanft. »Kann ich vielleicht hereinkommen?«

Ingo zuckte zusammen. »Oh. Ja, natürlich.« Er riss die Tür
auf. »Entschuldigen Sie.«

Jetzt war er doch froh, aufgeräumt zu haben. Das Ding, über
das er gestolpert war, war ein Pullover (ein *Pullover*? Wo kam
denn der her?), er hob ihn rasch auf und bot seiner Besucherin
den Lesesessel an, den bequemsten Platz der Wohnung. Ob sie
etwas trinken wolle? Sie schüttelte nur kurz den Kopf, als sei
das in diesem Moment eine unangemessen profane Frage.

»Ich will gleich zum Grund meines Besuchs kommen«, erklärte sie, als Ingo sich auf die Couch setzte. »Ich war auf dem
Bahnsteig gegenüber, als es passiert ist. Ich habe den Notruf
ausgelöst und danach alles mit meinem Handy gefilmt.«

Ingo sah sie ungläubig an. Das träumte er jetzt nicht bloß,
oder? »Sie waren auf dem Bahnsteig?«

»Gegenüber. Ich habe gesehen, wie sie den alten Mann brutal zusammengeschlagen haben. Und was dann passiert ist.«

»Und *was* ist dann passiert?«

Sie öffnete ihre Handtasche und holte ein Telefon heraus, ein modernes Smartphone, der letzte Schrei, noch keine zwei Monate auf dem Markt. Kein Gerät, das man bei einer vornehmen alten Dame vermutet hätte. So, wie sie damit hantierte, merkte man, dass sie sich total auskannte.

»Schauen Sie«, sagte sie und hielt ihm den Bildschirm hin.

Ingo rutschte bis vor an die Kante, beugte sich über das Video. Man sah den Bahnsteig der Station Dominikstraße: die kotzgelben Kacheln, das blau gestrichene Geländer der Treppe nach oben, die graffitiverschmierten Säulen. Davor zwei Jugendliche, die auf ein am Boden liegendes Etwas eintraten und dabei schrien. Man hörte ihre Schreie hallen, begriff mit Grauen, dass das Etwas am Boden ein Mann war, ein alter Mann in einem dunkelgrauen Anorak, auf den sie mit voller, wütender Wucht und ohne jedes Erbarmen eintraten.

Und dann, urplötzlich, kam ein Schemen hinter einer Säule hervor ins Bild, eine weiße, von innen heraus leuchtende Gestalt in einem schneeweißen, wallenden Mantel und mit langen, unwirklich weißen, wehenden Haaren. Sie trat hinter die Jugendlichen, hob die Hände mit zwei Pistolen darin und schoss. Etwas spritzte aus den Vorderseiten der Köpfe, die beiden Körper kippten vornüber. Noch ehe sie auf dem Boden aufschlugen, wandte sich die Gestalt wieder ab und verschwand so rasch, wie sie gekommen war.

Ulrich Blier wartete, den Blick auf das schmale Gittertor gerichtet. Ab und zu sah er zur Kaserne hinüber, betrachtete den Drahtzaun mit der Stacheldrahtkrone, die Scheinwerfer, die das Areal ausleuchteten, die endlosen Reihen dunkler Fenster. Da wie dort rührte sich nichts. Er sah auf die Uhr seines Handys. Inzwischen war Theo schon zehn Minuten überfällig.

Hätte er sich nicht so ausgepumpt, so völlig leergebrannt

gefühlt, er hätte wahrscheinlich angefangen, sich Sorgen zu machen. Aber so blieb er einfach da im Schatten der krummen, kleinen Eiche stehen und wartete weiter.

Endlich tat sich etwas. Jemand kam aus dem Hintereingang von Block B. Kam raschen Schrittes den Pfad zum Gittertor herunter. Theo. Na also. Ulrich Blier löste sich aus dem Schutz des Baumes und ging ihm entgegen.

»Wie siehst du denn aus?«, begrüßte ihn der andere, während er das Tor aufschloss.

»Wieso? Wie seh ich aus?«

Theo deutete in Richtung seiner rechten Gesichtshälfte. »Da. Diese Kratzer. Das solltest du behandeln lassen.«

Blier berührte seine Wange, fühlte tatsächlich oberflächlich verschorfte Rillen. »Das ist nichts«, sagte er. »Hat nichts zu bedeuten.«

»Na, ich weiß nicht.« Er ließ ihn ein, schloss wieder zu. »Sorry übrigens für die Verspätung. Ich hatte vorhin das Gefühl, der OvD schleicht durch die Gegend.«

»Schon okay.« Blier nickte in Richtung des Feldlagers. »Komm. Höchste Zeit, dass ich Schlaf kriege.«

9 Ingo saß da, das kleine, überraschend leichte Smartphone in Händen, und hatte das Gefühl, sein Leben lang auf diesen Moment gewartet zu haben, ohne es zu ahnen.

»Dann ist es also wahr«, sagte er.

»Ja«, sagte die Frau.

»Es ist genau so passiert, wie Erich Sassbeck es erzählt hat.«

»Ganz genau so.«

Höflich wäre es gewesen, das Gerät zurückzugeben. Aber er brachte es nicht über sich. Dieses Video konnte alles verändern – sein eigenes Leben, die Welt, alles.

Er musste es haben!

Mehr noch: Diesen Beweis zu sehen, diesen eindeutigen Beleg, dass diese mythisch anmutende Gestalt tatsächlich existierte, dass es diesen strahlenden Engel des Todes wahrhaftig gab, erfüllte ihn mit, ja, Ehrfurcht. Mit der Gewissheit, an etwas ganz Großem teilzuhaben.

»Wo ist er hergekommen?«, fragte er und spürte sein Herz schlagen. »Und wohin ist er verschwunden?«

Irmina Shahid zuckte mit den Schultern. »Ich weiß es nicht. Ich habe um die Ecke gefilmt, ehrlich gesagt.« Sie nahm ihm das Smartphone mit einer raschen, federleichten Bewegung aus der Hand, hielt es zur Seite, das Objektiv nach hinten gerichtet, und sagte fast entschuldigend: »So etwa, verstehen Sie? Mit dem Rücken zur Mauer. Ich wollte nicht, dass die mich sehen. Und das Telefon allein, dachte ich, das fällt nicht auf.«

Ingo ließ das Gerät nicht aus den Augen, sah mit Sorge, wie unbekümmert sie damit hantierte. Er streckte die Hand aus. »Kann ich es noch einmal sehen, bitte?«

Sie reichte es ihm wieder. Er startete das Video von vorn, verfolgte das Geschehen mit einer Mischung von Aufregung und Grauen. Erst jetzt, beim zweiten Mal, fiel ihm auf, wie deutlich man die rabiaten Tritte der beiden Jugendlichen gegen den am Boden liegenden Mann hörte: dumpfe, schreckliche Geräusche, die ihm Gänsehaut verursachten.

Grauen. Und Verzückung. Erregung. Eine Riesenchance, und er hielt sie in Händen!

Er sah die Frau an, hob das Smartphone an. »Das ist ein wichtiges Beweismittel. Warum haben Sie das nicht der Polizei gegeben?«

Sie überlegte, als müsse sie aus einer enormen Zahl möglicher Antworten die passende auswählen. »Sagen wir so: Die Polizei hat sich in der Vergangenheit mir gegenüber nicht so verhalten, dass ich freiwillig mit ihr in Kontakt trete.«

»Was ist passiert?«

»Ach, so vieles …« Sie faltete die Hände vor dem Mund, schien sich für einen Moment in Erinnerungen zu verlieren. Dann blinzelte sie, richtete die gefalteten Hände auf ihn und sagte: »Unwichtig. Sie sind Journalist, Ihr Artikel hat mich berührt. Nehmen Sie das Video. Geben Sie es der Polizei, zeigen Sie es der Öffentlichkeit. Der Mann hat es nicht verdient, zu allem hin auch noch als Lügner bezeichnet zu werden.«

Also doch. Seine Chance. »Sie wollen mir das Video geben?«

»Unter einer Bedingung allerdings.«

»Nämlich?«

»Sie dürfen damit keine Stimmung gegen Ausländer machen.«

Ingo stutzte. »Wie meinen Sie das?«

»Wie meine ich das? Wie *kann* man das denn meinen?« Sie zog den Kopf zwischen die Schultern. »Ach, es war ein Fehler,

126

herzukommen. Ich gerate bloß wieder in etwas hinein, und davon habe ich so genug. Geben Sie her.« Sie streckte die Hand nach ihrem Telefon aus. »Vergessen Sie, dass ich hier war.«

Ingo entzog ihr das Gerät. »Entschuldigen Sie, aber das vergesse ich ganz bestimmt nicht. Sie haben einen persönlichen Grund, diese Bedingung zu stellen, nicht wahr?«

»Ja.« Sie zog die ausgestreckte Hand zurück, musterte ihn forschend. »Ich habe Ihnen meinen Namen genannt. Shahid. Was glauben Sie, woher dieser Name kommt?«

»Arabisch, würde ich tippen.«

Sie nickte knapp. »Ich war mit einem Libyer verheiratet. Zweiunddreißig Jahre lang. Er hieß Mohammed Shahid. Er war die Liebe meines Lebens. Aber es war schwer, ein schweres Leben. Nicht seinetwegen! Der *Leute* wegen. Wir haben 1972 geheiratet. Das war eine andere Zeit, das können Sie sich gar nicht vorstellen, so jung, wie Sie sind. Was ich mir damals anhören musste! Ich werde es nicht wiederholen. Unglaublich infame Unterstellungen. Ich habe mit meiner Familie gebrochen, es ging nicht anders. Wir sind fortgezogen, hierher. In einer Großstadt ist man freier, das stimmt einfach, bei allen Nachteilen. Aber die Wohnungssuche war trotzdem ein Spießrutenlauf, furchtbar. Das war die Zeit, als man in allen Arabern Terroristen gesehen hat. München, die Olympischen Spiele, die Geiselnahme … Ich weiß nicht mehr, wie oft die Polizei meinen Mann angehalten und kontrolliert hat, verdächtigt, leibesvisitiert – wegen nichts und wieder nichts. Wie oft wir erlebt haben, dass wir in ein Restaurant gekommen sind und es hieß, alles sei reserviert, obwohl kaum jemand darin saß, einfach, weil sie ihn nicht haben wollten. Aber er hat das alles geschluckt, mir zuliebe, hat alles ertragen, hat immer gesagt: In Gaddafis Gefängnissen war es schlimmer. Er war ein guter Mann, liebevoll, fleißig, redlich, aufmerksam. Er konnte sehr gut fotografieren, hat es mir beigebracht. Und es hat ihn so glücklich gemacht, als wir ein Fotogeschäft übernehmen konnten, obwohl er von da an Tag und Nacht arbeiten musste –«

Das warf Ingo förmlich gegen die Rücklehne des Sofas. »Jetzt weiß ich, woher ich Sie kenne. Sie hatten das Fotogeschäft in Marienweiler, in der Berliner Allee, nicht wahr? Lehmanns?«

»Ja.«

»Als Schüler habe ich bei Ihnen Filme gekauft, Fotos entwickeln lassen«, erzählte er aufgewühlt.

»Wirklich?«, fragte sie verdutzt.

»Ja. Ich bin aufs Marienweiler Gymnasium gegangen. Aber ich bin aus Fechenau; da gab's damals morgens einen Bus und mittags einen, und das war's. Wenn wir eher aus hatten, musste ich entweder zu Fuß über die Felder heimlaufen oder die Stunde vertrödeln. Da hab ich mir oft die Nase an Ihrem Schaufenster mit den teuren Kameras platt gedrückt.«

Jetzt lächelte sie, wehmütig. »Ein paar davon habe ich noch im Keller. Heute will die niemand mehr. Aber für mich bleibt das das richtige Fotografieren: auf Film, mit Dunkelkammer.«

Immer weitere Details fielen Ingo ein. »Ich erinnere mich auch an Ihren Mann. Er war groß, nicht wahr? Mit schwarzen Locken. Hat etwas gehinkt.«

»Man hat ihn gefoltert, ehe er fliehen konnte. Aber er hat sich nie beklagt.«

Was für ein Gedanke! Dass er dieser Frau schon als Kind gegenübergestanden hatte, dass sie ihm die billigen Diafilme aus dem Regal geholt hatte, DDR-Produktion, weil er sich mehr von seinem Taschengeld nicht leisten konnte.

Und nun traf er sie wieder – und wieder hatte sie ihm einen Film ausgehändigt. Seltsam.

»So, wie Sie von Ihrem Mann sprechen, lebt er nicht mehr?«, fragte er.

»Ein Schlaganfall. Vor acht Jahren.«

»Das tut mir leid.« Und das tat es ihm tatsächlich. Er erinnerte sich an den Mann, an die buschigen Augenbrauen, die immer in Bewegung waren, an den gutturalen Tonfall, in dem er »un' surück swanzig Fennige, dangeschön« gesagt hatte, wenn er an der Kasse herausgab.

Sie faltete die Hände im Schoß. »Es gibt viele Leute, denen jeder Anlass recht ist, die alte Leier wieder aufzulegen: Dass wir in Deutschland keine Probleme mehr hätten, wenn wir nur die Ausländer loswürden. Gott, wie oft ich das gehört habe! Als ob es bei uns keine Schläger gäbe, keine Neonazis und Skinheads, die Ausländer jagen und zu Tode prügeln. Das ist alles so dumm. Ob einer gewalttätig wird oder nicht, hat doch nichts mit seiner Nationalität zu tun, sondern mit seinem Charakter.«

Ingo sah sie überrascht an. »Charakter«, wiederholte er nachdenklich. »Das ist ein Wort, das man heutzutage kaum noch benutzt.«

»Ja. Bedauerlicherweise.«

Das Wort hakte sich in ihm fest, fühlte sich an wie ein Magnet, der seine umherschwirrenden Gedanken ordnete. »Vielleicht ist das der Grund, warum sich alles so entwickelt«, überlegte Ingo. »Man möchte nicht daran erinnert werden, dass es wichtig ist, was für einen Charakter man hat. Sonst müsste man ja etwas tun. Konsequenzen ziehen.«

Sie nickte. Lächelte. »Versprechen Sie mir, dass Sie das nicht benutzen werden, um einfach alle Schuld den Ausländern zuzuschieben?«

»Ja«, sagte Ingo, und in diesem Moment war ihm ernst damit.

»Und verraten Sie niemandem, woher Sie das Video haben, bitte.« Sie riss erschrocken die Augen auf. »Oder sind Sie dazu verpflichtet? Kann man Sie dazu zwingen?«

Ingo räusperte sich. »Im Gegenteil. Als Journalist habe ich das Recht, meine Quellen zu schützen. Zeugnisverweigerungsrecht nennt man das.« Nannte man es wirklich so? Es war das erste Mal, dass er in eine Situation geriet, in der das wichtig werden konnte.

Sie merkte nichts von seiner Unsicherheit, schien erleichtert. »Gut.«

»Wir müssen nur …« Ingo sprang auf, eilte an seinen

Schreibtisch und zog die Schublade mit den Hängeordnern auf. Er hatte irgendwann eine Mappe mit Ausdrucken aller Formverträge angelegt, die man beim Journalistenverband herunterladen konnte. Da er den Vertrag für eine Gelegenheit wie diese noch nie gebraucht hatte, musste er noch da sein.

Da. Er zupfte die Blätter aus dem Ordner, ließ die Schublade wieder zurattern, schnappte sich einen Kugelschreiber.

»Hier.« Er legte ihr den Vertrag hin. »Damit alles seine Richtigkeit hat.«

Sie beugte sich darüber. »Was ist das?«, fragte sie misstrauisch.

»Da Sie das Video gedreht haben, haben Sie ein Urheberrecht daran«, erklärte Ingo mit dem Gefühl, zu schnell zu sprechen. »Deswegen müssen Sie mir die Erlaubnis erteilen, das Video auszuwerten. Für den Fall, dass die Weiterlizenzierung des Videos Geld einbringt – also, damit sind nicht Artikel gemeint, die ich darüber schreibe, sondern die reine Wiedergabe des Videos im Fernsehen oder im Internet –, muss geregelt sein, wie das zwischen uns aufzuteilen ist.«

»Geld?«

»Ja.«

Sie sah entrüstet auf. »Ich will doch kein *Geld* verdienen am Unglück dieses Mannes! Wo denken Sie hin?«

Ingo sah sie ratlos an. »Ja, ich geb zu, das ist ein wenig … wie soll ich sagen …?« Das hatte er sich noch nie überlegt, aber genau genommen war es schon eine ziemlich perverse Angelegenheit. »So läuft das nun mal in dem Geschäft. Das Video ist eine Nachricht. Nachrichten werden verkauft. Und speziell dieses Video kann unter Umständen viel Geld einbringen –«

»Nein.« Sie schüttelte entschieden den Kopf. »Auf keinen Fall. Ich will nichts davon.«

»Aber –«

»Sie kriegen das Video von mir. Machen Sie damit, was Sie wollen. Aber ich unterschreibe nichts. Ich will das Video los werden, zu dieser Tür hinausgehen und alles vergessen. Ich will nicht, dass mein Name irgendwo steht. Und ganz bestimmt will ich nichts von dem Geld, das Sie vielleicht damit verdienen.« Sie sah sich um, zögerte einen winzigen, aber spürbaren Moment lang. »Ehrlich gesagt glaube ich, Sie können es sowieso besser gebrauchen.«

Ingo spürte, dass er rot wurde. Er legte den Vertrag beiseite. »Na gut«, meinte er verlegen. »Wie Sie wollen.«

Er nahm das Smartphone, drehte es unschlüssig in Händen. Von diesem Modell hatte er nur gelesen; es war das erste Mal, dass er es vor sich sah. Es schien aus einem Guss zu sein, ohne eine einzige Anschlussmöglichkeit. »Sie wissen nicht zufällig, wie man das Video herunterkopiert?«

Irmina Shahid lächelte nachsichtig. »Doch, natürlich. Haben Sie ein Micro-USB-Kabel?«

»Ja, klar.«

»Dann holen Sie Ihren Computer.«

»Das ist ja der Hammer«, sagte Rado am nächsten Vormittag, nachdem das Video auf dem Bildschirm seines PCs abgelaufen war. Er klickte auf *Wiederholen*. »Der absolute Hammer.«

»Glaubst du's jetzt?«, fragte Ingo. »Sassbeck hat die Wahrheit gesagt.«

»Eindeutig.« Rado hielt das Video an, als der Engel auftauchte, tippte auf den Schirm. »Der da. Wer ist das?«

»Liest du keine Comics? Ein Superheld natürlich.«

»Ein Superheld«, wiederholte Rado verzückt. »Klar. Was frag ich denn so dumm.« Jenseits der gläsernen Wände seines Büros tobte der übliche Wahnsinn, klingelten Telefone, surrten Drucker, klapperten Tastaturen. Draußen spiegelte sich die grelle Morgensonne im Gebäude gegenüber, das zwar kleiner war als der City-Media-Westturm, aber im obersten Stockwerk schräge Fenster hatte. »Von wem hast du das?«, wollte er wissen.

»Darf ich nicht sagen«, erwiderte Ingo. »Quellenschutz.«

»Die unbekannte Frau, schätze ich.« Dumm war Rado nicht, das musste man ihm lassen. »Wie bist du denn an die rangekommen?«

»Betriebsgeheimnis.«

»Ah. Okay.« Rado zog die Schublade auf, holte einen seiner Standardverträge heraus, zückte den Stift und musterte Ingo nachdenklich. »Das Video bringt dir natürlich einen Bonus ein. Sagen wir ... dreitausend. Ach, ich will mal nicht so sein – weil du's bist, fünftausend. Okay?«

Ingo hob die Schultern. »Was es dir wert ist. Mir egal. Weißt du doch. Ich will bloß meine Miete zahlen können.«

Rado sah ärgerlich hoch. »Und deine Quelle? Will die nichts?«

»Nein.«

»Mann, du machst es einem echt schwer. Warum kannst du nicht genauso feilschen wie all die anderen Teppichhändler, die ich beschäftige?« Rado setzte den Kugelschreiber neu an, überlegte. »Also gut. Zehntausend und wenn ich's so loskriege, wie ich mir das gerade vorstelle, noch einmal fünf.« Er schrieb es hin, ohne Ingos Einverständnis abzuwarten, und schob ihm das Blatt hin.

»Es gibt eine Bedingung«, sagte Ingo, anstatt zu unterschreiben.

»Ah ja?«

»Ich habe das Video unter der Auflage bekommen, dass damit keinerlei Hetze gegen Ausländer gemacht werden darf. Beziehungsweise gegen Mitbürger mit Migrationshintergrund, wie es ja heute heißt.«

»Migrationshintergrund hab ich selber«, fauchte Rado. »Wie käm ich dazu?«

Rado stammte aus Serbien. Seine Eltern hatten sich lange vor dem Jugoslawienkrieg getrennt, seine Mutter war mit ihm nach Deutschland gezogen, hatte hier wieder geheiratet. Seinem Stiefvater verdankte Rado den Nachnamen.

»Du nicht, klar«, sagte Ingo. »Aber du wirst das Video mindestens einem anderen Blatt und einem der großen Fernsehsender anbieten, für eine zeitgleiche Veröffentlichung, und einen Haufen Kohle dafür verlangen. Ich will nur, dass du die auch dazu verpflichtest.«

»Mach ich sowieso immer.«

»Dann können wir's doch in den Vertrag reinschreiben, oder?«

Rado verdrehte die Augen. »Also gut, gib her, du Heiliger.« Er nahm das Formular und kritzelte etwas auf die gepunkteten Linien unter dem Punkt *Sonstiges*. Dann legte er es wieder vor Ingo hin. »Okay so?«

Es gilt als vereinbart, dass das Video nicht verwendet werden darf, um ausländische Mitbürger zu diskriminieren. Eventuelle weitere Lizenznehmer sind ebenfalls in diesem Sinne zu verpflichten.

»Ja«, sagte Ingo und unterschrieb.

Rado krallte sich den Vertrag. »Kriegst gleich eine Kopie.« Er griff nach dem Telefonhörer und drückte eine Taste mit der Aufschrift MA. »Törlich. Marketing und Webdesign sollen alles fallen lassen und in einer halben Stunde im großen Konferenzraum sein. Und schon mal den Beamer anwerfen.«

Seine Augen funkelten, wie immer, wenn er eine Chance sah, die Medienwelt aufzumischen. Er betrachtete den USB-Stick mit dem Video, als handele es sich um einen kostbaren Diamanten. »Fast schade, dass wir das auch der Polizei geben müssen.«

»Ach ja«, fiel Ingo ein. »Das mache ich übrigens persönlich.«

Rado musterte ihn befremdet. »Du spinnst.«

»Die haben mir eins reingewürgt mit ihrer Pressekonferenz«, beharrte Ingo. »Jetzt bin ich dran.«

»Ja, bist du ganz bestimmt, wenn du das machst«, schnaubte Rado. »Die suchen diese Zeugin noch immer. Glaubst du, die lassen dich einfach so wieder rausspazieren? Nee, lass das mal unseren Anwalt erledigen. Dafür zahlen wir ihn ja schließlich.«

»Es ist was Persönliches«, beharrte Ingo. Und das war es. Er war auf einer Mission. Er diente einem höheren Ziel. Es kam nicht infrage, sich zu verstecken. Er musste seinen Widersachern selber gegenübertreten, Auge in Auge.

Rado sah ihn forschend an, seufzte. »Ach du Scheiße.« Er beugte sich vor, drückte einen anderen Knopf an seiner Sprechanlage. »Birgit? Belegen Sie den kleinen Konferenzraum. Doktor Schneider von der Rechtsabteilung soll dorthin kommen. Und rufen Sie die IT an, die sollen ihren besten Crack schicken. Sofort.«

Justus Ambick saß gerade mit dem Staatsanwalt zusammen, um die Entwicklungen in zwei anderen Mordfällen zu besprechen, als ein junger Polizist den Kopf hereinstreckte und im Flüsterton erklärte, da sei jemand, der Herrn Ortheil sprechen wolle. »Ich glaube«, fügte er hinzu, »es ist der Journalist, der diese Sache mit dem Engel publiziert hat.«

Ortheil furchte die Brauen. »Und wie wirkt er?«, wollte er wissen. »Sauer?«

Der Polizist zuckte mit den Achseln. »Schwer zu sagen.«

»Na ja. Soll reinkommen.« Ortheil drehte den Kopf. »Ambick, Sie beschützen mich.«

Ambick musste unwillkürlich grinsen.

»Zur Not mit Ihrem Leben, hoffe ich«, fügte der Staatsanwalt hinzu.

Ambick spürte, wie sein Lächeln gefror. Das war jetzt irgendwie nicht mehr witzig.

Doch der Mann, der schließlich eintrat, wirkte nicht gefährlich. Angespannt, ja, aber nicht aggressiv. Nicht einmal wirklich schlecht gelaunt. Er war Ende zwanzig, auffallend mager – der reinste Hungerhaken – trug eine monströse, abgeschabte Umhängetasche aus Leder, unansehnliche Jeans, eine billige Kunstlederjacke und darunter ein schlabbriges T-Shirt.

»Ingo Praise ist mein Name«, sagte er, an Ortheil gewandt.

»Ich bin der Journalist, den Sie gestern in Ihrer Pressekonferenz runtergeputzt haben.«

Der Staatsanwalt hob abwehrend die Hände. »Ich habe nur den Stand der Erkenntnisse dargelegt.«

»Okay.« Der Journalist fasste in die Jackentasche, eine Bewegung, die Ambick alarmierte. Aber die Wachleute würden ihn leibesvisitiert haben, oder? »Dann habe ich hier Erkenntnisgewinn für Sie.« Er zog einen USB-Stick heraus und legte ihn vor Ortheil auf den Tisch.

Der betrachtete das kleine schwarze Plastikteil, als sei es ein giftiges Insekt. »Was ist das?«

»Ein Video«, sagte Praise. »Auf jedem handelsüblichen Computer abspielbar.«

Ortheils Blick zuckte hinüber zu Ennos verlassenem Schreibtisch, dann sah er Ambick an. »Hätten Sie die Freundlichkeit …?«

»Moment.« Ambick erhob sich, nahm den USB-Stick an sich. Es war ein klappriger Billig-Speicherstick, wie sie derzeit in allen Schreibwarenläden in Bonbongläsern an der Kasse standen; Mitnahmeartikel für ein paar Euro. Er ging damit zu einem alten Laptop, der nicht am internen Netz hing und für die Sichtung von Datenträgern bereitstand, auf denen sich Viren befinden konnten.

Wenige Augenblicke später lief das Video.

Ambick wurde mulmig zumute, als er begriff, was sie da sahen. Das hier war eine klare Niederlage für Ortheil. Und Staatsanwalt Lorenz Ortheil war kein Mann, der Niederlagen liebte, erst recht nicht vor Zeugen.

»Woher haben Sie das?«, fragte Ortheil scharf.

Der Journalist zuckte mit den Achseln. »Unwichtig. Ich *habe* es. Und es beweist, dass Erich Sassbeck die Wahrheit gesagt hat. Ich verlange, dass Sie diese infame Untersuchung seines Geisteszustands absagen und ihn öffentlich rehabilitieren.«

Ambick meinte zu sehen, wie sich Ortheils goldene Lockenpracht bei diesen Worten sträubte.

»Sie haben hier nichts zu verlangen«, dröhnte der Staatsanwalt im nächsten Moment. »Wenn hier jemand etwas zu verlangen hat, dann bin *ich* das. Und ich verlange, dass Sie mir sagen, woher diese Aufnahme stammt.«

»Tja. Dumme Sache«, sagte Praise trotzig. »Die Videodatei ist mir per anonymer E-Mail zugeschickt worden. Keine Ahnung, woher sie stammt.«

»In dem Fall muss ich Ihren Computer beschlagnahmen und untersuchen lassen.«

»Wenn Sie darauf bestehen.« Der Journalist öffnete die Klappe seiner Umhängetasche und zog einen zerschrammt wirkenden Laptop-Computer heraus. »Bitte, das ist er.« Er legte das Gerät auf den Tisch.

Ortheil hob das Oberteil mit spitzen Fingern an. Glas klirrte. Der Bildschirm war völlig zertrümmert.

»Was soll das?«, fragte er unwirsch. »Das Ding ist kaputt.«

»Ja, leider«, erwiderte der Journalist mit unverblümt geheucheltem Bedauern. »Ist mir in der Aufregung die Treppe runtergefallen. Und dummerweise wohne ich im fünften Stock.«

»Sie treiben Spielchen mit mir, Herr Praise.« Man konnte fast sehen, wie sich dunkle Wolken über dem güldenen Haupt des Staatsanwalts bildeten. »Ich glaube, Sie wissen sehr wohl, von wem das Video stammt. Die Person, die es aufgenommen hat, ist ein wichtiger Zeuge. Ich werde Sie wegen Beihilfe zur Vertuschung einer Straftat belangen.«

»Als Journalist habe ich das Recht, meine Quellen zu schützen.«

»Denken Sie, ja?«, knurrte der Staatsanwalt. »Dann lesen Sie mal Paragraf 53 Absatz 2 der Strafprozessordnung. Ihr Zeugnisverweigerungsrecht entfällt, wenn Ihre Aussage zur Aufklärung eines Verbrechens beitragen soll. Das kostet mich einen Gang zum Richter. Eine Viertelstunde.«

»Wie Sie meinen«, sagte Praise. »In einer Viertelstunde können Sie dem Richter das Video auch schon im Internet zeigen.«

Ortheil funkelte ihn wütend an. »Was? Auf keinen Fall. Ich

verlange, dass Sie über dieses Video Stillschweigen bewahren. Aus ermittlungstaktischen Gründen.«

»Das können Sie vergessen«, brauste Praise auf. »Sie haben mich gestern wie einen Idioten aussehen lassen. Das Video geht in zehn Minuten beim *Abendblatt* online, und wir verkaufen die Senderechte an jeden, der sie haben will.«

»Sie gefährden damit die Aufklärung einer Straftat!«

»Das sehe ich anders. Ich dokumentiere die *Verhinderung* einer Straftat. Ich dokumentiere eine *Heldentat.*«

»Der hier?«, rief Ortheil und zeigte auf das Standbild, das den »Engel« zeigte, beide Hände zum Schuss erhoben. »Das ist kein Held.«

»Stimmt. Sondern ein *Super*held.«

Die Wut des Staatsanwaltes bekam etwas Hilfloses, Peinliches. Mittlerweile wirkte er wie ein verwöhnter Junge, der jeden Moment anfangen würde, blindlings um sich zu schlagen. Ambick wünschte sich weit weg.

»Ich muss darauf bestehen«, stieß Ortheil hervor. »Rufen Sie die Redaktion an und sagen Sie –«

»Sie können mich verhaften, mehr nicht. Wobei sich, falls ich mich bis in …« – er sah auf die Uhr – »acht Minuten nicht gemeldet habe, der Anwalt von City Media in Bewegung setzen wird, um mich hier herauszuholen. Ein Artikel darüber, dass die Polizei einen Mann verhaftet, der nur die Wahrheit publik machen will, liegt schon bereit.« Praise streckte Ortheil die Arme hin, Handgelenk an Handgelenk. »Bitte sehr.«

Der Staatsanwalt musterte ihn zornig. »Gehen Sie«, sagte er schließlich. »Wir sprechen uns ein andermal wieder.«

»Wie Sie meinen.« Praise triumphierte unverhohlen. »Dann wünsche ich einen schönen Tag.«

Er ging und hinterließ eine Stille wie nach einem Bombenanschlag. Das Einzige, was sich noch bewegte, war das leicht zitternde Standbild des Videos; Ortheil selber stand wie erstarrt, dampfend vor Zorn.

Ambick tat, als bemerke er es nicht. Er nahm den defekten

Laptop und sagte: »Ich bring das mal in die Technik. Vielleicht können die was auslesen, das uns weiterhilft.« Er zog den USB-Stick ab und hob ihn hoch. »Und das lass ich auch gleich untersuchen. Womöglich ist es ja eine Fälschung.«

Ortheil rührte sich immer noch nicht. Ambick ließ ihn einfach stehen und machte, dass er aus dem Büro kam.

Ingo atmete auf, als er aus dem Hauptportal hinaus auf die Straße trat. Kurz hatte er befürchtet, dieser aufgetakelte Staatsanwalt würde ihn tatsächlich in Beugehaft nehmen.

Sein Telefon klingelte. Rado. »Wo bist du?«

»In Freiheit«, sagte Ingo. »Gerade zur Tür raus.«

»Und? Wie ist es gelaufen?«

»Das mit der anonymen Mail war gut, das haben sie anstandslos geschluckt. Und der kaputte Laptop kam auch gut. Kannst deiner IT einen schönen Gruß sagen, volle Punktzahl.« Die Idee, das Video einfach noch einmal per anonymer Mail an Ingos Laptop zu schicken, hatte der Computerspezialist gehabt, der zu der Besprechung mit dem Anwalt dazugekommen war. Er hatte es auch übernommen, Ingos Festplatte entsprechend zu präparieren und sensible Daten auf eine externe Festplatte auszulagern, die Ingo auf dem Weg zur Polizei in einem Bankschließfach deponiert hatte. Nach der Besprechung hatten sie das Gerät gemeinsam geschrottet: im Schacht der Feuertreppe.

»Okay«, sagte Rado. »Dann gehen wir jetzt online.«

Gut, dachte Ingo, als er sein Telefon wieder einsteckte. Damit begann es: sein ganz persönlicher Kreuzzug für eine bessere Welt.

Es kam ihm vor, als sei die Stadt mit einem Schlag farbiger geworden.

Ingo war schon in Richtung U-Bahn unterwegs, als er es sich anders überlegte. Er würde zu Fuß gehen. Er kam so selten in die Stadtmitte, es war ein schöner Tag, vielleicht der letzte schöne Herbsttag, er hatte Zeit …

Und er musste sich sowieso einen neuen Computer kaufen. Geld hatte er jetzt ja. So gut wie, jedenfalls.

Das war ungewohnt. Und es machte, wie er feststellte, einen enormen Unterschied. Wenn man kein Geld hatte, blendete man die glitzerbunte Warenwelt weitgehend aus, waren üppig gefüllte Schaufenster nur Dekoration und Werbeplakate nur Stadttapeten. Aber nun, mit dem Wissen im Hinterkopf, dass eine für seine Verhältnisse ungeheure Summe unterwegs auf sein Konto war, kam es ihm vor, als habe man die alte Stadt ausgetauscht gegen eine neue, die voller verlockender Dinge war, alle in Reichweite. An einem Laden stehen zu bleiben, eine Schaufensterpuppe zu betrachten, die einen modischen Anzug anhatte, wie er ihn nie im Leben würde tragen wollen, das Preisschild zu lesen und zu denken: *Das könnte ich mir kaufen!*, war seltsam … überraschend. Alles, was er zu sehen bekam, hatte auf einmal Aufforderungscharakter. *Kauf mich! Mach mit! Gehör dazu!*

Wann das Geld wohl auf seinem Konto sein würde? Mit der nächsten Abrechnung, oder? Frühestens nächsten Monat also.

Aber ein bisschen überziehen konnte er im Hinblick darauf ja schon mal. Er fand einen Geldautomaten, hob den Maximalbetrag ab. Erwog, sich doch wieder eine Kreditkarte zuzulegen.

Was er brauchte, war ein neuer Computer. Der alte hätte irgendwann demnächst ohnehin den Geist aufgegeben. Und den neuen würde City Media bezahlen, hatte Rado in einem Anfall von Großzügigkeit versprochen. Trotzdem geriet Ingo als Erstes in ein Bekleidungsgeschäft, in einen dieser hellen, weiten Tempel der Mode, in denen er praktisch nie verkehrte. Normalerweise kaufte er seine Sachen *secondhand* oder in Billigläden; selbst mit Journalistenrabatt wären die Preise hier für ihn unerschwinglich gewesen.

Doch so kamen sie ihm jetzt gar nicht mehr vor. Alles bezahlbar, wenn man wusste, dass zehntausend Euro unterwegs waren. Er ging zwischen den Ständern und Rondells hindurch, berührte Stoffe, Kleiderbügel, Accessoires. Was brauchte er denn? Er wusste es nicht. Ein Jackett vielleicht. Aber wann würde er das tragen? Nie. Ein Hemd. Aber welches? Die Auswahl überforderte ihn. Schließlich verließ er den Laden wieder, mit leeren Händen, gefrustet von seiner Unfähigkeit, zu wissen, was er wollte.

Er drückte sich die Nase an der Scheibe eines Autogeschäfts platt. Hier war alles, was er sah, nach wie vor unerschwinglich. Das hatte etwas Beruhigendes.

In einem Elektronikgeschäft schritt er Hunderte von riesigen und noch riesigeren Flachbildfernsehern ab, verglich die Farben, die Preise. Ob er sich so einen leisten sollte? Kinoqualität zu Hause?

Genug. Ihm schwirrte der Kopf. Unmöglich, sich jetzt noch Computer anzuschauen. Er ging wieder, steuerte die nächste U-Bahn-Station an.

Oder sollte er sich ein Taxi leisten, ausnahmsweise, zur Feier des Tages?

Nein. Er wollte sich nichts mehr leisten. All die Werbung erschlug ihn. *Kauf das! Das hat man jetzt! Jeder hat das! Das braucht man heutzutage! Gehör dazu! Gönn dir was!* Das fühlte sich alles auch fast an wie ein gewalttätiger Überfall.

Was er zur Feier des Tages machen konnte, war, wieder mal essen zu gehen. Nicht groß, nicht aufwendig, einfach nur in ein nettes, kleines Lokal …

Aber eigentlich lockte ihn nichts. Nicht alleine. Er wäre sich nur einsam und verloren vorgekommen.

Also fuhr er nach Hause, machte sich Spaghetti mit Tomatensoße wie schon tausend Mal zuvor, das Hauptnahrungsmittel freiberuflicher Journalisten, für jeden Geldbeutel erschwinglich. An diesem Abend hatte dieses Gericht etwas ungemein Tröstliches. Zusammen mit ausreichend viel Rotwein, verstand sich.

Er ließ den Fernseher aus. Der Schreibtisch sah seltsam leer aus ohne den Computer, aber auch den hätte er jetzt nicht eingeschaltet. Er saß nur da und sah zu, wie seine Wohnung nach und nach von der aufkommenden Dämmerung erfüllt wurde.

Es überraschte ihn nicht, dass irgendwann das Telefon klingelte, und auch nicht, dass Rado dran war. Er klang hellauf begeistert, war aber kaum zu verstehen vor all dem Lärm im Hintergrund – als schrien hundert Leute durcheinander.

»Hier ist die Hölle los!«, rief er. »Wir brechen zusammen unter Mails und Anrufen. Hast du mal ins Forum geschaut?«

»Nein«, sagte Ingo. »Wie denn, ohne Computer?«

»Die ganze Stadt tanzt auf unseren Servern. Ich hab den IT-Leuten verboten, nach Hause zu gehen, und telefoniere gerade alle Praktikanten ab, jeden, den ich für eine Nachtschicht an den Telefonen kriegen kann. Die Sensation ist perfekt!«

»Schön«, sagte Ingo. Seltsam, wie wenig ihn das berührte. Von so einem Moment hatte er immer geträumt, doch nun, als es passierte, blieb das Triumphgefühl aus. Vielleicht war es das schon, dachte er. Meine erste echte Schlagzeile – und auch meine letzte. Was hab ich denn gemacht? Nichts. Ich hab einfach nur mal Glück gehabt.

Als er wieder auflegte, war ihm, als erdrücke ihn die Stille.

Victoria Thimm hatte sich nach reiflicher Überlegung und eingehender Prüfung ihres Arbeitskalenders entschlossen, dem Verlag grundsätzliches Interesse zu signalisieren und um Übersendung des Manuskripts zu bitten. Es kam postwendend per Mail. Bis zum Abend hatte sie den Roman zum ersten Mal überflogen, eine gewisse Vorstellung davon gewonnen, wovon er handelte – eine tragische Liebesgeschichte im Kalkutta der Neuzeit –, und ihren Kalender angepasst. Es sah gut aus. Machbar. Sie würde wohl zusagen.

Aber erst morgen. Sie überschlief solche Entscheidungen grundsätzlich. Außerdem war eine Unruhe in ihr, die, sobald die Konzentration auf eine anspruchsvolle Aufgabe nachließ, sofort wieder aufbrach. Eine Unruhe, die natürlich mit dieser verdammten Zeitung zu tun hatte. Mit dem Artikel darin. Das war es, was sie immer noch beschäftigte.

Sie erhob sich, wanderte unstet durch die Zimmer, rückte Dinge zurecht, zupfte an den Gardinen. Draußen war es schon dunkel. Sie teilte einen Vorhang, spähte aus dem Fenster, betrachtete die Silhouetten der Bäume, die sich vor der fahl ausgeleuchteten Straße abhoben, den wilden Wolkenhimmel, die dunkelfenstrigen Häuserfassaden gegenüber. Sie stand lange so, sah hinaus und gleichzeitig in sich hinein, versuchte zu verstehen, was sie so beunruhigte.

Es war, als sei durch die Zeitungsmeldung ein böser Same in ihre Seele gelangt, der nun keimte. Sie musste ihn ausreißen, ehe er wuchs. Und das konnte sie nur, indem sie sich der Sache stellte.

Sie kehrte zurück an den Computer, öffnete das Dateiverzeichnis und suchte nach einer Datei, die sie vor langer Zeit angelegt hatte, mithilfe eines netten jungen Mannes, der bei Computerproblemen ins Haus kam: eine Blockierliste für die Internetausgaben von Zeitungen. Gemeinsam hatten sie die großen deutschsprachigen Zeitungen erfasst, bis Victoria das Prinzip verstanden hatte und es selber zu machen imstande war. Da sie so viele Sprachen lesen konnte, gab es mehr Zeitungen, als sie würde blockieren können, aber andererseits waren ihr Nachrichtenmeldungen in fremden Sprachen weniger unangenehm, und so betrachtete sie das Problem seit etlichen Jahren als praktisch gelöst.

Nun würde sie den Schutzschild sinken lassen, vorübergehend zumindest. Sie benannte die Datei um, startete den Browser neu. Welche Zeitung war das gewesen? Das *Abendblatt*. Sie rief deren Webseite auf.

»Der Racheengel – es gibt ihn wirklich!« schrie die Titelseite. Victoria las den Artikel, den ein gewisser Ingo Praise verfasst hatte. Er erklärte, was der Rentner Erich S., Opfer eines brutalen Überfalls, erzählt und wessen ihn die Polizei verdächtigt hatte. Doch nun sei der Beweis aufgetaucht, dass Erich S. die

Wahrheit gesagt habe: ein Video, das den gesamten Vorfall zeige.

Victoria klickte es an. Sie zuckte zusammen, als sie Schreie hörte, wütende Stiefeltritte gegen eine Gestalt am Boden sah, Gewalt, Hass, Irrsinn. Unwillkürlich wandte sie die Augen ab, tastete nach der Maus, klickte den Browser weg, weg, nur weg.

Dann krümmte sie sich zitternd auf ihrem Sessel und spürte, wie ihr Tränen über die Wangen liefen. Atmen. Langsam einatmen, langsam ausatmen, Atem anhalten. Nicht ins Hecheln kommen, nicht in Panik geraten. Atmen, genau so, wie es ihr die Therapeutin damals beigebracht hatte, damals, als sie noch …

Ach, das war lange her. Sie konnte sich kaum an den Namen der Frau erinnern. Aber das Atmen half. Nach einer Weile konnte sie aufstehen, in die Küche gehen. Sie machte sich ein Brot und erwog, den PC einfach aus dem Fenster zu werfen. Fenster auf, raus, KRACH-BUMM-SPLITTER, und sie würde endlich ihre Ruhe haben.

Quatsch natürlich. Wie sollte sie arbeiten ohne Computer, ohne Internetanschluss?

Sie würde den Biokorb abbestellen. Sich die Lebensmittel aus einem Supermarkt liefern lassen, wie sie es davor gemacht hatte.

Dann fiel ihr wieder ein, wie traurig das Supermarkt-Gemüse immer gewirkt hatte, wie angematscht das Obst oft gewesen war. Nein, das war auch keine Lösung.

Auswandern, auf eine einsame Insel.

Wenn sie sich das trauen würde.

In der Küche hingen keine Vorhänge an den Fenstern, sie konnte hinaussehen auf den Garten hinter dem Haus, den sie nie benutzte. Durch die hochgewachsenen, vom Herbst ausgedünnten Bäume ringsherum schimmerten Lichter: die Fenster der Nachbarhäuser.

Sie horchte in sich hinein. Das Video abzubrechen hatte alles nur noch schlimmer gemacht. Jetzt beschäftigte sich ihre

Fantasie damit, wie es wohl weitergehen mochte. Sie würde es sich bis zu Ende antun müssen, um die Sache loslassen zu können.

Sie aß ein zweites Brot, ganz langsam, in kleinen Bissen, die sie bedächtig kaute. Dann kehrte sie zurück an den Computer wie zur Entgegennahme einer Strafe, rief den Browser neu auf, die Website des *Abendblatts*, das Video.

Alles in ihr krampfte sich zusammen, als sie die Jungen wieder auf den Mann eintreten sah, mit voller Wucht, erbarmungslos, wie verrückt. Ja, verrückt: Die beiden mussten wahnsinnig sein, so etwas zu tun. Unbegreiflich, dass so jemand frei herumlaufen durfte –

Da. Was war das? Eine helle, wie von innen heraus strahlende, fast unwirklich aussehende Gestalt tauchte auf, trat hinter die beiden Prügelnden, hob die Arme.

Dann war das Video zu Ende. Jemand schrie.

Victoria begriff mühsam, dass der Schrei aus ihrer eigenen Kehle gekommen war. Sie schlug die Hände vor den Mund, starrte den Bildschirm an, konnte nicht fassen, was sie sah.

Sie *wusste*, wer die leuchtende Gestalt war!

10 Am Freitagmorgen kurz nach neun Uhr hielt ein Kleinbus mit dem Logo einer renommierten Baufirma vor den Gittern, die die Heisigstraße für den Durchfahrtsverkehr sperrten. Fünf Männer und eine Frau stiegen aus. Drei der Männer trugen dunkelblaue Arbeitsoveralls, zwei trugen Anzüge. Die Frau hatte ein figurbetontes Kostüm an, das etwas zu leicht schien für den kühlen Wind, der an diesem Morgen von Dahlow her wehte.

»Die Bezeichnung *Europasiedlung* gibt das Thema ja vor«, sagte ein breitschultriger, glatzköpfiger Mann, der die anderen überragte. »Integration. Vereint in Verschiedenheit: das Motto der Europäischen Union. Darum geht es. Jung und Alt, Arm und Reich, Alt und Neu. Und wohnen und arbeiten – das heißt, der Wohnbereich hier draußen umgibt das Europacenter.« Während der ganze Tross straffen Schrittes die Heisigstraße entlangmarschierte, gestikulierte er mit weit ausholenden Bewegungen, wie um die Konturen der Dinge zu beschwören, die in dem Brachland jenseits der alten Häuser entstehen sollten. »Ein Haus der Innovation. Als Technologiezentrum zu denken, zum Beispiel. Moderne, webbasierte Dienstleistungen. Da ist viel vorstellbar, und die Architektur muss all dem Raum geben.«

An der Lücke in der Häuserzeile hielt der Architekt inne, betrachtete den einsamen Baum versonnen. »Schön«, sagte er, zückte sein Smartphone und machte ein Foto. Der Blick ging in südöstliche Richtung, wo die Sonne gerade dramatische Wolken von hinten beleuchtete und zu einem eindrucksvollen

Hintergrund aus goldgeränderten, wilden Grautönen verzauberte.

»Geradezu märchenhaft«, fuhr der Architekt fort und deutete auf den Baum. »Das ist ein Walnussbaum. Die brauchen ewig, bis sie so groß werden. Herr Krause, wir sollten uns überlegen, wie wir den über die Bauarbeiten retten. Wir könnten die Grünzone hierher verlegen. Machen Sie doch eine Notiz. Schutzzaun. Bewässerungsanlage. Und ein Gutachten über den Zustand. Obwohl – der ist gesund, das sieht man.«

Der andere Mann im Anzug holte ein Notizbuch hervor und kritzelte eifrig hinein.

»Okay.« Der Architekt marschierte weiter, deutete auf die gegenüberliegende Häuserzeile. »Hier geht es darum, Bausubstanz zu erhalten. Alt und Neu vereinen, wie gesagt, außerdem erschwinglichen Wohnraum für niedrigere Einkommen. Wobei man sich auch schöne Cafés, Ateliers, Ladenpassagen und dergleichen vorstellen kann. Schauen Sie sich nur das alte Mauerwerk an. Ziegel. Das ist wunderbar, das kriegen Sie so heute nicht mehr.« Er deutete auf eine Tür, die nicht vernagelt war. »Gehen wir einfach mal rein.«

Er ging voraus, stieß die Tür auf, seine Irritation überspielend. Dass die Zugänge zu den baufälligen Gebäuden nicht alle gesichert waren, verstieß gegen die Sicherheitsvorschriften. Er durfte nicht vergessen, Krause anzuweisen, sich darum zu kümmern. Nachher. Unnötig, dass die Frau vom Stadtplanungsamt das mitbekam.

»Nur herein in die gute Stube«, fuhr er munter fort. »Die Innenwände sind, das sehen Sie ja, größtenteils unbrauchbar. Das gibt uns die Chance, moderne Grundrisse zu verwirklichen, die Isolation zu verbessern und damit die Energiebilanz, und so weiter und so fort.«

Er trat durch die nächstgelegene Tür und blieb stehen, als sei er gegen eine Glasscheibe geprallt. Er sah eine Matratze und eine aufgeregt aufsteigende Wolke von Fliegen, und dann erst begriff er, was er da sah.

»Oh mein Gott.« Hinter sich hörte er würgende Geräusche und das Plätschern von Erbrochenem. »Oh. Mein. Gott.«

»Die Fotos haben wir bei einem der Getöteten auf dem Mobiltelefon gefunden«, sagte Ambick und legte dem Staatsanwalt die großformatigen Abzüge hin. »Sie sind auf Mittwochnachmittag datiert. Das erlaubt uns, den Zeitpunkt des Vorfalls quasi auf die Minute genau zu bestimmen.«

Ortheil runzelte die Stirn. »Sie waren im Begriff, das Mädchen zu vergewaltigen.«

»Ja«, sagte Ambick. »So sieht es aus. Sie ist allerdings auf keinem der Fotos zu identifizieren.«

»Jedenfalls nicht anhand ihres Gesichts«, murmelte der Staatsanwalt unbehaglich.

Ambick räusperte sich. »Kader geht gerade mit den Kollegen von der Sitte die gemeldeten Fälle durch. Vielleicht hat sie Anzeige erstattet.«

Ortheil sah skeptisch hoch. »Glauben Sie das?«

»Nein«, gab Ambick zu.

Der Staatsanwalt schob die Fotos zusammen, legte das unverfänglichste davon obenauf und gab ihm den Stapel zurück. »Ganz große Scheiße, das alles«, stieß er hervor. Er strich sich die Haarpracht aus dem Gesicht. »Der Fall hat hiermit höchste Priorität. Bilden Sie eine Sonderkommission; ich rede nachher mit Kriminalrat Schulz deswegen. SOKO Todesengel, von mir aus. Unter Ihrer Leitung. Betrachten Sie sich und Kader als von allen anderen Fällen entbunden.«

Ambick nickte nur. Die Pinnwand war ohnehin bereits fast vollständig von Material über diesen Fall mit Beschlag belegt. Auch die Fähnchen auf dem Stadtplan betrafen mittlerweile alle den Racheengel. Oder Todesengel. Wie auch immer. Acht Tötungsdelikte innerhalb einer Woche, das war heftig.

»Gestern hat mich der Oberbürgermeister angerufen«, fuhr Ortheil fort. »Er war äußerst besorgt, nicht nur wegen der bevorstehenden Wahlen. Wir müssen diesen Todesengel schnappen. Unbedingt, und möglichst bevor er noch mehr Leute umbringt. Dieser Mann muss vor ein Gericht. Und ich prophezeie Ihnen eines, Ambick: Das wird der Prozess des Jahrzehnts. Am Verfahren gegen diesen Kerl wird sich entscheiden, ob die Vernunft die Oberhand behält oder ob sich unsere archaischen Instinkte wieder ungezügelt Bahn brechen.«

»Sie denken wirklich, es ist so ernst?«

»Schauen Sie sich den Fall aus der Perspektive des Strafgesetzbuches an.« Ortheil stand federnd auf und begann, auf und ab zu gehen, als doziere er vor Jurastudenten. »Oberflächlich betrachtet haben wir es womit zu tun? Der Volksmund sagt, mit Notwehr, der Jurist, mit Not*hilfe:* Ein Mann wehrt einen Überfall nicht auf sich selbst, sondern auf einen anderen ab. Außerdem haben wir es mit einem Notwehr*exzess* zu tun, denn der Täter greift, ohne die Angreifer anzusprechen, einen Warnschuss abzugeben oder dergleichen, sofort zum maximalen Mittel und tötet sie. Ein Notwehrexzess ist rechtswidrig, kann aber straffrei bleiben, wenn der Täter aus Verwirrung, Furcht oder Schrecken gehandelt hat.«

»Paragraf 33 Strafgesetzbuch«, murmelte Ambick und nickte. Das war das Erste, was er nachgeschlagen hatte.

Ortheil schien ihn nicht zu hören. »Aber hat er das? Die Kleidung, die der Täter trägt, spricht dagegen. Das ist keine Kleidung, das ist eine Aufmachung. Ein Kostüm. Das Kostüm eines Superhelden, wie dieser ungewaschene Journalist ihn genannt hat. Der Mann da auf dem Bild ist kein zufälliger Passant, sondern jemand, der nach Schlägereien sucht, in die er eingreifen kann. Wer sich so kostümiert, hat die Absicht, Selbstjustiz zu üben; zumindest aber leiten ihn sogenannte *sthenische Affekte* wie Wut, Zorn oder Geltungssucht – und ich wette ein Jahresgehalt darauf, dass es vor allem Letzteres ist.« Er nickte, schien seiner Ansprache nachzuschmecken und sie schon mal abzuspeichern als eine Art ersten Entwurf seines Plädoyers.

Ambick räusperte sich. »Aber wie hat er es geschafft, im genau richtigen Moment aufzutauchen?«

»Was?« Der Staatsanwalt sah ihn irritiert an. »Zufall. Ganz unspektakulär. Da brauchen wir nichts hineinzugeheimnissen, glaube ich. Wir wissen ja nicht, wie lange er schon auf der Suche war. In dieser Stadt passiert so viel, da braucht einer nur lange genug herumzulaufen, dann gerät er auch an irgendwas.«

Drei Zufälle in vier Tagen? Ambick runzelte die Stirn, verkniff sich einen Kommentar hinsichtlich der Wahrscheinlichkeiten. Stattdessen sagte er: »Ich finde das beunruhigend. Wieso prügeln so viele junge Leute? Vor allem: warum so brutal, so ohne jedes Gefühl, es mit einem anderen Menschen zu tun zu haben? Als ich sechzehn, siebzehn, achtzehn war, hab ich mich auch ab und zu geprügelt, aber wenn einer am Boden gelegen hat, war es vorbei. Heute treten sie dann ja erst richtig zu.«

»Tja. Was weiß ich?«, meinte Ortheil fahrig. »Opfer einer kälter werdenden Gesellschaft, denke ich. Vernachlässigte Kinder, gewalttätige Eltern – das ganze Programm eben.« Das klang ziemlich oberflächlich angelesen und nicht so, als habe er sich über dieses Thema je tiefere Gedanken gemacht. »Klar, das ist schlimm, aber so etwas wie dieser weiße Rächer … also das geht ja mal gar nicht. Der ist durchgeknallt, keine Frage. Da kann die Devise nur lauten: Wehret den Anfängen! Wir müssen den Kerl kriegen und ein Exempel statuieren, sonst laufen solche Helden bald dutzendweise herum und ballern auf alles, was ihnen nicht gefällt.«

Das klang schon eher wie ein Thema, zu dem sich der Staatsanwalt in Rage reden konnte. Ambick sagte nichts dazu, beugte sich stattdessen über ein Standbild aus dem Video, das den Racheengel in Aktion zeigte, einen Sekundenbruchteil vor den beiden Schüssen. »Ich frage mich, wie er das macht. So zu leuchten, meine ich.«

Ortheil trat neben ihn, betrachtete das Foto ebenfalls.

»Das ist nicht einfach weiße Kleidung«, fuhr Ambick fort. »Das sieht aus, als hätte er eine Neonröhre an. Man kann sogar sehen, dass er einen Schatten wirft. Hier.« Er deutete auf eine am Boden liegende Bierflasche, in der sich die Gestalt des Unbekannten spiegelte und deren Schatten in eine ganz andere Richtung fiel als die Schatten der übrigen Gegenstände auf dem Bild.

Ortheil schwieg, wirkte zutiefst beunruhigt.

»Das ist trotzdem kein Engel«, sagte er schließlich und richtete sich auf. »Das garantiere ich Ihnen.«

Und wenn es doch einer wäre? Ambick behielt diesen Gedanken für sich.

Es war viel zu hell, viel zu spät, als Victoria Thimm erwachte. Sie war erst nach Mitternacht ins Bett gegangen, hatte zu lange geschlafen und schlecht dazu, und ihr war übel von wilden, grausamen Träumen.

Sie setzte sich auf, griff nach dem obersten der Bücher, die den Nachttisch belagerten, schlug beim Lesezeichen auf. Es war ein Lehrbuch des Isländischen. Eine neue Sprache zu lernen hatte sich in der Vergangenheit immer als wirksamster Notanker erwiesen, wenn ihre Gefühle sie überwältigten.

Nicht, weil es ihr leichtfiel, fremde Sprachen zu lernen; im Gegenteil, es fiel ihr schwer. Gerade deswegen funktionierte es: Weil sie ihre gesamte Konzentration, ihre ganze geistige Kraft daran verwenden musste und auf diese Weise keine Kapazität übrig blieb, um sich Sorgen zu machen oder zu ängstigen.

Doch heute funktionierte es nicht. Sie legte das Buch beiseite, zog die Beine an, umschlang sie mit den Armen, presste ihre Stirn auf die Knie. Was sollte sie nur tun?

Funktionieren. Weitermachen. Wie sie es immer getan hatte. Sie stieg aus dem Bett und schaltete den Zimmerspringbrunnen aus, der nachts lief, um Geräusche von draußen zu übermurmeln. Wie laut es wurde, sobald das freundliche Plätschern verstummte! Und wie hässlich all das war, was hereindrang – das Brummen, Scheppern, Dröhnen des Verkehrs, fernes Geschrei, das metallische Kreischen der Straßenbahn, wenn sie um die Kurve bog.

Sie schob den Vorhang beiseite, ließ Tageslicht herein. Hochdramatisch aussehende Wolken füllten den Himmel, als sei dieser genauso beunruhigt.

Das Video. Es ging ihr wieder und wieder durch den Kopf, lief in Endlosschleife vor ihrem inneren Auge. Gestern Abend hatte sie geglaubt, die Art, wie sich der strahlende Unbekannte bewegte, wiederzuerkennen und auch seine Gestalt, aber inzwischen war sie sich nicht mehr sicher. Außerdem konnte es nicht sein. Schlicht und einfach.

Doch sie musste etwas tun, irgendwas, um nicht auf all dem sitzen zu bleiben, nicht an ihren Gedanken und Gefühlen zu ersticken. Bloß was? Sie wusste es nicht.

Sie öffnete dem Lärm der Stadt das Fenster, erzitterte unter der hereindringenden Kälte. Aber die Luft, die hereinkam und nach Abgasen roch, belebte sie, machte ihr ihre Benommenheit bewusst.

Sie blieb stehen, atmete tief und langsam ein und aus und blickte dabei auf die Hausdächer jenseits ihres Gartens hinab. Vor Jahren hatten sich ein paar der Nachbarn beschwert, ihre Bäume wüchsen zu hoch, nähmen ihnen das Licht. Sie hatten verlangt, sie zu kappen. Victoria hatte gegen diese Forderungen hartnäckig prozessiert, hatte viel Geld dafür ausgegeben und es so lange hingezogen, bis die Nachbarn aufgegeben hatten, weil es ihnen am Ende doch nicht so wichtig gewesen war.

Ihr war es wichtig gewesen. Und deshalb hatte sie etwas getan.

Doch man musste wissen, was man tun *konnte*.

Ihre Benommenheit wich. Wie kam sie eigentlich darauf, dass ausgerechnet *sie* etwas tun musste? Sie war ja nicht die Einzige, die das Video gesehen hatte. Inzwischen hatten es wahrscheinlich Millionen gesehen, und unter denen, die es gesehen haben konnten, waren etliche – eine gute Handvoll, schätzte sie –, die die strahlende Gestalt genauso erkannt haben mussten wie sie. Die würden etwas tun. Die waren auch viel geeigneter, das Richtige zu unternehmen. Auf jeden Fall hing nicht alles an ihr.

Das war die Lösung. Genau. Sie atmete auf, versuchte, ihrem Spiegelbild in der Fensterscheibe zuzulächeln, suchte nach Sorgenfalten, aber da waren keine. Beruhigend.

Sie packte das Isländisch-Buch weg, schlüpfte in ihren Morgenmantel und stieg die Treppe ins Mittelgeschoss hinab, um sich die erste Tasse Kaffee des Tages zuzubereiten. Vor dem Frühstück würde sie mindestens eine Seite übersetzen. Das war ihre feste Regel, um nach dem Aufstehen in Schwung zu kommen.

Nach dem Aufwachen schloss Theresa die Augen noch einmal und gab sich für ein paar Augenblicke der Erleichterung hin, dass die Nachtschichten jetzt vorbei waren und ihre freien Tage bevorstanden. Die sie dringend brauchte, denn die letzte Nacht hatte sie mehr oder weniger auf dem Zahnfleisch kriechend beendet.

Leider würden die freien Tage nicht lange dauern. Schon am Montagnachmittag musste sie wieder antreten, weil Isabella krank geworden war, die einzige examinierte Krankenschwester in der Nachmittagsschicht. Und sie war die Einzige, die einspringen konnte. Ausnahmsweise, hatte es geheißen. Bloß dass dieser angebliche Ausnahmezustand schon seit langem der Normalfall war. Sie waren seit Jahren chronisch unterbesetzt.

Diesmal würde sie nicht ans Telefon gehen, falls es klingelte, sagte sie sich, während sie aus dem Bett stieg. Damit ihr wenigstens Samstag und Sonntag blieben, egal, wer noch krank wurde.

Aber das sagte sie sich jedes Mal. Und wenn es dann läutete, ging sie letzten Endes doch wieder dran. Irgendjemand musste die Arbeit schließlich tun. Sie hätte sich ohnehin nicht entspannen können, wenn sie wusste, dass ihretwegen Menschen litten.

Sie schlüpfte in ihren Morgenmantel, sah auf die Uhr. Schon nach drei. Der Freitag war damit so gut wie gelaufen. Erst mal einen Kaffee und zu sich kommen, danach eine Wäsche einwerfen. Ein Einkauf war garantiert auch fällig, darum würde sich Alex bestimmt nicht gekümmert haben.

Überhaupt, Alex – der war mal wieder nicht da. In der Wohnung herrschte Stille. Sie trat auf die Schwelle des Wohnzimmers, ließ den Anblick auf sich wirken. Vor dem Fernseher lag die Zeitung auf dem Boden; es sah aus, als habe Alex gleichzeitig ferngesehen und gelesen. »*Der Racheengel – es gibt ihn wirklich!*«, lautete die Schlagzeile.

Und wieder dieser Geruch. Diesmal ging ihm Theresa nach. Hinter dem Vorhang, auf dem voll aufgedrehten Heizkörper liegend, fand sie seltsame Scheiben, etwas kleiner als ihre Handfläche, daumendick und in Papiertaschentücher gehüllt. Sie nahm eines der Päckchen und schlug die Hülle beiseite. Es war ein vertrocknetes Stück Kaktus, ohne Stacheln, aber am Rand von weißen Härchen umsponnen wie von einem Kokon.

Sie wickelte das Ding wieder ein, legte es zurück, ging in die Hocke und zog den Vorhang weiter auf. Am Boden stand die Teekanne, die sie schon vermisst hatte, der Deckel und die Ausgussöffnung sorgfältig mit Frischhaltefolie versiegelt. Ein dunkelbrauner Sud schwappte darin, voller Kräuter und Teeblätter. Was hieß das? Besser nicht daran riechen? Sie stellte die Kanne ab, setzte ihren Rundgang fort durch das, was vor drei Wochen noch ihr Wohnzimmer gewesen war.

Auf dem Couchtisch, der Alex als Nachttisch diente, standen ein paar der kleinen Plastikdosen mit grauen Deckeln, in denen früher Diafilme verkauft worden waren. Ein weißes Pulver war darin, das alles Mögliche sein konnte – Vitamin C? Kokain? Zucker? Sie drückte den Deckel wieder darauf. Unter der Couch lag Alex' Rucksack, halb offen. Sie sah seltsam geformte metallene Löffel herausschauen, fremdartige Werkzeuge und einen indianisch aussehenden, mit Vogelfedern und Perlen verzierten Beutel.

Theresa verspürte den Impuls, alles zu packen und wegzuwerfen, es in einen Müllbeutel zu stopfen und sofort nach unten zu bringen, bevor heute Nachmittag die Müllabfuhr kam. Dann sagte sie sich, dass das nicht der richtige Weg war. Sie würde mit Alex reden. Würde sich der Tatsache stellen müssen, dass ihr Bruder Drogen nahm. Und sehen, was daraus wurde.

Mutlosigkeit überkam sie, als ihr aufging, dass all das womöglich gerechtfertigt war. Dass er jedes Recht dazu hatte. Zumindest, solange er sie nicht in irgendwelche illegalen Dinge hineinzog.

Es tat weh, es so sehen zu müssen.

Sie hörte, wie der Schlüssel in die Wohnungstür gesteckt wurde, und sprang hastig auf. Unnötig, dass Alex sie hier fand.

Er kam ungewohnt schwungvoll herein, wieder in seinem schicken schwarzen Mantel, der ihm bis fast zu den Waden ging und in dem er aussah wie ein Westernheld. Es fehlt nur, dass irgendwo jemand eine melancholische Weise auf einer Mundharmonika spielt, dachte sie.

»Hi, Terry«, meinte er aufgekratzt. Er trug eine Plastiktüte in der Hand. »Na, die Nachtschichten vorbei?«

»Montagmittag muss ich einspringen«, sagte sie hastig. »Tut mir leid. Gerade werden alle krank bei uns.«

Alex grinste. »Es heißt ja auch Krankenhaus, kein Wunder.« Er öffnete die Tüte behutsam und holte einen Kaktus heraus, ein beeindruckend wirkendes Exemplar, an die zwanzig Zentimeter hoch, stachellos, mit Büscheln feiner weißer Fäden auf den Rippen.

»Wo hast du den her?«

Er zuckte mit den Schultern. »Vom Bockenfelder Markt. Ich war in dem Teil am Flussufer, wo die ganzen Wahrsager, Tätowierer und Feuerspucker ihre Stände aufbauen.« Er hob den Topf hoch. »Schön, oder?«

Theresa wickelte sich fester in ihren Morgenmantel. »Wie nennt man die? Peyote?«

Alex sah sie an und lächelte. Es war ein bestürzend inniger Moment, ein Augenblick reiner Liebe, frei von jeder erotischen Note, nur die Nähe und Vertrautheit zwischen zwei Menschen, die einander schon ein Leben lang kannten. »*Lophophora williamsii*«, sagte er dann sanft. »Der Peyotekaktus. Der Besitz der Pflanze ist völlig legal, die Samen sind frei erhältlich – aber wenn man sie in Stücke schneidet, macht man sich strafbar. Verrückt, oder?«

Es war in Ordnung, ermahnte sie sich. Sie würde deswegen nicht mit ihm streiten. »Und was ist da für ein Wirkstoff drin? Meskalin?« Sie erinnerte sich nur vage an den Unterricht in Drogenkunde an der Krankenpflegeschule. Natürlich hatte sie im Krankenhaus oft mit Süchtigen zu tun, aber das waren fast immer Heroinabhängige oder Leute in Methadonprogrammen.

Alex schüttelte den Kopf. »Die Pflanze enthält über fünfzig verschiedene Wirkstoffe«, erklärte er. »Meskalin ist nur einer davon. Das kann man künstlich herstellen, hat es einigermaßen erforscht, deshalb denken die Wissenschaftler, sie können etwas darüber sagen. Aber das können sie nicht. Peyote ist nicht berechenbar. Es gibt keine Formel dafür, keine simplen Rezepte. Du musst es achten, du musst den Umgang damit lernen, du brauchst einen Führer, musst die heiligen Rituale und Lieder kennen. Sonst wird es nur ein Höllentrip, der dir das Gehirn zerschießt, anstatt dass du Gott siehst.«

Theresa erschauerte. »Ist das so? Siehst du Gott?«

»Ich bin unterwegs zu ihm.«

Alex hielt inne, schien auf plötzliche Stimmen zu lauschen, die nur er hören konnte. Erst jetzt fiel ihr auf, wie groß seine Pupillen waren. Riesig.

»Ich muss wieder los«, sagte er, ging an ihr vorbei ins Wohnzimmer, stellte den Kaktus auf das vordere Fensterbrett, kam zurück und umarmte sie. Er fühlte sich heiß an. Heiß und ausgezehrt.

»Wohin musst du?«, fragte sie.

Alex schüttelte den Kopf. »Das kann ich vorher nie sagen.«

»Tschüss, Herr Mann«, rief der letzte der Jungen, ehe auch er aus der Tür stürmte. »Schönes Wochenende!«

Ehe David Mann antworten konnte, knallte die Tür schon zu, und man hörte nur noch hastiges Trappeln die Stufen hinab. Stille kehrte ein, bemächtigte sich der kahlen, weiß gestrichenen Räume. Mit dem Nachmittagskurs für Jugendliche endete die Woche; heute Abend fand kein Unterricht mehr statt, und am Samstag war ganz geschlossen. Sonntags kam tagsüber erfahrungsgemäß niemand, der allgemeine Fitnesskurs um achtzehn Uhr dagegen lief einigermaßen. Wobei da vor allem junge, allein stehende Frauen kamen, die eigentlich gar keinen solchen Kurs brauchten.

David Mann duschte kurz und sah, während er sich wieder anzog, noch rasch die Post auf seinem Schreibtisch durch. Wie es aussah, hatte er nichts Dringendes versäumt. Er kontrollierte die Fenster in sämtlichen Räumen, schaltete das Licht aus, schloss die Außentür ab und aktivierte die Alarmanlage. Nach dem Regenschauer heute Mittag war die Sonne noch einmal herausgekommen. Sie stand schon tief über den Häusern von Spannwitz, als er unten aus der Tür trat, aber sie hatte noch Kraft, ließ das Messingschild neben dem Eingang – *Schule für KRAV MAGA* – funkeln.

Der Regen hatte ein paar Flecken auf dem Metall hinterlassen. David Mann zog sein Taschentuch heraus, polierte das Schild sorgsam. Das machte er jeden Freitagnachmittag, ehe er nach Hause ging. Da hatte er über die Jahre so seine Rituale entwickelt. Eines davon war, zum Abschied das Firmenschild zu polieren, das andere, die lange Unterführung zur U-Bahn zu nehmen und an dem dortigen Kiosk die aktuelle Ausgabe der *Jüdischen Allgemeinen* zu kaufen.

»Guten Tag, Herr Mann«, begrüßte ihn der Kioskbesitzer, ein bärtiger, verhutzelter Alter, den er nur hinter diesen altmodisch vergitterten Fenstern kannte. »Wie üblich?«

»Hallo, Herr Nowak.« David Mann holte das Geld abgezählt aus der Tasche. »Wie üblich.«

Eigentlich erschien die Zeitung donnerstags, aber der Donnerstag war der anstrengendste Tag der Woche, da kam er zu nichts. Deswegen legte ihm Nowak immer ein Exemplar zurück, das er nun unter seiner Theke hervorzog und ihm reichte. »Bitte sehr.«

»Danke«, sagte David Mann und zählte ihm die Münzen hin. »Ein schönes Wochenende.«

Als er sich umdrehte, stand er vor vier jungen Männern in Lederjacken. Araber, zumindest auf den ersten Blick. Breitschultrig, muskelbepackt, mit Dreitagebärten und starren Blicken.

Dominanzgehabe durch signalisierte Aggressionsbereitschaft. Wie aus dem Lehrbuch.

»Ey«, sagte einer von ihnen, noch etwas breitschultriger als seine Kumpane und mit besonders scharf ausrasiertem Kinnbart. »Bist du Jude?«

David Mann hörte, wie der Kioskbesitzer hinter ihm die vergitterte Frontscheibe herabließ. Hoffentlich betätigte er auch den Polizeinotruf, den ihm die Stadtwerke nach einem Raubüberfall vor zehn Jahren installiert hatten.

»Ist gut, lass stecken, okay?«, meinte David Mann und rollte die Zeitung eng zusammen. »Jeder ist irgendwas. Geht nicht anders. Kein Grund, deswegen Streit anzufangen.«

Die dunklen Augen verengten sich. »Wo wohnst du, hmm? Hast du Kinder? Wie viele? Wie alt?«

»Das«, sagte David Mann, »geht dich nun wirklich nichts an.«

»Denkst du, ja? Wir müssen doch wissen, wo wir deine Leiche abladen sollen, wenn wir mit dir fertig sind, du Opfer.«

David Mann blickte von einem zum anderen, sah, wie sie

ihn einkreisten, mit unbewegten, stumpfen Gesichtern. Vier junge Männer, bis zu den Spitzen ihrer gegelten schwarzen Haare angefüllt mit Hormonen, Hass und Ideologie.

»Jungs«, sagte David Mann langsam, »ich fürchte, das wird jetzt richtig hässlich.«

Aus den Augenwinkeln sah er, wie einer von ihnen mit mörderischer Wucht und Plötzlichkeit ausholte …

11 »Gebrochenes Nasenbein, Verletzungen am rechten Auge mit derzeit noch unklarer Prognose, zertrümmerte Kniescheibe links, Prellungen, Hämatome.« Der Mann mit den geradezu raphaelitischen Locken, der sich als Staatsanwalt Lorenz Ortheil vorgestellt hatte, warf David Mann einen kühlen Blick zu, während er das Blatt beiseite legte und zum nächsten griff. »Geplatztes Trommelfell rechts infolge eines Schlages, eingerissene Ohrmuschel rechts, Verlust von vier Zähnen, gebrochener Unterarm links.« Nächstes Blatt. »Zwei gebrochene Rippen, Verletzungen des Lungenfells, gequetschte Hoden –«

»Sie zählen das alles auf, als müsse es mir leidtun«, unterbrach David Mann.

Der Staatsanwalt hielt inne, musterte ihn. »Tut es das nicht?«

»Nicht im Geringsten.«

»Dem vierten haben Sie den Kehlkopf zertrümmert und die Luftröhre beschädigt. Er wird zeit seines Lebens mit Atembeschwerden kämpfen.«

»Das wird ihn hoffentlich auf andere Gedanken bringen.«

Der Staatsanwalt reckte den Hals. »Lässt Sie das wirklich völlig kalt?«

»Völlig«, versicherte ihm David Mann.

»Obwohl Sie daran schuld sind?«

»Das bin ich nicht. Er hat mich angegriffen. Ich habe mich verteidigt. Wer angreift, geht ein Risiko ein. Wenn ihm das nicht klar war, dann ist er einfach zu dumm für diese Welt.

Und in dem Fall hätte es ihn früher oder später sowieso erwischt.«

Sein Gegenüber strahlte unübersehbare Entrüstung aus. »Starke Worte, Herr Mann.«

»Einfach die Realität, würde ich sagen.«

David Mann hatte nicht damit gerechnet, den gesamten Samstagvormittag auf der Polizeiwache verbringen zu müssen. Eine Zeugenaussage, das ging ja schnell, hatte er gedacht. Doch dann hatte man ihn gebeten zu warten, ihn eine Stunde später vertröstet, es dauere noch ein wenig, und als er verlangt hatte, einen anderen Termin auszumachen und gehen zu dürfen, war die Antwort ein unverblümtes Nein gewesen. Der Staatsanwalt habe alle derartigen Fälle bis auf Weiteres an sich gezogen, er sei auf dem Weg hierher, nur komme er eben aus der Stadtmitte, und die Strecke bis raus nach Spannwitz, na, er wisse ja, wie das sei mit dem Verkehr ...

Und jetzt das. Ein regelrechtes Verhör. Er ahnte schon, worauf das hinauslaufen würde.

Der Staatsanwalt studierte das Protokoll seiner Zeugenaussage. »Sie sind Kampfsportlehrer?«

»Nein«, sagte David Mann.

Wieder dieser indignierte Blick. Er wirkte außerdem ein wenig übernächtigt, der Herr Staatsanwalt. »Hier steht, Sie leiten eine Schule für Krav Maga. Ich habe nachgeschlagen. Das ist ein israelischer Kampfsport.«

»Ein verbreitetes Missverständnis. Krav Maga ist kein Sport, sondern eine Technik. Ein Selbstverteidigungssystem. Im Kampfsport geht es um Wettkämpfe, um Preise, Ranglisten, schwarze Gürtel, Dan-Grade und solches Zeug. Das gibt es im Krav Maga alles nicht. Hier geht es nur darum, einen Kampf Mann gegen Mann zu überleben.«

Der Staatsanwalt hatte ihm zugehört und dabei die ganze Zeit genickt. »Und das können Sie?«

»Das weiß man immer erst hinterher. Gestern war es zum Glück so.«

»Sie haben ja nicht nur überlebt, Sie sind sogar praktisch unverletzt geblieben.«

»Glück. Wie gesagt.«

»Wirklich?« Der Staatsanwalt sah ihn eindringlich an. »Beweist das nicht, dass Sie im Grunde Herr der Lage waren?«

David Mann holte tief Luft. Er hatte den Kampf noch vor seinem inneren Auge. Wie er zuerst den Schlag von der Seite abgewehrt hatte, dann mit voller Wucht auf den Anführer losgegangen war, gleichzeitig mit der zusammengerollten Zeitung nach dem Auge des Dritten gestoßen hatte, wie er einem mörderischen Fausthieb nur knapp hatte ausweichen können …

»Was wollen Sie damit sagen?«, fragte er, obwohl er wusste, was der Staatsanwalt damit sagen wollte.

»Dass Sie eventuell nicht so hart hätten zuschlagen müssen, wie Sie es getan haben.«

Sie waren von drei Seiten gekommen, und sie hatten keinerlei Hemmungen erkennen lassen, im Gegenteil. Wenn ihn auch nur ein einziger ihrer Schläge oder Tritte aus dem Gleichgewicht geworfen hätte, hätten sie ihn zu Fall gebracht, und wenn er erst am Boden gelegen hätte … Nun, darüber wollte er lieber nicht so genau nachdenken.

»Sie waren selber noch nie in einer solchen Situation, nicht wahr?«, sagte David Mann.

»Ich würde es vorziehen, dass Sie meine Fragen beantworten, nicht umgekehrt«, erwiderte sein Gegenüber spitzlippig.

»Okay.« Er verschränkte die Arme. »Also – es gehört zur Überlebensstrategie, in einem Kampf so hart zuzuschlagen, wie man nur kann. Denn man weiß nie, ob man noch die Chance für einen nächsten Schlag bekommt.«

Der Staatsanwalt legte die Fingerspitzen vor dem Mund zusammen und räusperte sich vernehmlich. »Bemerkenswert. Ihre Offenheit, meine ich. Ich glaube, wir sollten die Einvernehmung an dieser Stelle unterbrechen, damit Sie Gelegenheit haben, sich mit Ihrem Anwalt zu beraten.«

David Mann hob die Brauen. »Werde ich denn einen brauchen?«

»Ganz bestimmt«, sagte der blonde Staatsanwalt, dem der theoretische Krav-Maga-Unterricht nicht zugesagt zu haben schien. »Der Geschädigte wird Sie meiner Erfahrung nach auf Schmerzensgeld verklagen, seine Krankenkasse auf Beteiligung an den Arztkosten – und ich muss prüfen, ob Sie wegen überzogener Notwehr zu belangen sind.«

»Interessante Wortwahl«, meinte David Mann.

»Bitte?«

»Wen Sie hier als Geschädigten bezeichnen.«

Der Staatsanwalt musterte ihn irritiert, schien aber nicht zu verstehen, wie das gemeint war. Er räusperte sich wieder, blätterte in seinen Unterlagen und erklärte schließlich, zum Abschluss die Angaben zur Person gegenprüfen zu wollen. »Sie sind geboren in Offenbach?«

»Ja.«

»Ihr Vater heißt Peter Mann –«

»Hieß. Er lebt nicht mehr.«

Ein Augenblinzeln. »Ach ja. Stimmt, das steht hier. Ihre Mutter heißt Ruth Mann, geborene Steiner –«

»Genau genommen ist ihr Geburtsname Scherbaum. Die Familie Steiner waren Nachbarn meiner Großeltern; sie haben meine Mutter während des Kriegs versteckt und danach adoptiert.«

»Wieso? Wo waren Ihre Großeltern?«

»Im KZ Dachau.«

»Oh«, machte der Staatsanwalt. Er hielt inne, starrte angestrengt auf seine Unterlagen hinab, fingerte am Kragen seines Hemdes herum. »Verstehe.«

Er mied den Blickkontakt. David konnte beinahe hören, was er dachte. Dem Staatsanwalt wurde jetzt erst klar, dass sich hier ein Jude gegen vier antisemitische Angreifer verteidigt hatte und dass es ganz schlecht aussehen würde, ihm daraus einen Strick zu drehen.

»Gut«, stieß er schließlich hervor und schob sämtliche Papiere zurück in die Mappe. »Danke, Herr Mann. Das wäre im Moment alles. Sie, ähm … hören von mir.«

Als David Mann, nicht ohne spürbare Erleichterung, wieder draußen auf der Straße stand, überlegte er, ob es wohl gegen das Gebot der Sabbatruhe verstoßen würde, eine E-Mail an das *Abendblatt* zu schicken, das, soweit er das mitbekommen hatte, gerade über ähnliche Fälle berichtete.

Andererseits hielt er nicht in erster Linie aus religiösen Gründen am Sabbat fest, sondern weil er die Erfahrung gemacht hatte, dass es guttat und ihm auf lange Sicht besser bekam, einen gleichbleibenden Ruhepunkt in seinem Leben zu bewahren. Dass es auf den Samstag hinauslief, okay, das lag an seiner Herkunft: Es fühlte sich einfach richtig für ihn an.

Wenn er diese Mail jetzt nicht schrieb, würde sie ihm den Rest des Tages im Kopf herumgehen. Das war nicht Sinn der Sache. Also zog er sein Telefon aus der Tasche und schaltete es ein.

Es begann zu regnen.

Ingo verbrachte den gesamten Vormittag in Elektronikmärkten und Computerläden und entschied sich endlich für einen Laptop vom oberen Ende der Preisskala. Wenn City Media das Ding schon zahlte. Zur Feier des Tages gönnte er sich eine Pizza im Bahnhofsviertel, die ihm allerdings auf dem Heimweg durch den Regen schwer im Magen lag. Gerade als er zu Hause ankam und eigentlich nur seinen Computer auspacken und seine nasse Hose ausziehen wollte – in dieser Reihenfolge –, klingelte das Telefon.

Ingo zögerte, doch als es das fünfte Mal klingelte, nahm er ab.

»Du bist fällig«, dröhnte Rado aus dem Hörer. »Setz dich. Hör dir mein Angebot an. Es ist eins, das du, wie man so schön sagt, nicht ablehnen kannst.«

Rado war voll in Fahrt, hatte wahrscheinlich die Nacht

durchgearbeitet. Ingo wusste, dass der Chefredakteur draußen in Oberbuch eine Wohnung besaß, aber er schien sich dort nur zum Schlafen aufzuhalten und auch das nicht immer.

»Ich bin ganz Ohr«, sagte Ingo und dachte nicht daran, sich zu setzen.

»Ich will das Thema rund um diesen Racheengel ausbauen«, trompetete Rado weiter. »Und da ist mir unsere Sendung ›Anwalt der Bürger‹ eingefallen. Ahnst du, worauf ich hinauswill?«

»Ähm … nein.«

»Wir werden das Ding mal wieder umtaufen. Ist eh fällig, das alte Format ist ausgelutscht, der Moderator hat keine Lust mehr, hab ich dir ja erzählt. Ab Montag läuft sie deswegen unter dem Titel *Anwalt der Opfer*.«

Ingo horchte auf. »Gute Idee.«

»Und du, mein Lieber, wirst mitmachen.«

»Ich?«

»Du.«

»Ähm … Du meinst, ich soll für ein Interview in die Sendung kommen?« Gar keine schlechte Idee, dachte Ingo.

»Nicht ganz«, sagte Rado maliziös. »Du wirst die Sendung *moderieren*.«

Die Besprechung fand nicht in Rados Büro statt, sondern im Untergeschoss des Ostturms, wo die Fernsehstudios von City Media lagen. Ingo kam sich vor wie auf einer Zeitreise: Da waren wieder diese riesigen, mit schwarzem Stoff bespannten Stellwände, die Scheinwerfer auf Gestellen, über die man ständig stolperte, die Kabel, die sich auf dem dunkelgrauen Plastikboden ringelten, dieser Geruch nach Hitze und verbranntem Staub.

Genau wie damals bei der Kindersendung. Nur die bunten Bälle, die Reifen, Aufblastiere und Nummerntafeln fehlten. Und das Geschrei der Kinder, natürlich.

Mal davon abgesehen, dass alles bei einem anderen Sender stattgefunden hatte, den es längst nicht mehr gab.

An einem Stehtisch vor einem Kaffeeautomaten ergatterten sie einen Platz, an dem Rado seine Unterlagen ablegen konnte. »Mach dir keine Sorgen, das ist wirklich ein total simples Format«, erklärte er, ließ einen Kaffee heraus und stellte ihn Ingo hin. »Wir treiben ein paar Leute ins Studio, die interviewst du, fertig.«

Ingo fingerte an dem Pappbecher herum und fand das alles andere als simpel. »Bis Montag? Ihr wollt bis Montag Interviewpartner auftreiben? Das ist *übermorgen*!«

Rados Finger schwebte unentschlossen über den Tasten. »Ja. Stell dir vor. Aber wenn du ab und zu das Fernsehprogramm des Senders anschauen würdest, der deine Miete zahlt, wüsstest du, dass wir das schon seit Jahren so machen. Heute passiert, morgen in *Anwalt der Bürger*. Oder wie immer die Sendung gerade heißt. Alles unterhalb von kopfloser Hektik gilt in diesen heiligen Hallen als Faulheit.« Er drückte *Espresso doppelt*. »Hab ich ›heilig‹ gesagt? Gemeint sind natürlich *eilige Hallen*.« Er lachte lauthals über seinen eigenen Witz.

Ein Mensch tauchte auf, in dem Ingo nach einer Schrecksekunde den Nachrichtensprecher Jürgen Songda erkannte, einen der *Anchor Men* von City-TV. Während die beiden zusahen, wie Rados doppelter Espresso in den Pappbecher gurgelte, zogen sie einander mit allerlei derben Anspielungen auf, die Ingo größtenteils nicht kapierte. Insiderwitze und Bürotratsch wohl. Er beobachtete das Gespräch mit Beklemmung. Auf dem Bildschirm wirkte der Mann immer so seriös! Ihn derart locker herumwitzeln zu sehen war … bestürzend. Es zeugte von einer Selbstsicherheit, die Ingo an sich selbst schmerzlich vermisste.

»Wäre ein bisschen mehr Vorlauf nicht trotzdem besser?«, meinte er, als der Nachrichtensprecher wieder weg war.

»Hey, lass das meine Sorge sein, okay?« Rado stürzte die Hälfte der dunklen Brühe hinunter. »Außerdem hab ich den ersten Gast schon. Ein gewisser David Mann. Hat sich heute Vormittag per Mail gemeldet. Ich hab sofort mit ihm telefoniert und ihn für Montag in die Sendung geholt.«

»Oh.« Ingo hatte bereits jetzt Muffensausen in Orkanstärke.

»Der hat sich gestern Nachmittag gegen vier Typen verteidigt, die ihm mit antisemitischen Sprüchen gekommen sind. Weil er sich dummerweise nicht hat zusammenschlagen lassen – er gibt Unterricht in Selbstverteidigung; dumm gelaufen für die vier –, kriegt er womöglich eine Klage wegen überzogener Notwehr an den Hals.« Er winkte, als eine schlanke Frau mit elfenhaft blonden Haaren aus den Kulissen trat und sich suchend umsah. »Diana! Hier!«

»Und ich dachte schon …«, sagte die Frau, verriet dann aber nicht, was sie gedacht hatte.

»Diana, ich darf dir Ingo Praise vorstellen, ab Montag Moderator von *Anwalt der Opfer*«, säuselte Rado. »Ingo, das ist Diana Fröse, die Produzentin der Sendung. Diana, was sagst du?«

Sie beäugte Ingo von oben bis unten. »Schwerer Fall«, befand sie kurzerhand. »Zu mager. Zu blass. Klamotten indiskutabel. Schlampig. Ohne Stilgefühl. Altmodisch.«

»He, das ist nur mein Freizeitlook!«, verteidigte Ingo sich und hatte das Gefühl, rot zu werden.

»Ach so?« Die Produzentin rang sich ein Lächeln ab. »Das mit der Blässe gibt sich gerade. Aber ich fürchte, ich will trotzdem nicht wissen, wie Ihr Businesslook aussieht.«

»Das ist doch kein Problem für deinen Fundus, oder?«, meinte Rado.

Sie kniff abschätzig die Augen zusammen. »Ich überlege gerade … nein, ich fürchte, da wird unser geliebter Sender Geld investieren müssen. Kennen Sie das Schirbini-Center?«, wandte sie sich an Ingo.

Ingo nickte verdutzt. »Ja.« Klar kannte er das riesige Edel-Einkaufszentrum, das wie eine silberne Muschel über der Innenstadt thronte. Er verkehrte dort nur nie, weil die Läden darin ein in seinen Augen völlig durchgeknalltes Preisniveau pflegten.

»Gut. Wir treffen uns Montagfrüh vor dem Haupteingang. Sagen wir um neun, wenn sie aufmachen«, meinte sie mit einer Bestimmtheit, die so gar nicht zu ihrer zarten Erscheinung passen wollte. »Wir kleiden Sie ein und verpassen Ihnen auch gleich einen guten Haarschnitt.«

»Okay, dann wäre das geklärt«, stimmte Rado zu und machte sich eine Notiz. »Anschließend kommt ihr hierher für die Vorbereitungen. Die Sendung wird um fünfzehn Uhr aufgezeichnet«, erklärte er, an Ingo gewandt.

Eine Aufzeichnung. Das fand Ingo beruhigend. Sie würden also seine schlimmsten Patzer rausschneiden können.

»Okay«, sagte die Produzentin, »bis Montag dann.« Sie spendierte noch ein flüchtiges Lächeln und düste wieder davon.

Ingo sah ihr nach. »Wenn sie die Produzentin ist«, fragte er, »was ist dann dein Part?« Die komplizierten Zuständigkeiten der Firma waren ihm nach wie vor ein Rätsel.

»Mein Part sind die Inhalte, was denn sonst?«, erwiderte Rado, als müsse das jedem mit einem Intelligenzquotienten von halbwegs Zimmertemperatur klar sein. »Ich muss ja die Doppelverwertung managen – hier Fernsehen, da Zeitung. Plus Internet. Dreifach, eigentlich.« Er fuhr sich mit der gespreizten Hand durch die Haare. »Ich bin unterbezahlt, merk ich gerade mal wieder.« Er blätterte in seiner dicken Mappe. »Weißt du vielleicht noch jemanden, den wir einladen könnten?«

Puh. Ingo kratzte sich am Kopf, dachte nach.

»Vor ein paar Jahren hab ich mal einen gewissen Gerd Svende interviewt«, fiel ihm schließlich ein. »Das wollte damals bloß niemand drucken.«

»Was war mit dem?«

»Der war zusammen mit einem Freund unterwegs, ist von

fünf betrunkenen Typen angepöbelt und bedroht worden und hat sich mit einer Geflügelschere verteidigt, die er gerade gekauft hatte.«

Rado hob die Brauen. »Mit einer *Geflügelschere*?«

»Genau. Er hat einen der Angreifer so schwer verletzt, dass eine Not-OP nötig war. Svende ist danach wegen Körperverletzung zu drei Jahren und neun Monaten Haft verurteilt worden, von denen er zwanzig Monate absitzen musste, bis der BGH das Strafmaß reduziert hat.«

»Unser Mann«, befand Rado und zückte sein Telefon. »Weißt du zufällig seine Nummer?«

»Auswendig? Nein.« Ingo schüttelte den Kopf. »Außerdem ist das, wie gesagt, Jahre her.«

Rado war schon im Internet. »Svende, Gerd. Stadtteil Niederehrenfeld. Kann er das sein?«

»Möglich. Passiert ist es im Oberbucher Park, in der Nähe des Baumarkts.«

»Kenn ich, ist ja quasi meine Nachbarschaft. Aus dem Baumarkt stammen meine Tapeten«, sagte Rado und wählte die Nummer.

Es dauerte keine fünf Minuten. Nach dem, was Ingo mitbekam, erklärte sich Svende mehr oder weniger sofort bereit. Rado regelte gleich alles, was es hinsichtlich der Ankunftszeit im Studio, der Reisespesen, der Aufwandsentschädigung und der wesentlichen Bedingungen des Mitwirkungsvertrags zu regeln gab. »Na also«, meinte er zufrieden, als er das Telefon wieder wegsteckte. »Die Leute springen im Viereck, nur um mal ins Fernsehen zu kommen. Das ist das ganze Geheimnis.«

Allmählich verstand Ingo, wieso das Konzept der Sendung funktionierte.

Aber mit ihm als Moderator? Wie kam Rado auf die Idee, er könne dafür der Richtige sein? Eine solche Sendung zu moderieren war doch etwas völlig anderes, als einen Haufen aufgedrehter Kids über Trampoline hüpfen oder Lieder singen zu lassen!

Nicht drüber nachdenken.

Noch mehr Leute, die für die Sendung wichtig waren, tauchten auf. Hände wurden geschüttelt, Zeitpläne besprochen, Sitzordnungen, Ausstattungen, Introvideos, Einspieler, Änderungen des Schriftzugs. Es wurde viel genickt, viel Kaffee getrunken, und alle wirkten sehr, sehr locker.

Klar, sagte sich Ingo. Die blieben ja auch alle im Hintergrund. Die würde es nicht treffen, wenn er sich blamierte.

Er spürte einen Druck um die Brust, als habe ihm jemand einen eisernen Reifen umgelegt, und konnte sich nichts mehr merken, keine Namen, keine Funktionen, nichts.

Zu Hause schaltete Ingo gleich den Fernseher ein. Es dauerte tatsächlich keine zehn Minuten, bis der erste Trailer für *Anwalt der Opfer* kam. Er war montiert aus Bildern verletzter Menschen und Teilen des Videos vom Einschreiten des Racheengels. Sehr effektvoll gemacht.

Und am Schluss hieß es: *Moderator Ingo Praise.* Zusammen mit einem Videobild, das ihn in Zeitlupe zeigte, wie er den Kopf drehte. Beeindruckend. Auch wenn Ingo keine Ahnung hatte, woher diese Aufnahme stammte.

Er schaltete um. Der Trailer lief auf allen Kanälen, die mit City-TV verbandelt waren.

Anwalt der Opfer. Ingo Praise. Montag, achtzehn Uhr. Natürlich auf City-TV.

Ingo schlief sehr schlecht in dieser Nacht.

12 Ich gehe durch die Nacht. Meine Beine tragen mich, bewegen sich unermüdlich, Kilometer um Kilometer. Die Sohlen meiner Schuhe berühren den Boden kaum, gleiten über den Asphalt, mühelos. Ich brenne. Bin Flamme. Bin ein unsichtbares Licht im Dunkel.

Seit es aufgehört hat zu regnen, ist alles still. Es ist, als sei das Leben in der Stadt erloschen. Die einzigen Schritte, die ich außer den meinen höre, sind die von Katzen, die die Nacht auf ihren eigenen Wegen durchstreifen.

Ich gehe und gehe. Immer neue Straßen, immer neue Pfade. Ich muss nicht überlegen, nicht nachdenken, nicht entscheiden. Was geschieht, geschieht von selbst; alles, was ich tun muss, ist, es geschehen zu lassen. Mein Weg ist vorbestimmt: Seit ich das akzeptiert habe, ist alles einfach.

Gehe mit den Dingen, und alle Dinge werden zur Symphonie. Ergib dich dem Fluss der Ereignisse, und die Ereignisse fließen dir zu. Lass geschehen, was geschieht, und du erfüllst deine Bestimmung.

So einfach ist das.

Es überrascht mich kein bisschen, als ich plötzlich Furcht höre, Panik schmecke, Schmerz rieche, auch nicht, dass sich daraufhin die Richtung meiner Schritte ändert. Es überrascht mich nicht, weil ich ohne Erwartungen bin, ohne Plan, ohne Absichten.

Ich erlebe, wie geschieht, was unweigerlich geschehen muss.

Da ist ein großer, dunkler Parkplatz, auf dem nur ein einziges Auto steht.

Ein Auto, dessen Tür aufgestoßen wird, als ich eben den Rand des Parkplatzes erreiche.

Eine Tür, aus der sich ein Mädchen ins Freie wälzt, stolpert, sich fängt und davonrennt, als ich den Fuß auf den Asphalt des Parkplatzes setze.

Die andere Tür springt auf, ein Mann stürzt heraus, setzt dem Mädchen nach, packt sie grob, als ich auf etwa zehn Schritte heran bin und in Erscheinung trete.

Er sieht mich. Schreit auf. Lässt das Mädchen los.

Bekreuzigt sich.

Flieht.

Gut.

Schon den Samstag über war die Arbeit immer zäher vorangegangen. Am Sonntag schließlich saß Victoria nur noch vor dem leeren Bildschirm, starrte stundenlang den blinkenden Cursor an und musste sich irgendwann eingestehen, dass es nicht funktionierte, die Sache zu ignorieren.

Sie stand auf, mit dem Gefühl, eine Tonne zu wiegen. Sie ging zum Telefon, nahm den Hörer ab und wählte eine Nummer, die sie auswendig wusste, obwohl sie sie in all den Jahren noch nie benutzt hatte.

»Priesterseminar Mariengnad«, meldete sich die Stimme eines Mannes, der so sanft sprach, dass man schon fast eine Gänsehaut bekam.

»Thimm, guten Tag«, sagte Victoria hastig. »Entschuldigen Sie die Störung, aber könnte ich wohl mit Herrn Donsbach sprechen? Peter Donsbach. Es ist sehr wichtig.«

Eine Pause trat ein, in der sie nichts hörte und sich fragte, ob ihr Gesprächspartner womöglich einfach eingehängt hatte. Doch dann meldete er sich wieder. »Tut mir leid. Herr Donsbach ist nicht mehr bei uns. Er hat die Priesterweihe abgelegt und seinen Dienst angetreten. Schon vor einem halben Jahr.«

Victoria musste die Augen schließen. Ein Schmerz durchfuhr sie bei diesen Worten, auch wenn er nicht so stark war, wie sie es immer befürchtet hatte. Trotzdem fühlte es sich an, als sei ihr gerade ein Stück Haut abgerissen worden.

»Können Sie mir denn sagen, wie ich ihn erreichen kann?«, bat sie mit, wie sie hoffte, fester Stimme.

»Tut mir leid. Wir haben die strikte Regel, solche Informationen nicht herauszugeben.«

»Es ist sehr wichtig. Es geht um Leben und Tod«, sagte Victoria angstvoll.

»Um Leben und Tod geht es immer«, erwiderte die furchtbar sanfte Männerstimme.

»Und wenn Sie umgekehrt eine Nachricht und meine Nummer an Herrn Donsbach weitergeben?«, versuchte es Victoria und spürte, wie sie innerlich zu zittern begann. »Das könnten Sie doch tun, oder? Dann kann er mich zurückrufen, wenn er will.«

Der furchtbar sanften Stimme war Abneigung gegen diesen Vorschlag anzumerken. »Das wäre machbar. Ja. Also gut.«

Victoria diktierte ihm hastig ihren Namen und ihre Telefonnummer, kam jedoch ins Stocken, als es darum ging, welche Nachricht sie Peter zukommen lassen wollte. »Er soll mich einfach anrufen«, sagte sie schließlich. »Er weiß bestimmt, worum es geht.« *Hoffe ich*, dachte sie.

Nach dem Telefonat fühlte sie sich erschöpft, aber nicht ruhiger. Im Gegenteil. Jetzt begann das Warten. Und so lange, wie sie schon gewartet hatte, wusste sie, dass das schlimm werden würde.

Ingo verbrachte den Sonntag damit, sich auf die Sendung vorzubereiten. Er sichtete alles Material, das er über die Jahre gesammelt hatte, bekritzelte Karteikarten mit Fragen, legte sich die Einstiegssätze zurecht und übte sie ein und dergleichen mehr. Das hielt ihn beschäftigt und davon ab, sich Sorgen zu machen.

Bis es Abend wurde.

Schon? Er hatte doch erst höchstens zehn Prozent seiner Dokumente gelesen! Er hatte nur eine Handvoll Karten, die Fragen, die er sich überlegt hatte, waren so *dumme* Fragen, und sein Einstieg klang einfach *lächerlich* …

Das Ganze war sowieso Wahnsinn. War von Anfang an Wahnsinn gewesen. Wieso hatte er nicht gleich abgelehnt, klipp und klar? Sich von Rados erstem Wort an kategorisch geweigert? Er war doch kein *Show-Man*! Er würde sich unsterblich blamieren, sich und den Sender mit dazu.

Er musste absagen.

Andererseits konnte er nicht mehr absagen, nicht so spät!

Es war zum Verrücktwerden.

Je dunkler es draußen wurde, desto mehr wuchs Ingos Panik. Er tigerte durch die Wohnung, eine Vision vor Augen, wie er vor all den Leuten stand und kein Wort herausbrachte. Natürlich würde es gerade die Angst zu versagen sein, die ihn versagen lassen würde, das war ihm schon klar.

Aber es half nichts, das zu wissen.

Eine Katastrophe.

Er musste sich beruhigen. Das war nur ein Panikanfall. Eine Art Krankheit, die es zu überwinden galt. Er musste sich nur entspannen, ein wenig Zuversicht aufbauen und sich dann darauf verlassen, dass er das irgendwie schaffen würde. Dreißig Minuten, was war das schon? Und er brauchte ja nur die Fragen zu stellen. Fragen stellen konnte er doch.

Entspannen. Genau …

Das Telefon klingelte. Rado, der alles abblies! Bestimmt! Mit einem Satz war Ingo aus dem Sessel und beim Apparat, riss den Hörer ans Ohr und rief begeistert: »Ja?«

»Hallo. Ich hoffe, ich störe nicht?«

Es war nicht Rado. Es war eine dunkle Frauenstimme, die ihm vage bekannt vorkam.

»Sassbeck«, sagte sie. »Evelyn Sassbeck.«

»Ach so.« Gott, war das peinlich. Er hatte sie nicht erkannt. Er war so mit dem morgigen Tag beschäftigt gewesen, dass er ihre Stimme einfach nicht erkannt hatte! »Entschuldigen Sie, ich war in Gedanken –«

»Schon okay.« Sie räusperte sich. »Nach meinem letzten Anruf konnten Sie ja nicht erwarten, dass ich mich je wieder melde.«

»Ach so. Nein, deswegen nicht, es ist nur –« Er unterbrach sich, holte tief Luft. »Kein Problem. Wie geht es Ihnen?«

Sie lachte, ein dunkles, melancholisches Lachen. »Oh, fragen Sie mich lieber nicht. Mein Schwiegervater ist doch noch vor dem Wochenende entlassen worden, und seither bin ich zu nichts mehr gekommen.«

»Verstehe.«

»Er will sich nicht helfen lassen. Er sieht nicht ein, dass er im Moment nun mal Hilfe braucht. Also muss ich nicht nur das Nötigste für ihn einkaufen und die Wohnung ein bisschen putzen, sondern mich nebenher auch ständig rechtfertigen, dass ich das tue. Kränkt ihn in seiner Mannesehre oder so. Aber der Arzt hat nun mal gesagt, er soll sich noch ausruhen und nichts Schweres tragen. Rippenbrüche eben. Die kann man ja nicht in Gips legen.«

Ingo merkte, dass er es genoss, ihre Stimme zu hören. »Wie geht es ihm denn?«

»Ach, im Grunde wieder ganz okay. Die blauen Flecken sind zum größten Teil abgeschwollen, man sieht fast nichts mehr. Na ja, ein paar gelbe Stellen. Wer guckt schon so genau hin? Er hat versprochen, dass er sich regelmäßig Eisbeutel drauflegt. Und so eitel ist er doch, dass ich glaube, er macht das sogar.« Sie lachte noch einmal. Kurz. »Ihr Artikel hat ihm gefallen. Mir auch. Ich habe ja gedacht, Sie sind wie all die anderen Journalisten, aber dann … wie Sie dieses Video aus dem Hut gezaubert haben …«

»Das war Zufall«, sagte Ingo rasch. »Glück, besser gesagt.«

»Tut mir echt leid, dass ich Sie neulich so angeblafft habe. Ich hab wirklich gedacht, man kann niemandem mehr trauen heutzutage …«

»Kann ich verstehen.«

»Ich würde es gern wiedergutmachen. Hätten Sie vielleicht Lust, morgen Nachmittag zum Kaffee vorbeizukommen? Ich habe heute auch einen Kuchen gemacht, der mir richtig gut gelungen ist.«

Ingo spürte etwas in seiner Brust, das sich anfühlte, als mache sein Herz einen begeisterten Luftsprung. »Oh, das wäre toll, aber morgen Nachmittag geht es leider nicht.« Und ehe er wusste, was er tat, erzählte er ihr von der Sendung.

»Ehrlich? Im Fernsehen?«

»Ja. Vorausgesetzt, ich sterbe nicht noch heute Abend vor Lampenfieber.«

Sie lachte wieder, herzhaft diesmal. »Ach, das glaub ich nicht. Ich finde es bewundernswert, dass Sie das machen. *Anwalt der Opfer* – das ist großartig.«

»Finden Sie?« Ihre Begeisterung hatte etwas Ansteckendes. Er begann fast selber, es großartig zu finden. Ja, brauchte der Racheengel denn nicht jemanden, der für ihn sprach? Jemanden, der verstand, was ihn antrieb? Jemanden wie ihn, Ingo Praise?

»Ich bin überzeugt, das wird ein Erfolg«, bekräftigte sie. »Wissen Sie was? Dann kommen Sie doch abends, zum Abendessen. Wann ist die Sendung aus?«

»Weiß ich nicht genau. Sie wird nachmittags aufgezeichnet. Auf jeden Fall wird sie um achtzehn Uhr ausgestrahlt.«

»Das heißt, dass Sie um die Zeit auf jeden Fall fertig sind. Wie wäre es dann um halb acht? Falls Sie nichts anderes vorhaben, natürlich. Ich weiß nicht, vielleicht wollen Sie ja noch mit den Leuten vom Sender danach was trinken gehen oder so. Ich will mich nicht aufdrängen.«

»Nein, nein, Sie drängen sich doch nicht auf. Ich komme gern, ich bin nur ganz verblüfft …« Ingo hatte das Gefühl, Unsinn zu reden. Wahrscheinlich redete er tatsächlich Unsinn. Wahrscheinlich würde es ihm morgen im Studio genauso gehen. »Wissen Sie, für die Leute vom Sender ist das Routine. Die drehen eine Folge ab, fahren nach Hause und freuen sich über ihren Feierabend. Die machen das ja jeden Tag. Das ist so eine Art Sendung, die man nur als Füllmaterial zwischen Werbeblöcken produziert, da darf man sich nichts vormachen.«

Sie schwieg einen furchterregenden Moment lang.

»Sie werden etwas Gutes daraus machen«, erklärte sie schließlich. »Halb acht?«

»Halb acht«, erwiderte Ingo und staunte über das Maß der Vorfreude, die ihn plötzlich erfüllte.

13 Andere bezeichneten Tim Kerner als »dick«, er selber gab dem Wort »beleibt« den Vorzug. »Dick« implizierte einen ungesunden, dem Genuss hingegebenen Lebenswandel, und davon konnte bei ihm weiß Gott nicht die Rede sein. Zum Beispiel war seine erste Handlung, als er an diesem Montagmorgen das Kriminallabor für Biologische und Chemische Analytik betrat, die, den mitgebrachten Imbiss – bestehend aus einem mageren Bio-Joghurt, zwei Vollkornbroten mit Aufstrichen aus dem Reformhaus und einem Apfel aus Demeter-Anbau – im Kühlschrank zu verstauen. Aus diesem würde er ihn pünktlich um halb zwölf entnehmen, um ihn um zwölf Uhr, wenn er annähernd Zimmertemperatur hatte, zu verzehren. Dieser arbeitstäglichen Routine folgte er seit über zwanzig Jahren, die er hier nun schon mit DNA-Analysen, Untersuchungen von Textilien, insbesondere von Stichspuren darin, von Humanspuren wie Lippen-, Haut-, Ohr- und Fußabdrücken, Bodenuntersuchungen und Materialbestimmungen verbrachte.

Tim Kerner, der einen Doktor in Chemie hatte, liebte seinen Beruf. Er liebte speziell diesen Laborraum im Keller, den andere eng und bedrückend fanden, in dem er sich jedoch ausgesprochen wohlfühlte. Weite Plätze, große Hallen – *das* waren Orte, die ihm Unbehagen bereiteten. Nicht, dass er Probleme damit gehabt hätte, nein. Unbehagen eben. Aus diesem Grund aß er auch nicht in der Kantine, die ihm einfach zu riesig und unübersichtlich war, sondern brachte sich sein Mittagessen mit und fertig.

Ganz besonders liebte er seinen Beruf an Tagen, an denen er wusste, dass ihn eine große Kiste voller zu sichtender Spuren erwartete. Die Aussicht, es von morgens bis abends mit lauter Fipselkram zu tun zu haben, begeisterte ihn geradezu.

Heute war einer dieser Tage. Seit Dienstagnachmittag arbeitete er an dem Material, das die Kollegen vom Außendienst am Stuttgarter Platz eingesammelt hatten, und allein es zu sichten würde ihn noch locker bis Mitte der Woche beschäftigen. Er setzte sich frohgemut an seinen Tisch, schaltete die Arbeitslampe ein, zog den Metallkasten heran und nahm den nächsten Plastikbeutel heraus.

Auf den ersten Blick sah er leer aus. Doch wenn man genauer hinsah – und Tim Kerner war geübt darin, äußerst genau hinzusehen –, entdeckte man eine dunkle Faser darin, haardünn, etwa vier Zentimeter lang.

Okay. Er öffnete den Beutel, entnahm die Faser mit einer Pinzette. Keine Stofffaser, das sah er sofort. Vielleicht ein Haar aus einer billigen Perücke? Er legte die Faser auf einen Objektträger und schob diesen unter eines seiner Mikroskope.

Hmm, hmm, hmm.

Ein Haar war es definitiv nicht. Haare sahen unter dem Mikroskop aus wie endlos lange Tannenzapfen, eine Schuppenstruktur, die man sofort erkannte.

Ein Kunststoff also. Aber einer, den er nicht kannte. Die Haare von Kunsthaarperücken bestanden üblicherweise aus Kanekalon, chemisch Polyacrylnitril, das man auch in billigen Decken, Kunstpelzen und Pullovern verwendete. Damit hatte er es hier – er machte ein paar rasche Tests, um sicherzugehen – nicht zu tun.

Doch was war es dann? Der Blick durch das Mikroskop zeigte eine Oberflächenstruktur, wie sie Tim Kerner noch nie im Leben gesehen hatte. Es sah aus, als sei da eine Spirale noch einmal zu einer Spirale gewickelt worden – und als verberge sich unter all dem ein noch komplizierteres Gebilde.

Sehr seltsam. Eine Herausforderung. Darüber würde er nachdenken müssen.

Er stopfte die Faser zurück in den Fundbeutel und legte diesen in eine Plexiglasschachtel mitten auf seinem Schreibtisch, zwischen Telefon und Terminkalender: sein Asyl für ungeklärte Fälle.

Nach dem Telefonat wurde Peter Donsbach von Erinnerungen, Gedanken, Zweifeln und Selbstvorwürfen überwältigt. Es ließ ihn nicht los, schien ihn nie wieder loslassen zu wollen – dieses Gefühl, alles falsch gemacht zu haben. Dieses Gefühl, sein Leben, wie es gedacht war, weggeworfen zu haben und nun zur Strafe in einem ganz falschen Dasein zu stecken.

Der Anrufer war Pater Anton vom Priesterseminar in Mariengnad gewesen, der ihm, nicht ohne Argwohn in der Stimme, mitgeteilt hatte, eine Frau habe am Sonntagnachmittag angerufen und nach ihm gefragt. Sie habe gebeten, ihm ihre Telefonnummer mitzuteilen und ihre Bitte, sich zu melden. Eine gewisse Victoria Thimm.

Sagt Ihnen der Name etwas?, hatte er wissen wollen.

Eine Bekannte aus meiner Schulzeit, hatte Peter erwidert, mit dem Gefühl, zu lügen, obwohl es ja stimmte. *Ich nehme an, es geht um ein Klassentreffen oder dergleichen.* Das war die Lüge gewesen, denn natürlich ging es darum nicht, ganz bestimmt nicht, und er wusste es.

Sie hat sehr, nun, emotional aufgewühlt geklungen, hatte Pater Anton zweifelnd eingewandt. Pater Anton kannte alle Höhen und Tiefen des Priesterdaseins, insbesondere das junger Priester: verbotene Liebschaften, ungewollte Schwangerschaften, homosexuelle Neigungen, unglücklich verliebte Stalkerinnen und vieles mehr.

Natürlich wusste Peter, warum Victoria aufgewühlt geklungen hatte. Es wunderte ihn kein bisschen. Aber ihm fiel nichts anderes ein, als zu sagen: *Das hat sicher nur so geklungen.*

Eine Lüge. Wie sein ganzes Leben eine Lüge war.

Er blickte auf den Notizblock hinab, wo er ihre Nummer notiert hatte. Es war immer noch dieselbe wie damals. Nichts hatte sich geändert, nichts. Fünfzehn Jahre waren vergangen, und doch schien es, als sei alles erst gestern passiert.

Es roch nach Staub, nach kaltem Stein, nach langen, bedrückenden Zeiträumen. Eine Pfarrerswohnung in einem Haus aus dem siebzehnten Jahrhundert, viel zu groß für einen einzelnen Menschen, frostig und zugig, voller uralter, düsterer Möbel: Wie war er nur hierher geraten?

Er riss das oberste Blatt des Blocks ab, knüllte es zusammen und warf es in den Papierkorb.

Den Montagvormittag in der überwältigenden Reizflut des Schirbini-Centers zu verbringen, wo alles glänzte, glitzerte und leuchtete, war eine wirksame Therapie gegen Sorgen, Ängste, überhaupt gegen Gedanken aller Art. Die Produzentin, unübersehbar begeistert, Geld des Senders ausgeben zu dürfen, schleifte Ingo durch ein halbes Dutzend Geschäfte, ehe sie mit seiner Ausstattung zufrieden war.

Anschließend ging es zu einem Friseur, der für einen simplen Herrenhaarschnitt Preise verlangte, auf die nur noch das Attribut »sündhaft« passte. Während sie warteten, dass Ingo drankam, quasselte die Produzentin ihn mit ihren konzeptuellen Überlegungen voll. Bei der Gelegenheit erfuhr er, dass nur die heutige, erste Sendung der neuen Reihe als Aufzeichnung produziert werden würde. »Das Studio ist am Abend vermietet, da wird ein Wahlwerbespot mit dem amtierenden Oberbürgermeister gedreht«, erklärte sie. »Da muss man sich danach richten, wann der Zeit hat. Und die erste Sendung einer Staffel, da kann es sein, dass wir Look und Feel der Einspieler, die Jingles oder sonst irgendwas noch mal nachbearbeiten müssen.« Sie lächelte humorlos. »Ab morgen sind wir aber wieder live, wie üblich.«

Ehe Ingo in helle Panik ausbrechen konnte, tauchte der Haarkünstler auf und schaffte es, Ingos Aufmerksamkeit auf

Probleme der Haarlänge, des Schnitts und der Färbung zu bannen. Als Ingo die Ladenpassage endlich verließ, kam es ihm vor, als habe er einen Drogenrausch durchlebt.

Dafür holte ihn seine Nervosität am Nachmittag mit voller Wucht wieder ein. Er fühlte sich fremd in dem Anzug, in dem er überpünktlich im City-TV-Gebäude eintraf; erschrak, als er bei den Fahrstühlen seinem Spiegelbild begegnete, und war darauf gefasst, von Leuten, die ihn kannten, prustend ausgelacht zu werden. Doch niemand lachte, im Gegenteil, man veranstaltete einen großen Bahnhof für ihn: Eine Frau erwartete ihn beim Eingang der Studios und führte ihn in seine Garderobe, gleich darauf stand der Aufnahmeleiter auf der Matte, ein übergewichtiger Mann, der wohl aus der Not eine Tugend zu machen versuchte, indem er auffallend bunte Hosenträger verwendete. Er hatte ein Klemmbrett voller Unterlagen bei sich, das in seinen Händen wie Spielzeug aussah.

»Spute, Bernd Spute«, stellte er sich kurzatmig vor und schüttelte Ingo wabbelig die Hand. »Sie haben schon Sendungen gemacht, hab ich gehört?«

»Ja«, brachte Ingo heraus und war sich auf einmal sicher, ach was, *wusste*, dass er es versauen würde.

»Okay. Also, die Studiogäste sind da. Aber wir handhaben das immer so, dass Sie denen erst vor laufender Kamera begegnen. Wegen der Spontanität. Sie verstehen?«

»Klar.« Er würde dastehen und nichts zu sagen wissen. Er würde berühmt werden als peinlichster Fernsehmoderator aller Zeiten. Videos von seinem heutigen Auftritt würden bei YouTube kursieren und millionenfach aufgerufen werden, und er würde sich einer Gesichts-OP unterziehen und anschließend nach Neuseeland auswandern.

»Dann zeig ich Ihnen jetzt das Studio. Danach geht's in die Maske.«

Eine Maske. Genau. Nach dieser Sache hier würde er sich eine Maske aufsetzen, ehe er das Gebäude verließ, und sie bis zum Ende seines Lebens nicht wieder abnehmen.

Rundgang durch das Fernsehstudio. Damals, bei dem Jugendsender, war das ein großer Kinderspielplatz gewesen – heute kam es ihm vor wie eine riesige, unheimliche Höhle mit einem Boden voller schlangenartiger, schwarzer Kabel, über die man stolpern konnte, und Sitzreihen wie gebleckte Haifischzähne rings um die Bühne. Am Bühnenrand standen Monitore, die dem kugelförmigen Typ, dessen Name Ingo schon wieder vergessen hatte, wichtig waren. »Hier sehen Sie das gesendete Bild, klar. Außerdem läuft eine Uhr rückwärts, damit Sie immer wissen, wie viel Zeit Sie noch haben. Macht nichts, wenn Sie zwei, drei Minuten überziehen, wir schneiden das nachher eh zurecht.«

»Okay«, brachte Ingo heraus. Die Schmetterlinge in seinem Bauch beruhigte das kein bisschen.

»Heute zumindest«, ergänzte der Mann schnaubend. »Ab morgen sind Sie ja live. Das heißt, es wäre doch gut, wenn Sie heute schon mal versuchen, eine Punktlandung hinzukriegen.«

»Mal sehen, was sich machen lässt«, meinte Ingo schwach.

Dann ging es in die Maske. Braunes Zeug auf der Haut, das sein Gesicht schrecklich künstlich aussehen ließ. Nichtiges Geplapper, dem er kaum folgen konnte. Rado, der ihm grinsend alles Gute wünschte. Reiner Hohn, oder?

Evelyn würde ihn sehen. Nicht dran denken. Ingo tastete nach den Karteikarten in der Tasche seines Jacketts.

Und irgendwann, unausweichlich, war es so weit: Er stand auf einer Markierung aus gelben Klebstreifen, die Sitzreihen ringsum waren mit Gesichtern gefüllt, und jemand rief: »Noch zehn Sekunden!«

Das Intro lief, auf dem Kontrollmonitor wie auf der großen Leinwand hinter ihm. Im Wesentlichen dieselben Bilder und Ausschnitte wie in dem Teaser, der das Wochenende über gelaufen war, nur das Titellogo der Sendung hatte man etwas anders gestaltet.

Verhaltener Applaus. Der Aufnahmeleiter hob drei Finger,

zwei, einen, dann zeigte er auf Ingo, und Ingos Mund begann zu sprechen.

»Guten Tag, liebe Zuschauer, ich begrüße Sie zu unserer Sendung *Anwalt der Opfer*.«

Sag nicht »Damen und Herren«, hatte ihm Rado eingebläut. Oder war es jemand anders gewesen? Er erinnerte sich nicht mehr.

»Mein Name ist Ingo Praise. Ich bin zwar nicht Anwalt im juristischen Sinne, aber die Seite der Opfer zu vertreten ist seit jeher Thema meiner journalistischen Arbeit gewesen.«

Er hatte diese Sätze gestern Abend ausgearbeitet und eingeübt, stundenlang, und sie heute Morgen beim Frühstück wiederholt; sie liefen ab wie von selbst. Das war auch gut so, denn in seinem Hirn herrschte ansonsten völlige Leere.

»Die Statistik sagt uns Folgendes: Alle vier Stunden wird in Deutschland jemand gewaltsam getötet. Alle achtunddreißig Minuten wird eine Frau vergewaltigt. Alle sieben Minuten wird jemand zusammengeschlagen. Die Menschen, denen so etwas widerfährt, sind Opfer, die, selbst wenn sie die Gewalttat überleben, oft jahrzehntelang unter den Folgen leiden.«

Sein Hemd klebte ihm am Leib. Jetzt erst bemerkte er, wie er schwitzte. Aber es lief. Es lief! Die Worte flossen aus seinem Mund, ohne dass er ins Stottern geriet. Die Zuschauer lachten ihn nicht schenkelklopfend aus, sondern hörten ihm zu. So etwas wie Zuversicht begann sich warm und beruhigend in ihm auszubreiten.

»Heute soll es um Opfer besonderer Art gehen: um Menschen, die sich oder andere gegen Angriffe verteidigt haben und anschließend deswegen selber vor Gericht gestellt wurden oder werden sollen. Sie haben alle von dem Fall Anfang letzter Woche gehört, dem Überfall zweier Jugendlicher auf einen Rentner in der U-Bahn-Station Dominikstraße. Was wäre geschehen, wenn der alte Mann dabei ums Leben gekommen wäre? Das wissen wir, weil wir es schon oft erlebt haben – viel zu oft. Politiker sämtlicher Parteien hätten ihre Betroffenheit zum Ausdruck gebracht. Der Bundespräsident hätte zu mehr Zivilcourage aufgerufen. Und die Angreifer wären irgendwann in den kommenden Monaten zu ein paar Jahren Jugendgefängnis verurteilt worden, vielleicht sogar nur zu Bewährungsstrafen.«

Seine Wahrnehmung des Studios veränderte sich. War es zuvor ein überwältigend gefahrvoller, dunkler Ort gewesen, an dem jeder falsche Schritt verheerend sein konnte, erschien es ihm nun wie eine schützende Hülle, die sich zwischen ihn und die Welt geschoben hatte, wie ein Raum, der es ihm erlaubte, sich zu zeigen, wie er war, und zu sagen, was er immer hatte sagen wollen.

»Doch das ist nicht geschehen. Der alte Mann hat überlebt, stattdessen sind seine Angreifer tot – getötet von einem unbekannten Retter, der gerade noch rechtzeitig eingegriffen hat. Diesen Retter bezeichnet die Öffentlichkeit seither als ›Racheengel‹, und die Polizei fahndet nach ihm. Anscheinend ist es in diesem Land nicht erwünscht, dass man Schwächere gegen Stärkere verteidigt.«

Das war ihm so herausgerutscht, weil er allmählich in Fahrt kam. Er erschrak. Der Aufnahmeleiter machte plötzlich große Augen, im Publikum murrte jemand und jemand anders hustete und wieder jemand anderes sagte etwas, das wie *Das ist ja allerhand!* klang.

Egal. Weitermachen. »Mein erster Studiogast ist jemand, dem letzten Freitagnachmittag Ähnliches widerfahren ist. Er wurde in einer Unterführung in Spannwitz von vier, wie man so sagt, gewaltbereiten Jugendlichen attackiert. Was seine Angreifer nicht geahnt haben, war, dass er eine Schule für Selbstverteidigung leitet. Deswegen liegen sie heute im Krankenhaus, er dagegen ist hier in unserer Sendung. Bitte begrüßen Sie mit mir David Mann!«

Es wurde höflich applaudiert, als ein überraschend schmalschultriger Mann die Bühne durch ein von blinkenden Lichtern umrahmtes Portal betrat. David Mann sah unscheinbar aus, geradezu durchschnittlich – ein Mann Mitte vierzig mit kurzen schwarzen, sich schon auf dem Rückzug befindlichen Haaren und einer kleinen Narbe auf der Stirn.

Zumindest wirkte er unscheinbar, bis man ihm in die Augen blickte. Etwas Ungewöhnliches lag in diesem Blick, in diesen blaugrau umsäumten Pupillen. Klarheit. Entschiedenheit. Unbeeindruckbarkeit.

Es verschlug Ingo für einen Moment die Sprache. Zum Glück gab es gerade sowieso nichts zu sagen; es genügte, auf einen der beiden Sessel zu weisen, die für die Gäste bereitstanden, und sich selber auf den Stuhl des Moderators zu setzen.

Dann retteten ihn seine Karten. Seine vorbereiteten Fragen.

»Herr Mann, Sie sind Inhaber und Leiter einer Schule für Krav Maga«, begann Ingo. »Können Sie uns kurz erklären, was das ist?«

»Kurz gesagt ist das eine Selbstverteidigungstechnik, die in den Dreißigerjahren in der Slowakei entstand und später in Israel weiterentwickelt wurde.«

»Also so etwas wie Jiu-Jitsu oder Karate?«

»Ungefähr so, ja. Tatsächlich hat der Begründer, Imrich Lichtenfeld, viele Techniken aus dem Jiu-Jitsu und anderen Quellen übernommen – alles, was funktioniert hat. Ein wesentlicher Unterschied ist aber, dass Krav Maga sich nicht als *Sport* versteht. Es gibt keine Wettkämpfe, keine Pokale, keine Ranglisten. Es geht darum, gewalttätige Auseinandersetzungen zu überstehen, und nur darum. Deswegen lernt man im Krav Maga nicht nur Schlag- und Tritttechniken, sondern auch, Gefahrensituationen frühzeitig zu erkennen, verbale Deeskalation, Übungen, um unter Stress richtig zu handeln, und vieles mehr.«

»Die verbale Deeskalation hat letzten Freitag nicht funktioniert?«

»Nein.«

»Aber dafür die Schlag- und Tritttechniken.«

Es war als scherzhafte Bemerkung gedacht gewesen, doch

David Mann lächelte nicht. »Es ist gut, vorbereitet zu sein, doch das macht einen nicht unverwundbar. Ich hatte Glück. Und unfähige Gegner.«

»Daraus will Ihnen die Staatsanwaltschaft nun einen Strick drehen.«

Er nickte, furchte die Brauen. »Zumindest hat es sich bei meiner Vernehmung so angehört. Aber Lichtenfeld hat Krav Maga damals in Bratislava entwickelt, weil er wollte, dass sich Juden gegen antisemitische Überfälle wehren können. Da der Staatsanwalt inzwischen gemerkt hat, dass ich es zu genau dem Zweck angewandt habe, hat er es sich vielleicht anders überlegt.«

Ingo leckte sich nervös die Lippen, ließ es wieder, als es ihm zu Bewusstsein kam. Die nächste Frage war heikel, aber notwendig. »Für Ihren Entschluss, Krav Maga zu lernen und zu lehren – welche Rolle hat es da gespielt, dass Sie Jude sind? Hatten Sie von jeher das Gefühl, Sie müssten sich hier in Deutschland verteidigen können?«

David Mann schüttelte den Kopf, ließ endlich so etwas wie ein Lächeln aufblitzen. »Nein, nein. Ich will die Probleme, die es gibt, nicht kleinreden, aber ich persönlich hatte deswegen nie sonderliche Schwierigkeiten. An Krav Maga bin ich geraten, als ich eine Zeit lang in Israel gelebt habe. Es hat mich einfach fasziniert – die nüchterne Philosophie dahinter, die rasche Umsetzbarkeit und die Fitness, die es nebenbei mit sich bringt. Bis dahin hätte ich überhaupt nicht gedacht, dass mir so etwas liegen könnte; als Kind war ich eher der Typ Bücherwurm.«

»Wann waren Sie in Israel?«

»Das war …« Er musste überlegen. »Ist schon eine Weile her. Ich habe nach meiner Bundeswehrzeit angefangen, Psychologie zu studieren, kurz darauf ist mein Vater gestorben, und meine Mutter hat beschlossen, nach Israel zu ziehen. Ich habe sie begleitet, hatte das Gefühl, ich müsse ihr helfen, sich einzuleben. In Wirklichkeit bin ich mit, weil ich gemerkt hatte, dass das Studium nicht das Richtige für mich war. Ich wusste damals aber auch nicht, was ich stattdessen mit meinem Leben anfangen sollte. Na ja, und in Haifa hat im Nebenhaus jemand gelebt, der Krav Maga gemacht hat. So fing das an.«

»Sie sind aber nicht in Israel geblieben. Warum?«

David Mann blies nachdenklich die Backen auf, ehe er antwortete. »Also, es war natürlich alles aufregend und interessant dort, und in gewisser Weise habe ich mich auch zu Hause gefühlt – aber in anderer Weise auch wieder nicht. Es hat mich die ganze Zeit zurück nach Deutschland gezogen. Meine Freunde, mein Umfeld – das war alles hier. Und ehrlich gesagt ist mein Hebräisch auch immer auf einem ziemlich blamablen Niveau geblieben. So bin ich nach drei Jahren zurückgekommen und habe angefangen, diese Kurse zu geben. Später habe ich meine eigene Schule aufgemacht.«

»Und nun droht die Staatsanwaltschaft, Ihre Erfahrung gewissermaßen gegen Sie zu verwenden?«

David Mann neigte den Kopf. »Falls nicht der Staatsanwalt, dann die Krankenversicherung der Angreifer. Das ist leider ein Damoklesschwert, das über allen Kampfsportlern schwebt. Anwälte bezweifeln in solchen Fällen, dass überhaupt Notwehr vorlag, und unterstellen, man sei als ausgebildeter Kämpfer Herr der Lage gewesen. Dass man aus Wut zurückgeschlagen hat, aus Rache, und nicht, um sich zu verteidigen.« Er zuckte mit den Schultern. »Was Juristen halt so denken. Solange sie selber nie in einer derartigen Situation waren und nicht wissen, wie es tatsächlich ist.«

»Und wie ist es tatsächlich?«, fragte Ingo.

Sein Gegenüber beugte sich leicht vor, eine winzige Bewegung, aus der Kraft und Unerbittlichkeit sprachen. »Auf der Straße, Herr Praise, gewinnt der, der zuerst mit maximaler Wucht angreift. Deshalb müssen Sie, wenn Sie sich verteidigen, auch mit maximaler Wucht zurückschlagen. Sie müssen die Initiative erobern und dürfen nicht aufhören, ehe der andere am Boden liegt und sich nicht mehr regt. Sie müssen Schlag auf Schlag folgen lassen, Tritt auf Tritt. Sie dürfen dem anderen keine Chance lassen, sich wieder zu fangen. Denn der andere – das muss Ihnen klar sein – würde Ihnen auch keine Chance lassen.«

Nach einem Tag voller Anrufe, die niemanden erreichten, hinterlassenen Nachrichten, auf die niemand antwortete, und Hinweisen, die zu nichts geführt hatten, gab am Nachmittag gegen vier Uhr auch noch die Neonröhre in Ambicks Büro endgültig den Geist auf. Der Kommissar warf den Kugelschreiber hin und beschloss, es für heute gut sein zu lassen. So schlecht, wie die Woche anfing, konnte es eigentlich nur noch besser werden, aber es war nicht nötig, im Halbdunkel einer Energie sparenden Schreibtischlampe darauf zu warten.

Er rief noch einmal die Hausmeisterei an – natürlich meldete sich dort auch wieder nur ein Anrufbeantworter –, schnappte sich dann seine Jacke vom Haken und ging.

Kam heute nicht eine Sendung von diesem Journalisten, der den Racheengel für einen Superhelden hielt? Ihm war, als hätte er irgendwas aufgeschnappt, ein Werbejingle oder so. *Anwalt der Opfer.* Achtzehn Uhr. Passte. Und konnte vielleicht nicht schaden, sich das anzuschauen.

Seine Schritte hallten in den langen, verlassen daliegenden Gängen. Irgendwo hörte er jemanden lachen.

Tja. Das war es eben: Zu Hause erwartete ihn nur sein Fernseher. Deswegen musste ein Tag schon verdammt schlecht laufen, damit er mal früher heimging.

David Mann hatte das Publikum fasziniert, das war zu spüren gewesen. Ingos zweiter Gast fiel dagegen deutlich ab. Gerd Svende war ein sachlich wirkender, mit flacher Stimme sprechender Ingenieur, dem man seinen Beruf auf den ersten Blick ansah. Er trug einen dünnen Kinnbart und zwei Kugelschreiber in der Brusttasche seines karierten Hemdes, und als Ingo ihn fragte, was er beruflich mache, sagte er, er habe technische Informatik studiert, und dann hätte er am liebsten den Rest der Sendung über Finite-Elemente-Methoden und Festigkeitsberechnungen doziert. Als Ingo ihn bremste und das Gespräch auf seinen Prozess lenkte, begannen seine Kinnmuskeln sichtbar zu arbeiten.

»Ja«, sagte er zögerlich. »Da sind allerhand Umstände unglücklich zusammengekommen.«

»Erzählen Sie doch mal, was passiert ist.«

So, wie Svende anfing, klang es, als habe er diese Geschichte schon oft erzählt. »Ich war an dem Abend mit einem Freund unterwegs. Wir hatten uns nachmittags zum Billardspielen getroffen, in einer Kneipe in dem Einkaufszentrum am Oberbucher Park. Danach wollten wir gemeinsam ins Kino gehen, ins Cineplex in Niederehrenfeld.«

»Was lief da?«

»Der neue Bond. Also – der *damals* neue Bond natürlich.« Sein Blick war starr. Man spürte, dass er sich bemühte, nichts Falsches zu sagen. »Quer durch den Park zu gehen war der kürzeste und einfachste Weg. Wir haben uns nichts dabei gedacht; es waren ja außer uns noch andere Leute unterwegs, und so spät war es nicht …«

Ingo nickte nur, wartete ab.

»Ja. Und dann standen die plötzlich vor uns. Fünf, ähm … junge Männer.«

»Die vorher im nahe gelegenen Jugendhaus herumgepöbelt hatten und rausgeflogen waren.«

»Das wusste ich in dem Moment nicht. Das hat sich erst später herausgestellt.«

»Was passierte weiter?«

»Der eine hat zu mir gesagt, was glotzt du so? Aber ich hatte die überhaupt nicht beachtet. Wir haben auch nichts gesagt, wir wollten nur an denen vorbei und weitergehen. Da haut der meinem Freund ins Gesicht, einfach so, mit der Faust, dass der hinfällt. Auf einmal waren sie um uns herum, alle fünf. Ich hatte Angst wie noch nie im Leben. Ich dachte, jetzt passiert es, jetzt treten die uns zusammen.« Er zögerte. »Und da hab ich eben überreagiert.«

»Was heißt das?«

»Ich hatte an dem Tag eine Geflügelschere gekauft, weil ich ... nun ja, so was hat mir immer gefehlt, wenn ich mir ein gebratenes Hähnchen besorgt habe. Wir sind an einem Haushaltswarenladen vorbeigekommen, der gerade welche im Angebot hatte, also hab ich zugegriffen. Hatte sie einfach in der Jackentasche stecken. Und in der Situation ...« Er schluckte. »Ich hatte eben Angst.«

Ingo nickte nur. Einer dieser Momente, in denen man besser nichts sagte.

»Verstehen Sie, mein Freund spielt Klarinette, liest Gedichte ... Billard zu spielen, das ist für ihn was richtig Grobmotorisches. Er hat's auch nur mir zuliebe gemacht.« Er holte tief Luft. »Was ich damit sagen will, ist, dass er kein Mensch ist, der sich prügeln kann, verstehen Sie? Wenn er sich den Finger brechen würde, wäre das eine Katastrophe. Das würde ihn aus der Bahn werfen, ohne Übertreibung.«

»Sie hatten das Gefühl, ihn beschützen zu müssen.«

Svende nickte, musste schlucken. »Man hat nicht viele wirklich gute Freunde im Leben. Wir sind ziemlich verschieden, aber wir konnten immer über alles reden. Wenn einer von uns Liebeskummer hatte, konnte er den anderen anrufen ... Ich meine, wie viele Männer kennen Sie, mit denen Sie über so etwas reden können?«

Keinen, fuhr es Ingo durch den Kopf. »Wenige«, sagte er.

»Eben.« Svende nickte voller Anspannung, schien die Ereignisse von damals noch einmal zu durchleben. »Jedenfalls fiel mir in dem Moment die Geflügelschere ein. Ich hab gedacht, besser als nichts, hab sie blitzschnell rausgeholt und dem einen, dem Anführer, in den Hals gerammt.«

»Und ihn damit schwer verletzt.«

190

»Bedauerlicherweise. Ich hatte keine Ahnung, dass die Schere so scharf war. Später hat sich herausgestellt, dass ich seine Halsschlagader nur knapp verfehlt habe; er hätte verbluten können. Auch so war eine Notoperation erforderlich, um sein Leben zu retten.«

»Und Sie kamen vor Gericht.«

»Ja. Ich wurde zu drei Jahren und neun Monaten Haft verurteilt.«

»Wegen?«

»Wegen versuchten Totschlags.«

»Weil Sie sich verteidigt hatten. Sich und ihren Freund.«

Svende schluckte mühsam. »Nun … heute tut mir das alles natürlich sehr leid. Der Junge, den ich verletzt habe, war ein sportliches Talent gewesen und hätte es als Ringer weit bringen können. Daran ist nach all dem nicht mehr zu denken. Ich habe mich bei ihm für mein Verhalten entschuldigt und mich auf Anraten meines Anwalts mit ihm außergerichtlich auf ein Schmerzensgeld geeinigt, elftausend Euro, die ich bezahlt habe, sobald ich konnte.«

David Mann mischte sich ein. »Wie beurteilen Sie diesen Vorfall heute, wenn ich fragen darf?«

»Nun«, sagte Gerd Svende behutsam, »ich sehe heute, dass ich in dem Augenblick überreagiert habe. Ich hätte die Verhältnismäßigkeit der Mittel wahren müssen, auch in so einer Situation.«

»Und wie hätten Sie das tun können?«, wollte der Krav-Maga-Lehrer wissen.

»Indem ich zuerst einmal drohe, beispielsweise.«

»Drohen? Mit einer *Geflügelschere*?« David Mann hob die Augenbrauen. »Um was zu erreichen? Dass die sich kranklachen?«

»Das nicht. Aber sie hätten die Chance gehabt, es sich anders zu überlegen.«

»Bis zu dem Moment, in dem die auf Sie und Ihren Freund los sind, hatten die doch jede Menge Chancen, es sich anders zu überlegen. Wieso denken Sie, dass Sie verpflichtet waren, ihnen noch mehr Chancen zu gewähren?«

Svende musterte ihn ratlos. »Jeder Mensch verdient eine zweite Chance.«

»Haben *Sie* eine zweite Chance bekommen?«

»Wie meinen Sie das?«

»Was machen Sie heute beruflich?«

»Eine Umschulung zum –«

»Das heißt, Sie haben keinen Job als Informatiker bekommen.«

»Ich hab die Hoffnung noch nicht aufgegeben.«

»Sie haben keinen Job bekommen, weil Sie im Gefängnis waren. Stimmt das?«

Svende zögerte. Räusperte sich. »Das kann sein. Dass das eine Rolle spielt.«

»Wovon haben Sie die elftausend Euro Schmerzensgeld bezahlt?«

Svende presste die Lippen kurz zusammen, ehe er antwortete. »Zum Teil von Erspartem. Für den Rest hab ich mein Auto verkauft, ein Geschenk meiner Eltern.«

»Finden Sie nicht«, fragte David Mann, »dass bei Ihrem Prozess Täter und Opfer praktisch vertauscht worden sind?«

Svende lachte auf, aber sein Gesicht blieb seltsam starr, und sein Lachen klang fast wie ein Schluchzen. »Oh je. Sagen Sie das bloß nicht zu laut. Das hat mein Verteidiger damals gesagt, vor Gericht. Der Richter ist ausgeflippt. Fand das unerhört.«

»Unerhört?«

»Ja. Er hat einen roten Kopf gekriegt und gebrüllt, das sei eine drastische Behauptung, und so etwas habe er noch nie erlebt, das sei unerhört.«

David Mann beugte sich vor. »Und Sie? Fanden Sie die Aussage Ihres Verteidigers auch unerhört?«

»Also …« Svende sah beiseite, fingerte am Kragen seines Hemdes. »Im ersten Moment dachte ich natürlich, dass … ja, dass er da … nicht so falschliegt, aber andererseits … andererseits …« Er hustete. »Wie gesagt. Heute ist mir klar, dass es so nicht geht.«

»Was denken Sie denn, das Sie falsch gemacht haben?«, fragte Mann.

»Ich habe zu mehr Gewalt gegriffen, als notwendig gewesen wäre.«

»Und woher hätten Sie in dem Moment wissen sollen, wie viel Gewalt notwendig gewesen wäre?«

Svende musterte den Kampflehrer unbehaglich. »Das sollten Sie vielleicht besser den Richter fragen.«

»Denken Sie im Ernst«, insistierte David Mann, »Sie hätten darauf vertrauen sollen, dass Sie davonkommen, ohne sich mit *allen* Mitteln zur Wehr zu setzen? In einem Kampf zwei gegen fünf?« Er beugte sich zu dem Ingenieur hinüber. »Angenommen, Sie würden heute auf dem Nachhauseweg wieder angegriffen, zusammen mit Ihrer Frau oder einem guten Freund – würden Sie diesmal wirklich *Mäßigung* walten lassen?«

Gerd Svende wand sich. Sah zur Seite, schluckte, atmete schwer. »Nein, verdammt«, stieß er hervor. »Ich würd's wieder ganz genauso machen. Ich würd mich wieder verteidigen, so gut ich kann.« Er rutschte an den Vorderrand seines Sessels, richtete sich auf, die Worte brachen förmlich aus ihm heraus. »Und ehrlich gesagt denke ich heute noch, dass ich zu Unrecht verurteilt worden bin. Dass *die* im Gefängnis hätten sitzen sollen, nicht ich. Es war *deren* Entscheidung, einen Streit anzufangen, nicht unsere. Wir wollten einfach nur ins Kino. Wenn es nach uns gegangen wäre, wäre überhaupt nichts passiert, verstehen Sie? Überhaupt nichts. Wir haben die nicht provoziert. Wir haben die nicht mal *wahrgenommen*. Wir haben uns nur unterhalten, ganz normal, bis plötzlich diese Typen vor uns gestanden haben, fünf versoffene, ordinäre Muskelprotze, die Streit gesucht haben. Es war verdammt noch mal *deren* Entscheidung, uns anzugreifen, also hätten sie auch die Konsequenzen tragen müssen. Wenn es gerecht zugegangen wäre.« Er fuhr sich mit den Händen durch die Haare, versuchte sich zu beruhigen und schaffte es nicht. »Das ist alles so feige, ich kann Ihnen gar nicht sagen, *wie* feige. Den starken Max markieren, zu fünft gegen zwei, aber rumheulen, wenn es schiefgeht und man selber was abkriegt. Feige. Feige. Feige. Und der Richter war genauso feige. Aber dem sind Sie ausgeliefert. Gegen den haben Sie keine Chance. *Alle* sind sie feige in diesem Land, verdammt noch mal! Und deswegen dürfen solche Idioten machen, was sie wollen!«

Weiter kam er nicht. Die Leute sprangen von den Sitzen auf und applaudierten, dass man im Studio sein eigenes Wort nicht mehr verstand.

»Das schneide ich raus, oder?«, meinte der Cutter, ein dürrer junger Typ mit Rastalocken, anderthalb Stunden später.

»Klar«, sagte Diana Fröse, die Produzentin. »Das geht ja mal gar nicht.«

»Wartet. Nicht so hastig.« Radoslav Törlich rieb sich den Hals, wägte das Für und Wider ab, das Schlagzeilenpotenzial gegen den eventuellen Ärger.

»Ich könnte ab hier auf einen Shot auf die Zuschauer schneiden«, schlug der Cutter vor, während seine Hände so schnell über die Tastatur des Schneidecomputers fingerten, dass einem vom Zusehen schwindlig werden konnte. »Dann ab hier folgen lassen. Man würde gar nicht merken, dass etwas fehlt.«

»Nein, lass mal«, entschied der Chefredakteur. »Wir senden das so, wie es ist.«

»Das gibt Ärger«, sagte Diana Fröse.

»Das hoffe ich doch«, sagte Radoslav Törlich.

Unmittelbar vor achtzehn Uhr instruierte Radoslav Törlich die Telefonzentrale, mit welchen Anrufern er rechne und wie sie zu behandeln seien. Er nahm sein Inhouse-Mobiltelefon mit in den Fernsehraum, wo er die Ausstrahlung von Ingos Sendung zusammen mit ein paar Ressortleitern auf einem großen Plasmaschirm verfolgte.

Genau wie er es erwartet hatte, klingelte sein Telefon kurz nach dem Ausbruch des Studiogastes Gerd Svende. Keine fünf Minuten hatte es gedauert.

»Törlich«, meldete er sich, den Fernsehraum verlassend.

Am anderen Ende war kein Geringerer als Dr. Leopold Korbner, der persönliche Assistent des Bürgermeisters. Sozusagen der Bluthund der Staatsmacht.

»Wir sind darauf aufmerksam gemacht worden«, grollte die rauchige Stimme, »dass Sie gerade eine Sendung ausstrahlen, die Selbstjustiz verherrlicht und rechtmäßig gefällte Urteile deutscher Gerichte infrage stellt.«

»Alles nur Meinungsäußerungen«, erwiderte Radoslav in seinem lammfrommsten Ton. »Gemäß Grundgesetz Artikel 5.«

»Sie brauchen mich nicht über das Grundgesetz zu belehren, Herr Törlich.«

»War keineswegs meine Absicht.«

»Ich darf Sie daran erinnern, dass auch für private Fernsehsender das Gebot gilt, Ausgewogenheit zu wahren.«

Radoslav nickte. Auch diesen Vorwurf hatte er erwartet. Sie waren alle so berechenbar. »Dessen bin ich mir bewusst«, sagte er. »Diese Ausgewogenheit wird mit der morgigen Sendung hergestellt werden; der entsprechende Experte war nur nicht so schnell verfügbar. Sie wissen ja, wie kurzfristig wir gerade bei diesem Format arbeiten.«

Das Grollen im Hörer wurde etwas sanfter. »Ein Experte, sagen Sie?«

»Ein anerkannter Soziologe. Einer der besten auf diesem Gebiet. Er wird dem Stand der Wissenschaft eine Stimme geben.«

14 Nach seinem Ausbruch sank Gerd Svende in den Sessel zurück und wirkte, als nähme er nichts mehr wahr von dem, was um ihn herum geschah. Der Applaus verebbte. Ingo brach der Schweiß aus. Er musste etwas sagen, es durfte keine Stille eintreten, Stille war ein absolutes *no go* im Fernsehen, aber wie konnte er sie jetzt verhindern?

Aus irgendeinem Grund fiel ihm ein: »In der Bergpredigt sagt Jesus: Wenn dich jemand auf die rechte Wange schlägt, dann halte ihm auch die linke hin.« Er wandte sich an seinen anderen Studiogast. »Herr Mann – ist das nicht eine klare Aufforderung zum Pazifismus? Wie sehen Sie das?«

David Mann schüttelte den Kopf. »Ein weitverbreitetes Missverständnis. Nach meinem Verständnis geht es an dieser Stelle nicht um Gewaltverzicht, sondern um etwas, das wir heute Deeskalation nennen würden. Jesus fordert dazu auf, sich nicht provozieren zu lassen, sich nicht blindlings in einen Automatismus von Aktion und Reaktion ziehen zu lassen. Aber er hat *nicht* gesagt, ›Wenn jemand deine Frau vergewaltigt, dann biete ihm auch noch deine Tochter an‹.«

Ingo begriff, warum ihm das eingefallen war. »Mein Vater ist Religionslehrer und erklärter Pazifist. Meine Eltern lehnen Gewalt grundsätzlich ab. Was würden Sie ihnen sagen?«

»Dass man es sich damit zu einfach macht«, erwiderte der Selbstverteidigungs-Lehrer. »Wenn man sagt, man werde keine Gewalt anwenden, egal was geschieht, sagt man damit zugleich, dass der Einsatz von Gewalt immer falsch sei. Der Pazifismus befindet sich aber in einem grundsätzlichen moralischen Irrtum, wenn er keinen Unterschied macht zwischen initiativer und reaktiver Gewalt. Wenn Sie diesen Unterschied nicht machen – wenn Sie leugnen, dass es nicht dasselbe ist, ob Sie jemanden angreifen oder ob Sie sich gegen einen Angriff verteidigen –, postulieren Sie damit, dass Angreifer und Verteidiger moralisch gleichwertig sind. Sie bestreiten damit, dass es einen moralischen Unterschied zwischen Mörder und Ermordetem, zwischen Schläger und Geschlagenem gibt. Das ist eine Philosophie aus dem Elfenbeinturm, zu dem das wirkliche Leben keinen Zutritt haben darf. Denn im wirklichen Leben zählt dieser Unterschied. Schon als Kinder wussten wir, dass derjenige, der einen Kampf anfängt, im Unrecht ist, und der, der sich verteidigt, im Recht.«

»Was sagen Sie dann zur Rechtsprechung zum Thema Notwehr? Die verlangt, dass der Angegriffene unter den Mitteln, die ihm zur Verteidigung zur Verfügung stehen, das mildeste wählt.«

»Da sollte man fragen: Warum eigentlich?«

»Wie meinen Sie das?«

»Warum«, fragte David Mann, »sollen wir einem Aggressor das Recht zugestehen, so sanft wie möglich behandelt zu werden? Sollte nicht umgekehrt dem Angegriffenen das Recht zustehen, sich so *wirkungsvoll* wie möglich zu verteidigen?«

Ingo stutzte. »So herum habe ich das noch nie betrachtet«, gestand er.

David Mann nickte. »Ja, das glaube ich Ihnen. Und finden Sie das nicht selber merkwürdig?«

»Doch«, gab Ingo zu. Er merkte, dass er zu schwitzen begann.

»Meine Philosophie«, fuhr David Mann fort, »ist ganz einfach: Wer als Erster Gewalt einsetzt, handelt moralisch falsch. Wer einen gewalttätigen Konflikt beginnt, tut Unrecht und hat jede Strafe verdient, die sich daraus ergibt. Und umgekehrt: Wer angegriffen wird und sich nicht verteidigt, obwohl er es könnte, handelt nicht moralisch. Gewaltlosigkeit unter allen

Bedingungen ist in meinen Augen eine Missachtung des Lebens.«

Die Uhr am Bühnenrand sauste auf die Null zu. Zum Glück. »Das ist auf alle Fälle ein gutes Schlusswort«, sagte Ingo. »Vielen Dank, Herr Mann.«

Die Kennmelodie der Sendung erklang, der Trailer flimmerte über die Videowand, die Zuschauer applaudierten. Es war geschafft!

Wenn er seine Wohnung betrat, kam es Ambick immer vor, als gähne sie ihn an. So leer. So still. So deprimierend. Vor Kurzem war – zu seinem Entsetzen – sein sechsunddreißigster Geburtstag gewesen: Er war einst davon ausgegangen, in diesem Alter längst eine Familie zu haben, Kinder, die ihm entgegenstürmten, wenn er abends nach Hause kam. Aber irgendwie hatte das nicht geklappt, und irgendwie waren die Jahre verflogen wie nichts.

Weil es für ein Bier noch zu früh war, machte er sich einen Tee. Er nahm eine Kräuterteemischung, die seine Mutter selber zubereitete, aus eigenhändig gesammelten Kräutern, Brennnessel vor allem. Der Geschmack erinnerte ihn an die Welt, in der er aufgewachsen war. Auf dem Land, wo das Leben im Großen und Ganzen gemächlicher ablief und weniger neurotisch als in den Metropolen. Deshalb mochte er das Gebräu wahrscheinlich. Es gab ihm das Gefühl, den Tag damit aus sich herausspülen zu können.

Ach ja, diese Fernsehsendung. Wann kam die noch mal? Achtzehn Uhr. In zwei Minuten. Er ließ sich vor dem Apparat nieder, schaltete ein, zappte durch, bis das City-TV-Logo auftauchte. Schlürfte Tee, während das Intro lief. Der Racheengel. Erstaunlich, was moderne Technik aus einem zittrigen Video machen konnte. Ein anderer Ausschnitt, überlagerte Farbe, Zeitlupe – und schon sah alles aus wie Hollywood. Und ließ die grausige Realität vergessen: dass der Mann zwei Neunzehnjährige in den Kopf geschossen, sie einfach ausgepustet hatte.

Dann dieser Krav-Maga-Typ. Interessant – das war also der Fall, wegen dem Ortheil am Samstagmorgen nach Spannwitz rausgefahren und von dem er mittags so übel gelaunt zurückgekommen war. Erfuhr man das auch mal.

Justus Ambick hatte Mühe, der Diskussion zu folgen. Irgendwie schien sein Gehirn für heute schon abgeschaltet und keine Lust mehr zu haben, sich mit Argumenten auseinanderzusetzen. Seine Gedanken schweiften ab, verloren sich in Erinnerungen an seine Ausbildung. An der Polizeihochschule war ihm dieses Missverhältnis im Strafgesetzbuch, das Eigentumsdelikte so unverhältnismäßig hart bestrafte, verglichen mit Delikten gegen Leib und Leben, auch schon unangenehm aufgefallen. Er hatte den Dozenten darauf angesprochen. Dessen Erklärung war gewesen, dass mehr oder weniger alle Gesetzbücher Kontinentaleuropas vom »Code Napoleon« abstammten und deswegen dazu neigten, die ethischen Vorstellungen jener Zeit zu tradieren. »So ähnlich, wie sich in unserem Gencode noch Reste der Spezies finden lassen, von denen wir abstammen«, hatte er gemeint.

Ob das wohl stimmte? Ambick trank seinen Tee, genoss das angenehme Gefühl, dass sein Kopf sich leerte. Dieser Moderator, dieser Ingo Praise, war irgendwie interessant. Schrecklich nervös auf der einen Seite, aber gleichzeitig schien er … ja, regelrecht zu *brennen*. Der verhandelte da nicht irgendwas, der war beim Thema seines Lebens.

Und dann, aus heiterem Himmel, der Gedanke: Was, wenn dieser Journalist *Kontakt* zum Racheengel hatte?

Ambick stellte die Teetasse ab. Wie wahrscheinlich war das? Schwer zu sagen. Der Mann, den sie suchten, musste irgendwo in der Stadt leben. Dass ihm jetzt quasi eine Sendereihe gewidmet wurde, konnte ihm nicht entgehen, dazu war der Stadtsender zu populär.

Er rieb sich das Kinn, befühlte die Bartstoppeln, die ihm im Lauf des Tages nachgewachsen waren. Ein verrückter Gedanke – aber einer, über den es sich lohnte nachzudenken.

Und falls Praise noch keinen Kontakt zum Racheengel hatte – vielleicht konnte man das ja *provozieren?*

Ein Rausch. Ingos Hemd klebte ihm am Leib. Von überallher Gesichter, ausgestreckte Hände, lobende Worte. *Gut gemacht. Klasse. Super gelaufen.* Sogar Rado war da, schien zufrieden. »Heißer Ritt«, sagte er, schlug ihm auf die Schulter. »Da hast du was losgetreten.«

Ingo verstand nicht, was Rado meinte, es war ihm auch egal. Es war überstanden. Leute umspülten ihn, er trieb mit ihnen. Jemand drückte ihm ein Glas in die Hand, Sekt. Gelächter, Leute in Overalls, die Kabel schleppten, die Maskenbildnerin, die an seinem Gesicht herumtupfte.

Seine beiden Gäste. Ingo bedankte sich. Svende nickte geistesabwesend, murmelte nur: »Ich hoff bloß, ich krieg jetzt keinen Ärger.« David Mann gab Ingo seine Visitenkarte und bot ihm an, zu einem Probetraining zu kommen, kostenlos selbstverständlich. »Einführungskurse sind donnerstags. Oder Sie rufen einfach an. Ich mach auch gern ein Einzeltraining mit Ihnen.«

Ingo drehte die Karte um. Auf der Rückseite stand das Kursprogramm. Es gab Kurse für Männer, Frauen, Jungen, Mädchen, für Einsteiger und Fortgeschrittene. Nachmittags für Jugendliche, abends für Erwachsene. Allgemeines Fitnesstraining gab es auch. »Ich weiß nicht, ob das was für mich ist.«

»Meinem Gefühl nach wäre es sogar genau das Richtige für Sie«, erwiderte David Mann. Klar, dass er so etwas sagte. Geschäftstüchtig wirkte er schon.

»Halten Sie mich auf jeden Fall auf dem Laufenden, ob die Staatsanwaltschaft Sie anklagt«, fiel Ingo ein. »Das wäre ein Anlass, Sie noch einmal in die Sendung zu holen.«

David Mann lächelte. »Okay. Aber ich glaube es eher nicht. In dem Punkt hat Ihr anderer Gast den Nagel auf den Kopf getroffen: Die sind alle feige.«

Ingo schwebte förmlich aus dem City-Media-Gebäude. Im letzten Moment war ihm eingefallen, die Produktionsassistentin um zwei Eintrittskarten für die nächsten Sendungen zu bitten, für Evelyn und ihren Sohn. »Ich geb Ihnen gleich fünf«, hatte die Frau gesagt und ihm die Karten rausgekramt. »Das sind Vorzugskarten. Damit kommen Ihre Gäste auf jeden Fall rein und kriegen einen Platz in der ersten Reihe. Sie müssen nur eine Viertelstunde vor Öffnung da sein.«

Die U-Bahn nach Hause war halb leer. Ingo saß da, schwer und grenzenlos zufrieden. Der Schweiß, der ihm zwischendurch ausgebrochen war – und nicht zu knapp –, war längst wieder getrocknet; er fühlte sich einfach großartig. Müde, aber glücklich. Im Einklang mit sich und der Welt, im Einklang mit allem. Es war, als seien die Puzzlesteine seines Lebens plötzlich von selbst an die Stellen gefallen, an die sie gehörten.

Eines dieser Puzzlesteinchen war, möglicherweise, Evelyn. Er freute sich darauf, sie zu sehen. Auch auf das Essen. Ein Essen, das konnte zu allem Möglichen führen.

Natürlich würde er nichts überstürzen. Er hatte seit der Trennung von Melanie keinen Sex mehr gehabt, davon durfte er sich nicht beeinflussen lassen. Doch er hatte ein gutes Gefühl, was heute Abend betraf. Wenn er sich jemals wie ein Sieger gefühlt hatte, dann heute!

Er sah kaum auf, als der Mann in dem fleckigen Daunenparka einstieg. Nahm nur am Rande wahr, wie der Kerl unschlüssig durch den weitgehend leeren Wagen wanderte, während die U-Bahn wieder anfuhr.

Es war wie ein Schock, als er sich ausgerechnet Ingo gegenüber hinsetzte. Sich schwer in den Sitz fallen ließ und ihn herausfordernd fixierte.

Ingo erstarrte. Der Mann sagte nichts, glotzte nur und dünstete üble Gerüche aus, nach billigem Alkohol, nach ungewaschenen Kleidern, nach Magenkrankheiten. Es war ein aggressives Glotzen. Der Typ wusste genau, dass er Räume verletzte, Grenzen übertrat, sich aufdrängte.

Ingo räusperte sich, stand auf, innerlich frierend, und setzte sich woandershin. Das war ja hoffentlich deutlich genug!

»He!«, rief der Mann ihm quer über die leeren Sitzreihen nach. »Scheißkerl! Was glaubst du, wer du bist? He? Was Besseres, he? Ein feiner Pinkel? Ich kenn solche Typen wie dich! Die sollte man alle vergasen. Alles Scheißkerle. Schwatzen dir erst Kredite auf, und wenn's ihnen einfällt, dann wollen sie sie wieder zurück, scheißegal, ob sie einen damit ruinieren!«

Offenbar hatte der Mann ein Problem mit Bankern und hielt Ingo für einen, des Anzugs wegen vermutlich. Ingo antwortete nicht. Er würde sich nicht provozieren lassen!

Der Zug fuhr in die nächste Station ein. Ob er aussteigen und auf eine andere Bahn warten sollte? Nein. Wo kam man denn da hin, wenn man sich von so jemandem bestimmen ließ?

Am besten, er beachtete den Kerl gar nicht. Dann würde sich dessen Ausbruch einfach totlaufen.

Draußen auf dem Bahnsteig standen zwei Uniformierte. Ingo sah sie auffordernd an, in der Hoffnung, dass sie sahen, was hier drinnen abging.

»Vergasen sollte man euch alle!«, brüllte der Mann. »Euch den Schädel einschlagen! Die Fresse polieren, dass euch die Zähne zum Arschloch rausfallen!«

Die Leute, die einsteigen wollten, bekamen das alles sehr wohl mit, hielten vor den Türen inne, stiegen lieber in den nächsten Wagen.

Die beiden Uniformierten wandten sich ab.

Ingo funkelte ihre Rücken an und wünschte ihnen die Krätze an den Hals. Der Zug fuhr wieder an.

»He, Arschloch«, krakeelte der Mann und hieb unvermittelt mit der geballten Faust gegen die Lehne, dass es krachte. »Ich glaub, ich polier dir jetzt die Fresse. Du Sackgesicht. Du Schwuchtel. Du Drecksack.« Wieder und wieder boxte er gegen den Sitz, dann gegen eine der Haltestangen, schlug schließlich auf die Fensterscheibe ein, mit solcher Wucht, dass man es im ganzen Wagen hörte. »Ich mach dich fertig! Ich sorg dafür, dass du kriegst, was du verdienst, du Saukerl! Ich pack deine verdammte Krawatte und würg dir das Leben damit raus, bis du blau anläufst und dir die Zunge anschwillt und deine Augen rausquellen –«

Die nächste Station. Ingo sprang auf, flüchtete hinaus auf den Bahnsteig. Der Mann folgte ihm nicht. Gott sei Dank. Ingo blieb stehen, am ganzen Leib zitternd.

Hilflose Wut erfüllte ihn, regelrechter Hass auf alle die Typen, die einfach um sich schlugen, wenn ihnen danach war, die es einen Dreck interessierte, was sie damit anrichteten. Himmel noch mal, hatte der Racheengel nicht recht? Was ging der Welt verloren, wenn solche Gestalten aus dem Verkehr gezogen wurden? Nichts. Nicht das Geringste, wenn man zur Abwechslung mal ehrlich war.

Aber es war ja niemand ehrlich. Stattdessen war alle Welt damit beschäftigt, ein Spiel zu spielen, das *Meine moralischen Maßstäbe sind edler als deine* hieß.

Ingo starrte ins Leere, spürte, wie das Zittern nachließ. Wo war die Zuversicht hin, die er gerade noch empfunden hatte? Wo das Hochgefühl? Weg, beides. Der Typ hatte ihn in die Enge getrieben. In einem gewissen Sinn hatte er ihm tatsächlich das Leben rausgewürgt, das schönere, bessere Leben, von dem Ingo einen Moment lang geglaubt hatte, es habe nun endlich angefangen.

Stattdessen erfüllte ihn wieder jenes Lebensgefühl, das ihm so vertraut war wie sein eigenes Gesicht: dass er machen konnte, was er wollte, und doch nie rauskommen würde. Aus was auch immer. Er verstand ja nicht einmal, worin er eigentlich feststeckte.

Eine heiße Dusche, einen Blumenstrauß und einen Fußmarsch später saß er mit Evelyn und ihrem Sohn am Tisch, in gemütlicheren Klamotten, als der Anzug es war. Der Schreck der Heimfahrt war zur Anekdote geschrumpft, die sich mit einem Lächeln erzählen ließ. Es gab drei Gänge: einen raffiniert gewürzten Salat mit vielerlei Zutaten, etwas Überbackenes aus dem Ofen und ein Dessert aus dem Kühlschrank, dazu eine Flasche Rotwein einer Marke, die es nur bei dem Discounter gab, bei dem auch Ingo oft einkaufte. Evelyn musste haushalten, aber sie verstand sich darauf, es nicht so aussehen zu lassen.

Während des Essens war es Kevin, der am meisten redete. Sein Lieblingsfach war Kunst. Die Lehrerin mochte ihn, war schon einmal mit ihm und zwei anderen ins Museum gegangen, in eine Chagall-Ausstellung. Er schwärmte von Paul Klee und von Albrecht Dürer, erklärte Ingo, worauf es bei der Collagetechnik ankam und dass er sich auf die zehnte Klasse freue, da gäbe es eine AG, in der man mit richtigen Ölfarben male!

»Das wird bestimmt toll«, meinte Ingo, der gern auch mal zu Wort gekommen wäre.

Nach dem Dessert schickte Evelyn ihren Sohn endlich ins Bett. »Du musst morgen früh raus«, sagte sie. Kevin gehorchte ohne Widerworte, ein bisschen so, als habe sie das schon vor Ingos Eintreffen mit ihm abgesprochen.

Sie wechselten ins Wohnzimmer, mit der angebrochenen Weinflasche und zwei Gläsern. Wobei Evelyn sich gleich auf den Sessel setzte und Ingo das Sofa überließ, wie er nicht umhinkam zu bemerken.

Als die Geräusche aus dem Badezimmer verklangen und die Tür des Kinderzimmers ging, stand Evelyn auf, für den abendlichen Gutenachtkuss vermutlich. »Er macht gerade eine schwere Zeit durch«, sagte sie leise, als sie zurückkam.

Es klang fatal nach: *Aus Rücksicht auf mein Kind werde ich auf keinen Fall mit dir schlafen.*

Ingo räusperte sich. »Ja, das ist ein schwieriges Alter. Ich erinnere mich mit Grauen.«

»Das kommt noch hinzu, die Pubertät.« Sie setzte sich,

schenkte nach. »Viel schlimmer ist, dass eine Reihe von Mitschülern ihn ständig hänseln, piesacken, manchmal sogar verprügeln. Das ist schon zur Gewohnheit geworden; er ist der Prügelknabe der ganzen Klasse. Aber meinen Sie, man kriegt die Lehrer dazu, mal etwas zu sagen oder einzugreifen? Keine Chance. Die haben alle selber Angst.«

»Vor Schülern?«

»Und vor den Eltern. Dass die sie verklagen könnten.« Sie schüttelte erbittert den Kopf. »Wenn ich da an meine Schulzeit denke … Wie die Lehrer da waren, wenn man sich nur mal eine Zigarette angezündet hat und noch nicht alt genug war dafür. Klar, Raufereien auf dem Schulhof gab es auch. Aber das hat Nachsitzen eingebracht, und nicht zu knapp. Damals wäre man gar nicht auf solche Ideen gekommen wie die Kids heute.« Sie griff nach ihrem Glas, stellte es wieder hin. »Dieser Ausflug in die Kunsthalle – die beiden anderen, die mit sind, waren Mädchen. Als sich das rumgesprochen hat … das war die Hölle für ihn. Und keiner der Lehrer hat etwas gesagt. Nicht einmal die Lehrerinnen!«

»Wie alle Autoritäten in diesem Staat«, meinte Ingo. »Alle haben sie Angst, für irgendetwas einzustehen. Oder irgendjemanden. Sie machen fleißig Gesetze und Regeln, aber wenn sich jemand nicht dran hält, wissen sie nicht, was sie tun sollen.«

»Ich wollte, ich wüsste es.« Evelyn seufzte. »Wenn er manchmal heimkommt und so niedergeschlagen wirkt, dass ich Angst kriege, er tut sich eines Tages etwas an –«

»Das wird er nicht tun«, sagte Ingo.

»Kann man sich da je sicher sein?«

Ingo nahm aus Verlegenheit einen Schluck Wein. Selbst so schwermütig, wie sie gerade dreinblickte, fand er Evelyn begehrenswert – aber er sah keinen Weg, ihre Stimmung zu beeinflussen, sie anderen Sinnes werden zu lassen. Dabei war ihm, als müsse er das in der Hand haben, als gebe es irgendwo in ihm die Kraft, das zu tun. Doch er wusste nicht, wo.

Der Typ in der Straßenbahn war schuld. Irgendwie jedenfalls.

Ingo beugte sich vor und stellte sein Glas ab. Eine vage Idee, wie er Kevin helfen konnte, glomm in ihm auf. Allerdings würde er dafür ein paar Dinge nachprüfen müssen, deswegen war es wohl besser, jetzt noch nichts davon zu sagen.

Schade. Aber vielleicht das nächste Mal.

Der Anrufbeantworter blinkte, als Ingo nach Hause kam. Er lächelte. Bestimmt Rado, der ihn noch einmal beglückwünschen wollte.

Oder ein paar Ratschläge für morgen hatte. Okay. Ingo drückte die Abspieltaste.

Aber es war nicht Rado. Es war Melanie.

»Hi, Ingo.« Sie sprach hastig und etwas gedämpft, so, als telefoniere sie heimlich. »Ich hab deine Sendung gesehen und, also, toll, wie du das gemacht hast. Ehrlich. Hätte ich nie gedacht ...« Sie lachte nervös. »Das klingt jetzt wahrscheinlich blöd. Ich war echt platt. Hast du super gemacht, wirklich.«

Ingo spürte sein Lächeln breiter werden. Ach, die späte Genugtuung! Erkannte sie doch noch, was sie an ihm gehabt hatte.

»Ich hab mich bloß gefragt«, quäkte Melanies Stimme aus dem kleinen schwarzen Plastikkasten weiter, »wie du dazu kommst, in deine Sendung morgen ausgerechnet *Markus* einzuladen?«

15 Ingo schlief schlecht in dieser Nacht. Er wälzte sich hin und her, sagte sich, dass es nicht sein konnte, entwickelte fiebrige Strategien, falls es doch so war. Griff am Morgen als Erstes zum Telefon.

Doch Rado war nicht da. Angeblich. Sein Handy ausgeschaltet. Und auch sonst fühlte sich niemand zuständig.

Verdammt noch mal!

Wollte Rado ihn reinlegen? Natürlich wusste der alte Halunke haargenau, dass Markus Neci mit Ingos Ex zusammenlebte; er hatte die Trennung und das ganze Drama damals ja mitbekommen. Und natürlich wusste Rado auch, wer Professor Doktor Markus Neci war. Was er lehrte und schrieb. Womöglich sogar, wovon dessen neues Buch handelte; es war ja bestimmt schon angekündigt.

Was jetzt? Neci war ein erfahrener Redner, gewohnt, Autorität zu verkörpern und auszustrahlen, ein mit allen Wassern gewaschener Diskutant. Es würde Neci ein Hochgenuss sein, ihn vor den Augen der Welt zu zerlegen, wenn er die Gelegenheit dazu bekam.

Ingo massierte sich das Gesicht mit beiden Händen. Ihm war heiß. Ob er Fieber hatte? Krank wurde? Das wäre eine Lösung gewesen. Besser das, als vor aller Welt blamiert zu werden, wie es ihm zweifellos blühte.

Aber natürlich ging das nicht. Er durfte nicht kneifen.

Der Racheengel hatte schließlich auch nicht gekniffen.

Allerdings hatte der eine Waffe gehabt.

Eine Waffe. Ingo saß reglos da, starrte ins Leere, während

sich langsam die Umrisse einer Idee formten. Seine Blase drückte. Als er vom Klo zurückkam, wusste er, was er tun würde.

Justus Ambick ging den Gang entlang, sich des Plastikteils bewusst, das er in der Hosentasche trug: einen 4-Gigabyte-USB-Stick, den er auf dem Weg ins Büro gekauft hatte. Im Kaufhaus am Bahnhof. Dort hatte ihn niemand gesehen, der ihn kannte. Es war ein Sonderangebot gewesen, im Untergeschoss, wo immer Gedränge herrschte und die Kassierer nur Augen für die Geldscheine hatten, die man ihnen reichte.

Enno hatte sich aufgerafft, war heute Vormittag endlich beim Zahnarzt. Gestern Nachmittag hatte er eine entsprechende interne Nachricht herumgeschickt, wie es sich für einen ordentlichen Computerfreak gehörte, und den Termin in seinem elektronischen Kalender vermerkt. Er war auch tatsächlich nicht da, als Ambick das gemeinsame Büro aufschloss.

Ambick verriegelte die Tür von innen. Die Deckenlampe funktionierte immer noch nicht. Ennos Computer dagegen lief; er schaltete ihn nie über Nacht aus. Ein Druck auf die Leertaste, und der Monitor wurde hell, zeigte den Startbildschirm. Kein Problem. Er hatte Enno oft genug beim Eingeben seines Passworts zugesehen, um zu wissen, dass es diesen Monat nur *Marion10* lauten konnte. Marion hieß Ennos Freundin, und 10, weil Oktober war.

Als Justus Ambick hier angefangen hatte, hatte niemand wissen wollen, wie viel er von Computern verstand. Man ging davon aus, dass er damit zurechtkam, wie jeder, der die Polizeischule absolviert hatte: dass er mit den üblichen Office-programmen umgehen, E-Mails verschicken, Dokumente anhängen konnte und dergleichen. Es hatte sich nie eine Gelegenheit ergeben, etwas anderes unter Beweis zu stellen. Im Gegenteil, auf der Hochschule hatte man ihnen eingebläut, als Hauptkommissar alle Arbeiten an Computern, die über das

Verfassen von Berichten und Mails hinausgingen, tunlichst Untergebenen und Fachkräften zu überlassen. *Sie sollen nicht an Computern herumspielen, sondern Fälle lösen!*, hatte es geheißen.

Ambick hatte nie jemandem erzählt, dass sein Vater Systemprogrammierer war und Wert darauf gelegt hatte, dass er und seine Schwester Ines mit Computern aufwuchsen, zu einer Zeit, als derlei noch als Spinnerei betrachtet worden war. Ambick kannte sich mit Computern aus, es hatte ihn nur nie sonderlich interessiert. Er besaß nicht einmal einen eigenen Computer – zum Ärger seiner Eltern, die nicht aufhörten, ihm damit in den Ohren zu liegen. Er solle sich doch ein Beispiel an seiner Schwester nehmen! Ines hatte Architektur studiert, reiste für die Projekte ihrer Firma – die Stadien, Häfen, Fernsehtürme und dergleichen baute – durch die Welt und war dank Skype trotzdem tagtäglich bei den Eltern zu Gast. Stundenlang manchmal. Kostete ja nichts. Mutter bereitete das Mittagessen vor und Ines in Tokio das Abendessen, und dabei plauderten sie über die in ihren Küchen aufgestellten Laptops und schauten sich per Webcam gegenseitig in die Töpfe. War es nicht großartig, wie die moderne Technik die Menschen miteinander verband?

Ja, ja. Bloß wurde Ambick, wenn er das miterlebte, nie das Gefühl los, dass Ines auf diese Weise praktisch immer noch zu Hause lebte. Und dass es deswegen nicht klappte mit einem Mann und eigenen Kindern.

Er durchsuchte die Datenbank mit den Verhörvideos, bis er gefunden hatte, was er suchte. Dann steckte er den USB-Stick aus seiner Hosentasche in die Buchse des Computers.

Seltsam. Er konnte kaum glauben, dass er das tat.

Am Dienstagabend lief Ingo erst kurz vor knapp im Studio ein, wo der Aufnahmeleiter ihn bereits ungeduldig erwartete. »Wir haben heute nur einen Gast, einen Professor Neci«, erklärte er Ingo – überflüssigerweise, aber das konnte er ja nicht wissen. »Hier, die Unterlagen. Und ich glaube, Sie stellen sich besser auf ein unangenehmes Gespräch ein.«

Ingo nickte nur, nahm den Ordner, den Spute ihm reichte, und fragte: »Hat sich Herr Törlich eigentlich mal blicken lassen?«

»Bis jetzt nicht.«

Na toll. Der Hund.

Andererseits: besser so. Weniger Ablenkung. Ein Glück, dass die Sendung heute live war, sonst hätte er gar nicht genug Zeit für seine Vorbereitungen gehabt. Ehe er in die Maske ging, fragte sich Ingo zum Tontechniker durch und erklärte ihm, was genau er auf ein Zeichen von ihm hin tun sollte.

»Alles klar«, sagte der. »Sie können sich auf mich verlassen.«

Die restlichen Minuten vergingen im Flug. Maske, die Karten mit den Fragen ein letztes Mal durchzählen, dann flammten schon die Scheinwerfer auf. Der Zuschauerraum wirkte heute voller als am Tag zuvor, so, als säßen die Leute dichter. Zappeliger schienen sie außerdem zu sein.

Der härteste Teil war, seinen Nebenbuhler auch noch vollmundig ankündigen zu müssen als »einen der wohl bedeutendsten Soziologen unserer Zeit, sozusagen die offizielle Stimme der Gesellschaftswissenschaften«, aber der Plan erforderte es. Je größer er Matschi aufblähte, desto besser.

Falls klappte, was er vorhatte. Falls nicht, würde es zum Eigentor werden.

»Professor Neci«, begann Ingo, als sie in ihren Sesseln saßen, »Sie sind, wenn ich es richtig verstehe, nicht einverstanden mit der Art und Weise, wie heutzutage über das Thema Jugendgewalt diskutiert wird. Was genau kritisieren Sie?«

»Ich kritisiere, dass in diesen Diskussionen keinerlei Anstrengung gemacht wird, die andere Seite zu verstehen«, sagte Neci. »Wir betrachten uns als Opfer, versuchen aber der Einsicht aus dem Weg zu gehen, dass das, was wir als Gesellschaft machen, Wirkungen hat, die das kritisierte Verhalten erst hervorbringen.«

»Mit anderen Worten«, resümierte Ingo, »wenn ich überfallen und zusammengeschlagen werde, bin ich selber schuld?«

Neci richtete sich auf. »Wenn Sie das, was ich zu erklären versuche, sofort auf derartig simple Stammtischparolen verkürzen, heißt das, dass Sie nicht an einer ernsthaften Diskussion interessiert sind«, donnerte er. »Womit Sie genau meinen Vorwurf bestätigen. So kommen wir in dieser Thematik nicht weiter.«

Junge, Junge. Ingo war, als habe ihn ein Sandsack getroffen – ein Sandsack aus nichts als Worten. Das war vermutlich eine Kostprobe dessen, was Matschi in Streitgesprächen zu einem so gefürchteten Gegner machte.

Er würde höllisch aufpassen müssen. Falls ihm das bislang noch nicht klar gewesen war, jetzt wusste er es.

Ingo atmete einmal tief durch, bemüht, ruhig zu bleiben. »Gehen wir am besten Schritt für Schritt vor. Sie sprachen von Wirkungen, die wir als Gesellschaft auslösen. Was heißt das genau?«

»Wenn Jugendliche gewalttätig werden, sind die Ursachen dafür im sozialen Umfeld zu suchen«, dozierte Neci. »In der Regel liegen frühkindliche Traumata vor – Misshandlungen, Missbrauch, Verstoßung, Ablehnung durch ein Elternteil und dergleichen. Brutales Verhalten der Eltern untereinander kann als Vorbild dienen, Probleme mit Gewalt zu lösen. Ehekrisen, Trennungen, emotionale oder tatsächliche Abwesenheit eines Elternteils, Inkonsequenz oder Unterdrückung in der Erziehung – die Liste der möglichen Stressoren ist lang. Kommen dann Pubertätsprobleme, Identitäts- oder Sinnkrisen hinzu, kann das einen jungen Menschen vollends aus der Bahn werfen.«

»Ein prügelnder Vater erzeugt also einen prügelnden Sohn?«

»Genau so ist es.«

»Aber warum? Warum wirkt das Beispiel des Vaters nicht anders? Zum Beispiel abschreckend?«

Neci lächelte maliziös. »Ich will hier keine Schleichwerbung machen, aber in meinem demnächst erscheinenden neuen Buch *Ursachen der Jugendgewalt* leite ich das sehr detailliert her. Man kann es durch zwei Theorien erklären, die einander ergänzen. Das eine ist die Theorie der mangelnden Anerkennung, die andere die der Desintegration. Beide stammen von anerkannten Soziologen beziehungsweise Sozialphilosophen.«

»Wir haben eine halbe Stunde Zeit«, sagte Ingo. »Als erfahrener Hochschullehrer können Sie doch bestimmt in groben Zügen umreißen, worum es in diesen Theorien geht.«

»Ich will es versuchen.« Neci streckte die Brust heraus, selbstgefällig, wie Ingo fand. »Die Theorie der mangelnden Anerkennung besagt, dass wir Anerkennung in drei Formen brauchen: Erstens in Form von Liebe oder emotionaler Zuwendung, zweitens in Form normativer und kognitiver Anerkennung, drittens in Form von Solidarität oder sozialer Anerkennung. Wird uns eine dieser Anerkennungsformen nicht zuteil, gerät unser Leben in eine Krise, die wiederum in Kämpfe führen kann, mithin in Gewalt in irgendeiner Form, sei es körperlicher oder seelischer Art. Gewalt ist in diesem Kontext nichts anderes als ein Hilferuf, ein verzweifelter Versuch, doch noch Anerkennung zu bekommen. Indem man jemandem Gewalt zufügt, zwingt man ihn dazu, einem wenigstens Respekt zu zollen.«

»Verstehe«, sagte Ingo verblüfft. Das war genau der Text, den er in Necis Manuskript gelesen hatte. Der Typ konnte sein Buch auswendig hersagen!

»Nun, dass Sie das wirklich *verstehen*, wage ich zu bezweifeln, dazu habe ich es, der zeitlich beengten Situation geschuldet, zu oberflächlich erklärt«, wies ihn Neci hochmütig zurecht. »Bestenfalls kann es eine Vorstellung vermitteln, von welchen Faktoren wir hier reden.«

Ingo schluckte seinen Ärger über die Zurechtweisung hinunter. »Sie erwähnten noch eine zweite Theorie.«

»Die Theorie der Desintegration, richtig. Darunter versteht man die nicht eingelösten Leistungen gesellschaftlicher Institutionen und Gemeinschaften, die zur Sicherung der materiellen Grundlagen, der sozialen Anerkennung und der persönlichen Verwirklichung dienen. Je mehr und je ausgeprägter die Desintegrationserfahrungen, desto stärker die damit verbundenen Ängste und Konflikte und desto geringer die Fähigkeit, diese Konflikte zu regeln.«

»Das ist jetzt, glaube ich, wirklich schwer zu verstehen«, sagte Ingo tapfer. »Können Sie das vielleicht an einem Beispiel verdeutlichen?«

»Ich will es versuchen.« Neci verzog das Gesicht, damit auch jeder sah, welche Überwindung es ihn kostete, sich auf Ingos geistiges Niveau herabzulassen. »Einer der dominierenden Trends in modernen Gesellschaften ist die zunehmende Individualisierung – sagt Ihnen das was?«

»Ja«, meinte Ingo säuerlich. Die gönnerhafte Art seines Gegenübers war schwer zu ertragen.

»Diese führt einerseits zu mehr Freiheit für den Einzelnen, gleichzeitig sieht dieser sich aber auch vermehrtem Druck ausgesetzt, beispielsweise dem, sich selber auf dem Arbeitsmarkt einen befriedigenden Platz zu erobern. Je geringer die Wahrscheinlichkeit, dass dies gelingt, desto höher die Frustration bei den Verlierern dieses Wettbewerbs. Das heißt, sie sind Opfer eines gesellschaftlichen Prozesses, und von da aus ist der Weg zum aggressiven Täter nicht mehr weit.«

Ingo nickte und versuchte, so zu tun, als sei ihm das alles neu und als beeindrucke es ihn enorm. Dabei hatte er das meiste davon schon in Necis Manuskript gelesen (womit hatte er wohl die übrigen vierhundert Seiten gefüllt?), und es beeindruckte ihn kein bisschen.

»Ich versuche einmal, das zusammenzufassen«, sagte er. »Gewalttätige Eltern sind ein prägender Faktor?«

»Richtig.«

»Misshandlungen als Kind?«

»Genau.«

»Ablehnung durch die Eltern?«

»Exakt.«

»Mangelnde Wettbewerbsfähigkeit und die daraus resultierende Frustration?«

»So ist es.«

»Fehlende anderweitige Anerkennung?«

»Verschärft alles.«

»Was ist mit Faktoren wie Charakter? Mitgefühl? Selbstdisziplin?«, fragte Ingo. »Welche Rolle spielt so etwas?«

Neci musterte ihn wie ein Lehrer einen besonders begriffsstutzigen Schüler. »Der Charakter eines Menschen«, erklärte er betont, »ist das *Resultat* seines Aufwachsens, nicht dessen *Ursache.*«

»Der Sozialtheoretiker Amitai Etzioni definiert Charakter als die Fähigkeit, seine Impulse zu kontrollieren und Belohnung aufzuschieben, was die Voraussetzung für Erfolg, Leistung und moralisches Handeln ist«, las Ingo von einer der Karten vor, die er heute Vormittag in aller Eile vorbereitet hatte. »Der Politikwissenschaftler James Wilson hat gesagt, ein guter Charakter umfasse mindestens Empathie und Selbstkontrolle.«

»Die Gesellschaftswissenschaften sind ein weites Feld; natürlich werden Sie, wenn Sie lange genug suchen, nahezu jede beliebige Aussage finden und auch ihr Gegenteil«, erwiderte Neci mit ärgerlich gefurchten Brauen. »Aber ich weigere mich, auf so einem amateurhaften Niveau zu diskutieren, insbesondere, wenn Sie darauf bestehen sollten, jetzt auf einmal primitive soziobiologistische Argumente ins Spiel zu bringen. Fakt ist, dass der Mensch weitgehend prägungsfähig zur Welt kommt und sein Charakter, sein Temperament und seine Individualität sich aus seinen Erfahrungen ergeben, der Erziehung, die man ihm zukommen lässt, und allgemein der Kultur, in der er aufwächst.«

Okay. Zeit, dass er dieser Scharade ein Ende bereitete. Ingo stand auf, gab dem Tontechniker unauffällig das Zeichen, das er vor der Sendung mit ihm verabredet hatte. »So weit das, was uns die Wissenschaft zu diesem Thema als Erklärungen anbietet, liebe Zuschauer«, sagte er, an die Kameras gerichtet. »Lassen Sie uns das nun anhand eines konkreten Lebenslaufes nachvollziehen. Ich habe dazu einen Mann ins Studio eingeladen, der im Alter von fünfzehn Jahren zum ersten Mal vor dem Richter gestanden hat – Simon Schwittol.«

Der Aufnahmeleiter riss die Augen auf, blätterte hastig in seinen Unterlagen.

Dort würde er nichts finden. Diesen Gast hatte Ingo heute früh in buchstäblich letzter Minute selber organisiert. Er hatte ihn abgeholt, ihm eine der Eintrittskarten in die Hand gedrückt, die er am Tag zuvor bekommen hatte, ihn zum Eingang für die Zuschauer begleitet – und das Beste gehofft.

Nun überquerte Ingo die Bühne, trat über deren Rand hinab in den Zuschauerraum. Die Kameras folgten ihm, während er auf einen bärenhaft großen, glatzköpfigen Mann zuging, der in der ersten Reihe ganz außen saß.

»Guten Abend, Herr Schwittol«, begrüßte er ihn.

»Guten Abend, Herr Praise«, erwiderte der Mann, der deutlich über sechzig war, ein kariertes Hemd trug und die schaufelartigen Hände im Schoß gefaltet hielt.

»Herr Schwittol, welches Verhältnis hatten Sie zu Ihrem Vater?«

»Gar keines. Mein Vater hat meine Mutter verlassen, noch bevor ich auf der Welt war.« Die Kameras fanden ihre Positionen, brachten, wie Ingo in einem Hilfsmonitor sah, das von unvollständig verheilten Aknenarben gezeichnete Gesicht des Mannes in Großaufnahme. »Ich bin mit einem Stiefvater aufgewachsen, der mich nicht leiden konnte.«

»Hat er sie geschlagen?«

»Bei jeder Gelegenheit. Besonders schlimm, wenn er betrunken war, was im Lauf der Zeit immer häufiger vorkam.«

»Wie war das Verhältnis zu Ihrer Mutter? Erfuhren Sie bei ihr Liebe und Zuwendung?«

»Nein. Sie war jung, wollte was erleben, ich war ihr lästig. Sie hat mich schon früh allein zu Hause gelassen. Tagsüber, um zu arbeiten, und abends, um sich zu amüsieren.«

Ingo sah auf. Der Aufnahmeleiter wirkte sauer wegen der unabgesprochenen Einlage. Neci, auf den immer noch eine Kamera gerichtet war, nickte dagegen sichtlich zufrieden.

»Wie haben Sie darauf reagiert?«

Der grauhaarige Mann hob die Schultern. »Als Kind nimmt man die Dinge hin. Wenn ich allein war, hatte ich wenigstens keine Schläge zu befürchten. Sobald meine Mutter oder mein Stiefvater nach Hause kamen, habe ich mich versteckt. Solange er da war, hatte ich immer Angst.«

»Wie war es in der Schule? Hatten Sie Freunde? Haben Sie Solidarität erfahren? Solidarität, haben wir gerade gehört, ist enorm wichtig.«

»Ich war derjenige, auf dem alle herumgehackt haben, weil ich der Kleinste und Schwächste war. Die anderen Kinder waren eher noch grausamer als mein Stiefvater.«

»Wie waren Ihre schulischen Leistungen?«

»Schlecht. Ich konnte nichts wirklich gut. Vielleicht war ich in meiner Entwicklung auch zurückgeblieben, ich weiß es nicht. Auf jeden Fall habe ich nur katastrophale Noten geschrieben. Was mir zu Hause noch mehr Schläge eingebracht hat. Ich bin auf jeden Fall zweimal sitzengeblieben.«

»Und dann?«

»Es wurde besser, als ich einen Wachstumsschub hatte. Auf einmal war ich groß und stark genug, dass sich niemand mehr mit mir angelegt hat, nicht einmal mein Stiefvater. Aber Freunde zu finden war trotzdem schwierig. Ich habe versucht, in eine ... heute würde man sagen, eine *Gang* hineinzukommen, die es damals an unserer Schule gab. Coole Typen, die Autos geknackt, mit Drogen herumgemacht haben und nie ohne Schnappmesser unterwegs waren.«

»Und standen mit fünfzehn vor einem Richter.«

»Ja. Das erste und letzte Mal.«

»Worum ging es?«

»Ich sollte als Zeuge aussagen.« Simon Schwittol nickte ernst. »Der Wendepunkt meines Lebens.«

Ingo sah, dass Neci die Stirn runzelte. Offenbar merkte er schon, dass das hier nicht auf das hinauslaufen würde, was er erwartet hatte.

Ingo gab dem Tontechniker den vereinbarten Wink. Der hob den Daumen. Gut.

»Herr Schwittol, Sie waren vor Gericht. Was war geschehen?«

Der klobige Mann nickte bedächtig. Es sah aus, als wackle ein Felsbrocken. »Die von der Gang hatten einen Einbruch begangen, bei einer alten Frau, von der es hieß, sie sei reich. Ich war nicht dabei, aber ich hatte gewusst, was sie vorhatten.« Er knetete seine Hände. »Sie hatten mir zu verstehen gegeben, dass sie mich aufnehmen würden, wenn ich das Richtige sage. Sie entlaste. Das wollte ich eigentlich auch, aber dann habe ich diese kleine, alte Frau gesehen, all die Verletzungen, die sie ihr zugefügt hatten, das blaue Auge, die Abschürfungen am Kopf, den Arm in Gips ... Da wurde mir klar, dass ich auf dem falschen Weg bin.«

»Und dann?«

»Ich habe alles gesagt, was ich wusste, und die Gang damit ins Gefängnis gebracht. Nicht, weil sie die Frau verprügelt hatten, sondern wegen des Diebstahls und des angerichteten Schadens, und auch nicht für lange. Ich wusste, dass sie sich rächen würden, wenn sie wieder rauskamen.«

»Was haben Sie dagegen gemacht?«

»Ich wusste nicht, was ich machen sollte. Ich wusste nur, dass ich nicht so werden wollte wie die. Und auch nicht wie mein Stiefvater. Ich wollte etwas anderes ... ein *schönes* Leben, verstehen Sie? Dann habe ich im Fernsehen einen Bericht über Straßenkinder in Brasilien gesehen und über Hilfsorganisationen, die da was machen. Das hat mich beeindruckt. Ich hab mich erkundigt, eine Weile nachgedacht und bin schließlich einfach abgehauen, um beim Kinderhilfswerk Nord-Süd anzufangen, als Mädchen für alles, wie man so sagt.«

»Und dort sind Sie bis heute.«

»Ja.«

»Sie leiten es heute sogar.«

Schwittol zuckte verlegen mit den Schultern. »Ach Gott … Ich bin halt jetzt wieder in Deutschland, um Spenden zu sammeln, Hilfslieferungen und die Überseereisen von freiwilligen Helfern zu organisieren und solche Dinge. Zusammen mit einer Halbtagskraft, der Frau Schneider, die mehr von Computern versteht als ich.« Er grinste schief. »Also, im Grunde bin ich immer noch Mädchen für alles.«

»Aber Sie waren lange Zeit selber vor Ort.«

»Über dreißig Jahre. In Rio de Janeiro, São Paulo, Belém und Curitiba. Dort sind unsere größten Kinderhäuser.«

»Wie muss man sich das vorstellen?«

»Wir nehmen elternlose Kinder auf und versuchen, ihnen ein Zuhause zu geben. Schulbildung, persönliche Hygiene, gesunde Ernährung, all solche Dinge.« Er wedelte mit der Hand. »Man darf sich das nicht als Waisenhaus im klassischen Sinn denken. Es ist eher eine Art große Wohngemeinschaft. Nicht immer einfach, aber wir haben trotzdem viel Spaß. Wir haben Fußballmannschaften – Fußball ist wichtig in Brasilien –, wir haben eine Theatergruppe, wir feiern Feste …«

»Sie achten streng auf die Einhaltung von Regeln, habe ich gelesen.«

»Ja. Jedes Kind bekommt erklärt, dass es nicht stehlen darf, keine Drogen nehmen darf, dass es keine Sachen mutwillig kaputt machen darf, dass Streitigkeiten nicht durch Gewalt gelöst werden. Insgesamt sind es ein Dutzend Regeln. Einfache Regeln, die jeder verstehen kann.«

»Und wer dagegen verstößt?«

»Wer einmal dagegen verstößt, wird vor der ganzen Gruppe

verwarnt. Wer ein zweites Mal dagegen verstößt, bekommt die Chance, es wiedergutzumachen. Wer ein drittes Mal dagegen verstößt, muss gehen.«

»Da sind Sie unerbittlich?«

Schwittol sah ihn traurig an. »Anders geht es nicht. Wenn Sie Regeln aufstellen, müssen Sie ihre Einhaltung erzwingen, sonst können Sie es lassen. Und ohne Regeln kann man nicht zusammenleben.«

»Wie viele Kinder haben Sie verstoßen?«

»In dreißig Jahren vier. Es hat uns jedes Mal das Herz gebrochen.«

Jemand klatschte, dann fielen die übrigen Zuschauer ein. Als der Applaus wieder abebbte, sagte Ingo: »Aber nun habe ich eine Frage, Herr Schwittol: Warum sind Sie kein Gewalttäter geworden?« Er zählte die Punkte an den Fingern ab. »Sie hatten einen Stiefvater, der Sie verprügelt hat. Sie sind von Ihrem leiblichen Vater verlassen und von Ihrer Mutter vernachlässigt und abgelehnt worden. Sie waren schlecht in der Schule, also nicht wettbewerbsfähig. Sie hatten keine Freunde, haben also auch anderweitig keine Zuwendung erfahren. Laut Professor Neci hätten Sie gar keine andere Wahl gehabt. Sie hätten zwangsläufig zuschlagen müssen!«

»Man hat immer eine Wahl. Sie ist nur nicht immer einfach. Manchmal ist der richtige Weg schwieriger zu gehen.«

»Sie widersprechen Professor Neci? Bedenken Sie, dass er ein Fachmann ist, einer der bedeutendsten Experten auf dem Gebiet.«

Schwittol hob unbeeindruckt die Schultern. »Ich habe die Versuchung gespürt, gewalttätig zu werden. Das schon. Aber gleichzeitig wusste ich, wenn ich ihr nachgebe, habe ich verloren. *Erst dann* habe ich verloren. Und ich hab beschlossen, mich nicht unterkriegen zu lassen.«

»Sie verkörpern sozusagen den Gegenbeweis.«

»Ich habe keine besonderen Talente. Ich denke, wenn ich es konnte, können es andere auch.«

»Danke, Herr Schwittol. Vielen, vielen Dank für Ihre Geschichte.« Ingo wandte sich der Kamera zu. »Liebe Zuschauer, wenn Sie mehr über das Kinderhilfswerk Nord-Süd erfahren wollen, dann besuchen Sie die eingeblendete Website. Im Anschluss an diese Sendung werden wir außerdem Kontaktanschrift und Spendenkonto anzeigen. Alle Informationen finden Sie natürlich auch auf unserer Homepage.«

Er drehte sich zur Bühne um, auf der Neci einsam in seinem Sessel saß wie ein dicker Frosch. »Professor Neci, was sagen Sie dazu? Ihre Theorien sind wertlos. Mehr noch, sie sind absolut unoriginell. Es sind Theorien, wie sie in tausend Mutationen kursieren und unsere Kultur durchdringen wie Schimmelpilz. Allen ist eines gemeinsam: Sie leugnen die Verantwortung des Einzelnen für sich selbst.«

Zaghafter Applaus aus dem Publikum. Neci erwiderte etwas, aber man hörte ihn nicht, weil sein Mikrofon abgeschaltet blieb.

»Das ist es, was diese Theorien so attraktiv macht: dass man die Schuld auf jemand anderen schieben kann. Die Gesellschaft ist schuld. Der Kapitalismus. Die Eltern. Die Ausländer. Die Medien. Irgendjemand, Hauptsache, nicht man selbst. Ihre Theorien, Professor Neci, dichten Täter zu Opfern um. Ihre Theorien behaupten, dass Täter nichts dafür können, dass sie gewalttätig werden. Und das, Professor Neci«, sagte Ingo und deutete mit dem Zeigefinger auf ihn, »ist eine *Lüge*.«

Es war unerwartet befriedigend, das auszusprechen, es hier zu sagen, vor den Zuschauern im Studio, vor Kameras, die seine Worte in die Welt hinaustrugen: wie eine Befreiung von einer Last, die Ingo zeit seines Lebens mit sich herumgetragen hatte.

Er hatte das Gefühl zu glühen, innerlich zu brennen. Doch es war ein gutes Gefühl. Es fühlte sich an wie jenes nächtliche Fieber, das den Beginn der Heilung markiert.

»Es ist eine Lüge«, wiederholte Ingo. »Es gibt niemanden, der nicht weiß, was Gewalt ist und wann er Gewalt anwendet.

Wenn Sie jemanden schlagen, dann wissen Sie, dass Sie Gewalt anwenden. Wenn Sie jemanden in den Bauch treten, dann wissen Sie, dass Sie Gewalt anwenden. Und wenn jemand gewalttätig handelt, gibt es nur eins, was man tun kann: ihn zu stoppen. Ihm unmissverständlich verstehen zu geben, dass sein Verhalten nicht akzeptabel ist.«

Beifall. Lauter Beifall. Sie hörten gar nicht mehr auf zu klatschen. Es war wie ein Rausch.

»Aber tun wir das?«, fuhr Ingo fort, als es wieder möglich war. »Tut unsere Gesellschaft das? Nein, das tun wir nicht. Im Gegenteil – wir *belohnen* Gewalttäter noch. Wir belohnen sie mit Aufmerksamkeit, Verständnis und Mitgefühl. Ihr Armen, sagen wir ihnen, ihr könnt ja nichts dafür. Wir, die Gesellschaft, sind schuld; lasst es uns wiedergutmachen. Verzeiht uns, dass ihr gewalttätig werden musstet. Das ist es, was wir ihnen zu verstehen geben.«

Noch mehr Beifall. Einige standen auf, klatschten im Stehen. Die Kameras fuhren von Ingo weg, schwenkten über das Publikum. Der Aufnahmeleiter bedeutete Ingo zu warten.

Endlich, nach einer Ewigkeit, kam wieder eine Kamera auf Ingo zu, kam das Zeichen, weiterzusprechen.

»Gewaltkarrieren entstehen, weil wir sie regelrecht züchten«, erklärte Ingo. »Wir züchten sie durch falsch angewandte Milde. Wir züchten sie, weil wir zu feige sind. Wir reden uns ein, es reiche, Werte zu proklamieren. Aber das reicht nicht – man muss seine Werte auch verteidigen. Wir reden uns ein, wenn wir zu denen, die unsere Werte mit Füßen treten, nur nett genug sind, werden sie auch nett zu uns sein. Doch das funktioniert nicht. Wir sehen es jeden Tag in den Nachrichten. Ach was – wir brauchen einfach nur quer durch diese Stadt zu gehen, um zu sehen, dass Ihre Theorien nicht funktionieren, Professor Neci!«

Der Aufnahmeleiter deutete auf die Bühnenuhr – noch zweiundfünfzig Sekunden –, bedeutete ihm, Schluss zu machen.

Umso besser. Damit musste er Neci nicht mehr zu Wort kommen lassen.

»Wir hören in den Medien immer nur von den Tätern«, sagte Ingo hastig. »Wir hören immer nur davon, was sie dazu treibt, ihre Untaten zu begehen. Angeblich. Wir hören, dass es an ihrer schlechten Kindheit lag, an fehlender Chancengleichheit, an Überforderung, Gewalt im Elternhaus, unglücklichen Umständen. Wir hören so gut wie nie von ihren Opfern. Wie es denen ergeht. Wie sie mit den Folgen der Tat leben. Und vor allem – *vor allem*, liebe Zuschauer – vor allem hören wir nie von Menschen, die die gleichen Schicksale hinter sich haben, die gleichen verkorksten Kindheiten, prügelnden Väter und lieblosen Mütter, und die trotzdem nicht zu Gewalt gegriffen haben. Die keine Verbrecher geworden sind. Was Sie in den Medien nie hören, ist, dass das, was jemand tut, eine Frage seines *Charakters* ist. Und deshalb will ich es endlich sagen.«

Dann kam nur noch Applaus, bis die roten Signallampen an den Kameras erloschen.

»Das war infam«, sagte Neci hinterher, kochend vor Wut. »Das war eine Falle.«

»Nein, die Wahrheit«, erwiderte Ingo, trunken von dem Erlebnis. »Ungewohnt, was?«

Damit ließ er ihn stehen.

16   Innozenzia Müller führte den Kiosk beim Effertz-Kino schon ihr ganzes Leben lang. Lotto, Toto, Tabak und Süßigkeiten. Sie sah nicht ein, wieso sie damit aufhören sollte, nur weil sie zufällig siebzig Jahre alt war. Der Kiosk gehörte ihr schließlich, hatte ihr schon gehört, als das Kino noch *Central-Lichtspiele* geheißen und man für eine Eintrittskarte nur ein paar Pfennige gezahlt hatte. Mit riesigen gemalten Filmplakaten und Filmstars wie Maria Schell, Lieselotte Pulver und O. W. Fischer – ach ja.

Und was sollte sie zu Hause die Wände anstarren, wenn sie stattdessen in ihrem Kiosk sitzen und den Leuten zugucken konnte, wie sie ins Kino strömten? Manche deckten sich vorher bei ihr mit Süßigkeiten ein, denn drinnen war alles viel teurer. Man musste die Sachen halt im Mantel hineinschmuggeln. War kein Problem. Reichte, kurz nach zwanzig Uhr Schluss zu machen.

Dass die drei Jungen, die an diesem Abend um fünf vor acht hereinkamen, Ärger machen würden, wusste sie irgendwie gleich. Schon weil die beiden, die sie draußen ließen, aussahen, als stünden sie Schmiere. Aber es ging alles viel zu schnell, als dass sie das Telefon erreichen und die Notruftaste hätte drücken können. Die drei zogen sich blitzschnell Skimasken über die Köpfe und kamen auf sie zugerannt. Einer raffte dutzendweise Zigarettenschachteln aus dem Regal und stopfte sie in eine Sporttasche, die beiden anderen sprangen über die Theke, stießen sie weg, boxten sie in den Bauch und gegen die Brust, dass sie hinfiel.

Der eine machte sich hektisch an der Kasse zu schaffen, bekam sie aber nicht auf.

»Wie geht die Kasse auf? Hä?«, schrie der andere sie an. »Wie geht die Scheiß-Kasse auf?«

Innozenzia Müller sah wie erstarrt in seine vor Hass und Gier glänzenden Augen. »Ich weiß nicht …«

Sie wusste es wirklich nicht. Sie wusste nicht, wieso die Kasse nicht aufging. Das Gerät war über zwanzig Jahre alt, hatte jeden einzelnen Tag davon zuverlässig funktioniert.

»Du verdammte alte Schlampe«, schrie der Maskierte und schlug wieder auf sie ein, hieb ihr mit der Faust mitten ins Gesicht, noch einmal, und noch einmal, hörte gar nicht mehr auf. »Sag mir sofort, wie die verdammte Kasse aufgeht!«

Innozenzia Müller konnte nicht mehr antworten, weil die Schmerzen sie lähmten, ihr Sterne vor den Augen tanzten, das Blut in ihren Ohren rauschte. Sie spürte, wie ihr Gebiss im Mund unter den Schlägen zerbrach, brachte mühsam die Arme hoch, um sich zu schützen, und bekam dafür Boxhiebe in die Seiten.

In diesem Moment knallte es zweimal kurz hintereinander. Zwei Körper prallten dumpf und schlaff gegen die Scheiben, eine Kombination von Geräuschen, die die drei Angreifer erschrocken innehalten und hochfahren ließ, um nachzusehen, was da los war.

Draußen in der Dunkelheit stand eine leuchtende Gestalt, übernatürlich strahlend wie ein Engel, beide Arme erhoben. Das war das Letzte, was die drei sahen. Im nächsten Augenblick splitterte die Fensterscheibe rings um drei Durchschusslöcher, und die drei waren tot, ehe sie begriffen, was geschah.

11 Neuer Tag, neues Glück. Tim Kerner verstaute seine Brote im Kühlschrank, wischte sich die Hände ab und warf sich mit Schwung in seinen Schreibtischsessel. Der knackste bedenklich. Vielleicht ließ er das in Zukunft lieber. Man musste ja nichts herausfordern.

Er zog den Kasten heran, legte den Kopf in den Nacken, bis es darin ebenfalls knackste, schob den Kasten wieder von sich. Er hatte ein kleines Tief, merkte er. Hatte er mittwochs meistens, weil er sich dienstagabends immer mit ein paar alten Kumpels zum Kartenspielen traf, in einer gemütlichen Kneipe nicht weit von seiner Wohnung. Das wurde gern ein bisschen später und, na ja. Jedenfalls, in richtiger Topform war er nicht.

Vielleicht besser, er warf erst mal einen Blick auf die Fundstücke, die ihn noch vor Rätsel stellten. Viele waren es nicht: Ganze drei Plastikbeutel hatten sich in der durchsichtigen Plexiglasbox angesammelt. Er zog sie heraus. Ein seltsam geformtes Metallteil, von dem er nach wie vor keine Ahnung hatte, woher es stammen mochte. Aus einem elektronischen Gerät, das kaputtgegangen war, so sah es aus. Am besten, er fragte mal einen Kollegen aus der Abteilung Technik.

Er legte den Beutel beiseite, nahm den nächsten heraus. Ein winziges Püppchen aus Holz, bunt bemalt. Hatte wahrscheinlich überhaupt nichts mit dem Fall zu tun, sondern war mal Bestandteil eines Schmuckstücks gewesen, aus irgendeinem Grund abgefallen und im Gras verloren gegangen. Aber man musste auf Nummer sicher gehen.

Ja, und dann diese seltsame Faser. Die beschäftigte ihn am

meisten. Er öffnete den Beutel, griff nach einer seiner zahlreichen Pinzetten, fasste sie damit und wollte sie herausziehen …

Als etwas geschah.

Er bekam nicht richtig mit, was, war in Gedanken woanders gewesen, nicht ganz da. Wie gesagt: Mittwoch. Aber irgendetwas zuckte in seiner Hand, blitzte auf, so plötzlich und so überraschend, dass er alles fallen ließ und danach minutenlang auf die Sachen hinabstarrte, die vor ihm auf der Arbeitsfläche lagen: der Plastikbeutel, die Holzpinzette, das schwarze Haar aus diesem rätselhaften Kunststoff.

Hatte das wirklich *aufgeblitzt*? Quatsch, oder? Eine Spiegelung wahrscheinlich.

Andererseits: Eine Spiegelung *wovon*? Sein Arbeitsraum war mit reflexionsfreien Lampen ausgestattet, aus gutem Grund. Schließlich griff Tim Kerner bedächtig nach der Pinzette, fasste das künstliche Haar, hob es hoch, studierte es aus der Nähe. Es glänzte nur schwach, wirkte so betrachtet eher, als bestünde es aus Leder, nicht aus Plastik.

Rätselhaft. Hatte er neuerdings Halluzinationen?

Tim Kerner ließ die alkoholischen Getränke Revue passieren, die er am Vorabend konsumiert hatte. Nichts Besonderes dabei, er war eher zurückhaltend gewesen. Er neigte außerdem nicht dazu, ernsthaft an der Zuverlässigkeit seiner Sinne zu zweifeln.

Irgendetwas stimmte mit dieser Faser nicht.

Und er würde herausfinden, was es war!

Nachdem er den Hörer wieder aufgelegt hatte, blieb Ingo noch einen Moment stehen. »Ja, klar, kommen Sie vorbei«, hatte David Mann gesagt. »Ich habe auch vormittags einen Kurs, der steht nur nicht im offiziellen Programm. Bringen Sie einen Trainingsanzug mit, wenn Sie wollen.«

Nein, das wollte er nicht. Das hatte er gleich klargestellt. »Kein Problem«, war die Antwort gewesen.

Also. Was machte er sich Sorgen? Was war es, das ihn

hemmte, ihm das Gefühl gab, sich durch zähe Luft bewegen zu müssen, wenn er David Mann in dessen Sportschule aufsuchte?

Der Umstand, dass es sich um körperliche Auseinandersetzungen handelte, natürlich. Das war ihm schon klar. Es half bloß nichts, dass ihm das klar war.

Er ließ den Hörer los. Schluss damit. Dann würde er sich eben durch zähe Luft bewegen. Er musste dorthin, Punkt. Ingo schnappte seine Tasche und eine Jacke und ging.

Die Fahrt raus nach Spannwitz dauerte eine gute halbe Stunde, dafür fand er die Adresse auf Anhieb. *Schule für KRAV MAGA.* Da stand es. Das Schild schimmerte makellos. Ingo stieß die Tür auf, stieg die Treppe hoch, immer den Pfeilen nach. Eine opulente Glastüre, ein Aufkleber, der auf das Vorhandensein einer Alarmanlage hinwies. Er zog die Tür auf, betrat Räume von klinischem Weiß, nur der Boden bestand aus freundlich schimmerndem Holz. Geräusche von irgendwoher, Gespräche, Gelächter, das Klappern von Metallspinden, das Quietschen von Gummisohlen auf Parkett. Eine Glasscheibe, dahinter ein Büro, aus dem David Mann ihm zuwinkte.

»Sie kommen gerade richtig, um sich ein Training echter Profis anzuschauen«, begrüßte ihn der Selbstverteidigungs-Lehrer. Wie anders er im Trainingsanzug aussah! Man merkte, dass er in seinem Element war.

»Okay«, sagte Ingo, dabei wäre er am liebsten gleich wieder gegangen. Aber nun war er schon mal hier, und er hatte ja ein Anliegen. Daran hielt er sich fest.

Es ging in einen – wie nannte man das? Trainingsraum? Turnhalle? Ein großer, schmuckloser Raum, der aussah, wie solche Sporträume eben aussehen: kahl, mit Sprossenwänden an einem Ende und einem Stapel blauer Matten am anderen. Einige wandhohe Spiegel, wobei Ingo nur eine verschwommene Vorstellung davon hatte, wozu sie dienen mochten. Ein gutes Dutzend junger Männer in Sportkleidung war schon da, es kamen noch ein paar hinzu, während er sich umsah.

Was hieß jung? Die meisten waren in seinem Alter, bloß muskulöser, besser trainiert, mit der Ausstrahlung von Olympioniken. Ingo fühlte sich klein und bedeutungslos angesichts so viel geballter Virilität, aber David Mann stellte ihn vor, erklärte, er sei Journalist und wolle sich das Krav-Maga-Training mal ansehen, und als einer der Männer, einer mit kurzen, dunkelblonden Locken und einem kecken Oberlippenbärtchen, meinte: »Machen Sie nicht diese Sendung im Fernsehen?«, und Ingo bejahen musste, waren alle spürbar beeindruckt.

»Was wir hier machen, ist die Ausbildung von Trainern für den Bundesgrenzschutz«, erklärte David Mann Ingo anschließend. »Ich bringe ihnen also nicht einfach Krav Maga bei, sondern darüber hinaus, wie sie anderen Krav Maga beibringen können.«

Ingo nickte, blinzelte. »Ist das nicht, ähm ... geschäftsschädigend?«, entfuhr es ihm.

Alle lachten, aber es war ein sympathisches Lachen, so, als hielten sie das für einen gelungenen Witz.

»Oh je«, meinte auch David Mann grinsend. »Ich glaube, der Markt ist viel zu groß für solche Befürchtungen.«

Dann ging es los. Eine Reihe anstrengend aussehender Übungen, um sich warm zu machen, anschließend erklärte David Mann eines der Grundkonzepte der Ausbildung. »Wir bilden immer zwei Gruppen, die einen spielen die Angreifer, die anderen verteidigen sich. Das steigern wir nach und nach. Wir beginnen mit einem Angreifer und einem Verteidiger, spielen verschiedene Arten des Angriffs durch. Dann zwei Angreifer, ein Verteidiger. Drei. Vier. Dann Gruppen von Verteidigern – fünf Angreifer, zwei Verteidiger. Und so fort. Das geht natürlich über viele Unterrichtsstunden. Die grundlegenden Griffe, Stöße und Hebel müssen sitzen, bevor zehn Leute auf einen losgehen. Wir verwenden auch Schutzkleidung, damit Boxhiebe, Schläge und dergleichen mit voller Wucht ausgeführt werden können. Das schauen wir uns nachher einmal an. Vorher will ich Ihnen erklären, was Sie über die Psychologie von Angreifern und den Ablauf von Angriffen wissen sollten.«

Die Männer, die um den Trainer herumstanden, waren die aufmerksamsten Zuhörer, die sich jemand wünschen konnte. Ingo beobachtete sie neiderfüllt. Er musste an den alten Spruch vom gesunden Geist in gesunden Körpern denken und kam sich schrecklich unzulänglich vor, wie ein trockener Ast in der Gesellschaft saftvoller, elastischer, starker Triebe.

»Was Sie sich immer wieder klarmachen müssen«, begann David Mann seinen Vortrag, »ist, dass jemand, der Sie angreift, völlig anders tickt als Sie selber. Ein Krimineller hat eine grundlegend andere Weltsicht, unter Umständen eine ganz andere Moral als Sie. Für ein Mitglied einer Straßengang zum Beispiel, wie sie in manchen Teilen der Welt häufig sind, ist das Töten nichts Verwerfliches, sondern ein Zeichen von Männlichkeit, vielleicht ein Aufnahmeritual. Für Mitglieder mafiöser Organisationen sind Mitglieder der eigenen Familie, der eigenen Gruppe sakrosankt – ihnen gegenüber wird er nicht einmal lügen –, alle anderen Menschen dagegen sind Freiwild, das man berauben, missbrauchen oder töten kann, wie es den eigenen Zwecken am besten dient. Menschen, die nicht der eigenen Gruppe angehören, werden also im Grunde nicht als Menschen, nicht als gleichwertig betrachtet: Das ist ein Muster, das sich überall findet. Es ist uralt. Es ist eine bedeutende kognitive Leistung, durch alle äußerlichen Unterschiede hindurch die grundsätzliche Gleichartigkeit seines Gegenübers zu erkennen. Und zu dieser Leistung sind noch bei Weitem nicht alle Menschen fähig. Oder einfach ausgedrückt: Die meisten Verbrecher sind zu dumm dazu.«

Gelächter, Schmunzeln auf den Gesichtern, aber es war ein angespanntes Schmunzeln. Die Blicke blieben wachsam.

»Das werde ich Ihnen alles noch so oft sagen, dass es Ihnen irgendwann zu den Ohren rauskommt«, flachste David Mann und fuhr sich mit der Hand über die schütteren Haare. »Kommen wir zum Ablauf eines Angriffs. Jeder Angriff durchläuft fünf Stufen. Ich nenne sie Entschluss, Austesten, Angriffsposition, Attacke und Reaktion. Erklär ich gleich genauer. Wichtig ist, dass Sie verstehen, wie diese Stufen auseinander hervorgehen. Der eigentliche Angriff geschieht in der vierten Stufe, der Attacke. Das heißt, der Attacke gehen drei Stufen voraus, und nur wenn Sie die erkennen, haben Sie eine Chance, zu verhindern, dass es überhaupt zu einem Angriff kommt. Das ist auch mit ein Grund, warum ich so viel Wert darauf lege, dass Sie überzeugend sind, wenn Sie den Angreifer spielen. Wir machen das nicht nur, damit die Verteidiger einen Gegner haben, sondern auch, damit Sie lernen, instinktiv zu verstehen, was in einem potenziellen Angreifer vor sich geht. Sie müssen, wenn Sie den Angreifer spielen, ihn nicht nur spielen, sondern Sie müssen ein Angreifer *sein*. Sie müssen denken wie ein Angreifer, fühlen wie ein Angreifer. Weisen Sie das nicht von sich! Zivilisiert zu sein heißt nicht, diese Impulse nicht zu *haben!* Zivilisiert sein heißt, sie zu *beherrschen*. Ein Angreifer ist nichts anderes als eine banale, würdelose Variante des Jägers, und unsere Spezies hat den größten Teil der Zeit, die sie existiert, als Jäger und Sammler gelebt, nicht als Ackerbauer oder Computerprogrammierer. Das heißt, wir haben die entsprechenden Instinkte alle noch in uns, wir müssen sie nur wecken und anerkennen.«

Ingo musste an seinen Vater denken und was der zu diesem Thema zu sagen gehabt hätte. Er hätte David Mann in praktisch jedem Punkt widersprochen.

Allerdings war sein Vater in seinem Leben auch niemals einem Kriminellen begegnet. In einer Jugendherberge hatte ihm einmal jemand, wie er öfters erzählt hatte, sein Shampoo entwendet: Das war die einzige Untat, der sein Vater je zum Opfer gefallen war. Und da war noch fraglich, ob es sich nicht vielleicht einfach um ein Versehen gehandelt hatte.

»Die erste Stufe. Der Entschluss. Das ist etwas, das sich völlig im Inneren des Angreifers abspielt: Er beschließt, eine Gewalttat zu begehen. Er überschreitet dabei eine innere Grenze, vor der Menschen normalerweise zurückschrecken, die er aber wahrscheinlich schon öfter übertreten hat, sei es durch reale Taten oder nur in der Vorstellung. Diese Grenzüberschreitung verändert sein Verhalten auf eine Weise, die man wahrnehmen kann. Seine Körpersprache ist auf einmal anders. Seine Augenbewegungen sind andere, seine Sprechweise ist anders, seine Wortwahl – viele Zeichen, die Sie auf der unbewussten Ebene durchaus erkennen und die Ihnen ein ungutes Gefühl geben. Die meisten Menschen übergehen dieses Gefühl, weil es ihnen unangemessen vorkommt – und dadurch werden sie zu Opfern.«

»Aber manche Leute rasten einfach aus«, wandte ein etwas untersetzter Mann ein, der geballte Kraft ausstrahlte. »Die haben da vorher keine Entschlüsse gefasst. Hundertprozentig nicht.«

David Mann nickte. »Guter Einwand, danke. Natürlich laufen diese Stufen nicht immer schön gleichmäßig ab, vor allem nicht nach einem festen Zeitplan. Manchmal geht alles blitzschnell. Aber auch das hat immer eine Vorgeschichte. In jemandem, der eines Tages ausrastet, hat sich vorher viel angesammelt – auch das kann man spüren. Auch so jemand muss sich irgendwann sozusagen selber die Erlaubnis gegeben haben, auszurasten, wenn der Druck zu hoch wird. Das entspricht der ersten Stufe. Er beschließt, dass es okay ist, auszurasten. Dass das sein gutes Recht ist, wenn ihm die Welt schon so viel Ungemach zumutet.« Er hob die Hand, ließ sie fallen. »Auch wenn das hart klingen mag: Letztlich liegt es an seiner mangelnden Fähigkeit, Probleme zu lösen.«

Ingo trat zur Seite und lehnte sich gegen den Türrahmen. Es war schrecklich heiß hier drinnen. Wie wollten die da nachher noch Sport treiben, ohne tot umzufallen? Kopfweh hatte er auch, verdammt.

»Die zweite Stufe«, hörte er David Mann weiter ausführen, »ist das Austesten. Die wenigsten Angreifer springen einfach plötzlich aus dem Gebüsch. Viel zu riskant. So jemand will wissen, mit wem er es zu tun hat, und vor allem, ob er sich vielleicht eine blutige Nase holt, wenn er den Betreffenden angreift. Deshalb checkt er erst einmal ab, ob die Zielperson auch als Opfer taugt. Bei den meisten Verbrechen redet der Täter vorher mit dem späteren Opfer – in der Regel unter einem Vorwand. Bei fast allen Vergewaltigungen hat der Täter die Frau vorher unter irgendeinem Vorwand berührt. Er macht das, weil er sehen will, wie das Opfer auf Übergriffe reagiert. Er sucht nach Mängeln in der Aufmerksamkeit, nach Gelegenheiten, nach übermäßiger Furcht, die sich ausnutzen lässt, nach Zeichen, ob der Betreffende sich wehren wird und wie wirkungsvoll er sich wehren wird. Wenn Sie jemand um einen Euro bittet, um Feuer für eine Zigarette, oder Sie nach der Uhrzeit fragt, dann kann es wirklich nur um den Euro, das Feuer, die Zeit gehen – es kann aber auch ein Vorwand sein, ein Versuch, Ihre Grenzen auszutesten, herauszufinden, ab wann Sie ein klares Signal geben, dass der andere eine rote Linie überschreitet, ob Sie nervös werden, ob Sie zurückschrecken – kurzum: Wie weit er gehen kann. Insbesondere Berührungen sind ein wichtiges Signal, auf das Sie achten müssen. Wenn jemand Sie plötzlich auf eine Weise berührt, die eine Grenzüberschreitung darstellt, kann es sein, dass Sie sich bereits mitten in den Vorbereitungen eines Verbrechens befinden.«

Ziemlich interessant, fand Ingo. Wenn bloß diese Kopfschmerzen nicht gewesen wären. Das kannte er gar nicht von sich, er neigte eigentlich nicht zu Kopfweh, nicht einmal, wenn er die Nächte durcharbeitete.

»Dieses Austesten kann äußerst unterschiedlich ablaufen. Es kann insgeheim vor sich gehen, es kann sich über lange Zeit hinziehen, es kann harmlos anfangen und plötzlich in einen Angriff eskalieren, es kann von Anfang an aggressiv sein, es kann als Stalking beginnen, und, und, und. All diese Varianten besprechen wir im Lauf der Zeit genauer. Ihnen allen gemeinsam ist, dass sie, wenn das Opfer abgecheckt ist, in die dritte Stufe übergehen: Der Angreifer begibt sich in eine Position, von der aus er einen Angriff führen kann. Dabei spielen im Wesentlichen nur drei Elemente eine Rolle – erstens das Überraschungsmoment, zweitens, dem anderen den Fluchtweg abzuschneiden, und drittens, sich ihm zu nähern für den eigentlichen Angriff. Diese drei Elemente müssen gegeben sein, und die müssen Sie erkennen lernen. Das ist nicht schwierig – wie gesagt, Kriminelle sind alles andere als Intelligenzbestien. Wenn Sie erst einmal wissen, worauf Sie achten müssen, könnte der andere auch ein rotes Alarmlicht am Kopf haben.« David Mann hob die Hände. »Wenn es ihm aber gelingt, Sie in eine Ecke zu drängen, Sie zu überraschen und sich Ihnen zu nähern, dann beginnt der eigentliche Angriff.«

Verdammt interessant, das alles, sagte sich Ingo. Wenn es bloß nicht so heiß gewesen wäre hier drinnen. Vielleicht war es eine gute Idee, David Mann noch einmal in seine Sendung einzuladen, um diese Dinge vor Fernsehpublikum zu erläutern.

»Und schließlich, ganz wichtig, Stufe fünf – die Reaktion auf all das. Ihre Reaktion. Die Reaktion des Angreifers auf Ihre Reaktion. Was passiert, wenn Sie sich wehren? Es kommt zum Kampf. Vielleicht gelingt es Ihnen, sich zu wehren, vielleicht aber auch nicht. Wenn Sie nicht trainiert sind, gelingt es Ihnen eher nicht. Bedenken Sie, der Angreifer *ist* trainiert. Er hat das ziemlich sicher schon einmal gemacht, und es hat gut genug funktioniert, dass er bereit ist, es zu wiederholen.« David Mann drehte sich langsam um sich selbst. »Doch was ist, wenn Sie nachgeben? Wenn Sie Furcht zeigen? Das kann bei Ihrem Angreifer eine Art Machtrausch auslösen. Bedenken Sie, kein emotional gesunder Mensch greift einen anderen, den er für schwächer hält, mit einer Waffe an. Das machen nur emotionale Krüppel, Leute, die selber Schwächlinge sind, die das aber um nichts in der Welt zugeben würden. So jemand hat Sie jetzt vor sich, zitternd vor Furcht, und findet sich damit in einer Position wieder, die er als unbegrenzte Macht empfindet. Es ist buchstäblich unvorhersagbar, was so jemand dann tun –«

»Oh!«, rief plötzlich einer der jungen Männer und wies in Ingos Richtung. Alle sahen sie auf einmal her, alle mit ganz erschrockenen Gesichtern.

Da erst merkte Ingo, dass ihm Blut aus der Nase schoss, ein feuchter, roter Strom, der ihm heiß und klebrig in den Mund lief und über das Kinn den Hals hinab in sein T-Shirt.

Victoria hatte das Gefühl, nach und nach zwischen zwei gegensätzlichen Empfindungen zerrieben zu werden. Auf der einen Seite schien die Zeit dahinzurasen – gestern war der neue Biokorb gekommen, ohne Zeitung diesmal, aber dennoch das eindeutige Signal, dass schon wieder eine Woche verstrichen war. Heute hatten die Kontoauszüge im Briefkasten gelegen: das Zeichen, dass ein weiterer Monat vorüber war. Und alles so rasend schnell!

Auf der anderen Seite schien überhaupt keine Zeit zu vergehen. Sie hatte vielmehr das Gefühl, denselben Tag wieder und wieder zu durchleben. Unmöglich, dass es schon drei Tage her sein sollte, dass sie im Priesterseminar angerufen hatte. Es konnte nicht sein, dass Peter sie auf eine solche Bitte hin nicht anrufen würde, oder? Nein, das war undenkbar. Also konnte es nur heißen, dass der Mann, mit dem sie telefoniert hatte, ihre Nummer eben doch nicht weitergegeben hatte.

Ob sie es noch einmal versuchen sollte? Das kam ihr zwecklos vor. Vielleicht war das die Art, wie sie derlei Dinge handhaben: den Anrufenden alles versprechen, Hauptsache, sie gaben Ruhe, und dann nichts davon tun, um den spirituellen Frieden ihrer Zöglinge nicht zu stören.

Aber wen sollte sie sonst anrufen? Sie hatte zu niemandem von damals mehr Kontakt. Genau genommen hatte sie überhaupt keine Kontakte mehr, abgesehen von ihren beruflichen Aktivitäten. Der Einzige, der sich an ihren Geburtstag erinnerte, war ihr Computer.

Solche und ähnliche, immer wieder gleiche Überlegungen anstellend, stand sie ewig lang vor dem Tischchen mit dem Telefon, bis ihr schließlich etwas Wichtiges klar wurde: nämlich, dass das Telefon ohnehin nicht die Lösung war. Sie würde nicht mit Peter sprechen können, ohne ihn dabei vor sich zu haben, sein Gesicht zu sehen, den Ausdruck in seinen Augen. Es hatte keinen Zweck, ihn anzurufen. Es musste ein persönliches Gespräch sein, nichts anderes kam infrage.

Und das war selbstverständlich völlig unmöglich.

»Machen Sie sich keine Gedanken«, meinte David Mann, während er Ingo eine weitere eiskalte Kompresse in den Nacken legte. »Mit Nasenbluten haben wir hier reichlich Erfahrung. Das ist sozusagen die häufigste Nebenwirkung des Trainings. Eine ungeschickte Bewegung des Partners – und zack, schon ist es passiert.«

Ingo sah den tiefroten Tropfen nach, die von seiner Nasenspitze auf die schneeweiße Keramik des Waschbeckens tropften. Wie Blut auf Schnee. Man hätte ein Foto davon als Umschlag eines Thrillers verwenden können.

»Ich habe aber doch gar nichts gemacht«, meinte er. Wegen der blutstillenden Watte in seinem Nasenloch klang es wie: *Ig abe aba dog ga nikt gemagt.*

»Dann wird es die Aufregung gewesen sein.«

Ingo wurde das Gefühl nicht los, auszulaufen, hier in diesem kahlen, rundherum in Weiß und Edelstahl gehaltenen Toilettenraum zu verbluten. Seine Fingerspitzen fühlten sich bereits ganz kalt an.

»Ich hab Ihnen ja gleich gesagt, dass das nichts für mich ist«, sagte er.

David Mann lachte. »Eine derart heftige Ablehnung finde ich ehrlich gesagt schon fast verdächtig. Aber ich will Sie zu nichts zwingen. Das muss von Ihnen selber kommen. Und wenn nicht, dann halt nicht.«

Ingo drehte den Kaltwasserhahn wieder auf, verteilte das Wasser mit der Hand im Becken, spülte das Blut in den Ausguss. »Eigentlich wollte ich Sie nur fragen, ob Sie den Sohn einer …

einer Bekannten unterrichten würden. Vierzehn Jahre alt. Er wird in der Schule gemobbt, und ich dachte, vielleicht –«

»Klar«, sagte der Selbstverteidigungs-Lehrer sofort. »Am besten gleich morgen Nachmittag. Um fünfzehn Uhr ist der Einführungskurs für Jungen zwischen zwölf und sechzehn, um sechzehn Uhr dreißig der für Mädchen. Übrigens ist der Umgang mit Mobbing bei uns ständiges Thema.«

»Er ist nicht so der Kämpfertyp. Sein Lieblingsfach ist Kunst.«

»Dann ist er hier genau richtig.« David Mann hob die Kühlpackung ab. Ingos Nacken fühlte sich tiefgefroren an. »Und? Ich hab das Gefühl, es hat aufgehört.«

Ingo richtete sich behutsam auf, betrachtete sich im Spiegel. Er sah aus wie der einzige Überlebende eines Massakers. »Oh je. So kann ich unmöglich auf die Straße.«

»Keine Sorge, Sie kriegen ein T-Shirt von mir. Mit dem Logo meiner Schule sogar.« Er deutete auf Ingos blutverkrustete Brust. »Wenn Sie das gleich hier ausziehen und in kaltem Wasser auswaschen, kriegen Sie die Flecken vielleicht raus. Sie nehmen es in einer Plastiktüte nass mit nach Hause, lösen zwei Aspirin in gerade so viel eiskaltem Wasser auf, dass das T-Shirt bedeckt ist, und lassen es mindestens zwei Stunden einweichen. Dann sofort in die Waschmaschine und das Beste hoffen.«

»Sie kennen sich wirklich aus, was?« Ingo fasste das T-Shirt am Halsausschnitt, versuchte, es sich über den Kopf zu ziehen, ohne allzu viel Blut in seine Haare zu bringen.

»Mit manchen Dingen schon«, sagte David Mann.

»Sorry für die Umstände.« Das Unterhemd hatte auch etwas abgekriegt. Er zog es ebenfalls aus. Jetzt hörte man ganz weit weg hektische Schritte, Gerumpel, Schreie. Die Jungs vom Bundesgrenzschutz hatten sich, während David Mann ihn mit untergehaltener Hand weggeführt hatte, ohne Zögern um die Blutflecken auf dem Boden gekümmert. »Die machen das Training ohne Sie, wie es sich anhört.«

Der Krav-Maga-Trainer schmunzelte. »Das ist ja auch der Sinn der Sache.«

Irgendwann hob Tim Kerner den Kopf vom Okular des Mikroskops, sah auf die Uhr und war baff: Wie die Zeit verging! Kein Wunder, dass ihm allmählich der Magen knurrte, es war schon fast Mittag. Er hatte den ganzen Vormittag damit verbracht, diese seltsame Faser von vorne bis hinten zu studieren. Und immer noch nicht die leiseste Idee, womit er es zu tun hatte.

Er rieb sich das Gesicht, massierte seine Augenwinkel. Er würde jemanden fragen müssen. Um Hilfe bitten. Was er hasste. Alleine arbeiten zu können war einer der Vorzüge seines Jobs, den er am meisten schätzte.

Er überlegte. Es gab drüben im Hauptlabor ein geringfügig leistungsstärkeres Mikroskop – bloß hatte er irgendwie das Gefühl, dass ihm das auch nicht weiterhelfen würde.

Aber eine Materialanalyse vielleicht. Das hieß, rüber ins Hans-Jochen-Lommatsch-Institut fahren, ins Anwenderzentrum Materialforschung. Die konnten alles – Dünnschicht-Charakterisierung mit einem Raster-Auger-Mikroskop, Fotoelektronen-Spektroskopie, Transmissionselektronenmikroskopie, Nuklearmagnetresonanz, Gaschromatografie, die ganze Palette rauf und runter. Die arbeiteten auch häufig für die Kriminalistik, kannten sich aus.

Wenigstens hatte er dort einen Ansprechpartner, den er kannte. Er seufzte, nahm den Hörer ab – der war staubig, hatte er so lange nicht mehr telefoniert? –, suchte die Nummer heraus und wählte. Starrte die rätselhafte schwarze Faser an, während es am anderen Ende klingelte.

Eine Frau meldete sich. Er sagte, wen er sprechen wolle, und sie sagte ihm, es täte ihr leid, aber Doktor Müller sei schon seit anderthalb Jahren nicht mehr da, sie habe seine Stelle übernommen. Beatrice Woll sei ihr Name, was sie für die Kriminalpolizei tun könne?

Tim Kerner hatte die Website des Anwenderzentrums sowieso gerade am Schirm, brauchte also nur ins Mitarbeiterverzeichnis zu klicken. Da: Professor Doktor Beatrice Woll. Habilitation über anorganische nanostrukturierte Materialien. Professorin im Studiengang Mess-, Sensor- und Oberflächenanalysentechnik. Aussehen tat sie aber ganz harmlos. Richtig nett sogar.

»Ich bräuchte einen Termin«, sagte Tim Kerner. »Ich hab da einen Fall, bei dem ich mit meinem Latein am Ende bin.«

»Kommen Sie doch gleich«, sagte Frau Professor Doktor Woll freundlich.

Aspirin? Erst als Ingo in der U-Bahn nach Hause saß, kam er dazu, über diesen Tipp nachzudenken und darüber, wie merkwürdig er ihn fand. Wobei er sich mit Fleckentfernung und Wäschepflege nicht auskannte; er war zum ersten Mal in der Verlegenheit, Blut aus einem seiner Kleidungsstücke waschen zu müssen. Aber ausgerechnet *Aspirin* …?

Er betastete den allmählich trocknenden Wattepfropf in seinem Nasenloch. Hoffentlich würde das nicht wieder anfangen zu bluten, wenn er den nachher rauszog. In rund sechs Stunden musste er im Studio stehen, da konnte er keine blutende Nase gebrauchen.

Also gut. Er würde das mit dem Aspirin versuchen. Warum auch nicht. Er stieg eine Haltestelle früher aus, um in einer Apotheke welches zu besorgen. Er fröstelte, als er an die Oberfläche kam, nur mit dem T-Shirt unter der Jacke.

Hier war der Wahlkampf in vollem Gange. Hundertfach begegneten einem die immer selben Gesichter, grinsten einen von aufgestellten, angeklebten, an Laternenmasten festgezurrten oder aufgehängten Anschlagtafeln an. Manche der Plakate waren abgerissen, mit Dreck beworfen oder beschmiert: WEG MIT IHM hatte jemand über das Porträt des amtierenden Oberbürgermeisters gekritzelt.

Später, zu Hause, als er den Pfropf herauszog, kam nur noch ein wenig einer blutigen, glibberigen Masse mit heraus und ein paar Resttropfen, aber ansonsten blutete die Nase nicht mehr. Er warf die Watte weg, spülte das Waschbecken mit viel Wasser aus. Dann musste er sich erst einmal setzen. Er fühlte sich, als hätte er einen Berg bestiegen oder einen Baum mit bloßen Händen ausgerissen oder dergleichen, völlig erledigt auf jeden Fall. Selbst Sitzen war noch zu anstrengend, also legte er sich auf die Couch, starrte an die Decke, den rechten Unterarm über der Stirn, und dachte eine Weile lang gar nichts.

Als er wieder fit genug war, um aufzustehen, probierte er das mit der Aspirinlösung. Er nahm etwas mehr Wasser und drei Tabletten, wegen des Unterhemds. Ziemliche Sauerei, das alles. Er fühlte sich richtiggehend geschwächt, sobald er das viele Rot sah, von dem er sich sagen musste, dass es sich dabei ja um sein eigenes Blut handelte. Und wenn es hundertmal stimmte, was ihm David Mann mit auf den Weg gegeben hatte: Dass vergossenes Blut immer nach viel, viel mehr aussehe, als es tatsächlich sei. Eine instinktgesteuerte Verzerrung der menschlichen Wahrnehmung, so ähnlich, wie einem Höhen dramatischer vorkamen als dieselben Entfernungen in der Ebene. Weil Blutverlust schon immer Lebensgefahr bedeutet hatte und Höhe schon immer die Gefahr, zu Tode zu stürzen.

Okay, zwei Stunden einweichen konnten die Stücke zum Glück ohne ihn. Es tat gut, sich endlich an den Schreibtisch zu setzen und zu arbeiten. Er rief den Aufnahmeleiter an, erkundigte sich, ob mit den vorgesehenen Gästen alles klappte. Tat es. Das ermutigte Ingo zu einer weiteren Frage, nämlich, ob er Mitschnitte seiner Sendungen haben könne, auf DVD zum Beispiel. Wer mochte wissen, wie lange diese Reihe laufen würde? Es konnte Rado jeden Tag einfallen, die Sache wieder einzustampfen und die nächste Variante zu starten. Dann würden diese Aufnahmen das Einzige sein, was er später einmal würde vorzeigen können. Von seinen Kindershows besaß er nichts mehr außer der Erinnerung, wie peinlich ihm jede einzelne Sendung gewesen war.

Er checkte seine Mails. Etliche Dutzend Zuschauer hatten ihm geschrieben, dass sie seine Sendung gut fänden.

Wir sollten uns mehr in der Welt umschauen, wie es andere machen, und daraus lernen. In Singapur zum Beispiel werden Gewalttäter mit Peitschenhieben bestraft: Man glaubt gar nicht, wie wirksam das ist! In keiner anderen Großstadt können Sie sich nachts so sicher fühlen wie dort, schrieb einer.

Ein anderer: *Ich will ja niemandem was Böses wünschen, aber dieser eingebildete sogenannte Professor ist meines Erachtens noch nie einem wirklichen Gewalttäter begegnet.*

Ein dritter: *Ich würde auch in Ihre Sendung kommen. Wie viel Honorar kriegt man da? Ich hatte vor zwei Jahren eine Schlägerei auf Mallorca, ich allein gegen zwei angetrunkene Engländer, die beide zehn Jahre jünger waren als ich. Ich hab die mit Karate fertiggemacht, aber dann bin ich schnell abgehauen, auf den Rat des Wirts hin, um keine Scherereien mit der Polizei zu kriegen. Es ist überall dasselbe! Wer sich verteidigt, ist der Arsch, bloß die Schlägertypen fasst man mit Samthandschuhen an.*

Ein vierter: *Machen Sie weiter so! Endlich mal jemand, der die Dinge beim Namen nennt!*

Auf seinem Blog hingegen tat sich immer noch nichts. Ingo fragte sich, wo die Leute, die ihm schrieben, eigentlich seine E-Mail-Adresse herhatten. Schließlich fiel ihm ein, sich die Website der Sendung anzuschauen. Tatsächlich, da stand sie, dick und fett, direkt unter einem Foto von ihm und neben einer heftig geschönten Version seines Lebenslaufs.

Anschließend rief er Evelyn an. Im Büro. Sie war ganz verdutzt, dass er am Telefon war, wollte wissen, woher er die Nummer habe.

»Recherchiert«, sagte Ingo. »Das machen Journalisten manchmal.«

Sie schien geschmeichelt, dass er sich ihretwegen so viel Mühe gemacht hatte. Dabei war es ein Kinderspiel gewesen; ihr Arbeitgeber stand im Telefonbuch. Laut Gelben Seiten war er der einzige Importeur griechischer Lebensmittel im Stadtteil Neubogen und damit der Einzige, auf den Evelyns Behauptung, sie könne zu Fuß ins Büro gehen, zutreffen konnte.

»Ich habe Ihre Sendung gestern gesehen«, erzählte sie. »Ich fand es großartig, wie Sie diesem aufgeblasenen Professor die Luft herausgelassen haben. Dass Sie aber auch gerade jemanden mit einer solchen Lebensgeschichte im Publikum hatten ...«

»Das war kein Zufall. Ich wusste, was Professor Neci sagen würde.«

»Trotzdem. Wie Sie das gemacht haben ... Beeindruckend. Doch. Sie kommen sehr gut rüber als Moderator. Hätte ich ehrlich gesagt gar nicht gedacht, so, wie ich Sie kennengelernt habe. Aber jetzt ... also, ich glaube, Sie werden noch berühmt.«

»Ach was.«

»Doch. Glaube ich.«

»Das sind nur die fünfzehn Minuten Ruhm, die jeder irgendwann hat. Wie man so sagt.«

Evelyn gab ein unwilliges Knurren von sich. »Ehrlich gesagt fand ich diesen Spruch schon immer entsetzlich. Der entwertet irgendwie alle Anstrengungen, die man unternimmt.«

Ingo beschloss, das nicht weiter zu vertiefen. »Ich ruf Sie eigentlich an, um Sie was zu fragen, wegen Kevin«, sagte er, womit er ihre Aufmerksamkeit natürlich sofort auf das neue Thema lenkte. Er erklärte ihr, was er Kevin vorschlagen wollte, nämlich einen Krav-Maga-Kurs für Jugendliche zu besuchen.

Am anderen Ende der Leitung herrschte erst mal Stille. »Ich weiß nicht«, meinte sie mit hörbarem Unbehagen. »Ich weiß nicht, ob ich will, dass mein Sohn sich mit seinen Mitschülern prügelt.«

»Es geht nicht darum, dass er sich prügelt, sondern dass er imstande wäre, sich zu verteidigen, wenn es sein muss. Meiner persönlichen Erfahrung nach werden nämlich hauptsächlich diejenigen verprügelt, die sich *nicht* verteidigen können«, sagte Ingo und merkte gerade noch, dass er im Begriff gewesen war, an dem verkrusteten Schorf in seiner Nase zu popeln. Er nahm die Hand weg, schob sie unter seinen Oberschenkel. »Außerdem umfasst diese Methode ganz viel Prävention – also, was man im Vorfeld machen kann, dass es gar nicht erst zu Gewalt kommt. Dass man anders auftritt, verstehen Sie?«

Er fühlte den Hörer in seiner Hand glitschig werden von dem Schweiß, der ihm plötzlich ausbrach. Schon seltsam, wie er heute reagierte. Vielleicht hatte er zu wenig geschlafen. Oder es waren Nachwirkungen von dem Stress, unter dem er am Vortag gestanden hatte, wegen Neci. Die Hektik, Schwittol aufzutreiben, zu überreden, abzuholen und durch den Zuschauereingang zu bugsieren. Die bangen Minuten, die es jeweils gedauert hatte, den Tonmann zu beschwatzen, Necis Mikrofon auf ein Zeichen hin abzudrehen, und den Live-Cutter, die Website Schwittols einzublenden, ohne jemandem von der Crew etwas zu sagen.

»Ich weiß nicht.« Evelyn seufzte. »Wann wäre das denn?«

Sein Mailprogramm poppte mit einem Fenster auf, das ihn um sein Einverständnis bat, eine Mail von mehr als zehn Megabyte Umfang zu laden. Ingo klickte auf OK und sagte: »Morgen Nachmittag um drei. Ich würde ihn auch hinbringen.«

Er hörte sie überrascht einatmen. »Das müssen Sie doch nicht!«

»Würde ich aber gerne. Außerdem war es ja meine Idee.« Er räusperte sich, nahm den Hörer in die andere, trockenere Hand. »Ich stell mir einfach vor, es wird ihm lieber sein, jemand ist dabei, als wenn er da ganz allein hinmuss.«

Der Ladebalken auf dem Bildschirm füllte sich sehr, sehr langsam. Die Mail musste *wesentlich* größer sein als zehn Megabyte.

»Also gut«, sagte Evelyn. »Ich frag ihn mal. Bis wann müssen Sie Bescheid wissen?«

»Ich hab das Okay, dass wir einfach nur zu kommen brauchen. Im Grunde muss ich es halt morgen früh wissen, damit ich ihn abholen komme.«

»Das ist wirklich fürsorglich von Ihnen, aber ich will Ihnen keine großen Hoffnungen machen. Kevin *hasst* Sport.«

»Hab ich mitgekriegt. Aber Krav Maga ist kein Sport. Das betont Herr Mann ungefähr dreimal pro Stunde.«

»Na gut. Das sag ich ihm.« Sie hüstelte. »Ich glaube, ich muss aufhören, es kommt gerade jemand.«

»Kein Problem«, sagte Ingo.

Nach dem Telefonat saß er einfach nur da und schaute dem blauen Balken zu, wie er den 100 Prozent entgegenstrebte. Die Absenderadresse sagte ihm überhaupt nichts, eine wilde Folge von Buchstaben und Ziffern, so ähnlich wie die E-Mail-Adresse, die der IT-Mensch letzte Woche verwendet hatte, als es darum gegangen war, so zu tun, als sei das Video mit dem Racheengel per anonymer Mail auf Ingos alten Rechner geschickt worden.

An diesem Punkt seiner Überlegungen stutzte Ingo. War das hier am Ende …?

Auf einmal konnte er es kaum erwarten, dass der Download abgeschlossen war. Noch vier Prozent. Noch drei. Er legte die Hände vor den Mund, spürte, wie sich sein Körper verspannte. Achtundneunzig. Neunundneunzig.

Endlich verschwand der Balken. Ingo klickte die Mail an. *Machen Sie was draus.*

Das war der ganze Text. Und die Anlage, dreiundsechzig Megabyte groß, war tatsächlich ein Video. Ingo ließ es laufen, verließ sich wie immer darauf, dass die Anti-Viren-Software ihn irgendwie vor dem Schlimmsten bewahren würde.

Zunächst erschien einfach weiße Schrift auf schwarzem Grund: *Vernehmung Zeuge Sven Dettar.* Dazu eine zehnstellige Identifikationsnummer und das Datum vom Dienstag letzter Woche. Dann: ein Krankenhausbett, darin ein verstört wirkender Jugendlicher, vielleicht achtzehn, neunzehn Jahre alt, mit kahl geschorenem Kopf.

Zwei Männer, die rechts und links des Bettes saßen und von denen man nur die Hinterköpfe sah, befragten ihn. Ihre

Stimmen hallten in dem leeren Krankenzimmer, waren manchmal kaum zu verstehen. Den Jungen verstand man gut. Die Männer fragten ihn nach seinem Namen, nach Wohnort, Geburtsdatum und anderen persönlichen Daten. Er antwortete einsilbig, aber gehorsam.

Dann fragte einer der Männer, was passiert sei.

Der Junge zog den Kopf ein, schien im Kissen verschwinden zu wollen. Er schluckte, musste mehrmals ansetzen. Dann sagte er: »Da war ein Engel.«

18 Ingos Herz pochte wild, als das Video zu Ende war. Er tastete nach seiner Nase, befühlte die Oberlippe, ob da etwa schon wieder Blut …? Nein. Zum Glück. Sein Blutdruck musste auf einem ziemlich ungesunden Wert sein.

Von wem kam dieses Video? Und was sollte er damit anfangen? Seine Hand zitterte, als er nach der Maus griff und den Videozeiger zurücksetzte, irgendwo in die Mitte, dahin, wo es anfing, interessant zu werden. Ach was, interessant – erschütternd!

»Da war auf einmal Licht. So wie Neonlicht. Als hätte jemand eine Neonröhre eingeschaltet«, stammelte der blasse Junge in dem Krankenhausbett. »Ich hab mich gewundert, was das sein kann, aber da hat er schon geschossen, hat Nico abgeknallt und Tim. Ich hab gesehen, wie es rausspritzt, das Blut, das Hirn, wie aus 'nem Spray kam das aus ihren Köpfen raus …«

Er verstummte, bebte am ganzen Leib.

»Und dann?«, fragte einer der Männer.

»Es war der Engel«, flüsterte der Junge mit heiserer Stimme. »Ich hab mich umgedreht, und da war er. Hat geleuchtet, von oben bis unten. Ehrlich. Ich hab so was noch nie gesehen. Jemand, der wie in Licht getaucht dasteht. Als würde er von innen raus leuchten … Ich hab gleich gewusst, dass es ein Engel sein muss. Er hat keine Flügel gehabt oder so, aber er sah so unwirklich aus, so … Keine Ahnung. Einen langen Mantel hat er angehabt, bis fast zu den Knöcheln runter, und der Mantel hat gestrahlt, richtig geleuchtet hat der. Echt. Ich bin da gestanden und hab … keine Ahnung, ich weiß nicht mehr, was ich gedacht hab. Ich hab bloß gedacht, Scheiße, meine Oma hat recht, es gibt ja doch Engel, das ist ja doch alles wahr. Und da hält mir der Engel eine Pistole vors Gesicht und sagt: ›Von jetzt an werden alle, die Schwächere oder Unschuldige angreifen, sterben. Du bist die letzte Ausnahme, die ich mache.‹ Genau das hat er zu mir gesagt.«

Die Hände des Jungen hatten sich in die Bettdecke gekrallt, zogen daran, als wolle er darunter Schutz suchen.

»Dann ist er auf mich zugekommen. Hat auf mich gezielt mit seiner Knarre, genau auf meine Stirn, ich schwör, genau zwischen die Augen. Scheiße, hab ich gedacht, jetzt ist es aus.«

Sein Brustkorb hob und senkte sich rasch. Er hechelte, schluckte ohne Unterlass, schien nicht mehr imstande, weiterzusprechen.

»Und dann?«, bohrte der Mann nach.

Der Junge holte tief Atem, bibbernd. »Dann hat er gesagt: ›Sag allen, dass ich von jetzt an über diese Stadt wache. Und dass ich alle bestrafe, die sich an Schwachen vergreifen.‹ Das hat er gesagt. Das soll ich tun.«

»Und dann?«

Der Junge machte eine kraftlose Geste in Richtung seiner Beine. »Dann hat er mir ins Knie geschossen. Scheiße, Mann. Er hat mich zum Krüppel geschossen, der verdammte Hurensohn …« Er brach in Tränen aus, heulte wie ein Schlosshund.

Dann war das Video wieder zu Ende.

Ingo ließ die Maus los, sank nach hinten gegen die Lehne, wusste kaum, wohin mit seinen Händen. Das war die nächste Sensation, oder? Das war eine Verhöraufzeichnung der Polizei. Wer hatte ihm das geschickt?

Sein erster Impuls war, zum Telefon zu greifen, um Rado anzurufen und ihm alles zu erzählen. Rado würde wissen, was zu tun war.

Aber dann tat er es doch nicht. Rado? Rado hatte ihn gestern ins offene Messer laufen lassen. Rado spielte sein eigenes

Spiel, hatte noch nie ein anderes gespielt, und man konnte nie wissen, welche Rolle man selber in diesem Spiel hatte.

Nein. Er würde Rado diesmal nichts sagen. Überhaupt – das war seine Sendung! Er war es, der seinen Kopf hinhielt. Also würde er sich von jetzt an selber darum kümmern, welche Gäste eingeladen wurden und über welche Themen man diskutierte.

Es fühlte sich gut an, das zu beschließen.

Allerdings beantwortete es nicht die Frage, was er mit dem Video machen sollte.

Ingo versuchte sich zu beruhigen. Nachzudenken. Wenn das ein Video der Polizei war, dann hieß das, dass es einen weiteren Fall gegeben hatte, in dem der Racheengel aufgetaucht war, dass die Polizei diesen Fall jedoch verheimlichte. Was an sich schon ein Skandal war. Die eigentliche Sensation aber war natürlich das, was der Racheengel dem Typen aufgetragen hatte. Weil das eindeutig hieß, dass der Unbekannte eine Mission verfolgte. Dass er gekommen war, um die Schwachen zu beschützen. Das war nach diesem Video nichts mehr, was man sich einreden konnte oder auch nicht, sondern eine Tatsache: Der Racheengel war angetreten, um Angst und Schrecken unter den Gewalttätern dieser Stadt zu verbreiten.

Das durfte doch nicht geheim bleiben! Das war etwas, das man aller Welt verkünden musste!

Und er, Ingo Praise, war berufen, genau das zu tun.

Er musste sich bloß noch sorgfältig überlegen, wie er es am besten anstellte.

Irgendwann am Nachmittag konnte Victoria nicht mehr. Sie saß am Boden, Schachteln mit alten Fotos um sich herum verteilt, Tagebücher aus ihrer Kindheit, Poesiealben aus der Grundschule, Faltkartons voller Erinnerungsstücke von Reisen mit ihren Eltern, Briefe, Postkarten – ihr ganzes Leben, bis heute weggesperrt in einem Schrank auf der Galerie, zwischen ausrangierten, unmodern gewordenen Kleidungsstücken, von denen sie sich noch nicht hatte trennen können, und Verpackungsmaterial, das sie aufgehoben hatte für den Fall, dass ein per Internet gekauftes Gerät defekt wurde und zurückgeschickt werden musste. Staubig waren die Schachteln gewesen, Jahre der Nichtbeachtung in Form von Staub. Die Fotos waren verblichen und viel winziger, als sie sie in Erinnerung hatte. Manche wellten sich, hatten Flecken bekommen, Farbe verloren. Aber es war alles noch da. So saß sie seit Stunden, hatte die Zeit vergessen, alle Mahlzeiten, das Versprechen, heute mit einer Redakteurin zu telefonieren, mit der sie dringend ein paar Fragen klären musste. Sie war nicht da. Sie reiste durch ihre Vergangenheit.

Hier, die Reise nach Ungarn. Da, der Urlaub auf Gran Canaria, zusammen mit den Nachbarn, die sie, seltsamer Zufall, am Flughafen getroffen hatten. Schulfotos. Zeugnishefte. Ausgaben der Schülerzeitung.

Und immer wieder Fotos von ihr und Peter. Es war ernst gewesen mit ihnen. Nicht in dem Sinn, dass sie was miteinander gehabt hätten, in sexueller Hinsicht, was man eben meistens damit meinte, wenn man sagte, es sei ernst. Sie waren erst vierzehn gewesen damals, beide noch zu jung, zu kindlich, zu behütet, um mehr zu wagen als lange, innige Küsse. Na und? Ernst war es ihnen trotzdem gewesen. Sie war davon ausgegangen, ihr Leben mit Peter zu verbringen, und er, das hatte er oft erkennen lassen, auch. *Wenn wir mal verheiratet sind* hatten sie im Gespräch oft gesagt, manchmal auch *wenn wir mal Kinder haben.*

Und dann …

Der Vorfall.

Und hinterher war es aus gewesen. Zu Ende. Einfach so.

Es wurde allmählich dunkel. Sie blätterte immer noch durch Alben, durchlebte immer noch ihre Kindheit, ihre Jugend, die schöne erste Hälfte davon und die einsame, angsterfüllte, verzweifelte zweite Hälfte davon. Den Tod ihrer Eltern. Erst ihr Vater an einem Herzinfarkt, schnell war es gegangen.

Wenige Jahre später die Mutter, an Krebs, nicht so schnell, aber am Schluss müheloser, fast, als sei sie erleichtert gewesen, endlich gehen und ihre neurotische Tochter mit ihren Panikattacken zurücklassen zu können.

Und immer wieder die Fotos, auf denen sie und Peter nebeneinander standen, saßen, miteinander lachten. Das eine, auf dem er sie an der Hand hielt, mit herrlicher Selbstverständlichkeit. Keine zehn Jahre alt waren sie damals gewesen. Ein Schwarz-Weiß-Foto. Sie konnte es nicht anschauen, ohne dass der Kloß in ihrer Kehle größer und größer wurde, der Druck in ihrer Brust, das Brennen in ihren Augen.

Dass es immer dunkler wurde, war der einzige Hinweis, dass Zeit verging. Ihr Körper gab keine Signale mehr von sich, verspürte keinen Hunger, keinen Durst, kein anderes Bedürfnis, abgesehen von dem, zu weinen, das aber endlos. Sie wollte nicht weinen. Wenn sie erst einmal anfing, würde es kein Halten mehr geben. Sie würde ihr Kleid durchnässen, den Teppichboden, sie würde die unteren Stockwerke vollaufen lassen mit salzigen Tränen. Ertrinken würde sie, und niemand würde kommen, um sie zu retten. Niemand. Wie niemand je gekommen war, um sie zu retten.

Als Ingo beim Sender ankam, war dort die Hölle los. »So viele Zuschauer wollten noch nie in eine Sendung«, erklärte der Aufnahmeleiter atemlos. »Wir haben jetzt in der Cafeteria einen Beamer aufgestellt. Für alle, die nicht mehr ins Studio passen. Diana organisiert ein paar Leute mit Handkamera und Mikro. Die sollen das aufzeichnen, vielleicht können wir das irgendwie einspielen. Meinungsumfragen und so.«

»Aha«, machte Ingo ratlos. Was hieß das? Dass die Sendung gut ankam? »Was sagt denn Herr Törlich dazu?«

»Der?« Bernd Spute verdrehte die Augen. »Keine Ahnung. Den habe ich schon ewig nicht mehr gesehen. Hat wahrscheinlich seit gestern Dauersitzung mit dem Vorstand. Ist jedes Jahr um diese Zeit so. Das liebe Geld halt.«

Nicht schlecht. Das hieß, dass die beiden wichtigsten Personen, die seinen Plan durchkreuzen konnten, anderweitig beschäftigt waren. »Da fällt mir ein«, sagte Ingo und versuchte, so zu tun, als fiele ihm das tatsächlich gerade erst ein, »ich werde vielleicht während der Sendung ein Video geliefert bekommen, das ich zeigen will. Meinen Sie, es wäre möglich, einen DVD-Player auf die Bühne zu stellen, in den ich das einfach nur reinzuschieben brauche?«

Der Aufnahmeleiter furchte die hohe Stirn. »Einspieler macht normalerweise die Bildregie«, erklärte er. »Nicht der Moderator.«

»Es ist eine Zeitfrage«, sagte Ingo. »Ich denke halt, das wäre dramaturgisch besser so. Falls es klappt.«

»Was ist das denn für ein Video?«

»Es geht um den Racheengel. Mehr weiß ich auch nicht.« Glatt gelogen. Ingo hatte das Video mit dem simplen Bearbeitungsprogramm, das er auf seinem Rechner hatte, zurechtgeschnitten und auf eine DVD gebrannt.

Der beleibte Mann schüttelte den Kopf. »Nee. Sorry. Da jetzt auf die Schnelle ein Gerät auftreiben ist das eine, es so zu verkabeln, dass es auch zuverlässig funktioniert, das andere. Sorry, da müssen wir eine andere Lösung finden.«

Das hatte sich Ingo von vornherein gedacht. Aber Zweck der Übung war gewesen, die Diskussion von der Frage, *ob* das Video gezeigt werden sollte, so schnell wie möglich wegzubringen. Nun ging es nur noch darum, *wie* es gezeigt werden sollte, und das hieß, er hatte so gut wie gewonnen.

Sie pilgerten zur Bildregie. Dort saß eine schlecht gelaunte, irgendwie krötenartig aussehende Frau hinter tausend Regelknöpfen, hörte sich alles kaugummikauend an und meinte schließlich nur: »Ja. Soll es halt herbringen.«

»Falls es noch rechtzeitig ankommt«, betonte Ingo. »Drücken Sie mir die Daumen.«

Sie sah nicht so aus, als habe sie das vor. Sie hob nur kurz die Augenbrauen und sagte: »Is' gut.«

Warten. Die Maske über sich ergehen lassen. Die Karten mit den Fragen hundertmal überprüfen, auf Vollständigkeit, richtige Reihenfolge, Lesbarkeit. Dann, fünf Minuten vor achtzehn Uhr, ging Ingo wieder in die Bildregie, allein diesmal, zog die DVD aus der Jackentasche, in der er sie die ganze Zeit mit sich herumgetragen hatte, gab sie der Krötenfrau und sagte: »Hier. Hat sogar schneller geklappt als gedacht.«

»Mmmh«, knurrte sie und krallte sich das Jewel-Case. »Und wann wollen Sie das haben?«

»Nach den beiden Gästen, so ungefähr sieben Minuten vor Schluss. Ich kündige das an.«

»Okay.« Sie quetschte die DVD in eine mit allerhand anderem Zeug bedenklich vollgestopfte Ablage.

Das würde schon klappen, sagte sich Ingo, während er hinter der Bühne Aufstellung nahm, den Blick auf den Monitor gerichtet, auf dem die letzten Sekunden bis zum Beginn der Sendung heruntergezählt wurden. Und wenn nicht, dann halt nicht.

Abends nach der Lagebesprechung mit den Ermittlern ging Ambick ein paar Akten durch, die im Zusammenhang mit den Fällen standen, die er eigentlich abgegeben hatte. Aber den Kollegen, die jetzt daran arbeiteten, waren eben noch einige Dinge daran unklar. Er dachte voller Neid an die Fernsehkommissare und wie die immer den Freiraum hatten, sich ganz auf einen einzigen Fall zu konzentrieren. So luxuriös war die Wirklichkeit leider nicht, nicht einmal, wenn man eine Sonderkommission leitete.

Die Tür ging auf. Zu seiner Überraschung kam Enno zurück, der sich eigentlich schon in den Feierabend verabschiedet hatte.

»Die Schießerei gestern Abend beim Effertz-Kino«, rief er und schwenkte die Aktenmappe, die er in der Hand hielt. »Die Ballistik meint, es war wohl doch kein Fall fürs Dezernat Bandenkriminalität.«

»Wie das?«

»Weil die Kugeln«, sagte Enno und legte den Bericht vor ihn hin, »alle aus den Pistolen des Racheengels stammen.«

»Sieh an.« Ambick schob die Akte beiseite, in der er gerade gelesen hatte, drehte seine Schreibtischlampe so hin, dass sie die Pinnwand und den Stadtplan beleuchtete, und stand auf. »Effertz-Kino.« Immerhin, so gut kannte er sich mittlerweile aus, dass er das auf Anhieb fand. Er nahm eine Nadel mit rotem Kopf und steckte sie an die betreffende Stelle.

»Wie viele waren das? Fünf, oder?«

»Yep. Zwischen sechzehn und neunzehn Jahre alt.«

»Hmm.« Er trat einen Schritt zurück, betrachtete die Karte. Es ergab immer noch kein Bild, aus dem man irgendwelche Rückschlüsse hinsichtlich einer bevorzugten Route, sonstiger Gewohnheiten oder gar eines Wohnsitzes ziehen konnte. Der Racheengel schien sein Auftreten gleichmäßig auf die Stadt zu verteilen.

»Hilft uns nicht weiter«, stellte auch Enno fest.

»So ist es.« Ambick griff nach dem Bericht, überflog ihn. Die Frau, die überfallen worden war, hatte am Boden gelegen und demzufolge nicht gesehen, wer ihre Angreifer erschossen hatte. Sie lag im Krankenhaus, hatte erhebliche Verletzungen vor allem im Gesicht und am Kiefer davongetragen. Die fünf Jugendlichen waren alle tot. Alle punktgenau in den Kopf geschossen, drei davon offenbar durch die Fensterscheibe hindurch. »Wird wirklich Zeit, dass jemand den bösen Buben mal Bescheid gibt, was sie riskieren.«

Er hatte es nur gemurmelt. »Was?«, fragte Enno irritiert.

»Nichts«, sagte Ambick und heftete den Bericht an die Pinnwand. »Gar nichts.«

Der Titeltrailer. Der Racheengel in dramatischer Slow-Motion, so überarbeitet, dass er wie ein Scherenschnitt vor einem Hintergrund wirkte, der farblich von Rot nach Blau changierte. Die Titelmusik, die für alle Varianten dieser Sendereihe verwendet wurde. Dann Ingo, der durch die Bühnentür trat, hinaus ins Scheinwerferlicht, vor die drei Kameras und die hundertfünfzig Zuschauer, die ihn mit einem Applaus begrüßten, als seien es tausend.

»Guten Abend«, sagte Ingo, aber sie klatschten einfach weiter, als wollten sie ihn gar nicht mehr zu Wort kommen lassen.

Es war fast wieder wie damals. Nur, dass diesmal nicht Kinder und ihre Eltern applaudierten und es nicht um zu fangende Ringe, zu werfende Bälle und zu gewinnende Punkte ging. In diesem Moment fand es Ingo beinahe bestürzend, wie sich Fernsehsendungen ähnelten und wie wenig es eine Rolle zu spielen schien, wovon sie handelten.

»Diese Sendung ist Menschen gewidmet, die andere Menschen verteidigen«, fuhr er fort, als er sich schließlich Gehör verschafft hatte. »Begrüßen Sie mit mir im Studio: Walter Uhl!«

Unter weiterem Applaus betrat ein derber, breitschultriger Mann Anfang vierzig die Bühne. Er trug die Haare auffallend kurz, hatte eine Narbe am Kinn, und sein Jackett saß so stramm über seinen Oberarmmuskeln, dass man unwillkürlich darauf wartete, es platzen zu sehen.

Sie setzten sich und handelten rasch die Vorstellung ab: Walter Uhl war Möbelpacker, nicht verheiratet, aber in festen Händen, mochte Countrymusik und reiste gerne, am liebsten in tropische Gefilde.

»Kommen wir zum neunzehnten April dieses Jahres«, sagte Ingo. »Was ist da passiert?«

»Also, das Ganze hat sich abgespielt beim –« Er hielt inne, kratzte sich am Kinn. »Die Frau vom Sender hat gemeint, ich soll keine Firmennamen erwähnen. Okay. Sie kennen vielleicht den Olten-Platz? Da stehen jede Menge Kaufhäuser und so. Eins davon hat ein Parkhaus, und dort, neben dem Zugang, ist es passiert. Da sind unten die Automaten, an denen man seine Parktickets zahlt, es geht ein paar Stufen hoch, und dort sind dann Schaufenster und so.«

Ingo hatte das Gefühl, die Sache ein bisschen beschleunigen zu müssen. »Vor einem dieser Schaufenster standen in dem Moment gerade zwei Frauen.«

»Ja, genau. Wobei ich da nicht drauf geachtet habe, ehrlich gesagt. Ich wollte einfach nur mein Ticket zahlen und nach Hause fahren. Ich war mit ein paar Kumpels im Kino gewesen, da park ich gern in dem Parkhaus da, die haben den günstigsten Abendtarif weit und breit. Wir hätten auch noch auf 'nen Absacker in die Kneipe können, ohne dass es mehr gekostet hätte, und normalerweise machen wir das auch, aber an dem Abend hatte der eine keine Lust und der andere musste früh raus, also haben wir's gelassen –«

»Sie wollten gerade Ihren Parkschein in den Automaten schieben, als was passiert ist?«

»Ja, genau. Ich hör jemanden rumschreien, schau hoch, und da ist dieser Typ, der die beiden Frauen anpöbelt. Ziemlich betrunken, das hab ich gleich gesehen. Hatte seine Bierflasche auch noch in der Hand. Aber die Frauen haben ihn gar nicht beachtet, und ich dachte, okay, die haben das schon unter Kontrolle.«

»Und dann?«

»Tja.« Der Mann verschränkte seine schaufelgroßen Hände. »Ich will, wie gesagt, gerade mein Ticket in den Schlitz schieben, da seh ich aus den Augenwinkeln, wie der Kerl den Arm hebt und einer der Frauen seine Bierflasche mit voller Wucht gegen den Kopf schlägt, dass sie umfällt.«

Ingo nickte nur, sagte nichts. Sein Gegenüber war jetzt gedanklich wieder bei dem Vorfall, das war zu spüren.

»Ich denk noch, also so geht das ja nicht, nehm mein Ticket wieder und steig die Stufen hoch zu den Schaufenstern. Hey, sag ich, was soll das, aber der Kerl lässt mich links liegen. Die eine Frau liegt am Boden und blutet wie nur was und hält sich die Hände über'n Kopf, die andere steht geschockt daneben, und der Arsch schreit die immer noch an. Ich dazwischen, pack ihn an der Schulter, zieh ihn weg und sag der Frau, sie soll die Polizei anrufen und gleich sagen, dass der Notarzt kommen muss. Die war so geschockt, dass sie von selber gar nicht auf die Idee gekommen ist, glaub ich. Ja, und wie sie das Telefon rausholt, merk ich, dass der Typ sich verkrümeln will, so klammheimlich. Nix da, Freundchen, sag ich und halt ihn fest, du bleibst schön hier, bis die Polizei kommt. Ich will ihm die Bierflasche wegnehmen, da fängt der an zu randalieren, haut mich vor die Brust, will mit der Flasche nach mir schlagen – also geb ich ihm einen Stoß, nicht, dass der mich auch noch erwischt. Der Kerl taumelt rückwärts, besoffen wie er ist, fällt die drei Stufen runter und bricht sich die Hand dabei. Das hab ich in dem Moment natürlich nicht gewusst, ich hab nur gesehen, er liegt am Boden und ist erst mal außer Gefecht –«

»An dieser Stelle muss ich Sie kurz unterbrechen«, hakte Ingo ein. »Wir haben nämlich Überraschungsgäste für Sie eingeladen.« Ans Publikum gewandt fuhr er fort: »Ich bitte um Applaus für Gisela Schmitt und Irmgard Fuhrsang!«

»Nee, is' nich' wahr!«, rief Walter Uhl aus, während die Zuschauer klatschten. »Sie haben die beiden –?«

Da kamen sie schon: Zwei rundliche Frauen mit dunklen Locken, neunundvierzig die eine, einundsechzig die andere, beide geschmackvoll gekleidet. Der Möbelpacker freute sich sichtlich, sie zu sehen, schüttelte ihnen erst die Hand, umarmte sie dann aber, von den eigenen Gefühlen überwältigt, und setzte sich auf den Sessel ganz nach außen, damit die beiden neben Ingo Platz bekamen.

»Toll«, meinte er mit rauer Stimme. »Echt toll. Echt 'ne Überraschung.«

Die Vorstellung war rasch erledigt. Die beiden waren Kolleginnen, Sekretärinnen in einer nahe gelegenen Fremdsprachenschule, die viele Abendkurse anbot. Da sie beide draußen in Altsitten lebten, gingen sie nach dem Ende der Kurse meist gemeinsam zur S-Bahn. Je nachdem, wie viel Zeit war, blieben sie unterwegs auch mal an dem einen oder anderen Schaufenster stehen.

Es sei ein Schock gewesen, so aus heiterem Himmel angepöbelt und niedergeschlagen zu werden, räumte Irmgard
Fuhrsang ein, die Jüngere der beiden. Sie sei bis heute nicht
wieder an der bewussten Stelle vorbeigegangen, brächte es
einfach nicht über sich. Bei der bloßen Vorstellung drehe sich
alles in ihr um, sagte sie.

»Sie hatten auch medizinisch ziemlich lange mit den Folgen
dieses Überfalls zu kämpfen, soweit ich weiß?«, fragte Ingo.

»Kann man so sagen. Im Krankenhaus haben sie erst gemeint, das sei nur eine Platzwunde, haben sie genäht und so –
wobei, die Naht sieht man trotzdem noch.« Sie berührte
die Wange, wo man eine dünne weiße Linie erkennen konnte,
wenn man genau hinsah. »Schöner hat es mich jedenfalls
nicht gemacht.«

»Aber das war noch nicht alles?«

»Nein. Ein paar Wochen später habe ich gemerkt, dass irgendwas mit meiner Brücke auf der Seite nicht stimmt. Ich bin
zum Zahnarzt, und der hat gemeint, die hätte sich gelockert
und sei angerissen. Er meinte auch, dass das ohne Weiteres
von dem Schlag mit der Flasche kommen könnte. Ja, und dass
man die ganze Brücke neu machen müsse.«

»Und das haben Sie dann machen lassen.«

»Ja, was blieb mir anderes übrig? Ich konnte ja nicht mehr
richtig kauen, hab schon Verdauungsprobleme bekommen
deswegen. Und es war nicht so einfach, weil der hintere Zahn
ja nicht mehr fest war. Ich hatte praktisch das ganze Jahr Zahnschmerzen. Nächste Woche ist aber die hoffentlich letzte Be-
handlung.«

»Und wie viel hat das alles gekostet?«

»Ich will's gar nicht so genau wissen. Etliche tausend Euro.«

»Und wer muss das zahlen?«

»Na, wer wohl? Ich natürlich.«

»Wieso nicht der Mann, der Sie angegriffen hat?«

»Ha!« Die Frau schnaubte empört. »Hab ich auch gedacht.
Aber mein Anwalt hat gemeint, dazu müsste ich noch einmal

separat einen Schadensersatzprozess führen. Und da sei nicht sicher, dass ich ihn gewinne, weil man nicht beweisen kann, dass meine Zähne tatsächlich von dem Schlag kaputtgegangen sind. Da stünde die Diagnose des Krankenhauses dagegen, ganz egal, dass bei denen in der Notaufnahme an dem Abend alles drunter und drüber gegangen ist. Und selbst wenn ich gewinne – obwohl man solche Prozesse nur selten gewinnt –, ist nicht gesagt, dass bei dem Mann überhaupt was zu holen wäre. Der hat wohl im Leben noch nie gearbeitet.«

Ingo wandte sich an die ältere der beiden Frauen. »Frau Schmitt, wie haben Sie das erlebt? Was haben Sie gedacht, als der Mann plötzlich auf Ihre Kollegin losging?«

Sie machte riesige Augen. »Das war so schrecklich. Ich dachte, jetzt schlägt er mich auch noch nieder, und wer weiß, was er dann mit uns macht … Ich war so froh, als Herr Uhl aufgetaucht ist!«

»Was ist dann noch geschehen?«

»Ach, nicht mehr viel. Herr Uhl hat sich um Irmgard gekümmert, hat mit uns auf die Polizei gewartet. Ich bin dann mit ins Krankenhaus gefahren, und irgendwann in der Nacht hat uns ein Taxi nach Hause gebracht.«

»Herr Uhl«, wandte sich Ingo wieder an den Möbelpacker, »wie erging es Ihnen?«

Der Mann zuckte mit den Schultern. »Ich hab den Polizisten erklärt, was passiert ist, die haben das zu Protokoll genommen, und eigentlich hab ich gedacht, damit ist die Sache gegessen.«

»War sie aber nicht?«

»Nein. Ein paar Wochen später ist ein Brief gekommen, per Einschreiben, vom Amtsgericht. Ich mach auf und denk, ich seh nicht recht – ein Strafbefehl über fünfhundertfünfzig Euro wegen vorsätzlicher Körperverletzung.« Er hob hilflos die Hände. »Weil der Kerl die Treppe runtergefallen ist und sich die Hand gebrochen hat. Und weil ich ihn gestoßen hab, bin ich dran schuld.«

»Sie haben also Zivilcourage gezeigt, bei einem tätlichen Angriff auf Unschuldige ziemlich sicher Schlimmeres verhindert und erhalten dafür anstatt einer Auszeichnung einen Strafbefehl: Kann man das so zusammenfassen?«

»Ja«, sagte der Mann. »Genau so ist es.«

»Was haben Sie gemacht?«

»Ich hab natürlich Einspruch eingelegt. Ich hab sogar überlegt, ob das irgendwie ein schlechter Witz ist. War aber keiner. Es ist zur Hauptverhandlung gekommen, und da habe ich gemerkt, ich hab keine Chance. Die hatten Videoaufnahmen. Der Bereich rings um die Automaten wird überwacht, weil die manchmal aufgebrochen werden. Die haben gesagt, die Situation sei ja bereinigt gewesen, weil ein Notruf abgesetzt war und der Angreifer aufgegeben hatte; es hätte keinen Grund gegeben, ihn zu schubsen. Ich hab gesagt, hallo, ich wollte den Schweinepriester festhalten, damit er sich nicht verdünnisiert nach all der Scheiße, die er angestellt hat. Von der Videoüberwachung konnt ich ja nichts wissen. Nein, hieß es, ich sei dem Kerl außerdem körperlich überlegen gewesen. Dass ich den geschubst habe, weil er mir mit der Bierflasche kommen wollte, das haben die nicht gesehen auf den Videos.«

»Und wie ging das aus?«

»Ich hätte ganz klar überreagiert, hat der Richter gesagt. Entweder ich akzeptiere den Strafbefehl, oder ich werde wegen gefährlicher Körperverletzung zu einem halben Jahr verurteilt.«

»Und dass Sie in die Auseinandersetzung eingegriffen haben, hat dabei keine Rolle gespielt?«

»Doch. Strafmildernd. Deswegen wäre es nur ein halbes Jahr gewesen.« Sein Kopf war rot angelaufen, seine Stimmung im Keller. »Ich meine, hallo? Ich geh doch nicht für ein halbes Jahr in den Knast, nur weil ich 'ne Frau vor 'nem Idioten rette, oder? Da wär ich meinen Job los und was weiß ich noch alles. Also hab ich den Einspruch zurückgezogen und gezahlt. Und bin jetzt vorbestraft.«

»Ich wollte zu seinen Gunsten aussagen«, mischte sich Gisela Schmitt ein. »Dass die Situation bereinigt war, das stimmt einfach nicht. Aber ich durfte nicht!«

»Wie, Sie durften nicht?«

»Ich bin als Zeugin nicht zugelassen worden. Keine Ahnung, wieso.«

Ingo sah Walter Uhl an. »Wie fühlen Sie sich nach all dem?«

»Na, wie wohl?«, schnaubte der Mann. »Wie im falschen Film.«

»Würden Sie noch einmal jemandem helfen?«

»Also, ehrlich gesagt …« Er holte tief Luft, schüttelte sich. »Ja, wahrscheinlich schon. Ich könnt ja nicht mehr ruhig schlafen sonst. Aber es braucht keiner zu glauben, dass sich Zivilcourage lohnt. Man könnte meinen, unserem Staat liegt das Wohl der Verbrecher mehr am Herzen als das seiner Bürger.«

Das gab Applaus. Lange und heftig.

»Ich weiß bis heute nicht, wieso der uns überhaupt attackiert hat«, warf Irmgard Fuhrsang ein, die den Schlag mit der Bierflasche abbekommen hatte und die in diesem Moment immer noch verstört deswegen wirkte. »Ich meine, der war höchstens zwanzig, zweiundzwanzig, für den sind wir doch … ich meine, vielleicht hatte der ein Problem mit seiner Mutter oder –«

»Stop«, unterbrach Ingo und hob die Hand. »Frau Fuhrsang – merken Sie, wie Sie gerade wieder in genau das Fahrwasser geraten, in dem sich die gesamte öffentliche Diskussion ständig bewegt? Was den Täter dazu gebracht hat, so zu handeln, wie er gehandelt hat – wieso fragen wir uns das? Wieso *kümmert* uns das überhaupt? Sie haben ihm nichts getan. Er hat Sie trotzdem angegriffen. Hat Sie verletzt. Das hätte er nicht tun dürfen, und zwar *egal aus welchem Grund*.«

Die dunkelhaarige Frau sah Ingo verblüfft an, nickte. »Sie haben recht. Man fragt sich das tatsächlich automatisch. Irgendwie erwartet jeder von einem, dass man sich das fragt. Ob man selber was falsch gemacht hat.«

»Eben. Aber Sie haben nichts falsch gemacht. *Der Angreifer* hat etwas falsch gemacht.« Ingo blickte in die Kamera, über der das rote Signallämpchen anzeigte, dass sie das aktuelle Bild übertrug. »Liebe Zuschauer, in dieser Sendung interessiert uns nicht, was in den Tätern vorgeht. Die inneren Befindlichkeiten dieser Herrschaften, die anderswo ständig und mit Hingabe diskutiert werden, sollen uns hier in dieser Sendung, erlauben Sie mir den Ausdruck, scheißegal sein. Hier interessiert nur, was sie *getan* haben. Was sie *anderen Menschen antun*. Und wir werden nicht – ich wiederhole: *nicht* – nach Ausreden und Entschuldigungen dafür suchen. Einen Menschen anzugreifen, der einem nichts getan hat, ist falsch und gehört bestraft – Punkt.«

Er stand auf und fuhr, während er langsam in die Mitte der Bühne ging, fort: »Doch da liegt etwas im Argen. Der Staat, der uns beschützen müsste, tut es nicht. Vielleicht schafft er es einfach nicht. Aber warum geht er dann so hart gegen diejenigen vor, die sich und andere in einer akuten Notsituation selber verteidigen? Was wird hier gespielt? Wieso sind offenbar andere Werte wichtiger als die Unversehrtheit des unbescholtenen Bürgers?« Er blieb stehen. »Und warum, liebe Zuschauer, werden uns Fälle regelrecht verschwiegen, in denen jemand einen Unschuldigen gegen Gewalttäter verteidigt hat? Das Video, das wir Ihnen jetzt gleich zeigen, ist mir heute kurz vor dieser Sendung zugespielt worden. Urteilen Sie selbst.«

19 Die Zeitung, die Staatsanwalt Lorenz Ortheil auf den Tisch warf, trug eine Schlagzeile, die über mehrere Zeilen ging, groß, fett, schwarze Buchstaben, rot unterstrichen: *Sag allen, dass ich von jetzt an über diese Stadt wache. Und dass ich alle bestrafe, die sich an Schwachen vergreifen.*

»Wie«, fragte er mit Unheil verkündendem Flüstern, »konnte das passieren?«

Ambick hatte diese Zeitung auf dem Weg ins Büro schon gesehen. Und andere, die ähnlich titelten. Das *Abendblatt* hatte eine Sonderausgabe gedruckt, um morgens mit dabei zu sein, und zeigte auf seiner Website eine längere Fassung des Videos. Das sie der Polizei gestern Abend noch pflichtschuldigst per Mail übermittelt hatte.

»Keine Ahnung«, sagte er.

»Es ist eindeutig unser Verhörvideo«, beharrte Ortheil.

»Sieht ganz so aus«, räumte Ambick ein.

»Das ist ein Fall für die Innenrevision.«

»Sehe ich auch so.«

Der Innenrevisor, der kurze Zeit später auftauchte, war ein griesgrämiger, untersetzter Unsympath, der etwas von einem blutrünstigen Frettchen an sich hatte. Er pflanzte sich unaufgefordert hinter den nächsten freien Schreibtisch, schlug die Mappe auf, die er mitgebracht hatte, musterte Ambick misstrauisch und fragte: »Haben Sie jemanden im Verdacht?«

Ambick sah ihn an und erklärte: »Ich lege für jeden meiner Mitarbeiter die Hand ins Feuer.«

Das konnte er mit der Überzeugungskraft dessen sagen, der

weiß, dass er die Wahrheit spricht. Denn dass es keiner von seinen Mitarbeitern gewesen war, das wusste Ambick schließlich genau.

»So, so«, brummte der Innenrevisor, Ambicks Statement in exakt der erhofften Weise missverstehend. »Okay. Werden wir sehen. Irgendjemand muss das Video ja an die Presse gegeben haben. Ich werde einen externen IT-Spezialisten hinzuziehen, der uns in solchen Fällen schon öfter geholfen hat, und ihn bitten, zu eruieren, wer alles Zugang zu der Datei hatte. Anschließend werde ich die Betreffenden einzeln befragen. Sie bewahren über diesen Vorgang einstweilen Stillschweigen.«

»Versteht sich«, sagte Ambick.

Er wusste selbst nicht, was ihn geritten hatte, diesem Journalisten das Video der Vernehmung zu schicken. Natürlich war er nicht dafür, zur Selbstjustiz zurückzukehren – die Gründe, aus denen sich die Menschheit von dieser Art und Weise, Streitigkeiten beizulegen, verabschiedet hatte, waren richtig und würden richtig bleiben. Doch die Art und Weise, wie Ortheil diesen Fall handhabe, wie er die Angelegenheit zu vertuschen und zu verstecken versuchte, gefiel ihm nicht. Vielleicht war es das: diese Heimlichtuerei. Wieso diese panische Angst, die Allgemeinheit könnte erfahren, was vor sich ging, womöglich darüber diskutieren, an Stammtischen, auf der Straße, in Internetforen? Befürchtete der Staatsanwalt, die Menschen könnten den Racheengel anders beurteilen als er?

Oder hatte er Angst, das Auftreten einer solchen Figur könnte als Zeichen verstanden werden, dass die Gesellschaft im Umgang mit der Gewalt versagte?

»Sag mal, bist du von allen guten Geistern verlassen?« Rado war auf hundertachtzig. »Du kannst doch nicht so ein Material ohne jegliche Rücksprache einfach senden! Himmel noch mal, da ist man einmal weg, und dann so etwas. Muss ich wegen dir den Produktionsplan umschmeißen, damit du nicht mehr live bist, oder was?«

»Ich weiß ja nicht, an wen das Video alles geschickt worden ist. Wenn ich es nicht verwendet hätte und ein anderes Blatt wäre damit vor uns rausgekommen – ich möchte nicht wissen, was du mir dann erzählt hättest«, verteidigte sich Ingo. Es war noch früh am Morgen, für seine Verhältnisse zumindest. Und er mochte es nicht, früh am Morgen per Telefon angeschrien zu werden. »Wo warst du überhaupt?«

»Das geht dich einen feuchten Dreck an.« Er bekräftigte das mit einem serbokroatisch klingenden Schimpfwort, um etwas weniger aufgebracht hinzuzufügen: »Klausursitzung mit dem Vorstand. Da denk ich sowieso jedes Mal, ich sollte kündigen und was Ordentliches aus meinem Leben machen. Und dann so was!«

Ingo sehnte sich nach einem Kaffee. Außerdem war ihm kalt. Er stand im Schlafanzug da, barfuß auf dem nackten Boden, und durch das Fenster, das die Nacht über offen gestanden hatte, zog es kühl und feucht herein. »Ja, danke«, sagte er. »Du hast mich auch ins Messer laufen lassen mit diesem Professor Neci.«

»Wieso? Mit dem bist du doch bestens fertiggeworden. Hab ich übrigens nicht anders erwartet; diese Typen reden schließlich alle den gleichen Stuss.«

»Ähm«, machte Ingo und wusste nicht mehr, was er weiter hatte sagen wollen. Er spürte nur, wie sein Zorn, an dessen Gerechtigkeit er sich die letzten Tage so schön gewärmt hatte, verdampfte und verrauchte, ohne dass er ihn hätte halten können. »Ich habe mir überlegt, wir haben aus dem Vorspann des Videos doch den Namen des Jungen: Sven Dettar. Wir könnten –«

»Vergiss es«, fauchte Rado. »Ver-giss-es. Denk nicht mal dran.« Er schnaufte schwer. »Ich muss gleich den juristischen Zerberus des Oberbürgermeisters zurückrufen, und ich weiß jetzt schon, was der mir alles an den Kopf werfen wird. Behinderung polizeilicher Ermittlungen, Verletzung des Persönlichkeitsrechts, Verstoß gegen das Presserecht, *you name it*. Wir machen *nichts* mit diesem Namen. Das Video ist raus, steht schon x-fach bei YouTube, da kann man nichts mehr machen. Aber wir gießen kein Öl mehr ins Feuer.« Rado räusperte sich vernehmlich. »Und mit *wir* meine ich in erster Linie *dich*.«

Ingo sackte in sich zusammen. »Okay, okay.«

»Ich habe alle Leute vergattert, nichts mehr zu senden, was du ihnen in die Hand drückst«, erklärte Rado streng. »Sämtliche Einspieler werden künftig mit mir abgesprochen. Ausnahmslos.«

»Aber die Sendung ist doch erfolgreich, oder?« Ingo ging zum Bett zurück, bedauerte es, die Decke weit aufgeschlagen gelassen zu haben, denn nun war es darin kalt. »Ich musste gestern Abend mindestens hundert Autogramme geben.« Die Erinnerung daran kam ihm vor wie die Erinnerung an einen angenehmen, wenn auch völlig irrealen Traum.

»Ja, die Sendung läuft ziemlich gut«, gab Rado zu. Wahrscheinlich verkaufte er die Werbeblöcke davor und dahinter für neue Rekordsummen. »Ich hab immer gesagt, Fernsehen ist dein Ding. Aber gerade *weil* die Sendung ein Erfolg ist, will ich nicht, dass jemand mit einer einstweiligen Verfügung kommen und uns den Laden dichtmachen kann. Genau deshalb müssen wir uns an jeden Buchstaben des Presse- und Medienrechts halten, als sei es Gottes Wort, verstehst du?«

Der externe IT-Spezialist, den der Innenrevisor herbestellt hatte, sah aus wie dessen großer Bruder. Er kam herein, sagte nicht »Guten Tag« und nicht »Hallo«, sah nur kritisch zur Decke, meinte: »Stromsparer, was?«, und hockte sich dann einfach an Ennos Computer. Dort fuhrwerkte er eine Weile wortkarg auf der Tastatur herum. Als der Bildschirm voller Textzeilen war, spitzte er die Lippen, furchte die Brauen und meinte: »Tscho. Das ist Kraut und Rüben.«

»Was heißt das?«, fragte der Revisor unwirsch.

»Die fragliche Datei hat *read*-Recht *others*. Das soll ja schon mal bestimmt nicht so sein. Und bei den anderen Dateien ist es nicht besser.«

»Können Sie das so erklären, dass es auch ein normaler Mensch versteht?«, wollte Ortheil wissen.

Der IT-Mann warf dem Staatsanwalt einen Blick zu, der deutlich erkennen ließ, dass er das für ein nahezu unsittliches Ansinnen hielt. Aber er holte tief Luft, lehnte sich zurück und sagte: »In einem UNIX-System werden die Zugriffsrechte auf Dateien in drei Klassen verwaltet. Jede Datei gehört einem Eigentümer, der wiederum kann einer Gruppe angehören – und dann gibt es noch *alle anderen*. Die Klassen nennt man *owner, group* und *others*. Für jede Datei kann man festlegen, welche dieser Klassen sie lesen, verändern oder ausführen darf – *read, write* und *execute*. So weit klar?«

Ambick beobachtete den Staatsanwalt. Der wirkte nicht so, als habe er auch nur ansatzweise verstanden, wovon die Rede war, aber er nickte trotzdem und sagte: »Und weiter?«

»Ich stell mir das so vor, dass die Accounts aller Leute, die in einer bestimmten Ermittlergruppe zusammenarbeiten, in einer User-Gruppe zusammengefasst sind. Und dass die Dateien der Fälle nur für diese *group* zugänglich sind. Wäre zumindest vernünftig.«

»Darum handhaben wir das auch genau so«, warf Enno mit finsterer Miene ein. Er lehnte mit verschränkten Armen an der Wand und missbilligte es sichtlich, dass sich ein Fremder an seinem Platz breitmachte.

»Tscho«, sagte der IT-Mensch. »Aber ungefähr die Hälfte aller Dateien hat irgendwelche Rechte in der *others*-Klasse gesetzt. Hier – die Datei hier hat das Execute-Recht, aber kein Leserecht, was schon mal ziemlich sinnlos ist. Die hier darf man ändern, aber nicht lesen. Und so geht es weiter.«

Jetzt trat Enno hinter ihn, streckte den Kopf vor und bekam große Augen. »Ja, Scheiße …«, flüsterte er. »Wie ist denn das möglich?«

Ortheil sah Ambick fragend an. Eine Steilvorlage: Ambick erwiderte den Blick, zog ein ratloses Gesicht und hob die Schultern.

»Also ehrlich, das sehe ich zum ersten Mal«, fuhr Enno fort und richtete sich mit hochrotem Kopf auf. »Ich … Wir fassen diese Dateien nie direkt an. Über die Shell, meine ich. Wir verwalten alles über das Archivsystem, mit dem wir die Dateien verschlagworten, abrufen und ablegen. Anders würde man ja auch jede Übersicht verlieren. Ich habe mir noch nie Gedanken gemacht, wie das System die Dateien eigentlich ablegt. An so etwas fummelt man als User sowieso besser nicht herum.«

»Was sagen Sie dazu?«, verlangte der Innenrevisor von dem IT-Mann zu wissen.

Der kratzte sich den schlecht rasierten Hals. »Tscho. Das kommt schon vor. Manche Leute programmieren, dass es der Sau graust.«

»Was heißt das konkret? Wer hatte nun Zugriff auf die Videodatei?«

»Jeder.«

»Was heißt jeder?«

Der IT-Mann machte eine umfassende Handbewegung. »Jeder mit einem Account für das interne Computersystem.«

Der Revisor sah ihn ungläubig an. »Das sind mindestens dreitausend Leute!«

»Tscho«, meinte der Spezialist. »Da kann man nichts machen.«

Einen Moment lang war es totenstill. Alle sahen sich so ratlos an, als sei ihnen gerade geschlossen gekündigt worden.

Dann strich sich Staatsanwalt Ortheil die blonden Locken aus der Stirn und sagte: »Von wegen. Da kann man sehr wohl etwas machen.« Er zog sein Telefon aus der Tasche seines Jacketts, das heute taubenblau war. »Nur halt was Vernünftigeres, als an Computern rumzufummeln.«

Mittags kam Ingo zu früh in der Brunnerstraße an, weil er es nicht mehr ausgehalten hatte, zu Hause zu warten. Um die Zeit herumzukriegen, las er die Schlagzeilen am Kiosk an der Ecke. Sein Video machte Furore, es war unglaublich. Und seltsam unwirklich, eine Zeitung in die Hand zu nehmen, den mit *Eine überfällige Diskussion* betitelten Leitartikel zu lesen und erst nach ein paar Absätzen zu merken, dass es darin *um ihn* ging, dass der Leitartikler ihn und seine Sendung lobte!

Sein erster Impuls war, die Zeitung zu kaufen, aber dann sagte er sich, dass das pure Eitelkeit sei, und ließ es. Doch als er, genau zur vereinbarten Minute, an Evelyns Haustüre klingelte, bedauerte er es schon wieder. Er würde sich die Ausgabe auf dem Heimweg holen, beschloss er.

Kevin war marschbereit, aber skeptisch. Sehr, sehr skeptisch. Nicht so, dass Ingo ihn zur Haltestelle zerren musste, aber fast.

»Ich glaub nicht, dass das was bringt«, maulte er, als sie in der U-Bahn saßen und Ingo ihn fragte, was los sei.

»Probier es einfach aus«, meinte Ingo.

»Das ist Sport. Ich *hasse* Sport.«

»Es ist kein Sport. Judo oder so was wäre Sport. Krav Maga ist ein Selbstverteidigungssystem.«

Kevins Gesicht verdüsterte sich. »Sie haben keine Ahnung, wie die sind.«

Ingo sah auf den Jungen hinab, fragte sich, ob er damals auch so unglücklich gewirkt hatte. »Du meinst, wenn du erst mal anfängst, dich zu wehren, kriegst du erst richtig Dresche?«

Kevin sagte nichts, sah nur beiseite.

»Ich glaube schon, dass ich eine Ahnung habe, wie die sind«, fuhr Ingo fort. »Diese Typen sind irgendwie zu allen Zeiten gleich.« Eine Erinnerung flammte in ihm auf, zusammen mit einer Empörung, so heiß, als habe es sich erst gestern zugetragen. »In meiner Klasse war einer, der mir immer, wenn er an mir vorbeigelaufen ist, eine Kopfnuss verpasst hat. Einfach immer. Es hat ihm Spaß gemacht zu sehen, wie ich mich wegzuducken versuche. Das ging jahrelang so. Es ist ihm nie langweilig geworden.«

»Und was haben Sie gemacht?«

»Nichts«, gestand Ingo mit Bitterkeit auf der Zunge. »Mich

hat nie jemand zu so etwas wie Krav Maga mitgenommen. Ich wusste gar nicht, dass es das gibt.«

Kevin sagte nichts, wirkte aber eine Spur weniger skeptisch als zu Anfang.

»Einmal habe ich nach seinem Arm geschlagen«, erinnerte sich Ingo. »Aber ausgerechnet das hat unser Klassenlehrer gesehen und *mich* bestraft! Ich musste fünf Seiten aus dem Englischbuch abschreiben und bekam einen Eintrag. *Praise schlägt Mitschüler.*«

»Ungerecht«, befand Kevin.

Ingo sah alles wieder vor sich. Sah den abgewetzten braunen Teppichboden im Klassenzimmer, roch den Geruch nach Kreide, Leberwurstbroten und muffig-feuchten Regenjacken, der die Gänge des Schulhauses erfüllte, hörte die höhnische Stimme des Jungen, der älter und größer und stärker gewesen war und ihm von da an jede weitere Kopfnuss mit einer Erinnerung an diese Schmach serviert hatte. »*He, Praise! Nicht wieder Mitschüler schlagen, gell?*«

»Es gibt ein psychologisches Experiment«, erzählte Ingo. »Wenn man Videoaufnahmen von Passanten auf der Straße macht, von ganz normalen Leuten, die davon nichts wissen, und diese Aufnahmen Gefängnisinsassen zeigt, die zum Beispiel wegen Raubüberfall verurteilt sind, und fragt, wen sie sich als Opfer aussuchen würden, dann zeigen die unabhängig voneinander fast immer auf dieselben Personen. Zu über neunzig Prozent, habe ich einmal gelesen.«

Kevin hob die Augenbrauen. »Cool.«

»Das bedeutet, man strahlt es irgendwie aus, dass man sich nicht wehren wird. Dass sie es mit einem machen können. Es muss eine Frage der Körpersprache sein, sagen die Psychologen.«

Kevins Gesicht verdüsterte sich wieder. »Heißt das, ich bin selber schuld, dass die mich schlagen?«

»Nein, nein«, beeilte sich Ingo zu versichern. »Das heißt, dass man an diesem Punkt ansetzen muss. Man muss … ja, man muss sich dessen eben bewusst sein. Dass das irgendwie ein Kreislauf ist.« Er merkte, dass er ins Schwimmen kam. »Wenn man ausstrahlt, dass sie's mit einem machen können, dann machen sie's mit einem, und danach strahlt man das noch stärker aus. Und immer so weiter. Soweit ich verstanden habe, setzt Krav Maga auch an der Stelle an. Wie man auftritt, sich fühlt, welche Einstellung man hat.«

Er hatte Kevin nicht überzeugt, er sah es. Der Junge wirkte, als wäre er am liebsten sofort wieder umgekehrt.

»Wart's einfach ab«, meinte Ingo hilflos. Er konnte nur hoffen, dass David Mann es besser machen würde als er.

Als sie sich der Krav-Maga-Schule näherten, spürte Ingo ein Pochen in der Nase oder bildete es sich zumindest ein. Er bemühte sich, ruhig zu bleiben und gleichmäßig zu atmen. Nicht noch so eine Blutorgie, nicht heute!

Kevin dagegen sah sich interessiert um, wirkte auf einmal beinahe neugierig. Als sie die Treppe hinaufstiegen, ging er voraus. Wie sich herausstellte, war er nicht der Einzige, der neu anfing: Ein gutes Dutzend Jungs in seinem Alter standen ähnlich unschlüssig herum, Sporttaschen wie unliebsame Anhängsel in der Hand, und die meisten waren genau die gleichen Hänflinge wie Kevin. Dann tauchte David Mann auf, in Begleitung von ein paar älteren Jungen in Trainingsanzügen, die aber nicht die für dieses Alter sonst übliche Arroganz Jüngeren gegenüber an den Tag legten, sondern eine angenehme, lockere Freundlichkeit. »Alles halb so wild«, meinte einer so nebenbei zu einem der Neuankömmlinge, und man konnte deutlich sehen, wie allein diese Bemerkung alle ein Stück entspannte.

»Hi, schön, dass ihr da seid«, begrüßte David Mann die Neuen. »Und dass ihr so viele seid. So macht es mehr Spaß. Ähm – wir machen das immer so, dass wir euch erst mal sämtliche Räume zeigen. Ihr sollt euch ja auskennen. Anschließend erzähle ich ein bisschen was über Krav Maga und wie wir es anstellen werden, dass sie euch nicht mehr auf der Nase herumtanzen. Dann umziehen und los geht's. Okay?«

Allgemeines Nicken ringsum. Während die älteren Jungs den Neuen zeigten, wo sie ihre Taschen abstellen konnten, kam David Mann zu Ingo, schüttelte ihm die Hand. »Und? Gut heimgekommen neulich?«

Ingo nickte, erzählte, dass er zumindest das Unterhemd gerettet hatte. »Und das T-Shirt … na ja. War eh alt.«

David Mann grinste. »Sie sind doch jetzt ein Fernsehstar. Das wird sich ja hoffentlich finanziell lohnen.«

»Oh je«, entfuhr es Ingo. »Das ist gerade meine kleinste Sorge.«

»Schön, wenn man das von sich sagen kann. Übrigens habe ich vom Herrn Staatsanwalt nichts mehr gehört. Er scheint sich die Sache noch einmal überlegt zu haben.«

»Gut«, sagte Ingo. »Und schade, denn ich hätte Sie gerne noch einmal in der Sendung gehabt.«

David Mann lächelte. »Aber lieber nicht aus so einem Grund. Mal sehen. Jetzt muss ich …«

Ingo nickte, trat einen Schritt rückwärts, Richtung Ausgang. »Klar. Verstehe. Viel Glück.«

Er gehörte hier nicht hin. Einen Moment lang hatte er es vergessen. Im Hintergrund war Gelächter zu hören, das Trappeln von schnellen Schritten, das Geräusch von Bällen, die schwer auf den Boden prallten, und wieder Gelächter.

Er atmete auf, als er draußen war, betastete noch einmal seine Nase. Alles okay. Gut. Zeit, heimzufahren und die Sendung heute Abend vorzubereiten.

Doch als er zu Hause ankam, war das Treppenhaus voller Männer in dicken Windjacken, und vor seiner Wohnungstür kniete ein Schlosser im blauen Overall, der gerade sein Türschloss knacken wollte.

»Was ist denn hier los?«, rief Ingo entgeistert.

Einer der Männer in Windjacken trat auf ihn zu. »Sind Sie Ingo Praise?«

Ingo bejahte, und noch ehe der Mann einen Dienstausweis und das entsprechende Dokument aus der Tasche zog, begriff er, dass sie Befehl hatten, seine Wohnung zu durchsuchen.

»Guten Abend, liebe Zuschauer«, begann er später seine Sendung. »Das Video, das ich Ihnen gestern gezeigt habe, ist offenbar noch brisanter als gedacht. Heute Nachmittag hat die Polizei meine Wohnung durchsucht, in der Hoffnung, Hinweise zu finden, wer es mir hat zukommen lassen. Ob solche Hinweise gefunden wurden, weiß ich nicht, aber sie haben jedenfalls keine Schublade undurchsucht, keine Schranktür ungeöffnet und keinen Aktenordner unaufgeschlagen gelassen. Und sie haben meinen Computer und mein Mobiltelefon beschlagnahmt.« Er zwang ein Lächeln auf sein Gesicht. »Zum Glück bin ich Junggeselle. Das heißt, die Wohnung sieht nach all dem noch immer genauso aus wie vorher.«

Das war sein Versuch, locker und unbeeindruckt zu wirken, so, als mache ihm das alles nichts aus. Ein paar Zuschauer lachten. Es gab Applaus, der ihm in diesem Moment richtig guttat.

Denn es machte ihm etwas aus. Dastehen und zusehen zu müssen, wie wildfremde, grimmige Männer jeden Winkel der eigenen Wohnung durchwühlten, war eine erstaunlich unangenehme, entwürdigende Erfahrung. Ausgeraubt zu werden konnte sich nicht viel anders anfühlen, nur, dass niemand eine Waffe auf ihn gerichtet hatte. Aber sie hatten Waffen dabeigehabt, kurzläufige schwarze Pistolen in Lederetuis, die sie am Gürtel trugen, und wozu, wenn nicht, um sie zu benutzen, falls sich jemand der Staatsgewalt widersetzte? Ein Protokoll hatte er auch unterschreiben müssen, und sie hatten ihm eine Quittung über die beschlagnahmten Geräte ausgehändigt: Wenn einen der Staat ausraubte, hatte eben alles seine Ordnung.

»Was bleibt, sind Fragen«, fuhr Ingo fort, erfüllt von einer wohltuenden Wut, die sich hier, in der Dunkelheit und Sicherheit des Studios, entfalten durfte, ja, sollte. »Wer ist die Person auf dem Video? Von welchem Vorfall hat sie berichtet? Und warum wird uns – der Öffentlichkeit – dieser Fall verschwiegen? Sind es wirklich *ermittlungstaktische Gründe*, wie der Staatsanwalt beharrlich behauptet, oder hat die Polizei etwas zu verbergen? Bin ich der Einzige, der den Eindruck hat, dass es den staatlichen Organen eher darum geht, die Gewalttäter vor dem Racheengel zu schützen als uns Bürger vor den Gewalttätern?«

Applaus. Buh-Rufe. Wahrscheinlich würde Rado nachher wieder motzen, weil diese Anmoderation nicht abgesprochen war. Na und? Sollte er.

Sein erster Gast war ein Mann, der nichts dagegen hatte, als »Rocker« bezeichnet zu werden, und auch so aussah: Er trug Lederklamotten voller Aufnäher und Anstecker, schwere Stiefel und einen wild wuchernden, weitgehend ergrauten Schnauzbart. Ja, sagte er, er stehe auf Rockmusik, Heavy Metal in allen Variationen, seit jeher. Motorrad fahre er auch, klar, in ganz Europa sei er schon gewesen, in Nordafrika, im Nahen Osten, meistens zusammen mit einer Clique, oft mit Zelt und gern mit Freundin, wenn er gerade eine hatte. Wobei, inzwischen gehe er auf die fünfzig zu, eine Familie werde er wohl nicht mehr gründen. Von Beruf sei er Elektriker – ideal, weil man damit überall auf der Welt willkommen sei. Er hätte Häuser in Marokko verkabelt, Kühlschränke auf dem Sinai repariert, Kurzschlüsse in Portugal behoben und Garagentoröffner in Lettland installiert: Was sich halt so ergeben habe.

»Und dann hat sich unlängst ergeben, dass Sie einem Mann das Leben gerettet haben«, schlug Ingo den Bogen.

Der Mann, der nur »Stockes« genannt werden wollte, hob die breiten Schultern. »Jo.«

»Die Rede ist von dem Vorfall, der sich am 23. Juni gegen zweiundzwanzig Uhr im U-Bahnhof Zünicke abgespielt hat«, erklärte Ingo, an das Publikum gewandt. Er deutete auf die Bildschirmwand. »Viele von Ihnen werden sich an dieses Video erinnern, das damals durch die Medien ging.«

Diese Videoeinspielung war natürlich mit Rado abgesprochen und genehmigt. Es war ein Zusammenschnitt von Aufnahmen zweier Überwachungskameras: In der ersten Sequenz sah man, wie drei Jugendliche einen Mann, der gerade die Treppe hinabgehen wollte, von mehreren Seiten zugleich attackierten, schlugen und die Stufen hinabstießen. In der zweiten Sequenz sah man sie am unteren Ende der Treppe, halb hinter einem Stützpfeiler verborgen, auf den am Boden liegenden Mann eintreten, während Passanten hastig das Weite suchten oder, halb die Treppe herunter, wieder nach oben gingen. Schließlich trat ein bulliger Mann in Lederkleidung hinzu, öffnete seine Jacke ein Stück – und im nächsten Moment rannten die drei Jugendlichen davon, so schnell sie konnten.

»Was genau haben Sie da gemacht?«, wollte Ingo wissen. »Diese Bewegung, als Sie Ihre Lederjacke öffnen?«

»Ich hab den Typen gezeigt, dass ich 'ne Knarre habe. Und ich hab ihnen gesagt, sie sollen den Mann in Ruhe lassen und machen, dass sie Leine ziehen.«

»Sie haben also nicht wortwörtlich gedroht, sonst auf sie zu schießen?«

»War unnötig. Haben Sie ja gesehen.«

Ingo wandte sich der Kamera zu. »Der Mann, der niedergeschlagen wurde, ist neununddreißig Jahre alt und Straßenbahnkontrolleur von Beruf. Ob die Attacke damit zusammenhing, ist bis heute nicht geklärt. Die Polizei hat anhand der Videobilder zwei der Jugendlichen identifizieren und festnehmen können; die beiden behaupten jedoch, nicht zu wissen, wer der dritte war. Angeblich eine Zufallsbegegnung. Und natürlich war es angeblich dieser unbekannte Dritte, der die meisten, ach was, praktisch *alle* Schläge und Tritte ausgeführt hat. Sagen die beiden zumindest. Der Fall liegt ein halbes Jahr zurück, bis jetzt steht noch nicht einmal ein Gerichtstermin fest. Offiziell ermittelt die Polizei noch.« Er wandte sich an seinen Gast. »Sie dagegen sind wegen Ihres Eingreifens schon vor Gericht gewesen.«

»Ja. Wegen illegalem Waffenbesitz. Aber weil ich dem Mann eben vermutlich das Leben gerettet habe, hat man von einer Strafe abgesehen.«

»Gelten Sie dann jetzt als vorbestraft oder nicht?«

Der Rocker hob amüsiert die Brauen. »Fragen Sie mich was Leichteres.«

»Ihre Waffe mussten Sie aber abgeben?«

»Logisch.«

»Und wenn Sie heute auf dem Heimweg jemand angreifen würde?«

Er richtete sich in seinem Sitz auf, spreizte die Schultern. »Sagen wir mal so – ich würd's keinem raten.«

Die Analyse des Notebook-Computers, den die Kollegen bei dem Journalisten sichergestellt hatten, übernahmen der externe IT-Spezialist und der für Computer zuständige Kriminaltechniker gemeinsam. Enno Kader gesellte sich zu ihnen, bemüht, so zu tun und zu wirken, als verstünde er alles, was sie trieben. Ambick, Ortheil und der Revisor standen dabei und hörten zu, wie die drei Informatik-Kauderwelsch sprachen, von *Routing*, *Ping-Delay*, *Spoofing*, *Proxy* und Ähnlichem faselten. Draußen war es längst dunkel. Ein feiner Regen nieselte gegen die Fenster, die Scheinwerferlichter vorüberfahrender Autos zerstoben in Wolken aus Reflexen.

»Wollten Sie nicht heute Abend in die Oper?«, hörte Ambick den Revisor zu Ortheil sagen. Die beiden schienen sich besser zu kennen, als er zuerst geglaubt hatte.

Ortheil knurrte nur unwillig. »Glauben Sie, ich hätte die Nerven, mir jetzt das Geknödel von irgendwelchen Bajazzos anzuhören?«

»Ich meine ja nur.« Der Revisor sah auf die Uhr. »Weil wahrscheinlich gerade der Prolog anfängt.«

»Das kann er auch ohne mich.«

Der Revisor kratzte sich die Nase. »Und Ihre Frau? Was sagt die dazu?«

»Meine Frau«, erwiderte der Staatsanwalt spitzlippig, »ist sich dessen bewusst, dass ich einen anspruchsvollen Beruf ausübe. Sie weiß sich zu beschäftigen.«

»So«, sagte der Revisor, und damit schien das Thema erledigt.

Doch Ambick konnte nicht anders, als diesem »So« nachzulauschen. Es lag etwas darin, das nach mehr klang als nur nach dem Schlusswort eines unergiebigen Gesprächs. Als wolle der Revisor etwas andeuten, ohne es tatsächlich anzudeuten.

Aber wahrscheinlich, dachte Ambick, sah er da Gespenster.

Außerdem ging ihn das überhaupt nichts an.

Sein Handy klingelte im selben Moment, in dem Enno die Hände in die Höhe warf und »Nee, oder?« rief. Auch die IT-Leute schauten ausgesprochen griesgrämig drein.

»Was ist?«, verlangte Ortheil zu wissen.

Ambick zog das Telefon aus der Tasche, sah auf die Anzeige. Eine interne Nummer, umgeleitet von seinem Dienstanschluss. Er drückte den Anruf weg, hörte zu, was der Kriminaltechniker zu erzählen hatte.

»Also, dass der Journalist das Video per Mail bekommen hat, stimmt«, sagte er. »Aber wenn man dessen Route zurückverfolgt, landet man bei IP-Adressen, die so nicht stimmen können.«

»Außerdem befinden die sich alle in Russland«, ergänzte der IT-Spezialist. »Ich schätze, wir haben es mit einem Onion-Routing-Netzwerk russischer Hacker zu tun. Sprich, mit anonymer E-Mail.«

»Im Prinzip dasselbe wie bei dem ersten Laptop von dem Journalisten«, meinte Enno fachmännisch. »Dem kaputten Ding.«

Ortheil sah die drei Männer verständnislos an. »Das Video kann doch nicht aus *Russland* gekommen sein?«

»Die Russen bieten das als Dienstleistung an«, erklärte Enno. »Unter Freunden. Wenn man jemanden kennt, der jemanden kennt …«

»Was heißt das konkret?«, fragte Ambick dazwischen. »Kann man den Absender nun ermitteln oder nicht?«

»Keine Chance«, sagte der IT-Spezialist.

»Wenigstens ungefähr? Zumindest, von wo aus das Ding losgeschickt worden ist?«

Die Computerleute schüttelten die Köpfe, als übten sie fürs Synchronschwimmen. »Nicht den geringsten Anhaltspunkt«, meinte der IT-ler, den der Revisor angeschleppt hatte. »Die Mail könnte von einem anderen Planeten kommen, und wir würden es nicht merken.«

Ambick dachte an seinen Vater und wie stolz der jetzt auf seinen Sohn gewesen wäre. Bloß, dass sein Vater hiervon nie etwas erfahren würde.

»Aber das Video stammt aus unserer Datenbank«, knurrte Ortheil. »Das steht ja wohl außer Zweifel, oder?«

Jemand klopfte an der Tür. Niemand reagierte. Es war wahrscheinlich eine der Putzfrauen.

»Klar stammt das von uns«, sagte Enno. »Das haben wir allerdings auch schon vor der Haussuchung bei dem Journalisten gewusst.«

Die Tür wurde geöffnet, ganz behutsam. Ein Vollmondgesicht spähte durch den Türspalt, gefolgt von einer massigen, von einem formlosen grauen Pullover verhüllten Gestalt. Definitiv niemand von der Putzkolonne; die trugen alle Overalls mit Ausweisschildern an der Brust.

»Hauptkommissar Ambick?«, fragte der Mann schüchtern. »Entschuldigen Sie die Störung. Ich habe da was, das Sie sich, glaube ich, ansehen sollten.«

Ambick, der für heute genug Nervenkitzel gehabt hatte, rieb sich die Stirn. »Sie sind auch von der Kriminaltechnik, oder?«

»Kerner«, wisperte der Mann. »Materiallabor.«

»Okay. Können wir das morgen früh erledigen? Wir haben hier nämlich gerade –«

»Entschuldigen Sie«, unterbrach ihn der Mann im grauen

Pullover. Man sah ihm an, dass ihm sein Insistieren höchst unangenehm war. »Aber ich glaube, wenn ich jetzt ja sage, würden Sie sich morgen früh ärgern. Ganz bestimmt.«

Ingos nächster Gast war ein pensionierter Richter namens Hinrich Kastell, ein hagerer Mann mit einer dicken Hornbrille und einer Aura äußerster Humorlosigkeit.

»Wie darf ich mich oder andere gegen einen rechtswidrigen, gewalttätigen Angriff verteidigen?«, war Ingos erste Frage.

Der Richter neigte den ergrauten Kopf leicht zur Seite. »Ganz einfach: Mit allen Mitteln, die Ihnen in diesem Moment zu Gebote stehen und die Ihnen geeignet scheinen, den Angriff abzuwehren.«

»Er hier«, sagte Ingo und deutete auf den Rocker, »hat einen Angriff beendet, indem er den Angreifern seine Pistole gezeigt hat. Die er nicht hätte besitzen dürfen.«

»Bringen Sie jetzt nicht zwei Dinge durcheinander«, mahnte der Richter. »Er hatte keine Erlaubnis, die Pistole zu besitzen – deswegen musste er sie dann ja abgeben. Das war anders nicht möglich. Wenn die Justiz Kenntnis von einem illegalen Sachverhalt erlangt, muss sie tätig werden. Aber da er die Pistole, illegal oder nicht, in diesem Moment besaß, durfte er sie zur Nothilfe verwenden, und das hat er ja auch, soweit ich das sehe, korrekt gehandhabt, indem er deren Anwendung zunächst angedroht hat.«

»Hätte er auch schießen dürfen?«

»Wenn sich die Angreifer von der Androhung nicht hätten abhalten lassen, weiterzumachen, ja.«

»Was wäre nicht mehr korrekt gewesen?«

»Zum Beispiel, ihnen hinterherzuschießen, als sie geflüchtet sind. Sehen Sie«, sagte der Richter auf eine so bestimmte Art, wie wohl nur ein Richter sprechen konnte, »wenn Ihnen in einer Kneipe jemand sein Bier über den Kopf schütten will und Sie schlagen ihm das Glas aus der Hand, dann ist das Notwehr. Wenn Sie ihm aber, nachdem er Ihnen sein Bier über den Kopf geleert hat, im Gegenzug Ihr eigenes Bier über den Kopf schütten, dann ist das Rache. Notwehr ist erlaubt, Rache nicht. Ganz einfach.«

»Was ist mit der Waffe selber? Welche Bedingungen hätte er erfüllen müssen, um sie legal mit sich zu führen?«

»Zunächst benötigt man, um eine Handfeuerwaffe legal erwerben zu dürfen, eine Waffenbesitzkarte.«

»Wie erhält man die?«

»Man muss sie bei der zuständigen Behörde beantragen, die daraufhin die Zuverlässigkeit des Antragstellers prüft, sein Bedürfnis, über eine Waffe zu verfügen, und außerdem, ob er die erforderliche Sachkunde besitzt.«

»Was für Bedingungen werden an so etwas wie Zuverlässigkeit gestellt?«

»Nun, wenn der Antragsteller beispielsweise durch Alkoholmissbrauch oder Drogensucht aufgefallen ist oder schon einmal wegen einer schwereren Straftat verurteilt wurde, wird man davon ausgehen, dass die Zuverlässigkeit nicht gegeben ist.«

»Was ist mit Bedürfnis gemeint? Wenn man nicht das entsprechende Bedürfnis hat, wird man ja wohl kaum einen solchen Antrag stellen.«

»Gemeint ist ein objektives Bedürfnis. Wenn der Antragsteller beispielsweise Mitglied in einem Schützenverein ist, die Jagd ausüben will oder den Schießsport, dann hat er ein objektives Bedürfnis nach einer Waffe, weil es ohne ja nicht geht. Das Gleiche gilt für Sammler von Waffen, Waffensachverständige und dergleichen. Und schließlich gibt es Fälle, in denen ein besonderes Selbstschutzbedürfnis besteht.«

»Und Sachkunde? Der Betreffende muss schießen können?«

»Er muss eine entsprechende Ausbildung an einem autorisierten Institut nachweisen. Solche Ausbildungen umfassen das Schießenlernen selbst, aber natürlich auch, wie man ansonsten sicher mit einer Waffe hantiert, sie reinigt, pflegt, lädt und dergleichen.«

»Und wenn man das alles erfüllt, dann darf man –?«

»Dann darf man eine Waffe *besitzen*, wie der Name Waffenbesitzkarte sagt«, unterbrach ihn der Richter. »Um die Waffe auch *führen* zu dürfen – das heißt, sie einsatzbereit in der Öffentlichkeit bei sich zu tragen, um sie im Ernstfall einzusetzen –, braucht man einen Waffenschein. Hierfür muss man zusätzlich zu den schon genannten Eigenschaften nachweisen, dass man einer besonderen Gefährdung ausgesetzt ist, das heißt, dass man gefährdeter ist als der Normalbürger und dass diese Gefährdung durch das Führen einer Waffe verringert werden kann. Das kann der Fall sein, wenn man als Geldtransporteur, Leibwächter oder Juwelier arbeitet und dadurch einem gesteigerten Überfallrisiko ausgesetzt ist. Auch ein reicher Erbe, der eher als andere befürchten muss, entführt zu werden, wäre ein solcher Fall.«

»Sich nachts in der U-Bahn unwohl zu fühlen wäre demnach kein Grund?«

»Das Risiko, in einer U-Bahn angegriffen zu werden, besteht für jedermann in gleichem Maße, ganz unabhängig von Beruf und persönlichem Hintergrund, sodass hier keine Rede von einer besonderen Gefährdungslage im Hinblick auf das Waffengesetz sein kann. Übrigens können die Beförderungsbedingungen von Verkehrsgesellschaften selbst Inhabern eines gültigen Waffenscheins das Tragen einer Waffe in ihren Fahrzeugen und auf ihrem Gelände verbieten. In aller Regel tun sie das auch.«

Ingo lehnte sich zurück. »Na, so ganz unabhängig von Beruf und persönlichem Hintergrund ist das Risiko aber nicht, oder? Der reiche Erbe kann Taxi fahren, wo der arme Rentner auf die U-Bahn angewiesen ist.«

Vereinzelter Applaus.

Der Richter rückte seine dickrandige Brille zurecht. »Man kann auch aus einem Taxi heraus entführt werden. Es ist schwierig, das realistisch gegeneinander aufzurechnen.«

»Okay«, meinte Ingo, »fragen wir andersherum: Welche

Waffen darf der gewöhnliche U-Bahn-Benutzer denn legal mit sich führen?«

»Praktisch keine«, erklärte der Richter.

»Pfefferspray?«

Der Richter hob die Augenbrauen. »Ein komplexer Fall. Sogenannte Reizstoffsprühgeräte gelten zwar als Waffen im Sinne des Waffengesetzes, dürfen aber ohne Waffenschein geführt werden, vorausgesetzt, die Geräte sind von der Physikalisch-Technischen Bundesanstalt geprüft und zugelassen. Das ist der in Pfeffersprays enthaltene Wirkstoff allerdings in Deutschland nicht, denn für das erforderliche Prüfungsverfahren wären Tierversuche notwendig, die nach dem heutigen Tierschutzgesetz nicht mehr erlaubt sind.«

Das gab vereinzelt Gelächter im Publikum. Ungläubiges Gelächter.

»Ich glaube, das kommentiere ich jetzt lieber nicht«, sagte Ingo trocken. »Wie steht es mit Elektroschockern?«

»Sind seit 2010 verboten. Nur die Polizei darf solche Waffen verwenden.«

»Messer?«

»Kommt darauf an. Springmesser mit einer Klingenlänge über 85 Millimeter sind verboten und dürfen sich nicht im Besitz von Privatpersonen befinden. Kürzere Springmesser gelten als Waffen, dürfen aber geführt werden, wenn ein berechtigtes Interesse daran besteht, zum Beispiel auf der Jagd, beim Sport oder im Beruf. Ausdrücklich gilt die Selbstverteidigung nicht als berechtigtes Interesse.«

Unruhe im Publikum. Murren.

Ingo musterte seinen Gast nachdenklich. »Es könnte einem so vorkommen, als wolle der Staat seine Bürger nach Kräften daran hindern, sich und andere selber verteidigen zu können.«

»Da widerspreche ich Ihnen nicht«, erwiderte der Richter. »Tatsächlich kann ich niemandem dazu raten, anderen in einer Situation akuter Gewalt tätlich beizustehen. Selbst wenn das ohne körperliche Konsequenzen bleibt, bleibt es so gut wie nie ohne juristische.«

»Solche Fälle hatten wir diese Woche schon einige«, sagte Ingo. »Aber was heißt das? Soll man wegsehen?«

»Nein, das wiederum wäre unterlassene Hilfeleistung. Sie müssen in so einem Fall die Polizei benachrichtigen. Wobei es da auch schon vorgekommen ist, dass jemand eine, sagen wir mal, Schlägerei unter Freunden für eine Gefahrensituation gehalten hat und nachher, als die Beteiligten beim Eintreffen der Beamten Stein und Bein schworen, dass es gar keine Auseinandersetzung gegeben hätte, wegen Missbrauchs von Notrufen nach Paragraf 145 Strafgesetzbuch belangt wurde.«

»Am besten, man bleibt daheim und lässt die Läden herunter?«

»Man kann auch zu Hause überfallen werden. Das ändert die Sachlage nicht wesentlich. Der Eindringling wird, da er sich ohnehin nicht an Gesetze hält, wahrscheinlich eine Waffe haben, man selber dagegen nicht«, sagte der Richter. »Und selbst wenn man eine hätte, ist kaum eine Situation vorstellbar, in der man sie einsetzen könnte, ohne sich strafbar zu machen.«

»Anderes Thema: Warum werden gegen jugendliche Gewalttäter so oft so milde Urteile gefällt?«, fragte Ingo. »Wir hören immer wieder von Fällen schwerer Körperverletzung mit teilweise lebenslangen Folgen für die Opfer, in denen die Täter mit geringen Bewährungsstrafen davonkommen. Wie ist das zu erklären?«

Der Richter schob den Unterkiefer vor. Hinrich Kastell war Ingo kein unbekannter Name, wenn er ihm auch heute zum ersten Mal begegnete. In seiner aktiven Zeit hatte Kastell bisweilen mit unverblümten Äußerungen Aufsehen erregt und sich damit vermutlich um eine Berufung an eines der höchsten Gerichte gebracht. »Begründet wird das natürlich gern mit pädagogischen Intentionen«, sagte der knorrige alte Mann, »aber in Wahrheit steckt bei vielen Kollegen schlicht und einfach Faulheit dahinter. Wenn Sie als Richter ein hartes Urteil fällen, dann wird das vom Beklagten in aller Regel angefochten. Das heißt, Sie müssen Ihr Urteil sorgfältiger begründen, wenn es hart ausfällt, was naturgemäß mehr Arbeit macht. Geht der Beklagte daraufhin in Revision, haben Sie noch einmal Arbeit, und falls Ihr Urteil von einer höheren Instanz aufgehoben wird, macht sich das auch nicht gut. Sie müssen als Richter also allerlei Nachteile in Kauf nehmen, wenn Sie ein hartes Urteil fällen. Fällen Sie dagegen ein mildes Urteil, geht der Beschuldigte zufrieden aus dem Saal, und Sie sind die Sache los.«

»Aber das Opfer geht in dem Fall *nicht* zufrieden aus dem Saal«, meinte Ingo.

»Ja, schon«, räumte der Richter ein. »Doch im Unterschied zum Beklagten kann das Opfer das Urteil nicht anfechten.«

Ingo stutzte. »Nicht?«

»Nein. In unserem Strafrecht gilt bei Kapitalverbrechen, dass die Staatsanwaltschaft Hauptkläger, das Opfer dagegen nur Nebenkläger ist. Und nur der Hauptkläger kann in Revision gehen. Da die meisten Staatsanwälte sich aber ebenfalls überfordert fühlen, werden milde Urteile in der Regel nicht beanstandet.«

»Das heißt, alle sind fein raus, mit Ausnahme des Opfers«, resümierte Ingo.

»So ist die Praxis«, bestätigte der pensionierte Richter.

Ingo fiel wieder ein, wozu er sich verpflichtet hatte, um Hinrich Kastell in seine Sendung zu bekommen. Höchste Eisenbahn, denn die Zeit neigte sich schon dem Ende zu. »Um den Unterschied zwischen Theorie und Praxis geht es auch in Ihren Lebenserinnerungen, die dieser Tage herausgekommen sind«, sagte er rasch und holte das Buch hervor, das bis jetzt in einer Seitentasche seines Sessels gesteckt hatte. Er hielt es in die Kamera. »Hinrich Kastell, ›Schuldig im Sinne der Anklage‹, erschienen im Jonny-K-Verlag. Für neunzehn Euro neunzig in jeder guten Buchhandlung erhältlich.«

»In die Katakomben«, sagte der Revisor, als es die Treppe ins Untergeschoss hinabging, wo die meisten Laborräume der Kriminaltechnik untergebracht waren.

Niemand lachte. Ambick nicht, weil er diese Bezeichnung wenig originell fand, die anderen vielleicht, weil sie sie gewöhnt waren: Soweit er mitbekommen hatte, verwendeten viele Kriminaltechniker diese Vokabel selber.

Kahle Betonstufen, die Wände mit grauer Ölfarbe gestrichen, als befürchte man jeden Tag eine Überschwemmung oder als wolle man verhindern, dass bei denen, die hier arbeiteten, Lebensfreude aufkam. Amtsarchitektur eben.

Kerner schien das nicht zu kümmern. Er walzte ihnen voran, aufgeregt und stoßweise redend. »Ich würde ja gern sagen können, dass ich allein draufgekommen bin, aber das ist nicht so ... Frau Professor Doktor Woll vom Anwenderzentrum Materialforschung ... unglaublich, wie viel Zeit die sich genommen hat für mich ... sollte man irgendwann angemessen würdigen, finde ich ... verpflichtet wäre sie ja nicht dazu gewesen ... hochinteressante Strukturen, wirklich absolut faszinierend ... Nanotechnologie, meint Bea– ... ähm, meint Frau Professor Woll ...«

Sie hatten das Ende des Flurs erreicht, die allerletzte Tür, die in ein Labor führte, in dem sie nicht alle Platz hatten. Enno Kader blieb freiwillig zurück, der IT-Experte auf einen verweisenden Blick des Revisors hin ebenfalls.

»Hier«, sagte der dicke Kriminaltechniker und wies auf einen Versuchsaufbau, den er auf einem Seitentisch errichtet hatte: eine kompliziert aussehende Klemmvorrichtung aus Plexiglaselementen, an deren Spitze etwas befestigt war, das aussah wie eine kurze schwarze Borste. »Ein Haar, das am Tatort Stuttgarter Platz sichergestellt worden ist. Ich hab es erst für Kunsthaar gehalten, aus einer Perücke, aber das war es nicht.«

»Sondern?«, wollte Ortheil schlecht gelaunt wissen. Vermutlich bereute er es längst, den Abend geopfert zu haben.

»Tja, wenn man das wüsste«, sagte Kerner, zog zwei schwarze Kabel hervor und verband sie mit der Klemmvorrichtung, die das Haar hielt. »Das mit der Elektrizität war übrigens eine Eingebung von mir, in aller Bescheidenheit. Wenn bitte jetzt jemand mal das Licht ausmachen könnte?«

Ambick sah sich um, aber der Lichtschalter war nicht auf seiner Seite. Der Revisor betätigte ihn, der Raum versank in Schwärze.

»Also, wenn ich jetzt eine simple Spannung anlege, so um zwölf Volt herum, dann passiert Folgendes ...«, hörte er den Kriminaltechniker sagen, der mit irgendetwas hantierte, das kratzende Geräusche von sich gab.

Im nächsten Moment sahen sie, wie das Haar länger wurde ... und *aufleuchtete*!

20 Der Kriminaltechniker führte ihnen das Experiment noch einmal im Hellen vor, was weniger beeindruckend aussah, aber jeden Zweifel an dem, was hier vor sich ging, ausräumte: Unter elektrischer Spannung verlängerte sich das schwarze Haar und begann von innen heraus zu leuchten.

»Doch«, sagte Ambick. »Es ist doch ein Haar aus einer Perücke. Enno, hast du dein Tablet mit dem Video dabei?«

»Nee, liegt oben im Büro.«

»Eine *neuartige* Perücke«, fuhr Ambick fort. »Das heißt, wir besitzen ein Bild des Racheengels.«

Staatsanwalt Ortheil sah Ambick befremdet an. »Was meinen Sie damit? Ich habe noch nie von so einem Material gehört.«

»Neuartig eben. Sagte ich doch.« Ambick deutete zur Tür. Man bekam ohnehin kaum noch Luft. »Lassen Sie uns das Video vom U-Bahnhof Dominikstraße noch einmal anschauen.«

Zehn Minuten später wusste Ambick, dass sie zwar Bilder des mutmaßlichen Racheengels besaßen, aber keine guten. Der Mann im schwarzen Mantel blickte auf dem Weg durch die Unterführung ständig zu Boden, sein Gesicht war zu keinem Zeitpunkt zu erkennen.

»Okay. Wir müssen davon ausgehen, dass es ein neuartiges Material gibt, das imstande ist, seine Farbe und Länge auf ein elektrisches Signal hin zu ändern«, fasste Ambick das Offensichtliche zusammen, sicherheitshalber. »Das ändert die gesamte Beweislage.« Er berichtete von dem Experiment, das Enno und er im U-Bahnhof angestellt hatten. »Wenn er nur einen Schalter umzulegen brauchte, um plötzlich lange, leuchtende Haare zu haben und einen weiß strahlenden Mantel statt eines schwarzen, dann passt alles. Dann hatte er gerade genug Zeit, die Treppe hinabzugehen, die beiden Jugendlichen zu erschießen, wieder hochzusteigen und zu verschwinden.«

Ortheil sah ihn an wie einen Wahnsinnigen. »Wer macht denn so etwas? Wie sollte jemand so ein Timing hinbekommen …?«

»Vielleicht war es Glück. Zufall. Er war unterwegs, hat den Lärm von unten gehört, verstanden, was da los war, ging runter und machte kurzen Prozess.«

»Und ist einfach wieder gegangen? So, als hätte er nur mal eben eine leere Coladose in den Mülleimer geworfen?«

»Vielleicht hatte er es eilig? Musste aufs Klo? Wollte weg sein, wenn der nächste Zug einlief?« Ambick hob die Hände. »Ich weiß es nicht. Ich weiß nur, dass damit auf einmal alles passt.«

Der Staatsanwalt verschränkte die Arme, furchte die Stirn und erklärte in äußerst staatstragendem Ton: »Gut, gehen wir einstweilen davon aus. Da stellt sich doch die Frage, um was für ein Material es sich da eigentlich handelt.«

Der Techniker zuckte mit den Schultern. »Keine Ahnung. Und, ähm, Frau Woll meint, sie weiß es auch nicht. Muss eine ganz neue Erfindung sein.«

»Das heißt, es wäre aufschlussreich, den Erfinder zu ermitteln«, erklärte Ambick. »Ich kann mir nicht vorstellen, dass jemand heutzutage so etwas erfindet und es dann nicht zum Patent anmeldet. Stellen Sie sich nur vor, was so eine Faser an Möglichkeiten für die Mode eröffnet. Kleidungsstücke, die auf Knopfdruck ihre Farben und Längen ändern. T-Shirts, auf denen bewegte Bilder ablaufen. Mäntel, die nachts leuchten. Perücken mit eingebauten Farbspielen. Ein Milliardenmarkt. Es *muss* eine Patentschrift geben.«

»Die Datenbanken der Patentämter«, meinte Kerner aufgeregt. »Ich könnte recherchieren.«

Ambick nickte. »Wann können Sie anfangen?«

Nach der Sendung wieder Autogramme, ohne Ende. Von allen Seiten kamen sie auf Ingo zu, streckten ihm Notizbücher, die Rückseiten der Eintrittskarten, irgendwelche Fresszettel hin, und er schrieb, bedankte sich, lächelte, antwortete auf Fragen, belangloses Zeug, vergaß Frage wie Antwort sofort wieder, egal, ein Bad in der Menge, ein Dahintreiben in Richtung der Garderoben, er genoss es. Oh ja. Regelrecht *high* machte es ihn, er spürte es.

Hinterher die Verabschiedung der Gäste. Der Richter war leicht angesäuert, meinte, er hätte gern etwas mehr über sein Buch gesprochen. Ja, er auch, nur zu gern, sagte Ingo, noch ganz im Überschwang der Zustimmung, besoffen fast, aber leider, er wisse ja, die Zeit sei einfach immer knapp. Der Rocker dagegen war gut drauf, fand alles prima, meinte nur, als Ingo ihm zum Abschied die Hand schüttelte: »Ach, übrigens …«, und öffnete verschwörerisch seine Lederjacke.

Im Gürtel steckte eine Pistole.

»Hab mir natürlich gleich eine neue besorgt«, raunte der massige Mann, der sich Stockes nannte, und zog den Reißverschluss wieder zu.

Ingo wollte etwas sagen, aber sein Hirn lieferte nichts, fühlte sich an wie abgeschaltet. Eine Pistole. Wow. Da redete er von Selbstverteidigung und bekam gleich darauf zum ersten Mal in seinem Leben eine echte Pistole zu Gesicht.

Es ließ ihn erschlagen zurück, auch nachdem die beiden Gäste gegangen waren, auch in der Maske, auch in der Nachbesprechung. Als er das Gebäude verließ, stand noch ein gutes Dutzend Leute da, die Autogramme wollten. Sie drängelten sich unter dem Vordach, weil es angefangen hatte zu regnen. Ob sie ihn nach Hause fahren dürfe, bot ihm eine Frau an, die bis zuletzt gewartet hatte, eine junge Frau mit einem hübschen

Gesicht und leuchtenden Augen, die ihn an ein Rehkitz denken ließ und regelrecht beglückt schien, als er sagte, oh ja, gern.

Glückliche Fügung, dachte er, während er wartete, dass sie mit dem Auto kam. Er starrte in den silbern fallenden Regen hinaus, fröstelte. Nach einer solchen Sendung mit der U-Bahn heimzufahren, nein, das hätte er nicht gebracht. Glückliche Fügung.

Daniela heiße sie, sagte sie, als sie mit einem überraschend großen, teuren, fast gepanzert wirkenden Wagen vorgefahren und Ingo eingestiegen war. Ingo, sagte er, obwohl sie das ja wusste, aber es schien ihm angebracht. Dann kam er nicht mehr zu Wort; sie plapperte die ganze Fahrt über. Wie toll sie es fand, dass er diese Sendung mache und jemand endlich mal all das sage. Und wie man sich als Frau fühle, wenn man allein in der Stadt unterwegs sei, nicht nur nachts. »Das müssten Sie auch mal thematisieren!«, verlangte sie.

Ingo hatte sich verwaschenen Tagträumen überlassen, in denen er sie auf einen Kaffee zu sich einlud und es dabei nicht blieb – sie hatte schöne, schmale Hände und keinen Ring daran; wie sie wohl dazu kam, so ein Auto zu fahren? Aber als sie die Dominikstraße erreichten, bat er sie nur, ihn an der Ecke herauszulassen, und bedankte sich. Der Kiosk hatte noch offen; er rettete sich vor dem Regen hinein, kaufte eine Ausgabe des *Abendblatts* und wartete, bis sie davongefahren war, ehe er nach Hause ging.

Die Wohnung war erschreckend still, als er aufschloss. Ihm fielen die Polizisten wieder ein, die Haussuchung, ja richtig, das hatte er gerade so schön verdrängt.

Eigenartig. Als sei es gar nicht seine Wohnung. Ingo zog seinen Parka aus, das Jackett, stand unschlüssig da. Putzen, beschloss er. Er würde aufräumen, alles durchputzen. Zum ersten Mal im Leben nicht aus lästiger Notwendigkeit, sondern aus einem regelrechten Bedürfnis heraus. Und anschließend eine lange, heiße Dusche.

Es war nach elf Uhr, als er endlich mit allem fertig war, aus der Dusche kam und sich wieder einigermaßen wohlfühlte. Hunger hatte er keinen mehr, er holte sich nur einen Joghurt aus dem Kühlschrank, der sowieso wegmusste, und löffelte ihn im Bademantel auf der Couch. Fertig. Er war fix und fertig.

Das Telefon klingelte, als habe es darauf gewartet, bis er den Becher in Ruhe geleert hatte. »Ich bin's«, meldete sich Melanie mit seltsam weicher Stimme.

»Oh«, sagte Ingo. Nicht schon wieder der verdammte Papagei!

»Ich hab dich heute zusammen mit einem Jungen gesehen«, sagte sie.

»Mit einem Jungen?«, echote Ingo, der im ersten Moment nicht begriff, wovon sie redete.

»Dreizehn Jahre alt, schätz ich mal. U-Bahn Mitte. Ihr seid zusammen in die 12 nach Spannwitz gestiegen.«

»Ach so«, meinte Ingo. »Ja. Das war Kevin. Der Sohn, ähm … einer Bekannten.«

»Ach so«, sagte sie, mit jenem vieldeutigen, skeptisch-verletzlichen Melanie-Ton in der Stimme, den er nur zu gut kannte. Dem Tonfall, aus dem immer alles hatte werden können, eine heiße Liebesnacht genauso wie ein erbitterter Streit – je nachdem, wie es weiterging.

»Ich hab dich nicht gesehen«, gestand Ingo. »Übrigens ist Kevin vierzehn.«

»Ich war in der 7.« Die Linie zur Universität. Das hieß, sie hatte den Vormittag damit verbracht, über einem Komma ihrer Magisterarbeit zu brüten oder eine Fußnote zum drölfzigsten Mal nachzuprüfen. Weil die Magisterarbeit von Melanie Gehrmann eines Tages als die vollkommenste Arbeit gelten sollte, die eine Studentin der Literaturwissenschaften jemals eingereicht hatte. »Ihr habt euch angeregt unterhalten, der vierzehnjährige Kevin und du.«

»Kann sein.« Er hatte gar nichts mehr von Evelyn gehört, fiel ihm dabei ein. Ob alles geklappt hatte. Wie Kevin das Training fand.

»Deine Sendungen schau ich mir übrigens immer noch an«, fuhr Melanie fort. »Ich wusste gar nicht, dass du so was kannst.«

»Nun ja …« Ingo dachte an die Rasselbande, die er damals, zu Studienzeiten, zu bändigen gehabt hatte. Verglichen damit, war dieser Job beinahe einfach.

»Echt. So auf dem Bildschirm wirkst du richtig souverän.«

»Tja. Ist halt mein Thema.« Er räusperte sich. »Vielen Dank übrigens noch mal für den Tipp am Montagabend.«

»Ach so.« Man konnte förmlich hören, wie ihre Begeisterung verpuffte. »Ich weiß nicht. Markus hat das mitgekriegt, glaub ich. Dass ich dir Bescheid gesagt habe. Er war am Dienstagabend nach der Sendung stinkesauer.« Sie zögerte. »Und heute ist er schon wieder nicht nach Hause gekommen.«

Ingo stutzte. »Was heißt das?«

»Na ja. Das macht er manchmal, wenn er Wut auf mich hat. Dann bleibt er nachts weg.«

»Was? Arbeitet er dann durch oder was?«

»Quatsch«, sagte Melanie, als sei er der begriffsstutzigste Mann der Welt. »Er geht natürlich zu irgendeiner anderen Frau. Der Scheißkerl.«

Ingo musste blinzeln, um das Gefühl loszuwerden, einen surrealen Traum zu träumen. »Erzählst du mir gerade, dass dein Matschi dich mit anderen Frauen betrügt, wenn ihr Streit habt?«

»So oft streiten wir nicht.«

»Und das lässt du dir gefallen?«

»Natürlich nicht. Ich sag ihm schon die Meinung. Lautstark. Kennst du ja.«

Es musste ein Traum sein. Einer von der Sorte, wie man ihn in der Nacht nach einem Stück absurden Theaters träumt. »Also, ich will ja nicht meckern, aber ich hab solche Sachen jedenfalls nie gemacht. Egal, was zwischen uns los war.«

»Ja«, sagte sie, aber es klang alles andere als nostalgisch. »Vielleicht war das der Fehler.«

»Wie meinst du das?«

»Markus ist eben jemand, der weiß, was er will, und der sich nichts gefallen lässt. Der einen klaren Standpunkt hat. Das ist nicht immer einfach, aber es imponiert mir irgendwo auch.«

»Ich hab's dir also zu einfach gemacht?«

»Möglich. Weiß ich nicht.« Das war wieder typisch Melanie. Nur nie sagen, was man wirklich meint. »Manchmal hätte ich mir schon gewünscht, dass du … na ja. Direkter bist. Klarmachst, was du willst.«

Auf einmal glaubte Ingo zu verstehen, warum sie ihn überhaupt angerufen hatte: Sie wartete darauf, dass er ihr vorschlug, sich zu treffen. Heute noch. Gleich. Sie wartete darauf, dass er sagte, *komm doch zu mir*. Dass er sie in sein Bett einlud, mit anderen Worten.

»Ehrlich?«, fragte Ingo zurück, mit pochendem Herzen, den Kopf voller Bilder, wie es gewesen war zwischen ihnen, voller Erinnerungen, bei denen es ihm richtiggehend heiß wurde.

Er dachte an Evelyn. Die sich nicht mehr gemeldet hatte. Wahrscheinlich hatte Kevin das Training völlig schrecklich gefunden. Womöglich hatte er sich verletzt, und sie gab ihm die Schuld daran.

»Ganz ehrlich?«, hörte er Melanie sagen. Hauchen. »Du warst im Bett viel zu vorsichtig. Ich hab immer das Gefühl gehabt, du hast Angst, du brichst mir irgendwas ab bei der kleinsten falschen Bewegung. Ich hab drauf gewartet, dass du dir einfach mal nimmst, was du willst, verstehst du, was ich meine?«

»Ich war zu rücksichtsvoll? Ist das dein Ernst?«

»Ingo, das ist was anderes. Es ist okay, Rücksicht zu nehmen. Ich träum nicht davon, vergewaltigt zu werden oder so einen Scheiß. Aber als Frau, da will man auch mal … ach verdammt, man will auch mal *Begehren* spüren. Leidenschaft. Dass es mit dem Mann, mit dem man zusammen ist, *durchgeht*.«

»Du hast davon geträumt, mal so richtig *rangenommen* zu werden?«

»Ja, genau. Ich hab davon geträumt, mal so richtig rangenommen zu werden.«

Vielleicht wartete sie doch nicht auf seine Einladung. Vielleicht war das nur eine verspätete Generalabrechnung. Ein Versuch, ihn zurechtzustutzen. Nicht, dass er sich am Ende was auf seinen Erfolg im Fernsehen einbildete und nicht mehr angetanzt kam, wenn sie pfiff.

Stand er gerade an einem Wendepunkt seines Lebens? Irgendwie hatte Ingo das Gefühl. Als könne jedes Wort, das er jetzt sagte oder nicht sagte, entscheidend sein.

»Und dein Matschi?«, fragte er, weil es sein musste. »Nimmt der dich so richtig ran? Wenn er zufällig mal da ist und nicht andere Frauen richtig rannimmt, meine ich.«

Einen Moment herrschte Stille am anderen Ende der Leitung. Dann kam eine verletzt klingende Stimme: »Ingo Praise? Du bist ein Idiot.«

Damit legte sie auf.

Ingo legte auch auf, ließ den Kopf nach hinten sinken, musste an Melanies Brüste denken, die er manchmal *Amazonenbrüste* genannt hatte, weil die rechte etwas kleiner war als die linke, und fragte sich, ob er tatsächlich ein Idiot gewesen war. Schwer zu sagen.

Es klingelte wieder. Ingo ließ die Hand über dem Hörer schweben, zögerte. Es klingelte noch einmal.

Nein. Er stand auf, zog den Telefonstecker aus der Dose und ließ ihn liegen. Dann ging er in die Küche und schenkte sich ein großes Glas Rotwein ein.

Am Freitagmorgen führte Ambicks erster Weg hinab in die Labors zu Kerner, der am Abend zuvor versprochen hatte, sofort mit der Patentrecherche zu beginnen.

Die Tür war noch verschlossen. Vielleicht war es spät geworden.

Als er ins Büro kam, war Enno schon da, studierte im fahlen Schein seiner Schreibtischlampe eine Akte. Ambick probierte den Lichtschalter: immer noch nichts.

»Der zweite Reparaturantrag«, sagte Enno, ohne aufzusehen. »Das war der Fehler. Jetzt fühlt sich der Hausmeister gedrängt, und dann macht er gar nichts.«

»Na toll.« Ambick seufzte. »Dir auch einen guten Morgen übrigens.«

Er setzte sich an seinen Schreibtisch und schaltete den Computer ein. Eine Mail von Kerner war da: Er habe noch nichts gefunden, müsse aber jetzt allmählich aufhören. Abgeschickt worden war die Mail um 1:09:12.

Das hieß, heute Morgen war vermutlich so früh nicht mit dem Auftauchen des Kriminaltechnikers zu rechnen.

»Sag mal, hast du nächste Woche Donnerstagabend schon was vor?«, fragte Ambick aus einem Impuls heraus.

Enno sah auf. »Öhm … Keine Ahnung. Müsste ich nachsehen. Wieso?«

»Da ist der Titelkampf im Halbschwergewicht in Manila. Dachte, wenn du Lust hast, könnte man sich den vielleicht zusammen anschauen. Ich hab 'nen großen Fernseher, und im Kühlschrank warten gepflegte Bierchen.«

Enno zögerte, verzog dann das Gesicht und schüttelte den Kopf. »Nee, du, sorry. Ehrlich, aus Boxen mach ich mir nichts. Du?«

Ambick hob die Schultern, fühlte Enttäuschung. »Ich hab früher selber geboxt. Bantamgewicht. Und an der Polizeihochschule noch eine Weile.«

»Respekt.« Enno sah auf. »Donnerstags? Ist so was nicht eher am Wochenende?«

»Ist, glaube ich, ein Feiertag auf den Philippinen.«

»Ah, okay.«

Kurz vor zehn kam der Staatsanwalt hereingeplatzt, heute im nadelgestreiften anthrazitgrauen Dreiteiler mit beigefarbenem Hemd und blau-braun gestreifter Klubkrawatte. »Dieser

Journalist«, schnaubte er. »Haben Sie die Sendung gestern gesehen?«

»Um die Zeit waren wir noch hier«, sagte Ambick.

»Dafür gibt es Videorekorder.«

»Die sind mir zu kompliziert.«

»Okay. Jedenfalls, raten Sie mal, wen er dahatte. Den alten Kastell. Richter Gnadenlos. Der Schrecken von Mülmarschen. Der hat jetzt seine Memoiren herausgebracht – als ob das irgendjemanden interessieren würde! – und war wohl in der Sendung, um dafür Werbung zu machen. Und hat wie üblich einen Stuss geredet, dass es einem die Fußnägel aufgerollt hat.«

Ambick zuckte mit den Schultern. »Und?«

»Und? Doktor Korbner hat mich angerufen, mir die Hölle heißgemacht. Die Sendung ist inzwischen so populär, dass sich der Oberbürgermeister Sorgen macht, welche Auswirkungen das auf die Wahlen haben wird. Anscheinend machen ein paar radikale Parteien schon Werbung damit – der Racheengel ist unser Retter und Erlöser, die Polizei kann die Bürger nicht mehr schützen, blah, blah, blah. Der übliche Kram halt.«

»Stimmt doch«, sagte Ambick. »Wir können die Bürger doch tatsächlich nicht mehr schützen.«

Offenbar hörte ihm Ortheil gar nicht zu, sonst hätte er daraufhin wohl kaum »Eben!« gesagt und weiter: »Also, langer Rede kurzer Sinn: Korbner hat bei City-Media Druck gemacht, dass die mich in die Sendung nehmen, gleich heute Abend. Damit ich mal ein paar Dinge richtigstelle. Das heißt, wir müssen absprechen, was ich sagen darf und was nicht.« Er musterte Ambick forschend. »Die Faser werde ich unerwähnt lassen. Die kann noch fahndungsrelevant werden.«

»Seh ich auch so«, meinte Ambick.

»Den ermittelnden Staatsanwalt?«, echote Ingo fassungslos. »Den Mann, der meine Wohnung hat durchsuchen lassen? Fällst du mir jetzt endgültig in den Rücken?«

Er saß an seinem Schreibtisch, die Mappe mit den Unterlagen zu den Studiogästen vor sich, die gestern noch vorgesehen gewesen waren. Seine Notizen, seine Vorbereitungen: alles Makulatur.

»Ich hab gestern Abend noch versucht, dich anzurufen, aber es hat niemand abgenommen«, verteidigte sich Rado am Telefon. »Und wie gesagt, es war nicht meine Idee. Der Oberbürgermeister macht Druck. Und wir können es uns nicht erlauben, die Aufträge der Stadt zu verlieren.«

»Na toll. So viel zum Thema freie Presse.«

»Ach, komm. Das kriegst du doch hin. Deine Chance, es ihm heimzuzahlen.« Rado säuselte auf einmal regelrecht. »Die haben mich nur gezwungen, dir den Kerl in die Sendung zu setzen. Was du zu ihm sagst … und was du ihn sagen lässt … das ist ganz allein deine Sache.«

»Solange ich kein neues Video zeige.«

»Solange du kein neues Video zeigst, ohne das vorher mit mir abzustimmen.«

Einen Moment lang hatte Ingo das Gefühl, den Boden unter den Füßen zu verlieren. Als fiele er plötzlich ins Nichts.

»Echt toll«, stieß er hervor. »Ist dir eigentlich klar, dass ich überhaupt nichts mehr habe, um die Sendung vorzubereiten? Die haben gestern meinen Computer mitgenommen, meine Akten, mein Handy … Ich sitze hier praktisch vor einem leeren Schreibtisch.«

»Schon der zweite Computer, den du in einer Woche verlierst.« Das schien Rado zu amüsieren. »Was brauchst du denn? Hast du nicht noch die Festplatte im Bankschließfach?«

Ach ja, richtig. An die hatte Ingo gar nicht mehr gedacht. Auf der war alles drauf, was er brauchte; sein ganzes Archiv. »Die nützt mir nichts ohne Computer.«

»Daran wird es nicht scheitern. Hol die Platte und komm her. Du kriegst ein leeres Büro samt Computer. Und ein neues Handy zu kaufen sollte ja wohl kein Problem sein.«

Und draußen nieselte es zu allem Überfluss.

Was für ein Scheißtag.

»Okay«, sagte Ingo. »Ich komme.«

Nach dem Mittagessen, das mal wieder der Verbrechensbekämpfung nicht sehr dienlich gewesen war – freitags war in der Kantine der Tag der Resteverwertung –, probierte es Ambick noch einmal in den Katakomben.

Diesmal war Kerner da. Er hockte an seinem Labortisch, mampfte eine dicke Vollkornstulle und sagte kauend: »Hab nichts gefunden. Ganz eigenartig. Kommt einem fast vor, als ob …« Er sprach nicht weiter, kaute nur.

»Als ob was?«, hakte Ambick nach.

Kerner schluckte. »Ach, nichts. Nur ein blöder Gedanke.«

»Heraus damit.«

Der dicke Kriminaltechniker deponierte sein belegtes Brot auf den Deckel der Plastikdose, in der er es aufbewahrt hatte. »Na ja, das Abendblatt hat den Racheengel doch als so 'ne Art Batman-Verschnitt gezeichnet … Der hat ja bekanntlich eine Höhle. Und jemanden, der diese ganzen Superwaffen für ihn erfindet. Ob das hier auch so einer ist, habe ich mich gefragt.« Er zuckte mit den Schultern. »Ich hab früher viel Comics gelesen, hab alle Filme zu Hause. Da fällt einem halt so Zeug ein.«

Ambick hüstelte. »Eine Makarow-Pistole würde ich jetzt nicht gerade als Superwaffe bezeichnen. Eher als das Gegenteil.«

»Ich hab doch gesagt, es war nur ein blöder Gedanke«, verteidigte sich Kerner.

»Okay. Und weiter? Ich kann mir nicht vorstellen, dass so etwas wie diese Faser nicht zum Patent angemeldet ist.«

»Ja, schon. Bestimmt. Aber die Frage ist eben, wonach man suchen soll. Nach welchen Begriffen. Ich hab gestern Abend im *Espacenet* gesucht wie ein Verrückter, aber –«

»Was ist das *Espacenet*?«

»Die Patentsuchfunktion des Europäischen Patentamts.

Damit kann man weltweit suchen, in Anmeldungen aus über 90 Ländern.« Er wedelte mit der Hand, als störe die Nachfrage seinen Gedankengang. »Wenn man da nach Begriffen wie ›nano‹, ›fiber‹, ›fabric‹ und so sucht, kriegt man Rückmeldungen wie, ›88.000 Einträge gefunden, nur die ersten 500 werden angezeigt‹. Also muss man nach anderen Begriffen suchen, Begriffe ausschließen, und da bin ich, ehrlich gesagt, nicht so bewandert. Macht man doch eher selten als Kriminaler. Ich hab mir gestern Abend redlich das Hirn zermartert, hat aber nicht viel gebracht. Heute Morgen … okay, eigentlich erst vorhin, kurz vor Mittag … hab ich noch mal mit Frau Professor Woll gesprochen. Die hat jetzt einen professionellen Rechercheur drangesetzt.« Er sah Ambick fragend an. »Ich hoffe, das war okay?«

Ambick überlegte kurz. »Hmm. Geben Sie mir mal lieber die Telefonnummer von dieser famosen Frau Woll. Wenn sie jemanden drangesetzt hat, der intelligent genug für den Job ist, dann kann der auch eins und eins zusammenzählen und weiß, worum es geht. Ich will den drauf einschwören, dass er den Mund hält. Nicht, dass die Presse uns noch mal in die Ermittlungen pfuscht.«

Es klappte alles. Er fuhr in die Stadt, kaufte ein neues Mobiltelefon und holte seine Festplatte aus dem Bankschließfach. Im Sender bekam er ein Büro im Verwaltungstrakt, abseits der hektischen Redaktionsräume, das ungestörtes Arbeiten versprach: Der interne Telefonapparat stand abgeklemmt auf dem Fenstersims. Und während er das Internet nach Artikeln über Lorenz Ortheil abgraste, um eine Vorstellung davon zu gewinnen, was der Staatsanwalt sagen mochte, und sein eigenes Archiv durchging, um Zahlen und Argumente zu notieren, legte sich die Empörung, die Aufregung, die Panik wieder, die ihn bei Rados Anruf befallen hatte.

Was hatte er zu verlieren? Ortheil würde ein paar Statements abgeben, die ihm, Ingo, nicht gefielen – na und? So war das nun mal mit der Meinungsfreiheit. Vielleicht würde er in einer Diskussion mit dem Staatsanwalt dumm aussehen, aber wen kümmerte das schon? Abgesehen davon war er der Moderator, derjenige also, der die Fragen stellte und das Wort erteilte – das hieß, er würde es sein, der den Verlauf des Gespräches steuerte.

Auf der anderen Seite stand eine Chance, die er so schnell nicht wieder kriegen würde: Einem prominenten Vertreter des staatlichen Gewaltmonopols einmal so richtig die Leviten zu lesen. All das zu sagen, was sich über die Jahre in ihm aufgestaut hatte. Und da hatte sich vieles aufgestaut. All das, was er wieder und wieder im Kopf umhergewälzt, in nächtlichen Gesprächen mit sich selbst diskutiert, in Artikel hineingeschrieben und wieder herausgestrichen bekommen hatte – all das würde er loswerden können, und zwar an den richtigen Adressaten und vor einem in den letzten Tagen enorm gewachsenen Publikum.

Rado hatte recht. Es war seine Chance, es Ortheil heimzuzahlen. Nicht zuletzt dafür, dass er seine Wohnung hatte auf den Kopf stellen lassen. Nicht zuletzt dafür, dass er ihn in seiner Pressekonferenz lächerlich gemacht hatte.

Ingo zog sein neues Handy heraus, rief Rado an. »Haben wir ein Video von der ersten Pressekonferenz der Polizei zum Thema Racheengel?«

»Klar.«

»Kann ich daraus heute Abend einen Abschnitt zeigen?«

Ingo sagte ihm, welchen. Rado lachte. Als Ingo ihm sagte, welche Videos er außerdem zeigen wollte, lachte er nicht mehr. Ingo ließ nicht locker, malte ihm sein Dilemma in den schwärzesten Farben aus.

»Na gut«, gab Rado schließlich nach. »Auch wenn ich es wahrscheinlich bereuen werde.«

Das Gespräch mit Rado und das neue Handy, das noch ganz ungewohnt in der Hand lag, brachten Ingo auf eine Idee. Eine pfiffige Idee, wie er fand. Evelyn seine neue Handynummer zu geben war doch ein glaubhafter Vorwand, sie anzurufen, oder?

»Das muss Gedankenübertragung sein«, meinte sie. »Ich wollte Sie nämlich auch schon anrufen.«

»Wirklich?«

»Na, wegen Kevins Übungstraining gestern. Aber dann habe ich gedacht, Sie haben bestimmt gar keine Zeit, weil Sie Ihre Sendung heute Abend vorbereiten müssen.«

»Halb so wild«, meinte Ingo. Ach ja, richtig. Kevin und das Krav-Maga-Training. Er räusperte sich. »Sie hätten mich nicht erreicht. Ich bin gerade nicht zu Hause, und ich habe ein neues Telefon.«

»Ach, stimmt. Das haben Sie ja gestern in der Sendung gesagt. Dass die Polizei Ihr Handy beschlagnahmt hat. Starkes Stück, finde ich.«

Sie klang gar nicht so, als wolle sie ihm Vorwürfe machen. Ingo entspannte sich etwas. »Ach, die haben halt ihre Anweisungen.« Vielleicht nicht schlecht, cool zu klingen.

»Ich wollte mich eigentlich schon gestern melden und bedanken, dass Sie sich so nett um Kevin gekümmert haben«, sagte sie. »Aber wir hatten am Nachmittag die Gewerbeaufsicht im Lager. Unangekündigte Kontrolle. In so einem Fall muss ich alles stehen und liegen lassen und dabei sein …«

»Verstehe. Und? Haben die was gefunden?«

Sie lachte. »Ach was. Mein Chef ist Sauberkeitsfanatiker, was Lebensmittel anbelangt. In unserem Lager könnte man zur Not auf dem blanken Fußboden eine Herztransplantation durchführen. Aber ich muss halt da sein, für den Papierkram.«

Ingo dachte an die Polizisten und wie sie seine Wohnung auf den Kopf gestellt hatten. Seltsame Duplizität der Ereignisse.

»Ja, aber was ich Ihnen unbedingt erzählen muss«, fuhr sie aufgeregt fort, »ist, dass Kevin völlig begeistert ist von diesem Krav Maga.«

»Tatsächlich?« Das hatte er jetzt nicht erwartet.

»Ja! Gestern Abend hat er kein anderes Thema mehr gehabt. Heute beim Mittagessen hat er erzählt, dass er das, was er in der Einführung gelernt hat, heute schon hat brauchen können. Also nicht, dass er sich mit jemandem gerauft hat. Aber er meint, einfach nur diese andere Haltung, dieses andere Auftreten, damit hätte er einen Mitschüler gestoppt, der ihn sonst immer piesackt. Es hat irgendwas mit Atemübungen zu tun. Ich hab's nicht genau verstanden. Auf jeden Fall ist er heute gleich wieder hin; das Anfängertraining für Jungen ist Freitagnachmittag.«

Ingo war überrascht über das Ausmaß an Erleichterung, das er plötzlich verspürte. »Dann hat es ihm also gefallen?«

»Gefallen? Gefallen ist gar kein Ausdruck. Er ist wild entschlossen weiterzumachen. Er hat gesagt, er würde notfalls in den Ferien jobben, um das Geld dafür zu verdienen.« Sie hüstelte, sprach rasch weiter, wie um das Gespräch schnell von diesem Thema wegzubringen. »Jedenfalls wollte ich … wenn es Ihnen nicht zu viel ist, schon wieder … also, falls Sie am Wochenende Zeit haben –«

»Klar«, sagte Ingo sofort. »Wozu auch immer.«

»Ich dachte, wir könnten vielleicht ins Kino –«

»Ja. Super. Haben Sie einen bestimmten Film im Auge?«

»Nein, das war nur so ein Gedanke.«

»Okay. Ich denk mir was aus. Ich –« Eine Idee durchzuckte ihn. Eine geradezu bestechende Idee. Er sah auf die Uhr. Fast drei. Das würde verdammt knapp werden. »Mir fällt gerade etwas ein. Etwas ganz anderes«, sagte er, nach Worten suchend, um es nicht zu verderben. »Das heißt, falls es Ihnen nicht zu viel ist, mir schon wieder einen Gefallen zu tun.«

Überraschtes Einatmen. »Kommt darauf an. Auf jeden Fall haben Sie was gut bei mir, wollte ich mit all dem sagen.«

»Es wäre eine ziemliche Hals-über-Kopf-Geschichte«, bekannte Ingo und fragte behutsam: »Meinen Sie, Sie könnten bei Ihrem Schwiegervater noch einmal ein gutes Wort für mich einlegen?«

21 Ingo war mit gehörigem Bauchflattern hinunter ins Studio gegangen, doch in der mittlerweile vertrauten Routine der Vorbereitungen und des Schminkens verblassten seine Befürchtungen allmählich. Als es schließlich so weit war, konnte Ingo seinen Studiogast mit einem Lächeln ansagen und mit den Worten: »Meine Damen und Herren, hier ist der Mann, der gestern Mittag meine Wohnung durchsuchen und meinen Computer beschlagnahmen ließ – Oberstaatsanwalt Dr. Lorenz Ortheil!«

Erstaunlich: Ganz egal, wie man jemanden ankündigte, geklatscht wurde immer.

An der Art, wie der Staatsanwalt die Bühne betrat, merkte man, dass er Auftritte aller Art gewohnt war. Er bewegte sich mit genau dem richtigen Tempo, blieb einen Moment stehen, damit die Kameras Zeit hatten, ihn zu erfassen, lächelte nicht zu kurz und nicht zu lange – ein Profi.

»Herr Oberstaatsanwalt«, begann Ingo, als Ortheil Platz genommen hatte, »Sie sind auf eigenen Wunsch hier. Warum?«

»Um Schlimmeres zu verhindern als das, was Sie bis jetzt mit Ihrer Sendung angerichtet haben«, sagte Ortheil mit einer Schärfe, deren Plötzlichkeit Ingo verblüffte. So rasch attackiert zu werden hatte er nicht erwartet.

Na gut. Wenn Ortheil den Kampf wollte, sollte er ihn kriegen.

»Ich kann verstehen, dass es Ihnen nicht gefällt, wenn ich Dinge an die Öffentlichkeit bringe, die Sie lieber verheimlichen würden«, erwiderte Ingo. »Aber dass Sie massiven Druck auf den verantwortlichen Redakteur dieser Sendung ausgeübt haben, um heute Abend hier auftreten zu können, ist schon ein starkes Stück.«

Ortheil lächelte spöttisch. »Hat man Ihnen das erzählt? Lustig. Ich hatte das Gefühl, Ihr Redakteur war begeistert. *Mit Handkuss genommen* trifft es eher.«

Das Dumme war, dass sich Ingo keineswegs sicher war, ob Ortheil da nicht womöglich die reine Wahrheit sagte. Zuzutrauen war es Rado.

Das noch Dümmere war, dass Ortheil diese Unsicherheit spürte und sofort nachstieß. »Was mir gefällt oder nicht, spielt außerdem keine Rolle. Wir haben eine freie Presse. Das ist gut so. Dafür nehme ich gern in Kauf, kritisiert zu werden«, erklärte er. Er richtete seinen Zeigefinger auf Ingo. »Aber was Sie machen, geht über die Freiheit der Berichterstattung und Meinungsäußerung hinaus. Sie ergreifen mit Ihrer Sendung Partei für diesen Unbekannten, der glaubt, er stehe über dem Gesetz. Sie bewegen sich haarscharf an der Grenze, jenseits derer Sie sich des Aufrufs zu einer Straftat schuldig machen. Und ich verspreche Ihnen – sollten Sie diese Grenze übertreten, werde ich Sie rechtlich belangen.«

Ingo hielt seinem zornigen Blick stand. »Nur zu. Das wird ein interessanter Prozess.«

Es tat gut, das zu sagen. Es war noch besser, als damals im Kino die *Dirty-Harry*-Dialoge mitzusprechen. Er hatte sich wieder gefangen. Dies hier war sein Studio, seine Sendung, sein Revier. Die Zuschauer waren auf seiner Seite. Hier konnte ihm keiner.

Doch Ortheil, Profi, der er war, ignorierte ihn einfach und wandte sich direkt ans Publikum. »Meine Damen und Herren, was ich in den letzten Tagen hier gesehen habe, war teilweise primitivster Populismus, fast schon Gewaltverherrlichung, auf jeden Fall aber ein Appell an niederste Instinkte. Ich habe mich entschlossen zu kommen, um zu verhindern, dass sich atavistische Reaktionen wieder Bahn brechen, die wir in Jahrtausenden zivilisatorischer Entwicklung mühsam eingehegt und gebändigt, aber eben nicht beseitigt haben. Wir haben Jahrhunderte gebraucht, um Gepflogenheiten wie die Fehde oder die Blutrache abzuschaffen – weitgehend zumindest. Wollen wir wirklich zu Zuständen wie im Mittelalter zurück? Zum Faustrecht? Zu Körperstrafen? Dazu, Dieben die Hand abzuhacken und Betrügern die Zungen herauszuschneiden? Zu öffentlichen Hinrichtungen, um abzuschrecken? Das hat schon damals nicht funktioniert.« Er hob mahnend den Zeigefinger. »Wir dürfen keine Selbstjustiz dulden, auch dann nicht, wenn uns die zu strafende Tat besonders erzürnt. *Gerade* dann nicht. Selbstjustiz kann niemals eine Alternative sein zu den Errungenschaften einer langen, mühevollen Rechtsgeschichte. Und außerdem«, fügte er mit gekonnter Dramatik hinzu, sich wieder an Ingo wendend, »übertreiben Sie maßlos, Herr Praise. Es ist eine Tatsache, dass die Zahl der Gewaltverbrechen seit Jahren konstant sinkt. Das können Sie in den Kriminalstatistiken nachlesen.«

»Man hat genau den entgegengesetzten Eindruck«, sagte Ingo. Auf dieses Argument hatte er nur gewartet. Schon lange.

»Das mag sein, aber es liegt meines Erachtens eher an der Berichterstattung, die solche Eindrücke erzeugt. Eine *gefühlte* Unsicherheit des öffentlichen Raums, wie man so sagt. Irrational.« Ortheil machte eine wegwerfende Handbewegung. »Die Statistiken sind veröffentlicht, im Internet zu finden, für jedermann einsehbar. Googeln Sie, meine Damen und Herren. Bilden Sie sich Ihr eigenes Urteil.« Er klang, als verteile er gerade großzügig Geschenke.

Ingo zückte die Karte, die er für diesen Fall vorbereitet hatte. »Es wird Sie nicht wundern, Herr Oberstaatsanwalt, dass ich das längst getan habe. Und ich bin dabei außer auf die Kriminalstatistiken auch auf eine Dissertation gestoßen, die von einem Bremer Juristen namens Daniel Heinke stammt. Er hat bei einem Vergleich dieser Statistiken eine Menge Unklarheiten vorgefunden, was die Definitionen der verschiedenen

Straftaten anbelangt. Unter anderem hat er festgestellt, dass die Zahlen, die in den polizeilichen Kriminalstatistiken unter dem Stichwort ›Gewaltkriminalität‹ aufgeführt werden, Körperverletzungen nach Paragraf 223 Strafgesetzbuch überhaupt nicht enthalten, obwohl das von den Fallzahlen her die bedeutendste Deliktform der Gewalt gegen Menschen ist. Wenn man diese Schönrechnerei bereinigt – was er getan hat –, stellt man fest, dass die Gewaltkriminalität in den letzten zehn Jahren tatsächlich um vierzig Prozent *zugenommen* hat, für sich allein betrachtet sogar um über *sechzig* Prozent.«

Ortheil ließ sich davon nicht beeindrucken. Medienprofi eben. »Sie werden verstehen, dass ich lieber den Angaben der Polizeibehörden vertraue als irgendwelchen Rechenkunststücken, die Sie jetzt aus dem Ärmel zaubern.«

Okay. Sich nicht beeindrucken lassen, das konnte Ingo auch.

»Schaut man sich die Fälle selbst an«, fuhr er fort, als hätte Ortheil gar nichts gesagt, »muss man schon blind sein, um nicht zu sehen, dass die Brutalität der Taten zugenommen hat, und zwar drastisch. Schlägereien hat es natürlich immer gegeben – aber früher war Schluss, wenn das Opfer am Boden lag. Heute fängt es dann erst an. Und Tritte gegen den Kopf sind nicht mehr tabu, sondern geradezu Standard. Umgekehrt werden viele Fälle von Gewalt, die vor zehn Jahren noch justiziabel gewesen wären, heute gar nicht mehr angezeigt.«

»Die Zahl der Kapitalverbrechen sinkt in Deutschland seit Jahren und konstant«, beharrte Ortheil, nun endlich einigermaßen aufgebracht. »Lügen Sie doch hier nicht herum!«

»Aber der Prozentsatz der daran beteiligten Jugendlichen steigt«, erwiderte Ingo sofort. »Und das, obwohl es heute prozentual weniger Jugendliche gibt als je zuvor. Das ist nämlich der nächste statistische Schwindel: Die Zahlen zur angeblich zurückgegangenen Jugendkriminalität berücksichtigen die veränderten demografischen Verhältnisse überhaupt nicht. Allein in dieser Stadt hat die Zahl der Schüler in den letzten zehn

Jahren um *vierzigtausend* abgenommen. Es sind also erheblich weniger Jugendliche, die immer noch fast genauso viele Straftaten begehen – umgerechnet auf die Köpfe ergibt das *noch einmal* eine Zunahme der Gewalt!«

Der Staatsanwalt sah Ingo entgeistert an. Dieses Argument war ihm offenbar neu.

»Die *gefühlte* Unsicherheit des öffentlichen Raumes, wie Sie es eben genannt haben«, schloss Ingo, »ist alles andere als irrational. Im Gegenteil, es ist eine mathematisch beweisbare Tatsache.«

Er stand rasch auf, ehe Ortheil etwas sagen konnte. Der Tontechniker hatte Anweisung, das Mikrofon des Staatsanwalts immer dann abzuschalten, wenn sich Ingo ans Publikum wandte. »Meine Damen und Herren, schauen wir uns an, wo sich der Herr Oberstaatsanwalt in jüngster Zeit *noch* geirrt hat.«

Auf sein Zeichen hin ließ die Regie drei kurze Videos ablaufen.

Das erste war ein Ausschnitt aus der Pressekonferenz, in der Ortheil gefragt wurde, wer der weiß gekleidete Mann, von dem Erich Sassbeck gesprochen hatte, seiner Meinung nach gewesen sein könnte, worauf der Staatsanwalt erwiderte: »*Wir sehen keinen Anlass zu glauben, dass da wirklich ein weiß gekleideter Mann gewesen ist.*«

Das zweite Video stammte aus der Aufnahme von Irmina Shahid. Ingo hatte das Originalvideo genommen und einen Ausschnitt gewählt, der einen Sekundenbruchteil länger war als der Clip, der veröffentlicht worden war: Man sah die strahlend weiße Gestalt des Racheengels hinter den beiden Jugendlichen auftauchen, die auf Sassbeck eintraten, sah ihn schießen – und sah auch noch andeutungsweise die *Wirkung* der aus nächster Nähe geführten Kopfschüsse!

Rado würde ihn vierteilen dafür.

Egal. Er hörte das Publikum ächzen.

Wobei er das nicht für die Leute hier im Studio gemacht

hatte, sondern für die Typen da draußen, die sich nichts dabei dachten, jemanden zum Krüppel zu schlagen, nur weil ihnen danach war.

Das dritte Video hatte er Rado regelrecht abringen müssen: ein Ausschnitt aus der Vernehmung dieses ominösen Sven Dettar, über den man immer noch nichts wusste. Es war die Stelle, an der er sagte: »*Da hält mir der Engel eine Pistole vors Gesicht und sagt, ›Von jetzt an werden alle, die Schwächere oder Unschuldige angreifen, sterben. Du bist die letzte Ausnahme, die ich mache.*‹«

Danach Stille. Erschrockene, schreckliche Stille.

»Begrüßen Sie nun bitte meinen zweiten Gast«, bat Ingo leise. »Den Mann, der, nachdem er Opfer brutalster Gewalt geworden ist, um ein Haar auch noch Opfer der Justiz geworden wäre: Erich Sassbeck.«

Ortheil, das sah Ingo mit Genugtuung, war blass geworden.

Es hatte Evelyn gar nicht so viel Mühe gekostet, ihren Schwiegervater zu diesem Auftritt zu überreden. Im Grunde, hatte sie gemeint, habe er nur wissen wollen, ob man ihn so würde schminken können, dass man die verblassenden Hämatome in seinem Gesicht nicht mehr sah. Als sie gesagt hatte, sie glaube schon, war er einverstanden gewesen.

Nun saß sie im Publikum. Ingo wusste nicht, wo, sah keine Gesichter vor dem Licht der Scheinwerfer. Er durfte auch nicht allzu sehr darüber nachdenken, dass sie hier war.

Erich Sassbeck kam langsam herein, mit mühsamen Schritten. Ingo wusste, dass das nicht gespielt war. Evelyns Schwiegervater war der erste Gast, mit dem er vor der Sendung gesprochen hatte, und da draußen in der grellen Beleuchtung der Garderobe hatte der alte Mann so fragil gewirkt, dass Ingo Zweifel gekommen waren, ob er ihm das zumuten durfte. Doch Sassbeck hatte darauf bestanden. »Jetzt bin ich schon hier«, hatte er gemeint, »jetzt erzähl ich auch, wie es war.«

Und das tat er. Er schilderte mit dürrer, tonloser Stimme,

was an dem Abend vorgefallen war und was ihm die beiden Siebzehnjährigen angetan hatten. In genau dem gleichen Tonfall berichtete er, wie plötzlich, als er bereits mit seinem Leben abgeschlossen hatte, die strahlende Engelsgestalt auftauchte und ihn rettete.

»Und als ich wieder zu mir komme«, schloss er, sich die Hand auf die eingefallene Brust legend, »ist das Erste, was ich sehe, ein Kommissar, der mir erklärt, dass die Polizei *mich* vor Gericht stellen will!«

Ingo hätte ihn in diesem Moment küssen können. Wie er das gesagt hatte, mit dieser unvermittelt aus ihm herausbrechenden Verbitterung, die einen, nachdem er bis dahin mit zurückhaltender Stimme gesprochen hatte, richtiggehend ansprang – großartig.

Applaus. Verdient. Die Leute hörten gar nicht mehr auf.

»Ich verstehe Ihre Verärgerung«, sagte Ortheil mit sichtlichem Unbehagen, als es endlich wieder stiller wurde. »Aber die Polizei tut nur ihre Arbeit.«

»Eben nicht!«, fauchte Erich Sassbeck ihn an. »Sonst wäre mir das ja nicht passiert!«

Der Staatsanwalt gab den verständnisvollen Seelsorger. Die Hände ineinanderlegend, den Kopf leicht geneigt, im Gesicht den Ausdruck tiefsten Mitgefühls, sagte er: »Wir haben es hier nicht mit einem Versagen der Polizei zu tun, sondern mit einem Versagen der Gesellschaft. Es ist eine kalte Gesellschaft, die derartige Gewalt hervorbringt –«

»Ach, erzählen Sie mir doch nichts«, entgegnete Sassbeck unwirsch. »Das ganze Gerede kenne ich. Die soziale Not. Die schweren Kindheiten. Blah, blah. Ich kann das Gejammere nicht mehr hören. Als ob es die Jugend heutzutage so schwer hätte. Soll ich Ihnen von meiner Kindheit erzählen? Von den Freiheiten, die ich hatte? Keine nämlich. Fragen Sie irgendjemanden in meinem Alter, wie das war, damals. Wie ernst man uns Junge genommen hat. Gar nicht. Wie oft wir zu Wort gekommen sind. Gar nicht. Maul halten, hieß es.«

Ingo hob die Hand. »An dieser Stelle würde ich gerne auf die Vorstrafen der beiden Täter hinweisen.« Er zog die entsprechende Karte aus seinem Stapel. »Philipp Flach hatte mehrfach Schulverbot, weil er Mitschüler attackiert hat. Polizeilich aktenkundig wird er erstmals mit 15, wegen Ladendiebstahls. In der Polizeiakte steht, man habe *von einer Verfolgung abgesehen*. Vier Monate später Anzeige wegen Nötigung und gefährlicher Körperverletzung. Aktenvermerk: *Verfahren eingestellt*. Kurz vor seinem siebzehnten Geburtstag ein Drogendelikt, das auch nicht weiter verfolgt wurde. Ein halbes Jahr darauf ein bewaffneter Raub, was ihm endlich einmal eine Strafe einbringt. Arrest – ganze vier Wochen. Neun Tage nach der Entlassung wird er schon wieder mit Drogen geschnappt.«

Er zog eine andere Karte. »Dardan Ademi hatte ebenfalls eine lange Vorgeschichte, was Gewalttaten anbelangt. Er hat mehrfach Videos ins Internet gestellt, wie er mit Freunden jemanden verprügelt hat, und hat sich auf seiner Facebook-Seite damit vor aller Welt gebrüstet. Ein einziges Mal ist er deswegen verurteilt worden – zu einer sechsmonatigen Strafe auf Bewährung. Verschiedene Anklagen wegen Diebstählen und Drogendelikten wurden nicht weiter verfolgt. Eine Prügelei in einer Disco, bei der er einem Gleichaltrigen den Unterkiefer gebrochen hat, brachte ihm eine weitere Strafe ein: vierzig Stunden Arbeit in einem Altenheim. Die er nie abgeleistet hat, weil er zu den vereinbarten Terminen angeblich immer krank war.« Ingo steckte die Karte weg und sah Ortheil an. »Ich kann nicht finden, dass das alles für eine *kalte Gesellschaft* spricht. Die Gesellschaft ist nicht kalt – jedenfalls nicht zu Tätern. Nur zu deren Opfern.«

»Genau!« Erich Sassbeck fuchtelte mit der Hand. »Die Polizei hat versagt und die Justiz genauso!«

Ortheil furchte die Stirn. »Ich glaube nicht, dass ich mir das anhören muss.«

»Sie haben davon angefangen, die Schuld einer angeblich kalten Gesellschaft zuzuschieben«, sagte Ingo scharf. »Aber wenn ich so etwas wie diese Vorgeschichten lese, fällt mir eher das Wort *Samthandschuhe* ein. Unsere Justiz scheint es geradezu darauf abgesehen zu haben, Intensivtäter möglichst früh wieder auf die Bevölkerung loszulassen. Unsere Gesellschaft benimmt sich wie Eltern, die ihre Kinder mit leeren Drohungen erziehen. Jeder kennt solche Eltern. Jeder weiß, dass Inkonsequenz keine Erziehungsmethode ist, die funktioniert. Dass man die Kinder mit so einem Verhalten geradezu ermutigt, Regeln zu missachten. Der Staat macht sich lächerlich bei dieser Art, mit Straftätern umzugehen. Und derweil tut der Racheengel das, was der Staat tun *sollte*: Er droht Gewalttätern ihrerseits Gewalt an.«

Ortheil schüttelte den Kopf. »Ich sage nicht, dass Gewalttäter nicht bestraft werden sollen. Drehen Sie mir doch nicht die Worte im Mund herum! Ich verlange aber, dass dabei die geltenden Gesetze angewendet werden, und die sehen nun mal keine Todesstrafe vor! Deswegen müssen wir gegen diesen Racheengel vorgehen – um die staatliche Ordnung aufrechtzuerhalten und damit die Grundfesten unserer Zivilisation.«

»Zivilisation? Was verstehen Sie darunter?«, fragte Ingo, der spürte, dass irgendetwas mit ihm durchging, das er nicht mehr bremsen konnte. »Zu viel Herrenparfüm zu verwenden?«

»Jetzt werden Sie persönlich. Das ist billig.«

»Persönlich werden *Sie* schon die ganze Zeit. Seit die Sache losgegangen ist, lassen Sie keine Gelegenheit aus, mich runterzumachen und zu schikanieren«, erwiderte Ingo.

Vielleicht war es tatsächlich das Parfüm, das ihn auf die Palme brachte. Oder der Anblick dieses gelackten Mannes, von dem Selbstgerechtigkeit ausging wie radioaktive Strahlung von Radium. Wahrscheinlich hätte Ingo seinen Ärger trotzdem für sich behalten, hätte nichts gesagt, wäre da nicht das Studio gewesen, dunkel, geschützt, abgeschlossen, das ihn ermutigte, das ihn alles sagen ließ, was in ihm war. Und so sagte er, an die Zuschauer gewandt: »Meine Damen und Herren, nicht dass ich Ihnen das wünsche – aber stellen Sie sich vor, Sie würden heute Abend auf dem Nachhauseweg überfallen, bedroht, körperlich attackiert. Vertrauen Sie darauf, dass die Polizei Sie davor schützt?«

Er wies auf Ortheil, der etwas sagen wollte, doch der Tontechniker war auf Zack, hatte dem Staatsanwalt das Mikro schon abgedreht.

Das Publikum murrte bei diesen Worten skeptisch, genau so, wie Ingo es erwartet hatte.

»Und angenommen, in so einer Situation würde ein Engel auftauchen, sei es mit einem Flammenschwert, sei es mit zwei Pistolen, und diejenigen, die Sie und Ihre Frau, Sie und Ihren Mann, völlig grundlos angegriffen und verletzt haben, töten – fänden Sie das nicht *gerecht*?« Ingo stand auf, schritt auf die Kamera zu. Die Uhr zeigte nur noch ein paar Augenblicke Sendezeit an. »Und angenommen, alle Angreifer wüssten, was sie riskieren – nämlich den Tod: Glauben Sie nicht, dass dann – und *nur* dann – solche Vorfälle einfach *aufhören* würden?«

Beifall. Tosend. Ein Aufnahmeleiter, der die letzten Sekunden mit den Fingern herunterzählte. Und Ende der Sendung. Abspann.

Als sich Ingo wieder zu Ortheil umdrehte, sah der ihn mit einem Blick an, aus dem blanker Hass sprach.

Ich bin der Stimme gefolgt, doch diesmal hat sie mich nicht hinausgeführt, sondern vor den Fernseher. Ich habe mich gewundert, ja. Ich gebe es zu. Aber ich habe beschlossen, zu vertrauen. Mich hinzugeben. Es ist nicht an mir, zu wissen, welchen Weg der Krieger zu gehen hat. Es ist nicht an mir, den Zustand der Gnade herbeizuführen. Gnade wird gewährt; es gibt kein Recht darauf.

Und so ist es gekommen, dass ich die Sendung sehe. Die Worte höre. Erkenne, dass dieser magere, furchtsame Moderator mich verstanden hat, beinahe besser als ich selbst.

Ich verspüre Erleichterung.

Nun wird doch noch alles gut.

310

Erich Sassbeck bestand darauf, noch gemeinsam ein Bier trinken zu gehen. Er war ganz aus dem Häuschen, klopfte Ingo immer wieder auf die Schulter und rief: »Gut gemacht! Dem Lackaffen haben Sie's gezeigt!«

Irgendwann fing er an zu husten, und der Husten fing bald an, ihm wehzutun, weil die Rippenbrüche noch nicht richtig verheilt waren. Evelyn drängte schließlich darauf, dass es Zeit für ihn sei, nach Hause zu kommen. Sie übernahm es auch, ihn dorthin zu bringen; der Sender zahlte das Taxi. Ingo begleitete die beiden noch zum Taxiplatz und nahm, nachdem sie abgefahren waren, selber eines, um sich nach Hause fahren zu lassen.

Als er die Wohnungstür öffnete, blinkte ihm die rote LED des Anrufbeantworters hektisch entgegen. Er machte Licht, schaute auf den Zähler. Der stand auf 22.

Zweiundzwanzig! Rekord. Ingo hatte gar nicht gewusst, dass das alte Ding zweistellige Zahlen anzeigen konnte.

Er drückte den Abspielknopf.

Die erste Nachricht stammte von Simon Schwittol, der sich bedankte, dass Ingo ihn am Dienstag in die Sendung geholt hatte: Das Spendenaufkommen habe sich seither fast verdoppelt. »Wollte ich Sie nur wissen lassen«, schloss er. »Würde mich freuen, wenn ich irgendwann wieder von Ihnen höre. Alles Gute!«

Ingo musste lächeln. Dienstag. Das schien schon ewig her zu sein.

Die nächste Nachricht bestand nur aus ein paar Sekunden Rauschen, dann wurde am anderen Ende aufgelegt. Dann noch einmal Rauschen, noch einmal knack. Rauschen, knack. Rauschen, zur Abwechslung mal ein Atmen, knack. Und immer so weiter. Keine einzige Nachricht.

Melanie vielleicht. Wobei … Melanie hätte ihm eine Nachricht hinterlassen. Ach was – *zweiundzwanzig* Nachrichten!

Es war kalt in der Wohnung. Ingo befühlte die Heizkörper, drehte sie ein Stück höher. Der Winter kam. Er zog die Jacke aus, hängte sie auf, behielt den Schal an. Als er gerade dabei war, die Schuhe auszuziehen, klingelte das Telefon wieder.

Da er sowieso davor saß, nahm er noch während des ersten Klingelns ab. »Ja?«

»Ich kenn deine Telefonnummer, und ich weiß, wo du wohnst«, sagte eine tiefe, kalte Stimme. »Der Racheengel, den du so toll findest, hat meinen Bruder umgebracht. Überleg dir also in Zukunft, was du sagst.«

22 Einen schrecklichen, schrecklichen Moment lang bekam Ingo keine Luft mehr. Dann klackte es am anderen Ende der Leitung, und die Verbindung war unterbrochen.

Ingo stand wie erstarrt, sah das Telefon an, wusste nicht, was er tun sollte. Gab es einen Knopf, den man drücken musste, durfte man auflegen, verschwand irgendeine wichtige Information, wenn man das tat …?

Dann rang sein Körper nach Luft, laut, keuchend, und es war ihm egal, so was von egal, er legte auf und taumelte zum Sofa, merkte erst jetzt, wie er zitterte. Ein Drohanruf!

Irre. Mit so etwas hatte er nie gerechnet! Klar, er machte diese Sendung, sagte, was er dachte, fuhr den Typen an den Karren, diesen beknackten Arschlöchern da draußen, diesen hirnamputierten Gewalttätern, diesen gefühllosen Schlägern und brutalen Tottretern. Aber das passierte doch alles nur in diesem dunklen, warmen, abgeschirmten Studio. Dass das hinausging in die Welt, das war ihm bloß theoretisch klar gewesen.

Ein Drohanruf. Was machte man da? Ingo sah sich um. War seine Wohnung verschlossen? Er sprang auf, eilte zur Tür, riss sie auf, spähte hinaus in den Flur, der aussah wie immer und nach gedünstetem Kohl stank wie immer, schlug sie wieder zu, rammte den Schlüssel ins Schloss und drehte ihn herum, zweimal.

Lächerlich. Allein, wie die Tür sich anfühlte! Dünn, nur zwei Zentimeter, und wahrscheinlich nicht mal richtiges Holz, sondern irgendwas Billiges, Hohles, Zusammengepapptes. Weit entfernt von der Art Panzertür, die er sich gerade gewünscht hätte.

Klar. Eine Wohnung war keine Festung. Die hier schon gar nicht. Das Einzige, was sie einigermaßen sicher machte, war, dass sie weit oben lag, im fünften Stock, wo man nicht einfach eine Scheibe einschlagen konnte.

Aber die Tür. Ein fester Tritt …

Er war hier nicht sicher. Das brauchte er sich gar nicht einzubilden.

Mann. Sein Herz raste. In seinem Bauch vibrierte es. Wie sich das anfühlte! Blanke Angst.

Ingo ging Richtung Fenster, hielt kurz davor inne. Was, wenn der Kerl schon da draußen auf der Lauer lag, mit einem Gewehr womöglich, nur darauf wartete, dass er sich zeigte? Nein, besser, er blieb weg davon. Was hätte er auch sehen können?

Er fuhr sich mit den Händen übers Gesicht, verharrte einen Moment mit geschlossenen Augen. Er schlotterte innerlich. An Ruhe war nicht zu denken. Scheiße. Aber er musste irgendwas tun!

Und dann, ganz allmählich und dadurch umso grauenerregender, dämmerte ihm, dass er sich ja nicht mal mehr an die Polizei wenden konnte. Nicht nach dieser Vorstellung heute.

Sein Mund war auf einmal scheißtrocken.

In die Küche. Das erste Glas, nach dem er griff, fiel ihm aus der Hand, zerdepperte im Spülbecken. Was für ein Krach. Wie ein Schuss. Das zweite Glas überlebte, er bekam es unter den Hahn, bekam es gefüllt und zum Mund, verschüttete die Hälfte über seinen Anzug, sein Hemd, schluckte die andere Hälfte gierig hinunter.

Da. Die Weltkarte. Das schwarze Kreuz in Somalia.

So weit musste man gar nicht reisen, wenn man es nur dumm genug anfing.

Er stellte das Glas ab, kümmerte sich nicht um die Scherben in der Spüle, tappte zurück zum Telefon und wählte Rados Nummer. Er brauchte drei Anläufe, weil er sich jedes Mal vertippte.

Nichts. Es klingelte, aber es ging niemand ran. Nicht mal seine Voicebox.

War ja klar gewesen. Ingo legte wieder auf. Es tat gut, ein bisschen zornig auf Rado zu sein, das lenkte ab, dämpfte die Panik. Auf einmal war er müde, todmüde, erschöpft wie von einem Marathonlauf oder einem Tag im Bergwerk. Er schaffte es nicht mal mehr bis zum Sessel, setzte sich einfach auf den Boden, im Anzug, im teuren, edlen Designeranzug, egal.

Das Licht. Das Licht brannte. War das gut? Keine Ahnung, aber vielleicht besser, er machte es aus. Ingo streckte sich nach dem Lichtschalter, und genau in dem Augenblick, in dem es dunkel wurde, klingelte es wieder.

Er erstarrte in der Bewegung. Was jetzt? So vorsichtig, als könne ihn das Gerät beißen, beugte er sich über das Telefon, holte tief Luft, hob ab.

»Hallo«, drang aufgekratzt-lustig die Stimme von Evelyn Sassbeck aus dem Hörer. »Jetzt dachte ich gerade, Sie sind bestimmt schon im Bett.«

Ingo musste schlucken, ehe er antworten konnte. »Nein«, sagte er. »Bin ich nicht.«

»Ist eigentlich auch nicht so wichtig. Ich wollte Ihnen nur erzählen, wie begeistert mein Schwiegervater von dem Fernsehauftritt war. Die ganze Fahrt über hat er mir quasi von Ihnen vorgeschwärmt. Am liebsten wäre es ihm gewesen, Sie wären mitgekommen; er wollte, dass ich noch bleibe und mit ihm zusammen eine Flasche Wein trinke. Aber das wär mir dann doch zu spät geworden. Es ist eh schon spät, ich …« Sie lachte verlegen auf. »Da sehen Sie mal, wie Ihre Sendung wirkt. Normalerweise wäre ich mit der U-Bahn zurückgefahren, aber jetzt hab ich mir lieber ein Taxi geleistet.«

»Gut«, sagte Ingo mühsam.

Stille. Einen Moment lang dachte Ingo, die Verbindung sei abgerissen, doch dann fragte Evelyn: »Sie klingen seltsam. Ist irgendwas?«

Ingo holte zittrig Luft. »Ich habe gerade einen Drohanruf erhalten.«

Er erzählte, was passiert war. Von den zweiundzwanzig Anrufen ohne Nachricht. Von der gefährlich klingenden Stimme. Was sie gesagt hatte. Es tat gut, es jemandem zu erzählen. Jemandem, der hörbar Anteil nahm.

»Wie schrecklich«, meinte Evelyn erschüttert. »Wie fühlen Sie sich denn jetzt?«

»Weiß nicht.« Ingo sah sich um, in seiner Wohnung, die in tiefer Dunkelheit lag, nur umrisshaft erkennbar im Widerschein der Straßenbeleuchtung, die durch die Fenster rieselte. »Irgendwie heimatlos. Schon gestern diese Hausdurchsuchung war … also, man fühlt sich nach so etwas nicht mehr richtig daheim. Und jetzt? Ich glaube, ich bleib nicht hier, sondern such mir ein Hotelzimmer.«

»Wollen Sie vielleicht bei mir übernachten?«, bot Evelyn an. »Sie müssten halt mit meiner Couch vorliebnehmen. Aber die soll sehr bequem sein, hab ich mir sagen lassen.«

Wow! Ein Lichtblick. Ganz kurz kam Ingo der Gedanke, dass er sie dadurch gefährden konnte, doch er drückte ihn rasch weg und sagte: »Vielleicht war es ja auch nur ein dummer Streich. Und es ist alles halb so wild.«

»Ja. Aber das können Sie nicht wissen«, erwiderte Evelyn besorgt.

Ich will Ihnen nicht zur Last fallen. Hätte es sich gehört, jetzt so etwas zu sagen? Außerdem wollte er ihr Angebot ja annehmen, wollte es so unbedingt, dass es fast wehtat. »Ja«, sagte er mit dem Gefühl, einen völlig leeren Kopf zu haben. »Doch. Ich würde … wirklich gerne …«

Er brachte es nicht heraus. Zum Glück half sie ihm. »Also, abgemacht«, erklärte sie resolut. »Ich bin in, na, vielleicht einer Viertelstunde zu Hause, dann muss ich noch die schlimmste Unordnung beseitigen … Geben Sie mir eine halbe Stunde, okay?«

Wahrscheinlich war es tatsächlich nur ein dummer Streich gewesen. Ingo kam sich fast albern vor, deswegen so einen Aufstand zu machen.

Andererseits hatte ihm der Vorfall schlagartig Möglichkeiten eröffnet, von denen er bisher nur geträumt hatte.

»Okay«, sagte er glücklich. »In einer halben Stunde.«

Sollte er sich noch umziehen? Rasch in etwas Bequemeres, Trockeneres schlüpfen? Aber dann würde es nicht mehr so aussehen, als sei er vor einer unmittelbaren Gefahr geflüchtet. Außerdem war ihm nicht entgangen, wie Evelyn anerkennend die Brauen gehoben hatte, als sie sich im Sender getroffen hatten; offenbar gefiel ihr der Anzug an ihm. Wäre doch dumm gewesen, diesen Pluspunkt aufzugeben. Vor allem, wenn man bedachte, wie armselig seine sonstige Garderobe war. Und den Anzug würde er morgen früh ohnehin in die Reinigung bringen müssen, da kam es auf ein paar Knitter mehr auch nicht an.

Gut. Damit war das geklärt. Er machte Licht, schnappte seine Umhängetasche, stopfte seinen besten Schlafanzug hinein, frische Unterwäsche und den Waschbeutel. Das war es, oder? Ja. Also los.

Als er aus der Haustüre trat, zog dichter Nebel auf. Er schloss den Reißverschluss seiner grauen Jacke, die leider überhaupt nicht mit seinem Anzug harmonierte. Daran musste er noch arbeiten.

Auf jeden Fall hatte der Nebel den Vorteil, dass ihn ein eventueller Verfolger nicht sehen konnte, nicht allzu gut jedenfalls. Ingo wandte sich in Richtung Dominikstraße, absichtlich. Er würde einen Umweg gehen, zickzack durch die Straßen, immer mal wieder in stilleren Gassen stehen bleiben und horchen, ob ihm jemand folgte.

Er schrak zusammen, als ganz unvermittelt ein Mann vor

ihm auftauchte, aus einem Hauseingang kommend. Aber es war nur ein grummeliger, graubärtiger alter Türke, den Ingo oft im Kiosk sah, wie er die *Hürriyet* kaufte. Er warf Ingo nur einen unwilligen Blick zu und ging ohne ein Wort davon.

Der Nebel wurde dichter, schien von den Dächern herabzufallen in der Absicht, ihn vom Rest der Welt abzuschneiden. Immer wieder hielt Ingo an, um zu lauschen. Manchmal glaubte er, Schritte hinter sich gehört zu haben, die im selben Moment verstummten, in dem er stehen blieb. War es Selbsttäuschung? Echos seiner eigenen Schritte vielleicht? Einmal riss ein Windstoß den Nebel kurz auf, und Ingo erblickte ein Auto, in dem jemand zu sitzen schien. Er trat darauf zu, doch es war nur eine Kopfstütze aus hellem Leder, die einen ein Gesicht sehen ließ.

Irgendwann wusste er nicht mehr, wo er war, stand vor Straßenschildern, deren Namen ihm nichts sagten. Er kannte die Umgebung nicht wirklich gut, nur den Weg zwischen seiner Wohnung, der U-Bahn und dem Laden an der Ecke. Er ging nach Gefühl weiter, die ungefähre Richtung musste stimmen, und kam tatsächlich in der Brunnerstraße heraus, nur an einer anderen Stelle als erwartet. Als er vor ihrem Haus ankam und klingelte, fiel ihm ein, dass er nicht auf die Uhr gesehen hatte, als er losgegangen war, und folglich nicht wusste, ob die halbe Stunde schon vorüber war, um die sie ihn gebeten hatte.

»Bin ich zu früh?«, fragte er, als sie öffnete, leicht abgekämpft wirkend.

Sie schüttelte den Kopf. »Genau richtig. Kommen Sie herein.«

Er folgte der Einladung, stellte die Tasche ab und sah zu, sich seiner grauen Jacke möglichst schnell zu entledigen.

»Ich habe gerade angefangen, uns was zu essen zu machen«, sagte Evelyn auf dem Weg in die Küche. »Ich hoffe, Sie haben Hunger?«

»Oh, gern.« Es war still in der Wohnung bis auf leise Klaviermusik aus dem Wohnzimmer. »Was ist mit Kevin?«

»Der ist schon im Bett. Das Krav-Maga-Training heute hat ihn völlig geschafft«, sagte Evelyn lächelnd.

Es gab eine Platte mit kleinen, hübsch belegten Broten, Gurken- und Tomatenscheiben und dergleichen, die sie im Wohnzimmer wegknabberten, während sie eine Flasche Rotwein nach und nach niedermachten. Ingo erzählte noch einmal von dem Drohanruf. Gemeinsam kamen sie zu dem Schluss, dass es sich wahrscheinlich tatsächlich nur um einen dummen Streich gehandelt hatte oder um den Anruf eines Wichtigtuers. Danach nahm ihr Gespräch andere, wundersame Wege, drehte sich zeitweise um Erinnerungen an den Tag des Mauerfalls, exotische Reiseziele, das Verhalten von Spatzen und die Wirksamkeit oder Nichtwirksamkeit von Homöopathie.

Ingo musste am Ende doch nicht auf der Couch übernachten. Irgendwann beugte sich Evelyn zu ihm herüber und sagte dicht vor seinem Mund: »Bestehst du eigentlich darauf, hier auf der Couch zu schlafen?«

»Ich bin da völlig flexibel«, erwiderte Ingo, ohne den Kopf zu bewegen.

»Ich glaube nämlich, ich hab gar keine Lust, die jetzt noch zu beziehen.«

»Dann lass es doch.«

»Gut«, sagte Evelyn und legte ihre Lippen auf die seinen.

Lange Zeit später stand sie auf und zog ihn mit sich ins Schlafzimmer.

Ingo erwachte, weil es heller war als gewöhnlich, sah, dass er sich auch nicht in seinem eigenen Bett befand, und alles fiel ihm wieder ein. Kein herrlicher Traum also, sondern herrliche Wirklichkeit. Evelyn lag neben ihm auf dem Bauch, warm und weich und so nackt wie er selber. Er rückte an sie heran, ließ seine Hand über ihren Rücken gleiten, erst hin und her und dann immer tiefer.

»Nicht«, murmelte sie. »Ich hab Kevin schon gehört. Wenn er auf ist, kann ich mich nicht entspannen.«

»Welcher gesunde Vierzehnjährige steht denn samstags vor elf Uhr auf?«, murmelte Ingo zurück.

»Ein Vierzehnjähriger, den ein gewisser Herr mit Begeisterung für Selbstverteidigung infiziert hat. Er will in die Stadtbücherei, ein Buch ausleihen, das der Lehrer ihnen empfohlen hat.«

»Oh.«

Eine halbe Stunde später saßen sie am Frühstückstisch. Kevin, der sich bis dahin in seinem Zimmer aufgehalten hatte, kam auf Evelyns Ruf zum Vorschein, blieb aber abrupt auf der Schwelle der Küchentür stehen, als er Ingo sah.

»Wohnt der jetzt hier?«, fragte er. Er sah aus, als wisse er noch nicht, ob er das gut oder schlecht finden solle.

»Das ist nicht *der*, das ist Ingo«, sagte Evelyn geduldig. »Und ja, er wohnt erst mal eine Weile hier, weil er in seiner eigenen Wohnung Drohanrufe kriegt.«

Kevin riss die Augen auf. »Wow! Da müssen Sie jetzt auch Krav Maga machen!«

Ingo zwang sich zu einem Lächeln. Schön, dass es dem Jungen so gut gefiel. Aber gegen Telefonterror war wohl auch die beste Kampftechnik machtlos.

Kevin setzte sich, schnappte sich eine Schüssel, schüttete Müsli hinein und Milch darüber und begann zu löffeln, als gelte es einen Rekord aufzustellen.

»Ich hab gehört, dein Training gestern war gut?«, fragte Ingo, um das Thema zu wechseln und weil es nicht schaden konnte, ein bisschen um die Sympathie des Jungen zu buhlen.

»Ja, war super«, sagte Kevin eifrig. »Training der Grundstufe. Wir haben Aufwärmübungen gemacht und Rollenspiele und so.«

»Rollenspiele?«

»Ja, so … ähm, Konfliktsituationen. Damit haben wir am Donnerstag schon angefangen«, erzählte er zwischen den einzelnen Bissen. »Die Anfänger müssen erst mal Angreifer spielen. Das ist cool, da kann man so richtig die Sau rauslassen –«

»He, he«, unterbrach seine Mutter, »was ist denn das für eine Sprache, junger Mann?«

»Das hat David gesagt, nicht ich«, verteidigte sich Kevin mit spitzbübischem Grinsen.

»Ich werd ihn fragen, ob das stimmt, verlass dich drauf.«

»Er hat gesagt, auf die Weise kann jemand, der bisher viel zu nett war, seine eigenen Aggressionen wieder entdecken. Die sind nämlich nicht weg, sondern nur weggesperrt. Und das ist nicht gut.« Er hatte die Schüssel leer, kratzte die Reste zusammen. »Irgendwie ist es, als wäre man Schauspieler oder so. Cool halt.«

Evelyn musterte ihn befremdet. »Zeig mal. Wie sieht das aus?«

Kevin schüttete die zweite Ladung Müsli nach. »Nee. Nicht jetzt.«

»Doch. Das will ich sehen.«

»Mann …«

»Komm schon.«

Kevin hielt inne, sammelte sich, schob die Schüssel von sich und stand auf. Die Augen auf den Boden gerichtet, spreizte er die Brust, sackte ein wenig in sich zusammen, atmete tiefer und hörbarer. Als er schließlich aufsah, war es beinahe Furcht einflößend, wie verändert er wirkte. »He, Alter«, schnaubte er in Ingos Richtung. »Was geht ab?« Der finstere Blick wanderte zu seiner Mutter. »Und du? Willst du jetzt noch weiter rumstressen oder was?«

Evelyn war sichtlich geschockt. »Kevin!«

Mit einem Schulterzucken schüttelte Kevin die Pose des Aggressors von sich ab und war übergangslos wieder der harmlose Junge, den Ingo kannte. »Also, so sieht das aus«, meinte er beiläufig und setzte sich, um weiterzufrühstücken, als sei nichts gewesen.

Evelyn holte tief Luft, wechselte einen besorgten Blick mit Ingo und sagte: »Na, ich weiß nicht …«

Kevins Kopf ruckte hoch, aus seinen Augen blitzte feste

Entschlossenheit. »Ich lass mir nichts mehr gefallen«, erklärte er kategorisch. »Wenn du das Geld nicht hast für den Kurs, dann verkauf ich meine Stereoanlage oder such mir einen Ferienjob.«

»Nein, nein, schon gut. Dein Opa hat gesagt, er zahlt dir den Kurs.«

»Cool«, meinte Kevin und sah auf die Uhr. »Oh, ich muss los.« Er sprang auf, stürmte aus der Küche, kam gleich darauf mit einem Rucksack zurück, gab seiner Mutter einen flüchtigen Abschiedskuss und düste davon, eine zuknallende Tür und rasch leiser werdendes Getrappel zurücklassend.

»Ein bisschen unheimlich ist mir das schon«, gestand Evelyn.

»Aber es scheint ihm gutzutun«, meinte Ingo.

Evelyn beugte sich vor und hauchte einen Kuss auf seine Lippen. »Zu schade, dass ich zur Arbeit muss«, sagte sie, »sonst wüsste ich jetzt was, das uns guttäte.«

Ingo spürte eine deutliche körperliche Reaktion auf ihre Worte. »Zur Arbeit? Am Samstag? Bei was für einem Sklaventreiber bist du denn?«

»Warenannahme. Samstagmittag kommt immer der Kühlwagen mit dem frischen Fisch aus Athen. Fürs Wochenende, verstehst du?« Sie fasste ihn spielerisch an der Nase. »Du kommst einfach heute Abend wieder.«

Schade, aber wohl nicht zu ändern. Wobei, fiel Ingo ein, er ja auch keine Zeit hatte, wenn er den Anzug in die Reinigung bringen wollte. Die bei ihm um die Ecke hatte nur bis zwölf Uhr fünfzehn auf. Und vorher musste er nach Hause, sich umziehen.

»Da ich jetzt offiziell Asyl bei euch genieße«, meinte er, »mach ich das auf jeden Fall.«

»Du könntest die eine oder andere Flasche Rotwein mitbringen«, schlug Evelyn vor und begann, die Sachen wegzuräumen.

Es war kurz vor elf, als Ingo zu Hause ankam. Die Haustüre

stand weit offen. Eine kittelbeschürzte Nachbarin, die im zweiten Stock rechts wohnte, eine Frau Geier, wartete darin und sagte zu jemandem im Flur: »Da kommt er.«

Es sah aus, als meinte sie ihn. »Was ist denn los?«, fragte Ingo irritiert.

»Schauen Sie halt«, erwiderte sie.

Im Hausflur traf er den alten Herrn Müller an, der die Wohnung im Erdgeschoss hatte, seit über fünfzig Jahren, wie er einem nur allzu gern erzählte. Die schlohweißen, buschigen Augenbrauen ärgerlich gefurcht, wies er auf die Briefkästen, die nebeneinander gute zwei Meter Wand einnahmen. »Da«, knurrte er. »Sauerei, das.«

Ingo nahm einen widerwärtigen Geruch wahr, der mit jedem Schritt intensiver wurde. In seinen Eingeweiden verkrampfte sich etwas. Sein Briefkasten war der vorletzte in der Reihe der grauen Zinnrechtecke, ganz hinten, da, wo das Licht von draußen kaum noch hinreichte. Irgendetwas Dunkles, Zähes quoll an dessen unterem Rand hervor und floss in dicken Linien über die Wand bis auf den Fußboden hinab.

»Blut, würd ich sagen«, meinte Herr Müller.

23 Der Polizist beleuchtete das Innere des Briefkastens mit seiner Stablampe aus allen Richtungen, ehe er das Offensichtliche sagte: »Ein Schweineherz offenbar. Es muss noch eine Menge Blut darin gewesen sein.«

Ingo war schlecht. »Und wie ist das da reingekommen?«

Der Uniformierte berührte die Briefkastentür vorsichtig an der oberen Ecke, bewegte sie ein wenig, leuchtete sie an. »Na, das ist ja kein Sicherheitsschloss. Wenn sich einer auskennt, macht er das mit 'ner Büroklammer auf.«

»Na toll.« Zum Glück war keine Post im Kasten gewesen. Oder wenn, hatte derjenige, der das blutige Herz hineingelegt hatte, sie mitgenommen. »Und was werden Sie jetzt machen?«

»Erst mal ein Protokoll«, sagte der Polizist, der lange, antiquiert aussehende Koteletten trug und für sein Alter – er mochte um die dreißig sein, kaum älter als Ingo – erstaunlich behäbig wirkte.

Seine Kollegin, eine mürrische Blondine, kam mit einer altmodischen Digitalkamera an und machte ein paar Bilder vom Tatort. Dann zog sie dünne Latexhandschuhe an und beförderte das Schweineherz sichtlich angewidert in einen Plastikbeutel. »Und jetzt geh ich eine rauchen«, erklärte sie anschließend.

Der Rest der Prozedur spielte sich auf dem Rücksitz des Streifenwagens ab. Der behäbige Polizist werkelte mit einem klobigen Laptop herum, übersetzte alles, was Ingo sagte, in umständliches Amtsdeutsch und tippte dabei nervenzerfetzend betulich. *Der Zeuge Ingo Praise gibt an, die Nacht nicht in* seiner Wohnung verbracht zu haben, erst gegen zehn Uhr fünfzig zurückgekehrt zu sein und die Nachbarn Frau Petra Geier und Herrn Hermann Müller im Hausflur vor dem fraglichen Briefkasten angetroffen zu haben. Diese machten ihn darauf aufmerksam, dass aus diesem eine dunkle Flüssigkeit austrat. Es kam sofort die Vermutung auf, es handle sich um Blut. H. Müller übernahm es, die Polizei zu rufen.

Und so weiter. Am Schluss druckte er das Protokoll auf einem kleinen, ruckelnden Drucker aus, ließ es Ingo unterschreiben, und das war es dann, was die Unterstützung durch die Freunde und Helfer anbelangte. Die beiden Streifenpolizisten zogen ab und überließen ihn seinem Schicksal.

Ingo musste sich erst mal auf die Treppe setzen, weil seine Knie plötzlich so zitterten, dass er den Aufstieg in den fünften Stock nicht schaffen würde.

Er würde gar nichts mehr schaffen. Die ganze Geschichte überforderte ihn, und zwar völlig. Er tastete nach seinem Handy. Er würde Rado anrufen, jetzt sofort, und kündigen, ihm sagen, dass er die Sendung nicht weitermachen würde. Scheißegal, was er unterschrieben hatte, er würde es einfach nicht tun. Aus. Fertig. Alles was recht war, das hier war zu viel.

»Mein Gott, Herr Praise!«

Er wandte den Kopf. Frau Geier stand hinter ihm, die Hände zusammengelegt, das Gesicht ein Ausdruck höchster Sorge. »Sie sind ja kreidebleich. Kippen Sie jetzt bloß nicht um!«

Ingo fühlte die Verpflichtung, etwas zu sagen, das männliche Stärke und Selbstbewusstsein signalisierte und sie beruhigte, aber ihm kam kein Wort über die Lippen. Blanke Angst hatte ihn im Griff, wühlte in seinen Eingeweiden, als wolle sie dort das nächste blutige Organ herausreißen.

»Warten Sie«, beschwor ihn Frau Geier. »Ich bring Ihnen was.«

Sie walzte die Treppe hoch und kam gleich darauf mit zwei Tabletten und einem Glas Wasser zurück. »Hier. Nehmen Sie das. Das hilft.«

Ingo betrachtete die orangeroten Pillen auf ihrer schwitzigen Handfläche. »Was … ist das?«, fragte er mit trockenem Mund.

»Was Pflanzliches. Das beruhigt, Sie werden sehen.«

Opium ist auch was Pflanzliches, schoss es Ingo durch den Kopf, aber er nahm die Pillen, spülte sie mit dem Wasser hinunter, trank das Glas gierig leer. Und wenig später ließ das innere Beben tatsächlich nach.

»Danke«, sagte er. Er konnte wieder aufstehen. War doch schön, dass es jemanden gab, der sich um ihn kümmerte. »Vielen Dank.« Er deutete auf den blutig verschmierten Briefkasten. »Ich mach das gleich weg. Ich muss mich nur vorher umziehen.«

Er sah an sich herab. Der Anzug. Die Reinigung hatte inzwischen natürlich längst zu. Super.

Seine Wohnung wieder zu betreten war, als betrete er Feindesland. In den Räumen war es kühl, alles sah seltsam fremd aus, und es roch abstoßend. Unbewohnt. Verwahrlost.

Ingo zog den Anzug aus und alte Klamotten an – daran herrschte in seinem Schrank ja kein Mangel. Dann trug er den überquellenden Mülleimer hinab, anschließend ging er noch einmal mit heißem Wasser und dem Putzzeug hinunter und reinigte den Briefkasten, so gut er konnte. Den widerwärtigen Geruch brachte er nicht weg, oder hatte sich der in seiner Nase eingebrannt? Er wusste es nicht.

Nach all dem duschte er ausgiebig und fuhr schließlich mit dem eingepackten Anzug in die Stadtmitte, wo es eine Reinigung gab, die auch samstagnachmittags offen hatte und übers Wochenende reinigte. Nachdem er das Teil los war und das Versprechen hatte, es würde bis Montagmittag fertig sein, probierte er es noch einmal bei Rado. Diesmal erreichte er ihn zu Hause. Er erzählte ihm von dem Drohanruf und dem Schweineherz im Briefkasten.

»Was?«, polterte Rado. »Wieso hast du mich nicht sofort angerufen?«

»Hab ich versucht. Aber dein Handy hat nur ewig geklingelt.«

Rado gab einen undefinierbaren Laut von sich. »Das hab ich im Auto vergessen.«

Es klang gelogen. Womöglich, überlegte Ingo, hatte Rado ja so etwas wie ein Sexualleben? »Jedenfalls«, fügte er hinzu, »kann ich jetzt wohl kaum Hilfe von der Polizei erwarten, nachdem ich sie vor aller Welt in den Senkel gestellt habe. Die lassen mich doch auflaufen!«

»Ach was«, knurrte Rado. »Die sind eine Behörde. Die sind *verpflichtet*, dir zu helfen.«

»Ha«, machte Ingo.

Rado ächzte wieder. »Ich geb das an unseren Justiziar weiter. Der soll das machen. Auf die Weise haben wir gleich eine exklusive Story, falls die nicht spuren.«

Es geschah am Samstagnachmittag in der Beichte.

Nach einem Mann, der mit buchhalterischer Pingeligkeit allerhand *unreine Gedanken* und *verderbliche Gelüste* gebeichtet hatte, kam ein nervöser, schlaksiger Junge in den Beichtstuhl geschlüpft, der statt mit der Beichtformel mit einem heiseren: »Guten Tag, Herr Pfarrer« grüßte.

Peter hüstelte irritiert. »Hallo.«

»Also«, sprudelte der Junge los, »ich hab keine Ahnung, wie das hier funktioniert, ehrlich gesagt. Ich bin nicht so der Typ, der in die Kirche geht. Meine Mutter sagt immer, ich soll … na, Sie wissen ja, wie das ist. Aber jetzt … ich weiß nicht, mit der Beichte und so, keine Ahnung, ich würd gern einfach mit 'nem Pfarrer reden, verstehen Sie? Wenn das okay ist.«

»Ich höre dir zu«, sagte Peter. »Erzähl, was dich bedrückt.«

Der Junge dünstete Unruhe aus, Unwohlsein und innere Zerrissenheit. Es war, als drängten seine Gefühle durch das handgeschnitzte Gitter, das im Lauf der Jahrhunderte schon so viele Sünden gehört hatte.

Irgendwie rührte das etwas in Peter auf. Es brachte ihm zu

Bewusstsein, wie gern er selber einmal von seinen Zweifeln und Ängsten gesprochen hätte, die zu beichten er in all den Jahren nie über sich gebracht hatte. Inzwischen schien es ihm gänzlich unmöglich, es überhaupt jemals zu tun; nicht, nachdem so viel Zeit verstrichen war.

»Okay. Also, das ist so: Ich bin in der Gang von jemandem, dem seinen Bruder hat dieser Typ umgebracht, der jetzt immer in der Glotze ist, der Racheengel. Und den will er jetzt rächen. Also – den Bruder, klar. Er will den Racheengel schnappen und umlegen.«

Es durchrieselte Peter kalt. Der Albtraum jedes Priesters: von den Vorbereitungen zu einem Verbrechen zu erfahren und durch das Beichtgeheimnis gebunden zu sein.

»Ich verstehe«, sagte er mit Mühe.

»Okay. Die Sache ist die, dass er sich einen Plan ausgedacht hat, der … also, keine Ahnung, ob der überhaupt funktioniert und so, aber irgendwie … also, ich find den Plan nicht so … ich soll da ja mitmachen! Ich bin dazu verpflichtet, verstehen Sie, weil ich in der Gang bin … die Gang ist deine Familie. Also – meine. Sozusagen. Ich hab natürlich noch eine richtige Familie, oder jedenfalls meine Mutter und 'ne Schwester und so, aber …« Er hielt schwer atmend inne. »Was wollte ich jetzt eigentlich sagen?«

»Was ist das für ein Plan?«

»Ach so. Ja, genau. Also, er hat sich überlegt, dass wir losziehen, abends, und halt irgendwo, wo es sich ergibt, jemanden verprügeln. Er denkt, das lockt den Typen an, diesen Racheengel. Blöder Name, übrigens. Jedenfalls, ein paar von uns sollen sich da immer verstecken – man muss sehen, wo das geht; es müssen Leute da sein, aber nicht zu viele, und irgendwelche Verstecke, keine Ahnung, wo das sein soll, aber er hat da ein paar Stellen ausgeguckt. Okay, und wenn der Typ auftaucht, dann kommen die anderen raus und schnappen ihn sich.«

Peter hatte das Gefühl, etwas sagen zu müssen, aber seine Kehle war wie zugeschnürt.

»Also, Herr Pfarrer, ich sag's Ihnen ganz ehrlich – wenn mir einer blöd kommt, dann hau ich dem eine rein, okay? Das ist korrekt. Aber Leute zu vermöbeln, die *überhaupt nix* getan haben … mir nicht, der Gang nicht … also, ehrlich, ich weiß nicht. Und gleichzeitig denk ich, ich muss ja. Ich hab echt auch Schiss, weil ich hergekommen bin, aber irgendwie … also, 'ne blöde Situation. Wenn man so hin und her gerissen ist, wenn Sie verstehen, was ich meine.«

Das verstand Peter besser, als der Junge ahnen konnte. Aber helfen … helfen konnte er ihm deswegen trotzdem nicht. Er nahm Zuflucht zu Bibelstellen, die ihm einfielen, sprach von Jesus' Forderung, seinen Feinden zu vergeben, und merkte selber, dass er ins Faseln kam, dass er redete, ohne zu wissen, was er sagen sollte. Er spürte, wie der Junge auf der anderen Seite des Gitters – wie alt mochte er sein? Sechzehn? Siebzehn? – in sich zusammensank.

»Oh Mann«, hörte er ihn schließlich ächzen. »Das ist doch alles Kacke. War 'ne blöde Idee, zu kommen. Sorry, dass ich Sie belästigt habe.« Und weg war er.

Peter öffnete rasch die Tür des Beichtstuhls, aber er vernahm nur noch die eiligen Schritte des Jungen, erhaschte einen viel zu kurzen Blick zwischen den Säulen hindurch, dann ging das Portal auf und fiel donnernd zurück ins Schloss.

Er hatte auf einmal wieder diese Stimme aus der Vergangenheit im Ohr. *Ich brauche deine Absolution nicht. Ich wollte nur, dass du Bescheid weißt. Wenigstens du.*

Ja. Nun wusste er Bescheid. Anstatt weniger Gewalt würde es mehr davon geben.

Er musste etwas tun.

Als Ingo abends bei Evelyn ankam, dachte er daran, zickzack zu gehen und auf Verfolger zu achten, aber das mit dem Rotwein hatte er vergessen. Was ihm einen Blick einbrachte, unter dem er zusammenzuckte: Er hatte sie enttäuscht. In diesem Moment ähnelte Evelyn auf verwirrende Weise Melanie.

»Kein Problem, bin gleich wieder da«, rief er und marschierte postwendend noch einmal los. Doch es dauerte, bis er bei der Tankstelle an der Schnellstraße ankam, wo er zwei Flaschen fand, wenn sie auch schrecklich teuer waren.

Das Ganze verbesserte Evelyns Laune nicht, denn so hatte sie mit dem Abendessen warten müssen, und einen Wein hätte sie schon noch gehabt. »Es wäre besser, wir würden in so einer Situation *reden*«, meinte sie spitzlippig.

»Du weißt doch, Männer reden nicht, Männer handeln«, versuchte er einen Witz, der aber nicht zündete.

So fühlte er sich bemüßigt, sich heute besondere Mühe mit dem Reden zu geben. Erzählte von der Geschichte mit dem Schweineherz in seinem Briefkasten. Schockte sie damit, bekam fast selber noch einmal Angst, als er das Entsetzen in ihren Augen sah. Aber er hatte das Gefühl, dass sie ihm dafür die Sache mit dem vergessenen Wein vergab.

Was er selber denn für Erfahrungen mit körperlicher Gewalt gemacht habe, wollte Evelyn später wissen, als sie mit der Flasche von der Tankstelle im Wohnzimmer saßen. Kevin hatte sich, nach einem geflüsterten Hinweis seiner Mutter, dezent in sein Zimmer verzogen. »In der Schule zum Beispiel. Gab's da einen, der dich verprügelt hat?«

»Einen? Drei sogar«, sagte Ingo und musste sein Glas abstellen, weil er auf einmal fürchtete, es zu zerbrechen.

Dietmar, Imre und Erik. Während Ingo erzählte, spürte er wieder die Hitze des Sommers damals, die Hitze seiner Angst, als er begriff, dass er ihnen nicht entkommen würde. Er roch das Gras, in das sie ihn warfen, schmeckte den Kuhfladen, in den sie sein Gesicht drückten, hörte ihr johlendes Gelächter und ihre gemeinen Sprüche.

Als er nach Hause kommt, heulend, ist seine Mutter nicht da, nur sein Vater. Der tröstet ihn nicht, bemitleidet ihn nicht, sagt nur: »Geh dich waschen.« Nachher reden sie darüber, aber sein Vater ist nicht von der Überzeugung abzubringen, dass er, Ingo, die drei Jungen irgendwie gereizt haben müsse.

Doch das hat er nicht. Er ist der Kleinste und Schwächste in der Klasse: Das ist es, was sie reizt. Er kann sich nicht wehren. Er ist jemand, an dem man seine Aggressionen gefahrlos austoben kann, weil niemand ihn verteidigt, kein Mitschüler, kein Lehrer, nicht einmal sein Vater.

Es ist nicht das einzige Vorkommnis dieser Art, aber es ist ihm im Gedächtnis geblieben, weil er an diesem Tag gemerkt hat, dass sein Vater nur deshalb an seinem Standpunkt festhält, weil er selber Angst hat: Er will nicht hören, dass man verprügelt werden kann, ohne daran schuld zu sein.

Als Ingo das merkt, bricht irgendetwas in ihm. Ist etwas vorüber in der Beziehung zu seinem Vater. Er hört auf zu beteuern, dass er Dietmar und den anderen nichts getan hat, lässt die Sache auf sich beruhen – doch ab da beginnt es, dass er seinen Vater ... nun, nicht direkt *verachtet*. Er kann ihn nur nicht mehr ernst nehmen, nie wieder.

»Mein Vater hat darauf herumgeritten, dass wir nur unsere ... unsere *Meinungsverschiedenheiten* ausdiskutieren müssten, damit alles gut würde. Ich habe es nie geschafft, ihm klarzumachen, dass es darum nicht ging. Sie *wollten* jemanden schlagen. Es hat ihnen *Spaß* gemacht.«

»Verstehe«, meinte Evelyn mit belegter Stimme.

Es strömte aus ihm heraus – die Worte, die Erinnerungen, die uralten Ängste. Als sei ein Damm gebrochen. Er hätte es nicht aufhalten können, nicht einmal, wenn er gewollt hätte. »Mit achtzehn hat Imre ein Motorrad bekommen. Ein richtig dickes Teil, irgendeine amerikanische Kultmarke mit Unmengen Chrom und Leder und einer Million PS. Er hat keine Gelegenheit ausgelassen, damit anzugeben. Hat die Mädchen damit abgeschleppt. Das Übliche halt. Ein paar Wochen später macht eines Morgens das Gerücht die Runde, jemand aus unserer Schule sei mit einem Motorrad tödlich verunglückt.« Ingo holte tief Luft. »Als ich davon gehört habe, war mein erster Gedanke: Lieber Gott, lass es Imre sein.«

»Oh«, entfuhr es Evelyn.

»Ich hab's mir wirklich gewünscht. Es wäre die Erhörung meiner Gebete gewesen.«

»Und? War er es?«

»Nein. Ein Junge aus der Parallelklasse, ein unauffälliger, stiller Typ. Und es war kein Motorrad, sondern ein Mofa. Er ist damit unter einen Laster gekommen, hatte keine Schuld.«

»Schrecklich.«

»Ja.«

An diesem Abend lief nichts mehr. Obwohl Evelyn ihm versicherte, es sei okay, kuscheln sei auch schön, wusste er, dass sie enttäuscht war. Männer spürten so etwas.

Am Sonntag sagte sich Victoria, dass ihr Verhalten allmählich krankhaft war.

Sie stand morgens auf, zur üblichen Zeit, setzte sich an den Computer, und dann … tat sie *nichts*. Brachte kein Wort auf den Schirm. Zwang sich nach dem Frühstück dazu, musste aber irgendwann alles wieder löschen, weil sie Unsinn schrieb, falsch übersetzte, zu keinem klaren Gedanken imstande war.

Allmählich kam sie mit ihrem Arbeitsplan in Verzug. Der Hersteller des Medikaments hatte per Mail gefragt, wie es denn aussähe? Gut, hatte sie geantwortet. Demnächst.

Am Donnerstag war das gewesen. Seither hatte sie nicht ein einziges weiteres Wort geschrieben. Und heute war Sonntag. Schon!

Ihr war, als summe es in ihr wie von Starkstrom, als arbeite irgendwo da drinnen eine Maschine auf vollen Touren, ohne ihre Energie irgendwohin ableiten zu können. Sie war jeden Abend zu Tode erschöpft, schlief wie ein Stein, aß wie ein Bauarbeiter.

So konnte das nicht weitergehen.

Sie sprang auf, wanderte durch das Haus, ordnete Dinge, klaubte Staubflusen auf. Machte sich einen Tee. Trank ihn, sah aus dem Fenster in den Garten, der über und über mit gelbbraunem Laub bedeckt war, versuchte alles zu vergessen.

Aber vielleicht ging es nicht darum, zu vergessen, sondern darum, sich zu erinnern?

Von jäher Hoffnung erfüllt, kehrte sie an den Computer zurück, öffnete ein neues, leeres Dokument und begann zu schreiben, ließ die Worte auf den weißen Schirm fließen.

Es passierte an einem Dienstag. Dienstags fing die Schule eine Stunde später an. Hätten wir die erste Stunde nicht freigehabt, wäre nichts geschehen.

Sie nahm die Hände vom Keyboard, als seien die Tasten plötzlich glühend heiß geworden. Nein. Das hatte sie doch alles schon mal probiert. Es würde ihr jetzt so wenig helfen wie damals.

Damals …

Sie griff nach der Maus, klickte sich in die Tiefen ihrer Festplatte, hinein in Verzeichnisse, die sie seit Ewigkeiten nicht mehr angerührt hatte. *Alte* Verzeichnisse.

Da. Eine Datei mit dem Titel *Was_geschah.doc*. Mehr als zehn Jahre alt.

Sie öffnete sie, las, was sie damals geschrieben hatte.

Genau dasselbe. Wort für Wort.

Am Montagmorgen fiel Ingo gerade noch rechtzeitig ein, dass er ja in die Stadt fahren und seinen Anzug von der Reinigung abholen musste. Mit der U-Bahn wäre das eine Sache von einer halben Stunde gewesen, aber ihm war danach, oberhalb der Erde zu bleiben. Also nahm er den Bus, auch wenn das hieß, weite Umwege nehmen und zweimal umsteigen zu müssen.

Dieser Entscheidung verdankte er es, dass er, als er in einem voll besetzten Bus der Linie 903 an den Edelkaufhäusern in der Berliner Allee vorbeifuhr, Markus Neci und Melanie Arm in Arm aus einem der teuersten Modegeschäfte kommen sah. Melanie trug eine prall gefüllte Tüte mit dem Logo der Boutique in der Hand, hatte sich bei Matschi eingehakt und lachte gerade lauthals über etwas, das er zu ihr sagte. Und der Herr

Professor grinste wie Dschingis-Khan nach der Unterwerfung seiner Rivalen.

So also machte das der Mann von Welt: mit Bestechung. Denn offensichtlich hatte er ihr irgendeinen kostspieligen Fummel spendiert, um ihren Groll wegen seines Seitensprungs zu besänftigen.

Und wie es aussah, ging das für Melanie in Ordnung. Rechte der Frauen hin, weibliches Selbstbewusstsein her.

Ingo sank in sich zusammen. Und für diese Frau hatte er damals den Job in Paris sausen lassen!

Dann fiel ihm die Karte in seiner Küche wieder ein, und er beschloss, nicht weiter darüber nachzudenken.

Später saß Ingo wie gehabt in dem stillen Büro ohne Telefon und bereitete die Sendung des Abends vor. Heute würde er keine problematischen Studiogäste haben: einen jungen Lastwagenfahrer und eine Rentnerin, die beide überfallen worden waren. Die musste er wahrscheinlich einfach nur erzählen lassen.

Am Nachmittag schaute Rado herein. »Du wirst berühmt«, erklärte er. »Wart mal, ob ich das jetzt auswendig zusammenbekomme: Eine Produktionsfirma aus Frankfurt hat angerufen, die fürs ZDF arbeitet. Die wollen ein Porträt über dich machen. Und der Südwestrundfunk will dich einladen für deren Sendung ›SWR Leute‹. Na, ist das was, oder ist das was?«

»Wow!«, entfuhr es Ingo.

»Hab ich recht gehabt, dass Fernsehen dein Ding ist?«

»Da kann ich gerade schwer widersprechen.«

»Besser so. Also, du bist gewarnt. Ich hab denen deine Nummer gegeben, die melden sich.«

»Okay.« Im nächsten Moment fiel ihm ein, wieso das nicht okay war. »Was heißt, meine Nummer? Welche?«

»Na, beide. Festnetz und Mobil.«

»Ich hab seit Freitag ein neues Mobiltelefon. Und folglich eine neue Nummer.«

Rado verdrehte die Augen. »Mann! Wär vielleicht 'ne Idee, mir die auch mal zu geben, oder?«

Ingo kritzelte sie ihm hastig auf ein Stück Papier. »Kannst du die zurückrufen und ihnen die Nummer durchgeben? Oder soll ich –?«

»Auf keinen Fall«, wehrte Rado ab. »Das würde ja so aussehen, als rennst du denen nach. Das macht man nicht. Nein, lass nur, die melden sich schon. Zur Not auf deinem Anrufbeantworter. Ach so«, sagte er, im Gehen begriffen, »die Polizei hat sich übrigens auch gemeldet. Sie haben alle in Frage kommenden Brüder von Opfern des Racheengels vernommen. Die streiten alle ab, bei dir angerufen zu haben.«

Ingo sah den Redakteur mit einem flauen Gefühl an. »Sag bloß. Wer hätte damit gerechnet?«

»Laut Polizei sind die Aussagen *glaubhaft*.«

»Mit anderen Worten, meine ist es nicht?«

Rado zuckte nur mit den Schultern. »Mach was draus. Den letzten Quotenberichten zufolge hast du über zwei Millionen Zuschauer.«

An diesem Montagmorgen zog Peter Donsbach seine ältesten, unauffälligsten Kleidungsstücke an: eine ausgeleierte Jeans aus Studienzeiten, einen fadenscheinig gewordenen Pullover, Turnschuhe, eine billige graue Windjacke. Er verließ das Haus durch den wenig benutzten und praktisch nicht einsehbaren Center Kücheneingang, schlug sich rasch in eine Seitengasse und fuhr dann mit der Straßenbahn in die Stadtmitte, ins Bahnhofsviertel, wo immer viele schräge Gestalten unterwegs waren und niemand Fragen stellte.

In einem staubigen Schreibwarengeschäft mit Gittern vor den Fenstern kaufte er eine noch eingeschweißte Packung großer Briefumschläge, eine Plastikmappe, eine kleine Schere, eine Pinzette und einen Klebestift. Er zahlte bar, mit Münzgeld. Dann suchte er die rings um den Bahnhof gelegenen Internetcafés ab, bis er eines fand, das ihm für sein Vorhaben geeignet schien: Die einzelnen Arbeitsplätze waren durch hohe Trennwände separiert, neben jedem PC stand ein eigener Drucker, und es war so gut wie nichts los. Geführt wurde es von einem Asiaten, der vollauf damit beschäftigt war, sich einen Tee zuzubereiten, und nur mit einer knappen Handbewegung meinte: »Wherever you want.«

Peter setzte sich ganz nach hinten, an den letzten PC. Als er nach der korrekten Adresse des Kommissariats googelte, stieß er auf den Bericht einer Zeitung, die keine Hemmungen hatte, Namen von Polizeibeamten zu veröffentlichen: Der Leiter der Soko Todesengel, behauptete der *Rodenthaler Anzeiger*, heiße Kriminalhauptkommissar Justus Ambick.

Peter beschloss, den Namen auf Verdacht zu verwenden; falls der Name nicht stimmte, machte das auch nichts. Die zwei Blätter, die er brauchte, waren schnell geschrieben und ausgedruckt; die zugehörigen Dateien speicherte er erst gar nicht. Er benutzte die Pinzette, um das Papier aus dem Auswurfschacht des Druckers zu holen, ohne es zu berühren. Keine Fingerabdrücke! Am sichersten wäre es gewesen, Latexhandschuhe zu tragen, wie Chirurgen sie verwendeten, aber das hätte jemandem auffallen können. Eine Pinzette war unverdächtig.

In einer der Boxen telefonierte ein Mann mit fettigen Haaren per Internet. Peter konnte die Sprache nicht identifizieren, es klang jedenfalls sehr bedrückt und traurig. Daneben spielte, den Geräuschen nach zu urteilen, ein Jugendlicher ein Computerspiel. Und dann war da noch die matronenhafte Frau, die er beim Hereinkommen irgendwelche Internetseiten mit Aktienkursen oder dergleichen hatte studieren sehen. Ansonsten war nichts los. Deswegen verwarf Peter seine ursprüngliche Idee, alles Weitere im Getriebe der Hauptpost zu erledigen; er würde es gleich hier tun.

Am kompliziertesten war es, die Adresse auszuschneiden und auf einen der Umschläge zu kleben, ohne das Papier zu berühren. Der Rest war dann einfach. Zehn Minuten später zahlte er, mit gesenktem Kopf, damit die Kamera über dem Tresen nicht sein Gesicht erfasste, und ging, in der Tasche einen fertig adressierten, zugeklebten Briefumschlag in einer Plastikmappe.

In der Hauptpost kaufte er ein Mäppchen mit selbstklebenden Briefmarken. Er suchte sich einen freien Tisch, ruckelte den Brief aus der Mappe, klebte mithilfe der Pinzette eine Marke darauf, ließ den Brief zurückrutschen und drückte alles durch das Plastik noch einmal fest an. Dann ging er damit zu einem der Briefkästen neben dem Hauptausgang, wartete, bis er einen Moment allein war, schob die Plastikmappe durch den Schlitz, wobei er sie am äußersten Ende festhielt, sodass nur der Brief darin in den Kasten glitt und er die Mappe selber wieder herausziehen konnte.

Danach verließ er die Post, ohne sich umzusehen. Auf dem Weg zurück zur U-Bahn warf er den Rest seiner Einkäufe in einen Mülleimer. Um den Klebestift tat es ihm leid, doch er sagte sich, dass es besser war, jedes Risiko zu vermeiden.

Als er in der U-Bahn saß und aus dem Fenster auf die schemenhaft vorbeisausenden Betonwände starrte, fühlte er nur Leere. Er hatte gehofft, sich nach dem Abschicken des Briefes befreit zu fühlen, erlöst womöglich, aber nichts dergleichen war geschehen. Im Grunde war alles noch wie immer.

Eine halbe Stunde vor der Sendung kam die Nachricht über den Ticker, das vergangene Wochenende sei das gewalttätigste gewesen, das die Stadt je erlebt habe: Ein Rentner war an einer Bushaltestelle in Peinstadt verprügelt worden, ein Kunststudent in einer U-Bahn-Station in Zünicke, ein halbseitig gelähmter Mann auf offener Straße in Unterlosing, ein Obdachloser in einem Park in der Stadtmitte … die Liste nahm gar kein Ende. Es hatte sich jeweils immer um zwei, drei jugendliche Täter gehandelt, die ohne ersichtlichen Grund losgeschlagen hatten.

Und der Racheengel hatte kein einziges Mal eingegriffen.

Natürlich musste Ingo zu Beginn der Sendung auf diese Meldung eingehen. Er tat es, indem er die Liste vorlas und anschließend kommentarlos einen Ausschnitt aus der Sendung vom Freitag zeigte, die Stelle, an der Oberstaatsanwalt Ortheil behauptet hatte, die Gewaltkriminalität sei rückläufig.

»Kein weiterer Kommentar«, sagte Ingo danach einfach.

Das gab Applaus, aber auch einen Eklat: Plötzlich standen Leute im Publikum auf, entrollten blitzschnell ein Spruchband mit der Aufschrift *Keine Selbstjustiz! Keine Barbarei!* und riefen: »Frieden auf unseren Straßen! Mehr Bildung! Mehr Prävention!« Sie trugen T-Shirts mit dem Logo einer der vielen politischen Gruppierungen, die an den bevorstehenden Stadtwahlen teilnahmen.

Sie wiederholten ihren Spruch zweimal, dann kamen die Saalordner und beförderten sie mit mehr oder weniger sanfter Gewalt aus dem Studio.

»Frieden auf unseren Straßen – das wünsche ich mir natürlich auch«, kommentierte Ingo die Aktion, weil ein solcher Zwischenfall in einer Livesendung nicht unkommentiert bleiben durfte. »Doch dafür ist es nötig, dass sich alle an gewisse Spielregeln halten. Eine Spielregel für dieses Studio – etwas, das Sie unterschreiben müssen, ehe Sie Zutritt erhalten – ist, dass Sie als Zuschauer die Sendung nicht mutwillig stören dürfen. So etwas wie gerade eben ist nicht die Art und Weise, wie wir diskutieren wollen. Hier im Studio greifen wir deshalb entschieden durch, wie Sie gesehen haben. Würde in der Welt draußen ebenso entschieden durchgegriffen, gäbe es unsere Sendung gar nicht. Weil sie nicht nötig wäre.«

Höflicher Applaus. Die Leute im Publikum waren immer noch unruhig. Aber die Zeit schritt voran, also machte Ingo weiter wie vorgesehen, stellte seine Gäste vor und ließ sie erzählen: Den Lastwagenfahrer, wie er seinem Angreifer das Messer entrungen und ihm dabei beide Arme gebrochen hatte und wie er dafür zu einer Woche Jugendarrest verurteilt worden war, wegen vorsätzlicher Körperverletzung. Die Rentnerin, eine zittrige alte Dame von 75 Jahren mit leiser Stimme, wie fünf mit Schreckschusspistolen bewaffnete Jugendliche in ihr Haus eingedrungen waren, offenbar auf der Suche nach Bargeld. Und wie sie nach der Pistole gegriffen hatte, die ihr verstorbener Mann, ein Montagetechniker, der viel in der Welt unterwegs gewesen war, ihr einmal mitgebracht hatte, für alle Fälle. Sie habe gar nicht schießen wollen, nur drohen, aber vor lauter Nervosität habe sich eben doch ein Schuss gelöst. Der einen der Jugendlichen getötet hatte. Die zweieinhalb Jahre seither habe sie quasi vor Gericht verbracht, erst unter der Anklage des Totschlags, da die Jugendlichen angeblich schon auf der Flucht gewesen seien und die Notwehrsituation damit nicht mehr gegeben war; als sie davon freigesprochen worden war, wegen illegalen Waffenbesitzes, gefolgt von Schadensersatzforderungen der Familie des Getöteten. »Ich denk manchmal, das geht jetzt so weiter, bis ich sterbe«, schloss sie mit einem Seufzer. »Mittlerweile hat mich das alles so viel Geld gekostet, dass es besser gewesen wäre, ich hätte mich ausrauben lassen.«

Sie bekam anhaltenden Applaus, und der Lastwagenfahrer umarmte sie mit seinen mächtigen Pranken.

»Meine Damen und Herren«, wandte sich Ingo am Ende an sein Publikum, »ich will diese Sendung nicht beschließen, ohne Sie davon in Kenntnis zu setzen, dass ich seit der letzten Ausgabe mehrfach persönlich bedroht worden bin. Ich bin, wie Sie sehen, niemand, der anderen so einfach die Arme brechen könnte, eine Waffe besitze ich auch nicht. Da ich mich bei der Polizei nicht gerade beliebt gemacht habe, erfahre ich aus dieser Richtung natürlich wenig Hilfe. Wie es aussieht, kann ich im Falle eines Falles nur auf den Racheengel hoffen. In diesem Sinne: Bis morgen – hoffentlich.«

»Weißt du, was ich eigenartig finde?«, fragte Evelyn spät an diesem Abend, als sie auf der Couch lagen, ihr Kopf auf seiner Brust.

»Nein«, sagte Ingo, der ihr mit den Fingern durchs Haar fuhr und es schwierig fand, in Stimmung für Sex zu kommen.

»Dass sich der Racheengel nicht bei dir meldet. Ich meine, wo du quasi Werbung für ihn machst.«

Ingo hielt in der Bewegung inne. »Ja. Stimmt eigentlich.«

Vielleicht, dachte er, war der Racheengel doch nicht einfach irgendein Mensch mit einer Mission. Vielleicht war er irgendwie eine übernatürliche Macht.

Und vielleicht kam er nur, wenn er wirklich gebraucht wurde?

Als er am Dienstagmorgen ins Büro kam, fand Justus Ambick in seinem Eingangskorb einen braunen, auffallend dünnen und überfrankierten B4-Briefumschlag vor, der an ihn persönlich adressiert war. Die Büroadresse war auf ein von Hand ausgeschnittenes und aufgeklebtes Stück Papier gedruckt.

Stirnrunzelnd riss der Kommissar den Umschlag auf. Er enthielt nur ein einziges Blatt, auf dem in großen Buchstaben stand: *Der Name, an den Sie sich im Fall Racheengel erinnern sollten, lautet Florian Holi.*

24 Ambick rieb sich das rechte Ohr. Es schmerzte, wie so oft um diese Jahreszeit. Eine schlecht ausgeheilte Mittelohrentzündung in der Kindheit, hatte sein Arzt gemeint und ihm Ohrentropfen verschrieben, die nichts halfen.

»Also?«, fragte er, an Johannes Barth gewandt, der wie üblich am Aktenschrank lehnte und den in eine Plastikhülle versiegelten Brief studierte. »Was ist deine fachliche Meinung dazu?«

Jo kniff die Augen zusammen, spitzte den Mund, bot ein Bild angestrengten Nachdenkens. »Und da sind keine Fingerabdrücke drauf?«, vergewisserte er sich noch einmal.

Ambick schüttelte den Kopf. »Nur meine. Vom Öffnen.«

»Das heißt, da hat sich jemand große Mühe gegeben.«

»Scheint so.«

Der Polizeipsychologe rieb sich die Stirn, den Blick unverwandt auf den geradezu minimalistischen Text gerichtet. Ein Laserausdruck auf Allerweltspapier, hatte die Untersuchung im Labor ergeben. Unmöglich, irgendetwas daraus abzuleiten. »Der Absender will einen Hinweis auf etwas geben, das für das Verständnis desjenigen auf der Hand zu liegen scheint. Etwas, von dem er sich womöglich wundert, warum die Polizei noch nicht von selber darauf gekommen ist.«

»Mit anderen Worten, er weiß etwas. Kein Wichtigtuer.«

»Nein. Kein Wichtigtuer. Ein Wichtigtuer hätte anders geschrieben. Mehr vor allem.«

Ambick nickte. Sein Ohr pochte. Unangenehm. Machte es schwer, klar zu denken. »Okay. Danke dir.«

»Florian Holi.« Johannes Barth beugte sich nach vorn, ließ den Brief auf Ambicks Schreibtisch segeln. »Der Name sagt mir was. Ich weiß bloß nicht, was.«

»Ist etwa fünfzehn Jahre her.« Ambick zog das Schriftstück wieder zu sich heran. »Das war ein Geschäftsmann, der vier Kinder vor ein paar Taschengelderpressern in Schutz genommen hat und dafür totgeprügelt wurde. Das hat damals noch Aufsehen erregt. Der Bundespräsident ist zur Beerdigung gekommen, man hat Holi posthum das Bundesverdienstkreuz verliehen, auf Halbmast geflaggt und Schweigeminuten abgehalten.«

»Ah ja, stimmt, jetzt fällt es mir wieder ein«, sagte der Psychologe und legte erneut die Stirn in Falten. »Denkst du, das hat wirklich etwas mit dem Racheengel zu tun? Dass da jemand … na ja, *Rache* nimmt für damals?«

Ambick massierte seine Schläfen. »Keine Ahnung. Das frage ich mich ja gerade. Wenn das tatsächlich ein ernst zu nehmender Hinweis sein sollte, wäre es die erste konkrete Spur, die wir haben.«

Die Tür wurde aufgestoßen, traf Johannes Barth ins Kreuz, wie üblich. Es war Enno, der hereinkam, ein Blatt Papier in der Hand schwenkend.

»Hier, ich hab eine Liste der Beteiligten zusammengestellt«, sagte er und legte Ambick den Zettel hin. Darauf standen jeweils zwei Namen nebeneinander, unter manchen davon auch Adressen. »Die Täter habe ich schon gecheckt; die wurden damals zu neun, sieben und vier Jahren verurteilt. Einer lebt nicht mehr, der hier.« Er tippte auf den Namen *Brodowski, Hans*. »Unfall unter Alkoholeinfluss, vor drei Jahren. Die anderen sind unter den angegebenen Adressen gemeldet.«

Sein Finger glitt die Seite hinab. »Das ab dem Querstrich sind die Opfer. Elisabeth Holi ist die Witwe, klar. Victoria Thimm ist Übersetzerin. Zu Alexander Wenger und Ulrich Blier hab ich noch nichts gefunden, Peter Donsbach ist Pfarrer an der Sankt-Jakob-Kirche.«

»Der Ärmste«, kommentierte Johannes Barth.

»Wieso?«, wollte Ambick wissen.

»Ist ein heißes Gebiet dort«, meinte Enno.

Ambick nahm ihm das Blatt aus der Hand, faltete es der Länge nach in der Mitte und riss es am Falz durch. Die Hälfte mit den beiden ungeklärten Namen reichte er Enno. »Okay. Wir teilen uns die Sache. Das sind deine.«

Enno musterte das Papierstück. »Ist das gerecht? Du hast einen Toten und ansonsten lauter geprüfte Adressen, und ich …?«

»Bist du jetzt der große Computerspezialist oder nicht?« Ambick faltete seine Liste, steckte sie ein und erhob sich. »An die Arbeit. Ein bisschen Bewegung wird uns guttun.«

Auf dem Weg zum Parkplatz beschloss Ambick, bei der Frau zu beginnen. Igelstraße, das war nicht weit.

So stand er zehn Minuten später vor einem dieser wunderbaren alten Herrenhäuser aus der Gründerzeit, in denen in Fernsehserien immer dynamische junge Leute mit abwechslungsreichem Liebesleben wohnten. Es ging ein paar altehrwürdige Stufen hinauf zu einer massiven Holztüre mit allerlei verwitterten, handgeschnitzt wirkenden Ornamenten darin. Die Sprechanlage allerdings war neu. Es gab nur einen Klingelknopf, beschriftet mit *V. Thimm*. Ambick drückte ihn.

Es dauerte eine Weile, dann meldete sich eine leise Stimme. »Ja, bitte?«

Ambick wandte sich dem halbkugelförmigen weißen Auge der Videokamera zu, straffte unwillkürlich die Schultern. »Guten Tag. Ich bin Kriminalhauptkommissar Ambick und würde gerne mit Frau Victoria Thimm sprechen.«

»Worum geht es?« Eine Stimme wie die eines zerbrechlichen Vögelchens.

»Um den Fall Florian Holi. Besser gesagt darum, ob es Verbindungen zwischen damals und –« Er hielt inne, schalt sich einen Narren, so unprofessionell vorzugehen. Er betrachtete die Abdeckung des Lautsprechers. »Hören Sie, Frau Thimm, ich möchte das ungern hier auf der Straße herumposaunen. Könnte ich vielleicht kurz hereinkommen? Nur zehn Minuten?«

Pause. Dann: »Bin ich verpflichtet, Sie hereinzulassen?«

»Nein«, räumte Ambick ein. »Aber ich fürchte, Sie sind verpflichtet, mit mir zu sprechen, egal wo. Es kann auch in meinem Büro passieren. Ich will es Ihnen nur einfacher machen.«

»Ich bin eine allein lebende Frau. Ich lasse für gewöhnlich niemanden herein, den ich nicht kenne.«

»Das ist auch richtig so. Ich zeige Ihnen selbstverständlich meinen Dienstausweis. Und wie gesagt, Sie können gern auch zu mir ins Büro kommen.«

Nochmals Bedenkzeit. Dann kam ein halb gehauchtes, halb geseufztes: »Warten Sie.«

Ambick hörte Schritte auf einer Treppe und wie eine Sicherheitskette vorgelegt wurde. Dann öffnete sich die Tür. Ein blasses Gesicht und ein ausdrucksvolles Auge mit kornblumenblauer Iris tauchten in dem Spalt auf. »Kann ich diesen Dienstausweis jetzt bitte sehen?«

»Natürlich.« Ambick hielt ihr den in Plastik eingeschweißten Ausweis hin. Da er seine Stelle erst seit zwei Monaten hatte, war das Bild noch aktuell.

Eine schmale, feingliedrige Hand kam heraus und nahm ihm den Ausweis ab. Die Frau hielt ihn so, dass sie ihn eingehend studieren konnte, Vorder- und Rückseite, ohne ihn dafür ins Innere des Hauses zu befördern. Schließlich reichte sie ihn zurück. »Gut. Moment.«

Die Frau, die ihm die Tür öffnete, war schlank, scheu – und von umwerfender Schönheit. Sie trug ein fließendes, aprikosenfarbenes Kleid, das ihre Figur verhüllte und zugleich betonte. Dichte, schwarze Locken fielen ihr in üppiger Fülle bis auf die Schultern, und der Blick ihrer tiefblauen Augen war von irritierender Intensität. Ambick, der bis zu diesem Moment geglaubt hatte, sich damit abgefunden zu haben, dass ihm Frauen nur noch als Täterinnen oder Opfer begegneten, fühlte sich auf einmal befangen.

»Tut mir leid, Sie zu stören«, sagte er. Eine eingeübte Phrase. Gerade fand er es sehr hilfreich, auf eingeübte Phrasen zurückgreifen zu können. »Es dauert bestimmt nicht lange.«

»Das ist kein Problem«, entgegnete sie. »Ich habe Zeit.« Sie sagte es mit einem traurigen Klang in der Stimme, der in Ambick den Wunsch weckte, diesen Klang irgendwie daraus vertreiben zu können.

Sie führte ihn in einen unpersönlich wirkenden Raum direkt neben dem Eingang. Ein Tisch und zwei Stühle standen in der Mitte, ein völlig leeres Regal und ein Kühlschrank an der Wand gegenüber den Fenstern. Es sah aus, als sei der Raum eigens dafür gedacht, ungebetenen Besuch zu empfangen und möglichst schnell wieder zu vergraulen.

»Bitte, nehmen Sie Platz«, sagte sie kühl. »Kann ich Ihnen etwas anbieten?«

»Vielen Dank.« Ambick wollte erst ablehnen, weil er derlei Angebote im Dienst grundsätzlich ablehnte, aber dann bat er aus einem Impuls heraus: »Wenn ich ein Glas Wasser haben könnte …«

»Gern.«

Sie ging zum Kühlschrank, entnahm ihm eine Flasche Sprudel, die dort zusammen mit allerhand Gemüse lagerte, schenkte ihnen zwei Gläser ein. Ambick beobachtete ihre Bewegungen, die einerseits an die eines scheuen Rehs denken ließen, zugleich aber von pragmatischer Entschlossenheit waren: ein scheues Reh mit einem Willen aus Stahl.

Sie stellte die Gläser auf den Tisch und setzte sich ihm gegenüber – reserviert, nur auf der Vorderkante sitzend, sprungbereit. Sie hatte die Tür zum Hausflur weit offen stehen lassen, so, als wolle sie sicherstellen, dass sie in jedem Moment fliehen konnte.

Ambick zog sein Notizbuch und einen Stift heraus, legte

beides vor sich hin. Eine weitere eingeübte Handlung, an der er sich festhielt. »Frau Thimm«, begann er, »nach unseren Unterlagen waren Sie eines der vier Kinder, die der Geschäftsmann Florian Holi vor fünfzehn Jahren gegen Gewalttäter verteidigt hat. Ist das richtig?«

»Ja.«

»Können Sie sich noch an den Vorfall erinnern?«

Ihre Augen weiteten sich, ihr Gesicht spiegelte Irritation, ja, Verärgerung. »Natürlich. Besser, als mir lieb wäre.«

»Was heißt das?«

»Seit dem Tag, an dem das passiert ist, habe ich dieses Haus nicht mehr verlassen«, sagte sie leise. »*Das* heißt es.«

Nach einer Besprechung mit Rado, welche Gäste für die kommenden Sendungen infrage kamen, ging Ingo zurück in sein stilles Büro, um die Unterlagen für den Abend durchzuarbeiten. Irgendwann rief ihn Evelyn auf dem Handy an.

»Ich hab gerade Nachrichten gelesen«, erklärte sie. Im Hintergrund hörte man tiefe Männerstimmen lachen. Sie war also in der Firma. »Gestern sind schon wieder drei Leute überfallen worden, hast du das mitgekriegt?«

»Ja«, sagte Ingo. »Es wird immer schlimmer.«

»Das Gefühl hab ich auch. Deswegen ist es mir nicht recht, dass Kevin für sein Training jedes Mal allein bis nach Spannwitz rausfährt.« Sorgenvoller Seufzer. »Ich wollte dich fragen, ob du ihn am Freitag begleiten könntest.«

Er hüstelte. »Also, ich weiß nicht, ob das das richtige Signal ist, wenn du einen Jungen, der zum Selbstverteidigungskurs unterwegs ist –«

»Ingo! Bitte jetzt keine Spitzfindigkeiten! Er hat gerade erst damit angefangen. Und er muss am Hauptbahnhof umsteigen, wo sie gestern einem Sechzehnjährigen die Zähne ausgeschlagen haben.«

»Ja, okay. Klar.« Er betastete unwillkürlich seine Nase. »Mach ich. Kein Thema. Freitag ist okay.« Er musste ja nicht mit reingehen. Und tagsüber würde ihnen auf der Strecke sicher nichts passieren.

»Nur die ersten Male«, schränkte sie ein. »Ich mach mir halt Sorgen.«

»Verstehe ich.«

»Kommst du heute Abend?«

Er stutzte. »Natürlich. Wieso nicht?«

»Könnte ja sein, irgendein Groupie schleppt dich ab, eine langbeinige Blondine mit Haaren bis zum Hintern und mordsmäßiger Oberweite …«

Ingo musste lachen. »Du machst dir echt zu viele Sorgen.«

»Es hat harmlos angefangen«, erzählte Victoria Thimm mit tonloser Stimme. »Mir war am nächsten Morgen nicht gut, und meine Mutter meinte, ich solle lieber zu Hause bleiben. Also bin ich nicht in die Schule, die ganze Woche nicht. Am darauffolgenden Montag wollte ich wieder gehen, weil ich gehört hatte, dass die anderen auch alle wieder da waren. Aber in der Haustüre habe ich plötzlich Panik bekommen, war außerstande, einen Schritt hinaus zu tun.« Sie legte die Hände vor sich auf den Tisch, betrachtete sie. »Meine Eltern haben einen Kinderpsychologen für mich engagiert. Viel geholfen hat es nicht. Er hat mir ein Attest ausgestellt, damit ich von der Schulpflicht befreit werde, und ich habe dann das Abitur per Fernunterricht gemacht, von zu Hause aus.«

»Nach unseren Unterlagen sind Sie Übersetzerin von Beruf?«

»Ja. Das kann man per Fernunterricht lernen. Und man kann von zu Hause aus arbeiten. Das ist in dem Beruf ganz normal.«

»Und Ihre Eltern …?«

»Sind schon beide tot. Ich lebe seit über fünf Jahren allein. Ich …« Sie räusperte sich. »Es stimmt nicht ganz, was ich Ihnen gesagt habe. Auf der Beerdigung meiner Mutter war ich. Ich habe Tabletten genommen. Und es hat mich jemand begleitet, eine Freundin meiner Mutter. Ich war auch nur kurz da, am Grab. Da habe ich das Haus verlassen. Aber seither nicht mehr.«

Ambick musterte sie, grenzenlos verblüfft. »Und wie machen Sie das mit Einkäufen und so?«

»Ich lasse mir alles liefern.«

»Arztbesuche?«

»Ich habe einen Arzt gefunden, der Hausbesuche macht.« Ihre rechte Hand legte sich über die linke, als wolle sie sie schützen. »Ich leide nicht. Meine Eltern haben mir das Haus hinterlassen und ein gewisses Vermögen, ich selber verdiene auch gut … Geld ist kein Problem. Und mit genügend Geld kann man alle Probleme des Alltags lösen.«

Ambick sah sich staunend um. Es war ein großes Haus, viel zu groß für eine einzelne Person: drei Stockwerke, das Dach womöglich ausgebaut … Drei Familien hätten in diesem Haus Platz gehabt, ohne sich in die Quere zu kommen. »Ich versuche mir gerade vorzustellen, wie das ist«, bekannte er. »Nie aus dem Haus zu gehen.«

Sie lächelte melancholisch. »Die Räume oben sind schöner eingerichtet. Das hier ist nur … sagen wir, der Wareneingang.«

»Trotzdem –«

»Ich habe mich daran gewöhnt. Ich vermisse nichts.«

»Und was ist mit frischer Luft? Mit Spaziergängen im Wald?« Der Stadtwald war keine Viertelstunde zu Fuß entfernt. Eine solche Lage ungenutzt zu lassen kam Ambick geradezu frevelhaft vor.

»Ich habe einen Garten«, sagte sie.

»In den gehen Sie?«

»Auf die Terrasse.«

»Und sonst?« Ambick konnte es nicht fassen, umso weniger, je genauer er sich die Restriktionen ihres Lebens ausmalte. »Kein Kino? Theater? Oper? Jahrmarkt? Keine Stadtfeste?«

»Das wäre sowieso nichts für mich. Ich habe kein Radio, keinen Fernseher, keine Zeitung. Ich will nichts wissen von der

Welt. Nichts, was ich über sie erfahre, tut mir gut.« Sie sah ihn an. »Warum sind Sie hier? Soweit ich weiß, sind die Täter damals verurteilt worden. Inzwischen müssten sie sogar wieder frei sein. Damit ist der Fall doch abgeschlossen, oder?«

»Ja, der Fall ist abgeschlossen. Ich gehe einem Hinweis nach, dass es eine Verbindung zwischen dem Fall Holi und dem Racheengel geben soll, nach dem wir zurzeit fahnden …« Er hielt inne. »Haben Sie davon überhaupt gehört?«

Sie nickte knapp. »Ich wollte, ich hätte nicht. Aber unglücklicherweise hat es sich ergeben.«

»Wir sind uns noch unschlüssig darüber, wie ernst wir den Hinweis nehmen sollen«, gestand Ambick. »Einerseits wäre Rache eine Erklärung – bloß ist die Frage, wer sich da an wem rächt, denn diejenigen, die der Racheengel bisher getötet hat, waren damals ja noch Kleinkinder. Hinzu kommt, dass der Begriff ›Racheengel‹ nicht von dem Betreffenden selber stammt, sondern eine Erfindung der Medien ist.«

Der Blick ihrer Augen schien plötzlich durch ihn hindurchzugehen. So, als habe sie überlegt, ihm etwas zu sagen, sich dann aber dagegenentschieden.

»Was wollen Sie von mir wissen«?, fragte sie mit einer Stimme, die Ambick in diesem Moment einen Hauch *zu* neutral klang.

Er hob die Schultern. »Das weiß ich selber nicht genau. Wie gesagt, ich suche nach einer Spur, einem Anhaltspunkt …« Er griff nach seinem Kugelschreiber. »Ich fang mal mit einer ganz einfachen Frage an: Haben Sie noch Kontakt zu den drei anderen? Von damals?«

Etwas wie ein Schatten legte sich über ihr Gesicht. »Nein. Das Einzige, was ich weiß, ist, dass Peter Donsbach Priester geworden ist. Aber mehr auch nicht. Nicht mal, wo er heute lebt.«

»Sie wissen nicht, dass er inzwischen Pfarrer der Sankt-Jakob-Gemeinde ist?«

»Hier in der Stadt? In der Sankt-Jakob-Kirche?« Als Ambick

nickte, schüttelte sie den Kopf und sagte: »Das wusste ich nicht. Wie gesagt, ich lebe sehr zurückgezogen.«

»Und haben keinen Kontakt zu Ulrich Blier oder Alexander Wenger?«

Sie schüttelte den Kopf. »Das waren eher Peters Freunde.«

»Verstehe.« Ambick notierte sich das, fragte dann: »Der Vorfall damals … wie hat sich der genau abgespielt? Also, ich meine, wie Sie ihn erlebt haben.«

Ihre schmale Gestalt straffte sich. »Darüber möchte ich nicht mehr reden«, erklärte sie schroff. »Das habe ich alles mehrfach zu Protokoll gegeben, das muss genügen.«

»Ja, okay. Verstehe.« Ambick winkte ab. »Entschuldigen Sie. Es war nicht meine Absicht, alte Wunden wieder –« Er seufzte. »Tu ich aber wohl mit diesem Besuch?«

»Ja«, sagte sie.

Seine Gedanken überschlugen sich. Er hätte gern diese Melancholie von ihr genommen, den Schmerz ausgelöscht, der sie im Bann hielt, hätte sie so gern aus ihrem selbst geschaffenen Gefängnis befreit … Nichts davon war seine Aufgabe. Seine Aufgabe war es, einen Mann zu finden, der Gewalttätern Gewalt antat.

Was ihn ausgesprochen schwer ankam.

Ihm fiel keine weitere Frage ein, jedenfalls keine, die ihn in seinen Ermittlungen weitergebracht hätte. Also zog er eine seiner Visitenkarten hervor, fingerte nervös daran herum. »Tut mir leid«, sagte er, und obwohl der Satz auch zu seinen eingeübten Phrasen gehörte, war es in diesem Fall keine. »Das ist eben mein Job. Ich suche nach einem Anhaltspunkt, nach irgendetwas, das mich weiterbringt …« Er schob ihr die Karte hin. »Sollte Ihnen noch etwas einfallen, egal was … Sie erreichen mich unter dieser Nummer.« Er räusperte sich. »Würde mich freuen.«

Sie betrachtete die Karte, ohne sich zu rühren. »Finden Sie es verwerflich, was dieser … *Racheengel* tut?«

Ambick holte geräuschvoll Luft. »Es ist gegen das Gesetz.

Ich meine, ich … ich kann verstehen, dass man mit jemandem, der so etwas tut, sympathisiert, aber … tja … es ist eben Selbstjustiz. Das geht einfach nicht.«

Ihre Augen schienen plötzlich von innen heraus zu leuchten, bannten seinen Blick. »Haben Sie schon einmal erlebt, wie jemand zu Tode geprügelt wird?«, fragte sie fast unhörbar leise. »Haben Sie schon einmal das Geräusch gehört, das entsteht, wenn ein Stiefel auf einen Schädelknochen trifft? Das Geräusch brechender Rippen? Haben Sie schon einmal gesehen, wie Haut unter Fußtritten aufplatzt, wie Blut herausspritzt? Haben Sie das, Herr Kommissar?«

»Nein«, bekannte er tonlos.

»Dann wissen Sie nichts. Dann wissen Sie nicht, was man sich in einem solchen Moment mehr wünscht als alles andere.«

»Ich kann es mir vorstellen.«

»Aber das bleibt es: eine Vorstellung.« Sie nahm die Visitenkarte an sich, schloss die Hand darum. »Ich glaube nicht, dass mir etwas einfallen wird. Aber ich werde Ihre Karte aufbewahren. Für alle Fälle.«

War es etwas in ihrer Stimme? Etwas in ihrem Gespräch, das seinem bewussten Verstand entgangen war? Was auch immer, Ambick war sich auf einmal sicher, dass sie mehr wusste, als sie ihm gesagt hatte.

Und dass sie entschlossen war, es zu verschweigen.

Ambicks Telefon klingelte, als er gerade wieder ins Auto steigen wollte. Er zerrte es unwillig aus der Manteltasche. »Ja?«

Es war Enno. »Ich hab diesen Ulrich Blier aufgestöbert.«

»Und?«

»Halt dich fest: Der ist Soldat. Feldwebel. Angehöriger des KSK und ausgebildeter Einzelkämpfer.«

25 Enno wartete schon, als Ambick auf dem Parkplatz des Kommissariats ankam. Ambick stieg aus, warf ihm den Schlüssel zu, sagte: »Du fährst«, und setzte sich auf die Beifahrerseite.

Enno beugte sich zur offenen Fahrertür hinab. »Sag mal …«, meinte er. »Was hat dir denn die Laune verhagelt?«

»Jetzt steig schon ein«, sagte Ambick nur.

Während sich Enno hinter dem Lenkrad installierte und sich den Sitz einstellte, zog Ambick sein Notizbuch aus der Jacke, schrieb die Uhrzeit auf und legte es vor sich auf die Ablage im Armaturenbrett. »Ich will wissen, wie lange man von der Kaserne in die Stadt fährt«, erklärte er auf Ennos verwunderten Blick. »Beziehungsweise umgekehrt.«

»Ach so«, sagte Enno und ließ den Motor an.

Während er den Wagen hinaus in den zäh fließenden Verkehr lenkte, horchte Ambick in sich hinein. Er hatte schlechte Laune, das stimmte. Im Grunde, seit ihn Enno angerufen und ihm das mit Blier erzählt hatte. Ein KSK-Mann. So wenig, wie man über diese Bundeswehreinheit in der Öffentlichkeit wusste, war er damit quasi schon automatisch eine Art Sagengestalt.

Na ja. Sie würden sehen.

»KSK«, sagte Enno nach einer Weile. Alle Fahrspuren waren dicht, obwohl der Verkehr einigermaßen floss. »Ehrlich gesagt weiß ich nicht, was das bedeutet. Die Abkürzung für *Kommando Spezialkräfte*, okay. Aber was heißt das?«

»Es gibt einen militärischen Fachbegriff, Kommandokampf«, erklärte Ambick. »Damit meint man handstreichartige Aktionen – wichtige Ziele im feindlichen Hinterland angreifen, Geiseln befreien, Terroristen fangen. Solche Dinge.«

»Ich dachte, dafür gibt es die GSG 9? Mogadischu und so.«

»Das ist eine Einheit der Bundespolizei. Die darf nicht Krieg führen. Das KSK schon.« Ambick massierte sich die Nasenwurzel. »Während des Völkermords in Ruanda 1994 hat man die Belgier um Hilfe bitten müssen, um deutsche Staatsbürger von dort zu evakuieren. Danach hat man sich gesagt, dass die Bundeswehr so etwas selber können sollte, und das KSK gegründet.«

Enno blies die Backen auf. »Ich bin erschüttert über das Ausmaß deiner staatsbürgerlichen Bildung.«

»Ach was. Einer aus dem Dorf, wo ich herkomme, ist zum KSK gegangen, deswegen habe ich das mitgekriegt.« Ambick sah hinaus, musterte die Reihe der Hochhäuser, die sie passierten. »Wir waren nicht so richtig befreundet. Man hat sich halt gekannt, miteinander geredet, und ich konnte ihn irgendwie leiden. Aber seit er da dabei ist … Da ist alles geheim, geheim, geheim. Er ist oft monatelang weg, und nicht mal seine Frau weiß immer, wo er steckt. Er erzählt nichts mehr über das, was er macht. Kein Wort. Gruselig.«

»Glaubt man gar nicht, dass es im popeligen Deutschland so was gibt«, meinte Enno.

Ambick nickte versonnen. »Der Verteidigungsminister damals hat gesagt, es gehöre zur grundlegenden Verantwortung eines Staates, imstande zu sein, seine Bürger im Notfall aus Gefahr für Leib und Leben zu retten. Auf dieses Ziel hin ist das KSK in gewisser Weise gegründet worden.«

Enno stieß einen Pfiff aus. »Das würde ja passen.«

»Eben.«

Irgendwie hatte das mit seiner schlechten Laune zu tun. Ja, passen würde es. Aber für Ambicks Geschmack irgendwie zu gut.

Sie erreichten den Truppenübungsplatz nach etwas mehr

als einer Stunde Fahrt. Zu erkennen, dass sie militärisches Gelände betraten, hätte der entsprechenden Schilder nicht bedurft, das sah man von Weitem: Ein endloser Drahtzaun mit Stacheldrahtkrone, der von irgendwoher kam und nach irgendwohin führte und die Welt in zwei Hälften zu teilen schien. Eine Zufahrt mit einem klotzigen Wachgebäude und einem massiven Schlagbaum. Ein weitläufiger Parkplatz davor, voller Autos in allen Farben und trotzdem irgendwie grau wirkend.

»Parkplatz für Übende Truppe«, las Enno das Schild laut ab.

»Es ist bestimmt okay, wenn wir uns kurz dazustellen«, meinte Ambick.

Als sie ausstiegen, sah er hinter den Fenstern der Wache drei Gesichter, die sie beobachteten. Ansonsten rührte sich nichts, während sie auf das Gebäude zugingen.

»Guten Tag«, sagte Ambick, als sie vor dem Zugang ankamen, und legte seinen Dienstausweis in die Mulde vor der Glasscheibe. »Ich bin Kriminalhauptkommissar Ambick, das ist mein Kollege, Kriminaloberkommissar Enrique Kader. Bei Ihnen befindet sich ein Feldwebel Ulrich Blier, dem wir im Rahmen einer Ermittlung gern ein paar Fragen stellen würden.«

Täuschte er sich, oder wurden die Mienen plötzlich eisig? »Bitte warten Sie«, sagte der Soldat hinter der Scheibe. Dann schaltete er das Mikrofon ab und begann, mit den anderen zu reden, ohne dass man hier draußen etwas davon mitbekam.

Nach einer Weile fragte er noch einmal nach: »Der Name war Blier?«

»Ja«, sagte Ambick. »Ulrich Blier.«

»Danke.« Es knackte wieder in den Lautsprechern, und die Pantomime ging weiter. Einer telefonierte.

Ambick sah sich um. Der Truppenübungsplatz war über siebzig Quadratkilometer groß. Hinter der Zufahrt lag ein großzügig asphaltierter Platz, auf zwei Seiten von Gebäuden gesäumt, Kasernen wohl. Jenseits davon begann graubraunes, leicht hügeliges Gelände. Drei mit Schutzplanen abgedeckte Panzer standen bereit, als warteten sie darauf, dass man mit ihnen dort hinausfuhr.

»Es kommt gleich jemand«, beschied sie der Wachsoldat.

Es dauerte zehn Minuten, bis ein Jeep angefahren kam. Der Schlagbaum ging summend hoch. Der Wagen hielt, ein Soldat stieg aus, bat Ambick und Enno, einzusteigen. Er fuhr sie etwa hundert Meter weiter zu einem der großen, grauen Gebäude, wo er sie in einen großen, grauen Raum führte, einen Schulungsraum, dem Mobiliar nach zu urteilen. Sie möchten bitte hier warten, sagte er, dann ließ er sie alleine.

Wenig später kam ein Mann in graubraunem Flecktarn herein, mit stahlfederhaftem Schritt und skeptischer Miene. »Guten Tag. Ich bin Oberstleutnant Schermann, der Vorgesetzte von Feldwebel Blier. Man hat mir gesagt, Sie wollten ihn sprechen?«

»Das ist richtig«, sagte Ambick.

»Darf ich erfahren, in welcher Angelegenheit?«

»Wir müssen ihm im Rahmen einer kriminalpolizeilichen Ermittlung ein paar Fragen stellen.«

»Was wird ihm vorgeworfen?«

»Nichts. Wir folgen nur einem Hinweis.« Ambick merkte, dass ihn dieses Frage-Antwort-Spiel zu ärgern begann. »Entschuldigen Sie, ich bin etwas verwundert, wie das hier läuft. Ich gehe manchmal in Strafanstalten, um jemanden zu befragen, aber nicht einmal dort werden die Leute so abgeschirmt, wie Sie es mit Herrn Blier tun.«

Der Oberstleutnant hielt inne. »Es tut mir leid, wenn das so gewirkt haben sollte«, sagte er dann. »Es ist so, dass Feldwebel Blier im Moment in hohem Grade unabkömmlich ist.«

»Was heißt das?«

»Er befindet sich in einer Einsatzvorbereitenden Ausbildung.«

»Mit anderen Worten, er ist nicht hier?«

»Doch, natürlich.« Der Mann straffte sich, fiel in einen belehrenden Ton. »Eine Einsatzvorbereitende Ausbildung findet vor jedem Auslandseinsatz eines Verbandes statt. Sie dauert in der Regel vier Wochen und dient, wie der Name sagt, der Vorbereitung der Soldaten auf die am Einsatzort zu erwartenden Herausforderungen.«

»Aha. Und wohin soll es gehen?«

Das Gesicht des Uniformierten wurde ausdruckslos. »Darüber darf ich Ihnen keine Auskunft geben. Das unterliegt der Geheimhaltung.«

»Verstehe.« Ambick zückte sein Notizbuch. »Wenn das heißt, dass Herr Blier demnächst ins Ausland entschwindet, ist es umso dringender, dass ich ihn spreche. Mich interessieren außerdem weder Einsatzort noch sonstige Geheimnisse, sondern nur ganz einfache Dinge wie zum Beispiel, wo Herr Blier in der Nacht vom Sonntag letzter Woche auf den Montag war.«

»Das kann ich Ihnen auch sagen«, erwiderte der Oberstleutnant. »Er war hier.«

»Und die darauffolgende Nacht?«

»Ebenfalls. Während der Einsatzvorbereitenden Ausbildung herrscht Ausgangssperre.«

Ambick wechselte einen Blick mit Enno. »Ausgangssperre? Auch nachts?«

»Insbesondere nachts. Sie müssen sich das so vorstellen, dass die Soldaten in dieser Zeit in einem Feldlager leben, das so weit wie möglich dem nachempfunden ist, das sie am Einsatzort erwartet. Da dort mit nächtlichen Angriffen zu rechnen ist, werden natürlich auch hier von Zeit zu Zeit entsprechende Nachtübungen angesetzt – ohne Vorankündigung, versteht sich.«

»Und hatten Sie in den Nächten von Sonntag auf Montag beziehungsweise in der darauffolgenden Nacht solche Übungen?«

»Das darf ich Ihnen nicht sagen. Aber die Ausgangssperre gilt durchgehend.«

»Verstehe.« Ambick sah auf sein Notizbuch hinab, zückte den Stift und strich den Namen Ulrich Blier durch. *Ausgangssperre* kritzelte er dahinter. »Gut. Vielen Dank. Damit haben sich alle weiteren Fragen erst mal erledigt.«

War das nun gut oder schlecht? Er hätte etwas darum gegeben, das zu wissen.

Der Besuch des Kommissars ließ Victoria zutiefst aufgewühlt zurück. Peter war in der Stadt! Er war zurückgekommen … und hatte sich nicht bei ihr gemeldet!

Es zerriss ihr das Herz, das zu denken.

Mitten auf der Treppe nach oben konnte sie nicht mehr weiter. Sie blieb stehen, setzte sich einfach auf eine der Stufen und gab es auf, ihre Tränen zurückhalten zu wollen.

Als der Strom versiegte, der schlimmste Schmerz herausgespült war, begann sie nachzudenken. Er folge einem Hinweis, hatte der Kommissar gesagt. Mit anderen Worten, er wusste nicht, wer der Racheengel war – sonst wäre er wohl kaum zu ihr gekommen.

Hatte er den Hinweis von Peter?

Sie musste mit Peter sprechen, unbedingt. Ruckartig erhob sie sich wieder, nahm die restlichen Stufen, ging ins Bad und kramte in dem Kästchen unter dem Waschbecken die Medikamentenschachteln durch. Da. Das Beruhigungsmittel von damals, dank dessen sie zur Beerdigung hatte gehen können.

Sie las den Beipackzettel. Höchstens drei Tabletten auf einmal. Andererseits waren die seit anderthalb Jahren abgelaufen. Wie konnten Tabletten ablaufen? Sie wusste es nicht. Vielleicht besser, sie nahm eine mehr. Sie zog den Blisterstreifen heraus und drückte sich vier der dunkelgrünen Kapseln in die hohle Hand. Dann stand sie auf, füllte den Zahnputzbecher mit Wasser aus der Leitung und spülte die Tabletten hinab, ehe sie es sich anders überlegen konnte.

Überhaupt war es ratsam, jetzt nicht allzu viel nachzudenken. So wenig wie möglich, um genau zu sein. Nicht denken, handeln. Alles andere würde sich finden.

Zumal es diesmal ohne Tante Maria gehen musste.

Victoria ging wieder hinunter. Vor einer Tür, die seit Jahren nicht mehr geöffnet worden war, blieb sie stehen, umfasste die Klinke, drückte sie hinab. Dumpfer, muffiger Geruch empfing sie. Die Garderobe. Hier lagerten alle Kleidungsstücke, die für draußen gedacht waren – Mäntel, Jacken, Schuhe, Schirme. Nichts davon hatte sie seit damals wieder benutzt. Womöglich passten ihr die Sachen gar nicht mehr? Ganz bestimmt waren sie völlig aus der Mode.

Doch die Wirkung der Tabletten setzte schon ein und ließ ihr beides egal sein. Sie zog Schuhe an, freute sich, dass sie noch Schnürsenkel binden konnte. Wählte einen hellbraunen Mantel aus, der ihr für das regnerische, graue Wetter draußen geeignet schien. Zog ihn an. Warf einen Blick in den verstaubten Spiegel. Nicht nachdenken. Sie würde mit Peter sprechen, von Angesicht zu Angesicht. Sie musste ihm einfach nur gegenübertreten, dann würde er ihr nicht mehr ausweichen können.

Das war ein guter, ein kämpferischer Gedanke, einer, den zu denken ihr Kraft gab. Sie versuchte, sich vorzustellen, wie Peter heute wohl aussah. Würde sie ihn wiedererkennen? Bestimmt. Genauso, wie er sie erkennen würde.

Und alles Weitere würde sich finden.

Den Hausschlüssel noch. Sie musste ja von außen zuschließen, musste wieder hereingelangen, wenn sie zurückkam. So viel Nachdenken musste schon sein.

Der Schlüssel war an seinem Platz: in der obersten Schublade der Flurkommode. Sie nahm ihn heraus, schloss die Hand darum, fühlte das kalte Metall, das scharfe Relief des Barts. Dann packte sie die Klinke der Haustüre und zog sie entschlossen auf.

Straßenlärm brandete herein, Abgasgeruch, ein Gewirr aus fernen Stimmen und Radiomusik und Hundegebell. Victoria richtete ihren Blick auf die oberste Stufe der Außentreppe.

Dorthin musste sie einen ihrer Füße setzen, damit das Unternehmen losgehen konnte.

Wenn bloß nicht gerade beide Füße wie am Boden festgeklebt gewesen wären!

Lag es an den Schuhen? Stimmte etwas mit den Sohlen nicht? Schwer zu sagen.

Sie blieb erst mal stehen, wartete ab. Draußen ging jemand vorbei, ein Mann mit einer Aktentasche, der verwundert zu ihr hochsah. Ein Auto rollte vorüber, aus der Richtung kommend, in die der Mann sich bewegte. Im Rinnstein floss Wasser, trieb ein Stück rotes Papier.

Es hatte keinen Zweck. Sie musste es einsehen. Sie konnte nicht hinaus. Ihre Eltern hatten ein Vermögen für Psychotherapeuten ausgegeben, diplomierte und habilitierte Experten, die alles versucht hatten, was man nur versuchen konnte. Wie kam sie dazu, zu denken, sie könne vollbringen, was diese Fachleute nicht –?

Doch in dem Moment, in dem Victoria die Haustür wieder schließen wollte, wallte heiße, glühende Wut in ihr auf, ein unsagbarer, geradezu mörderischer Zorn auf jene, die ihr das angetan hatten, ihr und Peter und Alex und Ulli … und Herrn Holi, den sie gar nicht gekannt hatten bis zu jenem Tag, der sich einfach so zwischen sie und die drei Großen gestellt hatte, die Ulli in den Bauch geboxt und ihr gedroht hatten, ihr das Gesicht mit einem Messer zu zerschneiden, wenn sie nicht endlich das Geld herausrückte, das verdammte, verdammte Geld! Aber dann war Herr Holi aufgetaucht, ein Mann in einem grauen Anzug, der gerade aus seinem Auto gestiegen war. Er hatte »Was ist denn hier los?« gesagt und »Was soll denn das? Hä? Was treibt ihr hier?« und die drei damit vertrieben. So ein paar Sätze hatten genügt. So feige waren die drei gewesen. Und dann hatte Herr Holi sie gefragt, wohin sie müssten, und sie hatten es ihm gesagt, in die Schule, und er hatte gemeint, »Na, das trifft sich ja gut, in die Gegend muss ich auch, da geh ich mal lieber mit euch, was?«

Und dann …
Und dann …
Dann war es passiert.

Am Dienstagnachmittag wurde es unumgänglich, sich wieder einmal in seine eigene Wohnung zu wagen. Seine saubere Unterwäsche ging zur Neige, und er wollte Evelyn nicht auch noch bitten, für ihn zu waschen.

Und tagsüber … da würde ja nichts passieren, oder? Es würde nicht jemand seit Samstag auf ihn lauern.

Sicherheitshalber wartete Ingo erst eine Weile in dem Café auf der gegenüberliegenden Straßenseite, in dem er noch nie gewesen war und in dem der Espresso wie ein Mordanschlag schmeckte. Nichts Verdächtiges zu sehen.

Als die Zeit allmählich knapp wurde, zahlte er und ging zum Zebrastreifen, um die Straße zu überqueren und es anzugehen. Die Haustür erreichte er unbehelligt. Der Briefkasten war leer und sauber. Er erklomm die stillen Treppen, ohne dass ihm jemand begegnete. Die Tür zu seiner Wohnung war unversehrt, die Wohnung selber auch, abgesehen davon, dass sie kalt und verlassen wirkte. Auf unheimliche Weise schien es, als lebe hier bereits seit Ewigkeiten niemand mehr.

In der Küche hatte sich die Weltkarte von der Wand gelöst und war auf den Kühlschrank hinabgesegelt, lag da mit ihren roten Punkten und dem schwarzen Kreuz.

Ausgerechnet. Ingo zögerte, sie anzufassen, stopfte sie schließlich in eine der Schubladen. Das Ding hatte da sowieso schon viel zu lange gehangen.

Der Anrufbeantworter verzeichnete fünf Anrufe und drei Nachrichten. Bei zweien davon hörte man nur, wie jemand murrend auflegte, bei der dritten, wie sich derjenige aufraffte, eine Mitteilung zu hinterlassen: »Ja, also, hier ist die Hausverwaltung. Wir haben Beschwerden gekriegt wegen … also wegen *Blut* in Ihrem Briefkasten. Keine Ahnung, was das heißen soll, aber vielleicht, wenn Sie mal anrufen könnten, ja? Danke.«

Es fiel ihm praktischerweise noch ein, die Telefonnummer anzugeben.

Ingo rief ihn zurück, erklärte, was vorgefallen war, und ja, die Polizei sei verständigt, und geputzt habe er den Briefkasten auch wieder, man sehe nichts mehr. Nichts für ungut, meinte der Mann am anderen Ende der Leitung, es sei nur, dass sie eben Bescheid wissen müssten, was so vor sich gehe.

»Ja«, sagte Ingo. »Das wüsste ich allerdings selber gern.«

Nach dem Gespräch wurde ihm bewusst, dass er gehofft hatte, einen Anruf von diesen Fernsehleuten oder vom Südwestrundfunk vorzufinden. Zwei Anrufe ohne Nachricht. Das konnten zwei weitere Drohungen sein oder zwei Rufe zu Ruhm und Ehre.

Er rang eine Weile mit sich und kramte schließlich die Anleitung hervor, wie man die mit seinem Anschluss verbundenen technischen Möglichkeiten nutzte, die er bis jetzt noch nie gebraucht, sondern nur bezahlt hatte. Nach mehreren Anläufen sah es so aus, als sei es ihm gelungen, eine Rufumleitung auf sein Mobiltelefon zu programmieren. Dann war es höchste Zeit, aufzubrechen, wenn er nicht zu spät zu seiner Sendung kommen wollte.

Wut. Glühende, alles zermalmen wollende Wut. Eine Wut, die sie immer hatte geheim halten müssen. Du musst loslassen, Victoria. Du musst verzeihen, Victoria. Verzeihen ist der Weg zur Heilung. Atme. Entspann dich. Es ist vorbei. Hab Vertrauen.

Viel Geld, alles für dumme Sprüche.

Wut. Victoria musste den Mantel öffnen, weil die Wut so in ihr brannte. Sie hatte nicht verziehen, nicht vergessen, nicht losgelassen.

Und vor allem ... war es nicht *vorbei*.

Sie setzte den Fuß auf die oberste Schwelle, den nächsten auf die darunter. Noch ein Schritt. Sie zog die Haustür hinter sich zu, schloss ab, umlodert von hellem Zorn, ging die Treppe hinab bis auf den Gehweg. Sie wich den Bäumen entlang der Straße aus; so dünn und dürr, wie die waren, würden sie sicher sofort Feuer fangen an ihrem lodernden Zorn.

Peter. Warte nur. Ich hab dir was zu sagen, o ja, eine Menge hab ich dir zu sagen.

Ein Schritt, bergab, noch einer. Ihr alter Weg, von früher, sie kannte alles noch, auch wenn es sich verändert hatte. Wie oft hatte sie Baumaschinen beobachtet von ihrem Fenster oben! Aber sie kannte sich noch aus.

Wut. Wut hatte sie auch damals erfüllt, in dem Gespräch mit der Richterin, die darüber hatte entscheiden müssen, ob man ihr einen gesetzlichen Vormund zuteilte, ihr, einer 24-Jährigen, die mehr Fremdsprachen beherrschte als an der hiesigen Universität gelehrt wurden, die ihr eigenes Geld verdiente, jede Menge davon! Es war eine Demütigung gewesen, um einen Lokaltermin bitten, ja, betteln zu müssen, der ihr nach langem Hin und Her gnadenhalber gewährt und natürlich zum Vorwurf gemacht worden war. Doch kalte Wut war ihr Helfer gewesen. Sie hatte der Richterin Rede und Antwort gestanden, hatte glasklar argumentiert und stählern darauf beharrt, ihre eigene Herrin zu sein und bleiben zu wollen, und das hatte die Richterin schließlich akzeptiert.

An die Tage danach, an das Zittern, das nicht enden wollende Erbrechen, an all die hilflosen Tränen … daran wollte sie jetzt nicht denken. Das war es wert gewesen.

Da. Sie war schon an der Ampel. Eine neue Ampel, größer, massiver, leuchtender als früher. Das war auch nötig, denn die Autos fuhren viel schneller als früher, und ihre Anzahl schien sich verdoppelt zu haben. Doch die Ampel hielt sie trotzdem auf. Victoria überquerte die Straße, einfach so, getragen von rot glühender Wut und dunkelgrünen Pillen.

Peter, ich komme …

Schaufenster, so groß, so bunt, so hell erleuchtet: die hatte sie ganz vergessen. Hektische Leute, beim Gehen telefonierend, kaum wahrnehmend, was um sie herum geschah: befremdlich. Bäume entlang der Straße, vom Herbst in unterschiedlichem Grade entlaubt: manche kahl, andere zierten sich noch. Wie eine Reise in ein fernes Land kam ihr der Weg vor, wie ein Abenteuer, ja, ein farbenprächtiges, tollkühnes Abenteuer!

Die Wut wandelte sich in ein fast ekstatisches Hochgefühl.

War das gut? Sie wusste es nicht. Allzu viel nachdenken wollte sie sowieso nicht. Hauptsache, es trug sie weiter. Hauptsache, sie konnte vor ihn hintreten und sagen, Peter, warum? Warum nur?

Befremdete Blicke trafen sie hin und wieder. O ja, das entging ihr nicht! Es sprach sie niemand an, zum Glück, aber so mancher dachte sich wohl seinen Teil. Egal. Sollten sie denken, was sie wollten.

Doch dann erreichte sie die Kreuzung Marinus-Schöberl-Straße, von wo aus sie sah, woran sie bis zu diesem Moment nicht gedacht hatte, nämlich wie der Weg weiterging. Dass sie über die Brücke musste. Dass es anders nicht ging, weil die Sankt-Jakob-Kirche auf der anderen Seite des Flusses lag. Das ließ ihre Wut erlöschen, die Kraft, die sie getragen hatte, versiegen, riss ihr Hochgefühl weg wie eine billige Maske. Stattdessen fühlte sie ihre Knie weich werden, spürte ein Zittern aus ihren tiefsten Tiefen aufsteigen, ein Zittern, das, wie sie wusste, nur noch stärker und stärker werden würde, und gegen das sie nichts ausrichten konnte, ein Zittern, das mächtiger war als sie. Egal, was sie sich darüber sagte, wem sie dieses Zittern verdankte, egal, wie sie sich bemühte, die Erinnerungen wieder wachzurufen und damit die heiße Wut, nichts half. Sie musste stehen bleiben, sich anrempeln lassen, musste die Hand nach einem Halt ausstrecken, fand nichts außer dem Mast einer Laterne, den sie umklammern konnte, und so blieb sie stehen, während das Zittern kam und kam und es keine Rettung davor gab, wie es nie Rettung gegeben hatte, niemals, nie.

Es war regnerisch und schon beunruhigend dunkel, als Ingo sich schließlich auf den Weg zum Sender machte. Er hatte doch noch geduscht und reichlich Wechselwäsche für die kommenden Tage in einer Reisetasche mitgenommen. Wieder konnte er sich nicht überwinden, die U-Bahn zu nehmen, schaukelte lieber auf den umständlichen Buslinien doppelt so lange durch die Stadt. Manchmal schaute ihn jemand an, was jedes Mal beklemmend war, weil er nicht wusste, ob der Betreffende ihn vom Fernsehen her erkannte oder ihm ans Leder wollte … Ingo blickte jeweils betont gleichgültig beiseite, mit klopfendem Herzen, und blieb unbehelligt.

Auf dem Weg von der Bushaltestelle zum City-Media-Gebäude endete seine Unsichtbarkeit. Leute standen da, mit Transparenten, Spruchbändern und Plakaten. *Gewalt ist keine Lösung* las er und *Nein zum Krieg in unseren Straßen*, Regenbogenfahnen wurden geschwenkt und blaue Wimpel mit Friedenstauben darauf, und ein paar junge Frauen spielten Gitarre und sangen *Give Peace A Chance*. »Hören Sie auf, einen Mörder zu unterstützen«, rief man Ingo zu, begleitet von Blicken, aus denen alles andere als Friedfertigkeit sprach.

Vor dem Haupteingang trat ihm ein in weiße, wallende Gewänder gekleideter Mann entgegen. Er trug ausladende Theaterflügel auf dem Rücken und die Inschrift *Todesengel* auf der Brust, wobei *Todes* durchgestrichen war und in grüner Schrift schräg *Friedens* darüber geschrieben stand. Er wollte Ingo etwas in die Hand drücken, eine Schriftrolle oder dergleichen, doch Ingo entdeckte in letzter Sekunde die Videokameras, die auf ihn gerichtet waren, sah die Logos des ZDF und anderer Sender. Er wandte sich ab und machte, dass er durch die Tür kam, wo ihn die Sicherheitsleute in Empfang nahmen.

An diesem Abend war ein pensionierter Gymnasiallehrer zu Gast, der von sieben Jugendlichen zusammengeschlagen worden war, nachdem er dagegen protestiert hatte, dass sie sein Auto zerkratzten. Dass er noch lebte, verdankte er seiner Einschätzung nach dem Umstand, dass sein Sohn und dessen

Arbeitskollege rechtzeitig hinzugekommen und die Schläger in die Flucht getrieben hatten.

»Soll ich Ihnen sagen, was meiner Ansicht nach die Ursache von all dem ist?«, fragte der Mann.

»Ich bitte darum«, sagte Ingo, froh, mal wieder einen eloquenten Studiogast zu haben.

»Eine scheinbare Banalität: dass man heutzutage einen Schurken nicht mehr einen Schurken nennen darf.« Er richtete seinen dürren Zeigefinger auf Ingo. »Zu meiner Zeit hat man einen Schüler, der etwas verbockt hat, zu Strafarbeiten verdonnert, und wenn seine Eltern davon erfahren haben, hat er von denen auch noch hinter die Löffel bekommen. Wenn man was angestellt hat, hatte das Konsequenzen. Aber heute? Ich hör es doch von den jungen Kollegen. Wenn Sie heute vormittags einen Schüler bestrafen, der richtig was ausgefressen hat, dann steht nachmittags sein Vater bei Ihnen im Lehrerzimmer, schreit Zeter und Mordio und droht mit dem Anwalt. Ach was – es reicht, wenn Sie einem ungezogenen Gör sagen, es sei ein ungezogenes Gör. Da haben Sie noch am selben Tag die Mutter am Telefon, die sich aufregt, wie Sie so etwas zu ihrem lieben Kind sagen können und ob Ihnen nicht klar ist, was für seelische Schäden Sie auf diese Weise anrichten. Und wehe, Sie wagen es, einzuwenden, dass das liebe Kind einem Mitschüler den Kopf in die Kloschüssel gedrückt hat und dass Sie das nicht in Ordnung finden: Zack, haben Sie eine Klage am Hals.«

»Hmm«, meinte Ingo. »Früher war aber auch nicht die heile Welt.«

»Behaupte ich auch gar nicht. Aber man hat sich zu meiner Zeit bemüht, die Menschen so zu sehen, wie sie sind. Heute dagegen hält man es für den Ausdruck einer besonders noblen Gesinnung, sich zu weigern, negative Seiten an anderen überhaupt zur Kenntnis zu nehmen. Es wird förmlich von einem erwartet, ein idealistisches Menschenbild zu vertreten, ganz egal, ob es zutrifft oder nicht.« Der Pensionär strich sich die dünnen, weißen Haare aus der Stirn. »Und dahin, wo es nicht zutrifft, schaut man einfach nicht. Gibt ja heutzutage so viele Stellen, wo man stattdessen hinschauen kann.«

Als sie wieder zurück im Büro waren, unzufrieden und ratlos, was sie von dem anonymen Hinweis halten sollten, fiel Ambick ein, die Liste mit den Namen noch einmal auszudrucken – nur die Namen – und damit in die Katakomben hinabzugehen.

Kerner war da, hockte in seinem winzigen, gnadenlos überfüllten Labor und schaute gerade, in murmelnde Selbstgespräche vertieft, durch das Okular seines Mikroskops. »Ich hab noch keine Neuigkeiten«, sagte er rasch, als sei Ambicks Auftauchen ein stummer Vorwurf. »Wenn, hätte ich Ihnen sofort Bescheid gesagt.«

»Das hoffe ich doch«, meinte Ambick. »Aber mal 'ne Frage: Kann dieses … wie hieß dieses Programm?«

»*Espacenet.*«

»Ja. Kann das auch nach Namen suchen?«

»Klar.«

Ambick legte ihm die Liste hin. »Dann schauen Sie doch mal, ob Ihnen einer von diesen Namen hier weiterhilft.«

Der dicke Kriminaltechniker nickte wenig begeistert. »Okay. Kann ich machen.«

»Gut.« Es klang nicht, als habe er vor, sich unverzüglich an die Arbeit zu begeben. Vielleicht war sein Verhältnis zu Frau Professor Woll vom Anwenderzentrum Materialforschung gerade in der Krise? Aber darum konnte sich Ambick nicht auch noch kümmern.

»Fräulein?«

Die kalte Stahlstange bot Halt. Tosen, Brausen, Hupen um sie herum, doch solange sie sich festhielt, konnte ihr nichts passieren. Tosen und Brausen auch in ihrem Inneren – festhalten! Festhalten! Einfach nur festhalten!

»Fräulein? Hallo?«

Die Flut der Bilder, der Sturm der Gefühle. Angst. Entsetzen. In Zeitlupe und schwarz-weiß, wie jemand schreit vor Entsetzen, schreit und schreit, ein Junge im T-Shirt, mit einem Schulranzen auf dem Rücken ... Alex? Ulli? Überlebensgroß die Gestalten, die auf den Mann im grauen Anzug einschlagen, mit Fäusten wie Hämmern, mit Knien wie Rammböcken, mit Füßen wie Äxten. Ein Tornado aus Bildfetzen – die abgerissene Tasche an dem Jackett. Der Aktenkoffer, der nach einem Fußtritt mit schabendem Geräusch über den Gehweg davonschliddert. Die Autos, die vorbeirasen, WROOMM, WROOOOMM, WROOOOOOMM, von denen keines hupt, keines bremst, keines anhält.

»Hallo? Gnädige Frau?«

Und das Blut. Das Blut. Dunkle Tropfen auf dem Asphalt zuerst, dann kracht ein Fußtritt gegen den Kopf, und der Kopf, hilflos, rettungslos, baumelnd fast, knallt an die Unterseite des Stahlgeländers, ein dicker roter Strahl schießt aus der Nase, wird zur Lache um den entsetzlich zugerichteten Kopf herum, ein See aus Blut, der überläuft, hinaus ins Leere ...

»Ist Ihnen nicht gut?«

Sie öffnete die Lider und sah in ein Paar großer, weißer Augen in einem tiefschwarzen Gesicht. Ein Mann, ein Afrikaner offenbar, der sie tief besorgt betrachtete.

»Guten Tag«, murmelte Victoria.

Das Gesicht wich ein Stück zurück, die Besorgnis wich nicht. »Ihnen ist nicht gut. Soll ich einen Krankenwagen rufen? Brauchen Sie irgendwelche Medikamente?«

»Nein.« Victoria schüttelte den Kopf. Medikamente hatte sie mehr als genug im Leib. Zu viele sogar. »Danke. Es ... es geht schon.«

Jetzt wich die Besorgnis, aber sie wich Ärger. »Wieso sagen Sie, es geht schon? Ich sehe doch, dass Ihnen nicht gut ist. Wie stellen Sie sich das vor? Ich kann doch nicht einfach weitergehen und Sie hier stehen lassen!« Er sprach mit einem deutlichen Akzent, aber ohne Zögern und ohne nach Worten suchen zu müssen. »Kommen Sie. Lassen Sie den Mast los und kommen Sie mit. Ich bringe Sie zu einem Arzt. Hier um die Ecke ist eine Praxis.«

»Nein, kein Arzt«, bat Victoria, ohne loszulassen. »Ich muss einfach nur nach Hause. Dann ist alles wieder gut.«

»Nach Hause. Meinetwegen. Ich bringe Sie auch nach Hause. Wo wohnen Sie?«

»In der Igelstraße. Das ist ...« Sie hielt inne, außerstande, den Weg zu erklären.

»Ich weiß, wo die Igelstraße ist«, sagte der Mann und hielt ihr den Arm hin. »Kommen Sie. Ich bringe Sie hin. Lassen Sie los.«

Er klang richtiggehend verärgert. Er trug einen dunkelblauen Parka und eine dünne Ledermappe unter dem anderen Arm, eine große, stabile Gestalt, wie ein Sportler. Victoria ließ die Straßenlaterne zögernd los, hängte sich bei ihm ein, ging mit ihm.

»Wie heißen Sie?«, fragte sie nach ein paar Metern.

»Samuel«, sagte er. »Und Sie?«

»Victoria.«

Er räusperte sich. »Hören Sie, Victoria, sind Sie sicher, dass Sie nicht lieber zu einem Arzt wollen? Sie ... wie soll ich sagen? Sie sehen so aus, als bräuchten Sie einen.«

Victoria versuchte, langsamer und tiefer zu atmen, als ihre Lungen es von sich aus taten. »Das ist nur ein Angstanfall«, sagte sie. »Das passiert mir manchmal. Sobald ich zu Hause bin, ist alles wieder gut.«

Er musterte sie zweifelnd von der Seite. »Denken Sie? Na gut.«

Das Zittern in ihr ließ bereits nach. Neben diesem Mann, der sie mit dieser eigenartigen Mischung aus Hilfsbereitschaft und Entrüstung geleitete, kam ihr der Rückweg gar nicht so schwierig vor. »Woher kommen Sie?«, fragte sie.

»Aus Tansania.« Es klang, als habe er diese Frage schon so oft beantwortet, dass er ihrer überdrüssig war. »Ich studiere Germanistik.«

Die Leute sahen sie komisch an, stellte Victoria fest. Und schauten schnell wieder weg. Weil sie am Arm eines Mannes mit schwarzer Haut ging? Oder eher, weil sie betrunken wirkte, weggetreten, zugedröhnt?

Sie hätte die vierte Pille besser nicht nehmen sollen.

Sie hätte das Haus erst gar nicht verlassen sollen.

Das Haus. Da war es. »Danke«, sagte sie, löste sich von ihm, durchsuchte ihre Taschen nach dem Schlüssel. Da war er.

»Geht es Ihnen jetzt wirklich besser?«, fragte Samuel, der Germanistikstudent aus Tansania.

»Viel besser.« Sie zögerte. »Kann ich Ihnen vielleicht etwas anbieten?«

Er schüttelte entschieden den Kopf. »Nein, nein, ich hab keine Zeit. Ich hab ein Seminar.« Er machte eine unbestimmte Handbewegung zur gegenüberliegenden Straßenseite. Victoria erinnerte sich dunkel, dass in einer Parallelstraße tatsächlich irgendwelche Institute der Universität untergebracht waren. »Ich muss los«, sagte er ungeduldig.

»Danke noch mal«, sagte Victoria.

»Ja, ja«, meinte er und eilte davon, ohne sich noch einmal umzusehen. Er zog ein Mobiltelefon aus der Tasche, warf einen Blick darauf und begann dann zu rennen.

Es ist schwer, in der Gegenwart zu bleiben, wenn man fühlt, wie einem die Zeit davonrennt.

Und das tut sie. Sind es noch Wochen, die ich habe? Ich glaube es plötzlich nicht mehr. Vielleicht sind es nur noch Tage.

Vielleicht ist es nur noch dieser eine Tag, diese eine Nacht.

Vielleicht sind es nur noch Stunden.

Die Zeit ist mein Feind geworden.

Es ist schwer, auf dem Pfad des Kriegers zu bleiben, wenn

man den unwiderruflichen Untergang, das endgültige Scheitern auf sich zukommen sieht.

Und das sehe ich. Ich habe nicht erreicht, was ich zu erreichen erwartet habe, habe nicht bewirkt, was ich bewirken wollte.

Es ist schwer, im Zustand der Gnade zu bleiben, wenn man an seiner Mission zweifelt.

Tatsächlich kann man nichts *tun*, um in der Gnade zu sein. Sie widerfährt einem, oder sie widerfährt einem nicht. Deswegen heißt sie ja so.

Dann fällt mir wieder ein, was ich gelernt habe: dass alles bereits entschieden ist, schon längst. Es gibt nichts zu erreichen, nichts zu vollbringen – nichts dergleichen. An diesen Gedanken halte ich mich. Einen Gedanken festhalten: Das ist etwas, das ich *tun* kann.

Indem ich mir das vergegenwärtige, kehre ich zurück in die Gegenwart, in diesen einen Moment, der noch nie zuvor war und der nie wieder sein wird. Ich atme wieder Kraft und Zuversicht, spüre wieder das Geflecht der Seelen und Schicksale, das die Stadt erfüllt, höre Ängste, rieche Gefahr, schmecke Schmerz.

Wenn ich all das wahrnehme, weiß ich wieder, dass ich auf dem Pfad des Kriegers bin und nicht weichen werde. Dass ich mein Scheitern hinnehmen und dem Untergang furchtlos ins Antlitz blicken werde.

Und wenn ich ohne Furcht bin, kehre ich in die Gnade zurück.

Den Rest vollbringt eine Macht, die stärker ist als aller Menschen Wille.

26 »Sollen wir am Wochenende vielleicht was unternehmen?«, schlug Evelyn am Montagmorgen nach dem Frühstück vor. Kevin war schon gegangen.

»Ja, gute Idee«, meinte Ingo, obwohl er keine sonderliche Lust hatte. »Was denn?«

»Wir könnten ins Kino gehen.«

»Okay.«

»Oder wir gehen alle drei in diesen Freizeitpark, der im Frühjahr aufgemacht hat – *Inner City Jungle* oder wie der heißt. Kostas war mit seinen Kindern neulich drin und ganz begeistert.«

»Auch okay.«

Evelyn musterte ihn, eine steile Falte auf der Stirn. »Was willst *du* denn machen?«

Ingo hob die Schultern. »Puh. Ich? Du, das kann ich dir gerade beim besten Willen nicht sagen.«

»Wir müssen nicht. Gott behüte«, sagte sie spitz. Sie stand auf und begann, den Frühstückstisch abzutragen.

Die Luft war auf einmal zum Schneiden dick.

»Entschuldige.« Ingo räusperte sich. »Das nächste Wochenende ... so weit kann ich zurzeit überhaupt nicht denken.« Sie würden doch nicht schon jetzt anfangen zu streiten?

Evelyn würdigte ihn keines Blickes. »Dass du Kevin am Freitag zum Training begleitest, ist aber hoffentlich noch gespeichert?«

»Kevin?« Ups. Daran hatte er gar nicht mehr gedacht. Gut, dass sie es erwähnte. »Klar. Das ist ... Ja. Freitag. Hatten wir ja ausgemacht.«

»Ich verlass mich nämlich drauf.«

»Kannst du«, sagte er im inbrünstigsten Pfadfinder-Ehren-wort-Ton, den er zustande brachte.

»Es irritiert mich eben, dass von dir überhaupt nichts kommt. Ich weiß nicht, ob du noch was anderes von mir willst als Sex und eine Wohnung, in der du dich verstecken kannst. Aber ich wüsste es gern. Wirklich. Ich wüsste gern, woran ich mit dir bin.«

Das verschlug Ingo die Sprache. Was hatte er denn gesagt? Nur das, was Frauen angeblich immer wissen wollten: die Wahrheit darüber, was in ihm vorging. Aber anscheinend war das auch nicht recht. Im Moment war das kommende Wo-chenende für ihn nun einmal noch unglaublich weit entfernt. Fünf Sendungen weit, um genau zu sein.

Himmel, die Frauen!

Es wurde nicht mehr besser. Ingo war froh, dass es Zeit war, aufzubrechen. Ihr Abschiedskuss war flüchtig und kühl, ehe sie in verschiedene Richtungen davongingen.

Ambick kam an diesem Morgen so spät wie möglich ins Büro, um es zu vermeiden, Staatsanwalt Ortheil zu begegnen. Der war heute im Gericht, hatte ihm aber eine Klebenotiz an den Computermonitor geheftet: *Wie ist der Ermittlungsstand im Fall Racheengel? OB macht Druck. Bin vorauss. gegen halb zwölf zu-rück. Ortheil.*

»Solche Zettel gehen einfach immer viel zu leicht verlo-ren«, murmelte Ambick, zog die Notiz ab und ließ sie unter einem Papierstapel verschwinden. »Geradezu tragisch.« Dann verließ er das unverändert dunkle Büro wieder, um die Arbeit dort fortzusetzen, wo er sie gestern unterbrochen hatte.

Die Kinder, die in den Fall Holi verwickelt gewesen waren, hatten alle in derselben Gegend gelebt. So kam es, dass er wie-der am Haus von Victoria Thimm vorbeifuhr. Er merkte, wie er dabei unwillkürlich den Kiefer anspannte. Es war nicht richtig, dass diese Frau eingesperrt lebte. Einfach nicht richtig.

Die Straßen in ihrer Nachbarschaft hatte jemand mit einem Faible für kleine Waldtiere benannt: Dachs, Wiesel, Fuchs und Iltis hatten genauso Pate gestanden wie Eichhörnchen, Marder und Hase. Die Eltern von Alexander Wenger wohnten in der Siebenschläferstraße, die am oberen Ende der Igelstraße begann.

Ambick hatte damit gerechnet, um diese Tageszeit nur die Mutter anzutreffen, aber als er klingelte, öffnete ihm ein breitschultriger, leicht gebeugt gehender Mann Ende fünfzig. »Ach, das«, meinte er nur, nachdem Ambick ihm seinen Ausweis präsentiert und sein Sprüchlein aufgesagt hatte. »Ja. Kommen Sie rein. Monika«, rief er nach hinten, »mach doch mal einen Kaffee. Ein Herr von der Polizei ist da.«

Die Angesprochene tauchte im Flur auf, grauhaarig, erschrocken. »Was ist denn passiert?«

»Nichts, nichts. Er will nur ein paar Fragen stellen wegen der Sache damals.« Wenger öffnete die Tür noch ein Stück weiter. »Kommen Sie, kommen Sie.«

Die Wohnung roch nach Reinigungsmitteln und sah aus, als hätten Staubflusen hier wenig Überlebenschancen. Kein Möbelstück, das Ambick sah, wirkte, als sei es in diesem Jahrhundert gekauft worden. Überall standen vergilbte Ansichtskarten gegen Vasen, Ziertassen oder Regalrückwände gelehnt. Im Wohnzimmer thronte eine Stereoanlage, die vor dreißig Jahren viel Geld gekostet haben musste, über einer beeindruckenden Sammlung von Elvis-Presley-Langspielplatten.

»Frührente«, erklärte Herr Wenger auf Ambicks behutsame Frage hin. »Parkinson. Wenn ich die Medikamente nehme, geht es einigermaßen, aber arbeiten konnte ich irgendwann nicht mehr.«

In der Küche begann eine Kaffeemaschine zu röcheln.

»Was waren Sie denn von Beruf, wenn ich fragen darf?«

»Ich bin Beamter. War Abteilungsleiter im Landesversorgungsamt.« Er bot Ambick einen Stuhl am Esstisch an, setzte sich schwerfällig. »Erst hatte ich den Bereich Opferentschädigung. Den musste ich abgeben, nachdem das damals passiert ist, weil ich sonst über Ansprüche meines eigenen Sohnes hätte entscheiden müssen. Geht ja nicht. Hab stattdessen den Bereich Schwerbehinderte bekommen. Und nun bin ich selber behindert. So kann's gehen.«

»Er hat das alles in sich reingefressen«, meinte Frau Wenger und fing an, Tassen zu verteilen. »Die ganzen Opferfälle, die wegen irgendwelchem Kleinkram abgelehnt werden. Jeder zweite.«

»Monika, der Herr Kommissar ist nicht hier, um mich nach meiner Arbeit zu fragen.«

»Ich mein ja nur«, sagte sie und ging den Kaffee holen.

Wenger beugte sich vor, flüsterte fast bittend: »Sie hat sich das alles sehr zu Herzen genommen. Wäre gut, wenn Sie nichts hätten, was sie aufregt.«

»Hab ich nicht, denke ich.«

»Gut.«

Ambick räusperte sich, als Monika Wenger mit der Kanne zurückkam. »Ich bin hier, weil ich einem Hinweis nachgehe, wonach es Verbindungen zwischen dem Fall Florian Holi und einem aktuellen Fall geben soll. Ich hätte dazu eigentlich gerne mit Ihrem Sohn Alexander gesprochen. Stimmt es, dass der in den USA lebt?«

Monika Wenger sah ihren Mann an. »Was ich dir gesagt habe, Klaus. Da hat ein Mann gestern angerufen und nach Alexander gefragt. Ein Herr Kater.«

»Das war mein Kollege«, sagte Ambick. »Der Name war Kader. Mit d.«

»Ja, also, das stimmt. Alexander, der lebt in Amerika«, erklärte Wenger. »Hat dort studiert. Chemie. Und dann eine Firma gegründet.«

Seine Frau sah bekümmert auf ihren Kaffee hinab. »Wir haben schon lange nichts mehr von ihm gehört. Der hat immer so viel zu tun.«

»Die ersten Jahre sind die schwersten, wenn man eine

Firma gründet«, belehrte Wenger Ambick. »Da arbeitet man rund um die Uhr, um einen Fuß auf den Boden zu kriegen. Wir kennen das aus dem Bekanntenkreis. Es ist auch nicht gesagt, dass sich das auszahlt. Die einen schaffen es, die anderen krebsen ewig rum.«

»Darf ich fragen, was das für eine Firma ist?«

»O je.« Monika Wenger seufzte.

»Partybedarf«, sagte ihr Mann. »Alexander hat uns das mal ziemlich umständlich erklärt, aber darauf läuft es hinaus. Sie stellen irgendwelches Zeug her, mit dem man sich auf Partys aller Art verlustieren kann. Amis halt. Dekadent bis sonst wohin.«

»Klingt nicht, als hätte er dafür Chemie studieren müssen.«

»Doch, doch. Denken Sie an Schminke, an Zimmerfeuerwerke und solche Dinge. Da ist sogar ziemlich viel Chemie im Spiel. Bloß eben … na ja. Wie soll ich sagen? Vergleichsweise profan.«

Ambick notierte sich das, ohne Hoffnung, dass es ihn sonderlich weiterbringen würde. »Haben Sie vielleicht ein aktuelles Foto von ihm?«

Monika Wenger sprang auf. »Warten Sie.« Sie kam mit einer Ansichtskarte zurück, wie man sie an Automaten von eigenen Fotos ausdrucken konnte. Die Bildseite zeigte einen pausbäckigen, leicht übergewichtigen jungen Mann mit hellbrauner Mähne, der grinsend vor einem Eisbecher saß, das offene Meer im Hintergrund. »Die hat er zu Weihnachten geschickt.«

»Vorletztes«, ergänzte ihr Mann. »Letztes Jahr hat er nur angerufen.«

»Er hat eben immer so viel zu tun mit der Firma.«

»Das ist dort drüben auch nicht mehr so leicht wie früher. Vom Tellerwäscher zum Millionär, das schafft nur noch einer von tausend.«

Ambick betrachtete das Foto, das Gesicht des Jungen. Trotz der offensichtlich zwanglosen Situation lag etwas Unentspanntes in seinem Blick. Als sei er entschlossen, dieser eine zu sein, der es schaffte. »Kann ich das eine Weile haben?«, bat er. »Sie bekommen es zurück. Ich würde es nur mitnehmen und bei uns kopieren lassen.«

»Klar«, sagte Wenger.

»Wann war Ihr Sohn denn das letzte Mal in Deutschland?«

»Vor drei Jahren«, sagte Monika Wenger, ohne zu zögern. »Zu meinem fünfzigsten Geburtstag. Da ist er extra gekommen.«

»Seither nicht mehr?«

»Nein.« Der Blick der Frau war auf das Foto in Ambicks Hand gerichtet, als trenne sie sich nur ungern davon. »Wissen Sie, als Alexander damals nach Amerika gegangen ist, hatte man das Gefühl, er geht, um alles hinter sich zu lassen.«

»Was, alles?«

»Die Sache mit Herrn Holi. Was er da miterleben musste. Und wie die Umwelt reagiert hat. Das hat ihn ziemlich mitgenommen, auch wenn er versucht hat, es sich nicht anmerken zu lassen.«

»Wie hat sich das bemerkbar gemacht?«, wollte Ambick wissen.

Monika Wenger zögerte. »Also, das klingt vielleicht komisch, aber mir war der Ehrgeiz unheimlich, den er entwickelt hat. Davor, da war er jemand, der alles leicht genommen hat, für den das Leben ein Spiel war. In der Schule war er nicht schlecht, nicht herausragend, es fiel ihm zu. Nach der Sache … Da hat er plötzlich angefangen zu lernen, richtig zu büffeln, war bald der Beste in seiner Klasse, in der ganzen Schule, hat Preise bekommen. Und schließlich hat er dieses Stipendium gewonnen, mit dem er nach Texas gehen konnte.«

»Das war die Konfrontation mit dem Tod, sage ich immer«, warf ihr Mann ein. »Das hat ihn vor der Zeit erwachsen werden lassen. Mit ansehen zu müssen, wie endlich ein Leben ist und wie zerbrechlich.«

Ambick holte seine Brieftasche heraus und verstaute das

Foto sorgfältig darin. Er notierte sich, es den Wengers bald-möglichst zurückzugeben. »Haben Sie sonst noch Kinder?«

»Eine Tochter. Theresa«, sagte Monika Wenger. »Sie ist fünf-undzwanzig. Krankenschwester von Beruf.«

»Sie hätte studieren können«, ergänzte ihr Mann in vor-wurfsvollem Ton. »Sie wollte immer Ärztin werden. Hatte ein gutes Abitur, der Notenschnitt hätte gereicht. Aber sie musste ja unbedingt heiraten. Der Kerl hat sie völlig entmutigt, wenn Sie mich fragen. Und schließlich hat er sie dann doch sitzen lassen.«

»Wo wohnt ihre Tochter?«

»In Unterthalerried«, sagte Monika Wenger. »Brauchen Sie ihre Adresse?«

»Wenn Sie die Freundlichkeit hätten.«

»Was wollen Sie denn von ihr?«, fragte Klaus Wenger miss-trauisch, während seine Frau aufstand, um Block und Stift zu holen.

»Nichts, nur für alle Fälle«, meinte Ambick. »Wissen Sie zu-fällig, ob sie Kontakt mit ihrem Bruder hat?«

»Nein. Das hätte sie uns gesagt.«

Monika Wenger kam zurück, schrieb Adresse und Telefon-nummer aus dem Gedächtnis nieder. »Sie muss ständig Über-stunden machen, kommt kaum raus. Wenn sie mal bei uns ist, hab ich immer das Gefühl, sie schläft jeden Moment ein. Ich weiß nicht, wie sie bei dem Leben je wieder jemanden ken-nenlernen soll.«

»Ach, was du dir für Sorgen machst«, brummte ihr Mann.

»Sie hat ja nur mit kranken Leuten zu tun. Opfert sich auf. So war sie schon als Kind.« Sie reichte Ambick den Zettel. »Ich frage mich oft, ob das noch etwas wird mit Enkelkindern. Ob ich das noch erlebe.«

Am Mittwoch kurz vor elf kam der Kommissar noch einmal vorbei. Entschuldigte sich vielmals für die Störung, er hätte noch ein paar Fragen, ob sie Zeit habe. Sie bat ihn wieder herein und dann, aus einem Impuls heraus, nach oben ins Wohnzimmer. Als sie ihn fragte, ob er einen Tee wolle, sagte er: »Oh ja, gern. Am liebsten Earl Grey, falls Sie haben.«

»Ist mein Lieblingstee«, entfuhr es ihr, ehe sie darüber nachdenken konnte, ob das eine angemessene Reaktion war. Er schien sich nichts dabei zu denken, war ganz fasziniert von dem Anblick des Regals, in dem ihre Sprachbücher standen.

»Haben Sie wirklich alle diese Sprachen gelernt?«, fragte er, als sie mit dem Tablett aus der Küche kam. Es klang ehrfürchtig.

»Ja«, sagte Victoria.

»Isländisch? Arabisch? Singhalesisch? Hindi? Urdu?«

Sie stellte die Kanne ab, verteilte die Tassen, goss ein. »Ich habe mir gedacht, es verbessert meine Marktchancen, wenn ich ausgefallene Sprachen lerne, für die Übersetzer schwer zu finden sind. Aus dem Englischen übersetzt irgendwie jeder, da ist nichts zu verdienen.«

»Ja, sicher, aber das wird der größte Bedarf sein, oder? Ich meine, wann braucht jemand schon mal eine Übersetzung aus, sagen wir …« – er neigte den Kopf, ließ den Blick das Regal entlangwandern – »… sagen wir, aus Bengali?«

»Selten«, gab Victoria zu. »Aber wenn, dann fragt man mich zuerst.«

»Auch ein Gesichtspunkt.« Der Kommissar musterte sie, immer noch mit einem Staunen, das ihr gefiel. »Würden Sie mal was auf, hmm … Urdu sagen? Ich würde gern hören, wie das klingt.«

Victoria schüttelte den Kopf. »Ich *spreche* die Sprachen nicht. Ich kann sie nur *lesen*.«

»Ehrlich?« Das verblüffte ihn noch mehr.

»Das ist das, was ich brauche«, erklärte sie. Und das war schwierig genug. Doch das behielt sie für sich. Es tat gut, einmal ein wenig bewundert zu werden.

Er öffnete den Mund, und ihr war, als könne sie seine Gedanken lesen: Er wollte gerade sagen, *aber wenn Sie verreisen, wäre es doch toll, die Sprache des Landes zu beherrschen*, als ihm im selben Moment einfiel, dass sie ja nicht verreiste, dass sie die Länder, deren Sprachen sie lesen konnte, nie sehen würde, und sein Mund klappte wieder zu.

»Faszinierend«, meinte er nur, lächelte matt und fuhr fort, zurück im amtlichen Tonfall des Ermittlers: »Frau Thimm, weswegen ich hier bin …«

»Der Fall Holi«, sagte sie.

»Ja.« Er faltete die Hände. »Ich war gerade bei den Eltern von Alexander Wenger. Kennen Sie die?«

»Damals. Wie man die Eltern von Klassenkameraden eben kennt. Im Grunde nicht.«

Er schlug die Augen nieder, als müsse er sich sammeln und könne das nicht, wenn er sie ansah. »Eine Familie, wie von einem Hammer getroffen. Schrecklich. Je länger ich darüber nachdenke, desto schrecklicher finde ich es.«

»Wundert Sie das?«

»Wundern? Das ist das falsche Wort. *Bestürzt* trifft es eher. Als Polizist hat man naturgemäß viel mit Opfern und Tätern zu tun, aber man neigt dazu, die Opfer aus dem Blick zu verlieren. Man will die Täter finden, stellen, vor Gericht bringen. Und dabei vergisst man leicht, dass deren Opfer nicht bloß Beweismaterial sind wie ein Fingerabdruck oder eine Blutspur, sondern Menschen, die nach allem, was ihnen widerfahren ist, weiterleben müssen.« Jetzt sah er sie doch an. »Es ist das erste Mal, dass ich Opfern anderthalb Jahrzehnte nach einer Tat begegne.«

Victoria nickte ruhig. »So ist das. Am Anfang hat jeder Mitleid mit einem. Zwei, drei Wochen lang. Aber wenn man sich dann nicht berappelt hat, werden die Leute ungeduldig. Und wer nach Monaten, nach Jahren immer noch leidet, mit dem will keiner mehr etwas zu tun haben.«

Er musterte sie aufmerksam. Es war ihr nicht unangenehm. »Heißt das, dass Sie niemanden haben, der Sie ab und zu besucht?«

»Nicht einen.«

»Wie kann man so leben?«

»Wenn einem nichts anderes übrig bleibt.«

Es schien ihn Mühe zu kosten, sich wieder auf den Zweck seines Besuchs zu besinnen. »Ich frage mich immer noch, wer mir den Hinweis auf den Fall Holi hat zukommen lassen. Und warum. Und warum der Betreffende nicht mehr gesagt hat als das. Warum er nicht einfach geschrieben hat, was er weiß.« Eine winzige Pause, dann: »Oder sie.«

Victoria ließ die unausgesprochene Frage eine Weile in der Luft hängen, ehe sie sagte: »Ich war es nicht.«

»Das wollte ich Ihnen nicht unterstellen –«

»Man nennt das ›auf den Busch klopfen‹, glaube ich.«

»Ich würde es nur gerne verstehen.«

Sie hielt seinem Blick stand. Er hatte sympathische Augen. Es gefiel ihr, dass er hier war, dass sie Besuch hatte, spürte, dass sie wollte, dass er noch blieb, ja, und warum nicht einen Schritt weitergehen? Sie war am Tag zuvor gescheitert, aber trotz allem hatte ihr die Erfahrung Mut gemacht.

Ein bisschen zumindest.

»Soll ich Ihnen erzählen, wie es war?«, bot sie an.

»Wenn es Ihnen nichts ausmacht.«

»Doch«, sagte sie. »Es macht mir etwas aus. Aber ich will es trotzdem tun.«

Er nickte. In seinem Blick schimmerte es. »Gut«, meinte er.

Victoria setzte sich ihm gegenüber, und nun war es sie, die woandershin schauen musste, um sich zu sammeln. Um die Kraft zu finden, den dicken Knoten in ihrem Bauch zu durchstoßen, der sie daran hindern wollte, Erinnerungen wachzurufen, den Schmerz zu spüren, Worte dafür zu finden.

»Es war ein Dienstag«, begann sie endlich. »Dienstags hatten wir in dem Jahr eine Stunde später Schule, und wir sind immer gemeinsam gegangen.« Sie fühlte Trauer aufsteigen. »Es wäre überhaupt nichts passiert, wenn wir nicht die erste Stunde freigehabt hätten. Furchtbar, das zu denken.«

Der Kommissar schwieg, hörte nur zu.

»Es war Frühling. Ein strahlend schöner Frühlingsmorgen. Unten an der Einmündung in die Helmut-Albreit-Straße haben die Weidenkätzchen geblüht, auf dem Mittelstreifen die Blumen, und es hat überall geduftet, nach allen möglichen Blüten. Es war warm, sonnig …« Sie hielt inne. »Ich weiß noch, dass ich mir unterwegs überlegt habe, wann ich mir wohl das erste Eis kaufen kann. Eis. Damals war ich ganz verrückt danach. Aber ich habe seither keines mehr gegessen.«

Alexander war in ihrer Klasse gewesen. Ulli in der Parallelklasse, mit Alex befreundet. Peter in der Klasse darüber, ein Jahr älter als sie und ihr heimlicher – nein, damals schon nicht mehr heimlicher – Schwarm, seit sie ihn das erste Mal gesehen hatte. Ullis Eltern hatten im Marderweg gewohnt (sie waren inzwischen weggezogen, hatte sie gehört), Peters Mutter, die geschieden war, im Eichhörnchenweg. Die Eltern von Alexander in der Siebenschläferstraße …

Aber das war sicher nicht so wichtig. Oder der Kommissar wusste es schon.

»Wir haben beschlossen, den Weg zu Fuß zu gehen. Das war nicht weit, nur über die Brücke und dann noch ein paar Querstraßen. Bei gutem Wetter war man schneller da, als wenn man die U-Bahn genommen hätte – Linie 2, nach zwei Haltestellen umsteigen in die 13, die meistens grad raus ist, aussteigen am Sollnplatz mit der endlosen Unterführung bis zum Ausgang Kleistgymnasium … Über die Brücke zu gehen war auch immer interessant. Wir haben oft über den Gleisen gewartet, bis eine S-Bahn kommt, und runtergespuckt. Wenn ein Kohlefrachter unter der Brücke durchgeschippert ist, hat Alex überlegt, was passieren würde, wenn man eine brennende Fackel auf die Kohlen runterwerfen würde. Wie stark sie sein müsste, damit die Ladung anfängt zu brennen. So Blödsinn eben.«

Einmal hatte es Alexander sogar versucht: Er hatte ein Billigfeuerzeug so umgebaut, dass es nach dem Anzünden nicht mehr erlosch, wenn man den Drücker wieder losließ. Aber die Flamme war dann beim Runterfallen ausgegangen.

Das musste der Kommissar auch nicht erfahren.

»An der Ecke, bevor der Fußweg auf die Brücke geht, war damals ein Gasthaus mit einer Menge Kaugummiautomaten vor dem Eingang – sechs oder sieben Stück. Davor gab es ein paar Parkplätze, auf der anderen Seite ging es zu den Uferpromenaden, wo wir nie hin sind, weil das ein Treffpunkt für Penner war. Ich weiß nicht, ob das heute noch so ist.«

Der Kommissar hob entschuldigend die Hände. »Ich bin erst vor Kurzem hergezogen. Ich meine, dass ich an der Ecke ein chinesisches Restaurant gesehen habe. Auf den ehemaligen Uferpromenaden hat man teure Eigentumswohnungen errichtet. Die Obdachlosen sammeln sich meines Wissens eher im Riedmann-Park in der Stadtmitte.«

»Die Stadt hat sich wahrscheinlich mehr verändert, als ich ahne.«

»Das kann ich nicht beurteilen. Ich kenne sie nur so, wie sie heute ist.«

Victoria sah zur Seite. Damals. Es ging um damals. Es musste raus. Es wollte raus, und das war der Moment. Sie durfte ihn nicht zerreden. »Alex hat sich noch einen Kaugummi rausgelassen. Das hat er praktisch immer gemacht. Er konnte nicht an den Automaten vorbeigehen, ohne Geld reinzustecken.« Sie sah ihn vor sich, wie er an dem dritten von links hantierte, der ihm der liebste war, vornübergebeugt, weil die Geräte so tief hingen, voll konzentriert. »Und dann sind plötzlich die drei aufgetaucht. Große. In Lederklamotten. Tätowiert. Sie haben nach Alkohol gestunken. Ich hab nicht gesehen, woher sie gekommen sind. Sie standen auf einmal einfach da herum und wollten unser Taschengeld.«

Sie spürte ihr Herz heftiger schlagen. So, als sei der Schreck von damals immer noch nicht ausgestanden.

»Alex war totenbleich. Ich weiß noch, ich dachte, er fällt in Ohnmacht. Ulli hat die Hände in die Seiten gestemmt und die drei angeblafft. ›Ihr spinnt wohl‹, hat er gesagt und ›Nix kriegt ihr von mir‹, und sofort hat ihm einer von denen eine reingehauen, dass er hingefallen ist. Peter war auch ganz empört, aber er hat nur gesagt: ›Das geht doch nicht, das geht doch nicht‹.«

»Und Sie?«, fragte der Kommissar, und sie merkte im gleichen Moment, dass sie schon eine Weile einfach nur schweigend vor sich hin gestarrt hatte.

»Ich?« Wusste sie es wirklich noch? Oder hatte sie sich im Lauf der Jahre etwas eingeredet? »Ich habe gedacht: *Wären wir nur mit der U-Bahn gefahren*.«

»Hmm«, machte der Kommissar, nickte, ließ sie nicht aus den Augen.

»*Her mit der Kohle*, haben sie gesagt, *sonst setzt's was*«, erzählte Victoria weiter, was zu Ende erzählt werden musste. »Alex hat gesagt: *Wir haben nichts. Dann nehmen wir eure Freundin hier in Zahlung*, hat ein anderer gegrölt und mich am Arm gepackt. *Und machen uns ein paar nette Stunden*.«

Der Kommissar schüttelte den Kopf. »Widerlich«, murmelte er.

»Ich hatte nicht mal richtig Angst in dem Augenblick. Irgendwie konnte ich gar nicht glauben, dass das geschieht, dass die das wirklich ernst meinen. Ich dachte, na ja, am Ende müssen wir halt unsere paar Kröten rausgeben und fertig, dann sind die zufrieden.«

Seltsam. Daran hatte sie schon lange nicht mehr gedacht. Sie hatte wirklich keine Angst gehabt. Sie war eher nur ärgerlich gewesen über die unschöne Unterbrechung eines Tages, der so idyllisch begonnen hatte.

»Plötzlich biegt ein Auto in eine der Parkbuchten ein und hält, ziemlich zackig. Ein kleiner roter Zweisitzer mit offenem Verdeck. Ein Mann in einem grauen Anzug ist ausgestiegen, hat uns angeschaut und gefragt: ›Was ist hier los?‹«

»Florian Holi.«

»Ja. Niemand hat irgendwas gesagt. Wir nicht, und die drei

Kerle auch nicht. Wir haben alle nur dagestanden und uns nicht gerührt. Wir waren das nicht gewöhnt, dass sich Erwachsene einmischen, wenn wir Streit mit jemandem hatten. Aber dann hat Alex gesagt: *Die wollen unser Taschengeld.* Darauf ist der Mann los, richtig fuchsteufelswild, und hat die drei angefahren: *Das gibt's ja nicht. Macht, dass ihr abhaut, ihr Feiglinge. So große Jungs gegen Kinder, das ist ja wohl das Allerletzte, schämt ihr euch nicht?* Der eine hat mich losgelassen, aber von der Stelle gerührt haben sie sich immer noch nicht. Darauf hat Herr Holi die Fäuste geballt, hat hin und her gewippt, richtig in Kampfstellung. Jedenfalls kam es mir so vor. Dann hat er gerufen: *Wollt ihr selber Prügel? Kein Problem. Mit Feiglingen werd ich allemal fertig.* Daraufhin haben sich die drei verzogen. Ich hab mich gewundert, dass sie das tun, das weiß ich noch. Ich hab gedacht, komisch, dass die einfach so gehen.«

Später hatte sie sich nicht mehr erinnern können, welcher der drei sie am Arm gepackt hatte. Sie hatten einander so schrecklich ähnlich gesehen! Was niemand verstanden hatte, wenn sie das sagte; alle anderen hatten die Fotos angeschaut und gemeint, nein, wieso, die ähneln einander doch *überhaupt nicht*!

»Er hat uns gefragt, was wir machen und wieso wir nicht in der Schule sind. Wir haben ihm erklärt, dass wir die erste Stunde frei hätten. In welcher Schule wir seien, wollte er wissen. Kleistgymnasium, haben wir gesagt. *Das ist auf der anderen Seite, nicht wahr?*, hat er gesagt. *In die Richtung muss ich auch. Kommt, ich begleite euch.* Und so sind wir alle zusammen über die Brücke gegangen.«

Der Kommissar furchte die Stirn. »Das verstehe ich nicht. Wenn er über den Fluss musste, wieso hat er dann an dieser Stelle geparkt? Das heißt, Moment ... muss er nicht sogar von drüben gekommen sein, um den Parkplatz überhaupt anfahren zu können?«

Victoria nickte. »Das habe ich mich damals nicht gefragt,

aber es stimmt. Im Prozess hat man rekonstruiert, dass er in Wirklichkeit in sein Büro unterwegs war und nur aus einem spontanen Entschluss gehalten hat, weil er gesehen hat, wie wir bedroht werden. Dass er in unsere Richtung müsse, hat er wohl nur so gesagt. Er wollte uns in Sicherheit bringen, ohne uns zu beunruhigen. Ich erinnere mich, dass er einen Moment lang zu seinem Auto geblickt hat, so, als überlege er sich, ob er uns da alle vier reinquetschen und mit uns wegfahren könne. Aber der Wagen hatte ja nur zwei Sitze.«

»Dann ist ihm das zum Verhängnis geworden. Dass er einen Sportwagen gefahren hat.«

»Ja.«

»Und weiter?« Er sagte es sanft. Nicht, als verhöre er sie. Sondern so, als interessiere ihn einfach, was sie erlebt hatte.

Victoria tat einen langsamen, tiefen Atemzug, schloss kurz die Augen, sah alles wieder vor sich: den klaren, hellen, warmen Tag, die Brückenpfeiler und die Stahlkabel, an denen das Bauwerk hing. Sie hörte das Brausen des Verkehrs, die Stimmen der anderen, roch die Autoabgase, fühlte den Boden unter ihren Füßen zittern, wenn ein Laster vorbeifuhr, spürte noch die Stelle am Arm, wo der Unhold sie brutal gepackt hatte …

»Wir haben uns unterhalten, während wir die Brücke überquert haben. Er hat uns nach unseren Lieblingsfächern gefragt und was wir mal werden wollten. Dann haben wir plötzlich hinter uns schnelle Schritte gehört. Wir haben sie nicht eher mitbekommen, weil die Autos so laut waren. Wir drehen uns um, und da kommen sie angerannt, alle drei, direkt auf Herrn Holi zu, und rennen ihn einfach um.«

Schreie. Ein Leib, der unter der Wucht des Aufpralls zu Boden fällt. Hass, so intensiv, dass er körperlich zu spüren ist.

Schwärze. Stillstand. Vergessen.

Sie ist verloren.

Victoria wusste nicht, wie viel Zeit vergangen war, als sie hörte, wie jemand etwas zu ihr sagte. Eine Sekunde? Eine Stunde? Es hätte jeder beliebige Zeitabschnitt sein können.

»Und dann?«, fragte der Kommissar behutsam.

Sie schloss die Augen. »Dann haben sie ihn totgetreten.«

Zu mehr war sie an diesem Tag nicht mehr imstande. Die Erinnerungen entzogen sich ihr, sie konnte nicht mehr unterscheiden, was tatsächlich passiert war und was nicht.

Der Kommissar merkte von selber, dass es vorbei war. Er bedankte sich freundlich, fast besorgt, erklärte, es sei ohnehin Zeit für ihn. Sie begleitete ihn die Treppe hinab.

»Ich glaube, eines Tages wird es vorbei sein«, sagte er, in der Tür stehend. »Eines Tages werden Sie wieder hinausgehen und die Welt zurückerobern.«

»Meinen Sie?«

»Ja. Sie sind eine starke Frau. Sie haben so viel geschafft, Sie werden auch das schaffen.« Ein flüchtiges Lächeln, mehr als ein Lächeln, der Anflug einer Sehnsucht, derer er sich wahrscheinlich gar nicht bewusst war. »Und dann würde ich Sie gern zu einem Eis einladen.«

Die Frau ging Ambick nicht aus dem Kopf, während er zurück ins Kommissariat fuhr. Sie wusste irgendwas, das sie ihm verschwieg, darauf hätte er wetten können.

Nicht gewettet hätte er darauf, wie sie seine Einladung auf ein Eis gefunden hatte. Er hatte das aus einem spontanen Impuls heraus gesagt, und irgendwie schien sie schockiert gewesen zu sein. Hatte ihn wahrscheinlich für unverschämt gehalten. Für aufdringlich.

Schwer zu sagen. Während er sich im zähem Stop-and-Go auf eine Ampel zuquälte, überließ er sich der Vorstellung, wie er, wenn alles irgendwann vorbei und geklärt war, Victoria Thimm regelmäßig besuchen würde. Wenn er sie schon nicht aus ihrem Gefängnis herausholen konnte.

Justus, alter Junge, sagte er sich, *sie gefällt dir! Gib's zu!*

Das Krachen des Polizeifunks riss ihn aus seinen Gedanken. Ein Einsatz in Unterthalerried, für den Verstärkung angefordert wurde. Ging ihn nichts an. Aber die nächste Grün-phase entließ ihn endlich auf die Überallbrücke, die so hieß, weil Ernst Überall sie erbaut hatte, der berühmte Architekt.

Weit gespannt überquerte die Brücke die S-Bahn-Geleise und den Fluss. Das Geländer schien zu flimmern, wenn man schnell daran vorbeifuhr. Da, eine Gedenktafel, wo es passiert war. Immer noch Blumen darunter – wer die wohl hinstellte?

Fünfzehn Jahre her, Mensch. Anfang zwanzig war er gewe-sen, frisch an der Polizeihochschule, unglücklich verliebt. Ka-thrin. Heute war ihm klar, dass sie recht gehabt hatte. Sie hät-ten tatsächlich nicht zusammengepasst. Aber damals hatte er das nicht sehen können, war wütend gewesen, so wütend, dass er sich im Polizeisport hatte abreagieren müssen, im Boxklub. Zack, zack, zack gegen den Sandsack. Er sah es noch vor sich.

Er konnte verstehen, wenn jemand voller Wut war, auf al-les, auf jeden, auf die ganze Welt und auf Gott mit dazu. Trotz-dem wäre ihm auch damals im Traum nicht eingefallen, diese Wut an einem anderen auszulassen, an jemandem, der ihm nichts getan hatte, der schwächer war, wehrlos gar. Sich das Ausmaß an Fantasielosigkeit und Impulsivität vorzustellen, das einen zu derartigen Exzessen trieb, überstieg wiederum seine Fantasie.

Als er beim Kommissariat ankam und parkte, spähte er hinüber zu den für die Staatsanwaltschaft frei gehaltenen Plätze. Ortheils Wagen stand noch nicht da. Gut. Er hatte im-mer noch keine Lust, ihm Rede und Antwort zu stehen.

In der Kantine roch es intensiv nach Sauerkraut. Das gab es zusammen mit Blutwurst und Kartoffeln, was Ambick veran-lasste, die vegetarische Alternative zu wählen, was sonst nicht seine Gewohnheit war. Aber Blutwurst …

Blutwurst? Das löste etwas bei ihm aus, eine ganz bizarre Assoziation.

»Enno«, sagte er, als er zurück im Büro war, »haben wir Fernsehvideos von dem Fall Holi? War da nicht irgendwas mit Blut auf einer Windschutzscheibe?«

»Bei den Akten liegt eine VHS-Kassette«, meinte Enno. »Keine Ahnung, was da drauf ist.«

Die Fernsehsendung, aus der das Bild stammte, das Ambick wieder eingefallen war, befand sich am Anfang des Bandes. Man hatte es jedes Mal gezeigt, wenn über den Fall berichtet wurde: Blut, das von der Brücke auf eine darunter vorbeifahrende S-Bahn getropft war, auf die Windschutzscheibe. Der S-Bahn-Führer hatte sofort erkannt, worum es sich handelte.

»Ich kenn das aus dem Zivildienst«, sagte der schnauzbärtige junge Mann auf dem Fernsehschirm. »Blut, das ist keine Flüssigkeit wie jede andere. Wie sich das verteilt, wie das aussieht, die Farbe … Das erkennt man jederzeit wieder.«

Es war der Zugführer gewesen, ein Walter S. laut Untertitel, der die Polizei verständigt hatte. Die zu spät gekommen war, um das Leben Florian Holis noch zu retten. Von den Hunderten Autofahrern, die während des Überfalls auf der Brücke unterwegs gewesen waren, hatte kein einziger gehalten, keiner einen Notruf abgesetzt, keiner auf das Geschehen geachtet.

»Wir schauen lieber weg«, sagte Ambick bedrückt. »Das ist das Problem. Wir tun so, als gäbe es so etwas gar nicht. Kein Wunder, dass es immer weitergeht.«

Er fragte sich, was gewesen wäre, wäre damals ein Racheengel erschienen und hätte die drei Schläger rechtzeitig aufgehalten. Dann hätte Victoria Thimm heute vielleicht nicht eingesperrt in ihrem eigenen Haus leben müssen.

Und er wäre ihr nie begegnet.

Nachdem der Kommissar gegangen war, kam Victoria das Haus leerer vor als je zuvor. Und stiller. Die Uhr im Wohnzimmer tickte auf einmal so laut, dass sie gehen und nachsehen musste, ob etwas damit nicht in Ordnung war. Als der Kühlschrank in der Küche ansprang, klang sein verhaltenes Summen wie ein fortwährender Seufzer.

Freilich, das Haus war immer so leer gewesen. Sie hatte es nur nicht bemerkt.

Sein Geruch lag noch in der Luft. Sie meinte, seine Lederjacke zu riechen, sein Aftershave. Ungewohnte Düfte in ihrem Reich. Sie ging mehrmals los, um die benutzten Tassen wegzuräumen, und ließ sie dann doch jedes Mal stehen. Sie betrachtete das zerknautschte Sitzkissen des Sessels, auf dem er gesessen hatte, horchte in sich hinein und versuchte zu verstehen, was dieses Ziehen und Schieben in ihrem Inneren zu bedeuten hatte. Sie wusste es nicht. Sie wusste nicht einmal, ob sie glücklich war oder unglücklich.

Natürlich hatte sie das Erzählen aufgewühlt. Aber das war es nicht alleine. Viel bedeutsamer war, wie er ihr zugehört hatte.

Seine Einladung auf ein Eis fiel ihr wieder ein. Sie musste lächeln. Oh, sie hätte so Lust dazu gehabt! Vor einem großen Eisbecher zu sitzen, so einem, wie ihn ihre Mutter immer bestellt hatte, mit Früchten und Sahne und einem bunten Schirmchen, an einem warmen Tag spät im Frühling …

Wie das *Eiscafé Venezia* heute wohl aussah? Ob es das überhaupt noch gab?

Lange stand sie so, am Fenster, sich in Träumen verlierend von einem anderen Leben. Dann erwachte sie jäh wieder: Sie musste mit Peter sprechen, von Angesicht zu Angesicht.

Wenn sie ihm schrieb? Nein, das würde genauso wenig bringen. Er wusste ja, wo sie wohnte. Wenn er gewollt hätte, hätte er sie längst besuchen können. Nein, sie würde zu ihm gelangen, ihn regelrecht *stellen* müssen … ehe es weitergehen konnte.

Bloß wie?

Victoria lachte auf, als ihr einfiel, wie sie es machen musste. Es war so einfach!

Sie eilte an ihren Computer, kramte, während der Internetbrowser startete, die Mappe mit den Passwörtern, PIN-Codes und TAN-Listen aus dem Geheimfach ihres Schreibtisches und begann zu tippen.

Am frühen Nachmittag, kurz bevor Ambick sich wieder davonmachen konnte, erwischte ihn der Staatsanwalt doch noch. Kam ohne anzuklopfen in sein Büro, das Handy am Ohr.

»Ach, bei der?«, rief er gerade. »Die kein Telefon hat? Okay. Komische Freundinnen hast du, ganz ehrlich. Das heißt, ich kann dich überhaupt nicht erreichen? Nein, aber für alle Fälle … Verstehe. Na gut. Dann bis morgen.«

Ortheil klappte das Gerät zusammen. »Meine Frau«, sagte er zu Ambick. »Besucht heute Abend eine Freundin, die allein in einem Haus am Waldrand lebt, ohne Telefon, ohne Mobilempfang … Unglaublich, oder? Heutzutage.«

»Klingt idyllisch.«

»Klingt wie der Schauplatz eines Verbrechens, das nur noch nicht stattgefunden hat, wenn Sie mich fragen.« Ortheil ließ sein Handy in der Tasche seines dezent gestreiften Anzuges – Krawatte moosgrün mit gelben Tupfen – verschwinden. »Womit wir beim Thema sind. Ich gehe heute Abend ebenfalls aus, in den Ratskeller, Herrenabend. Dort treffe ich aller Voraussicht nach Dr. Korbner. Und es würde mich wundern, wenn er mich nicht nach Fortschritten in Sachen *Racheengel* löchert. Was soll ich ihm erzählen? Sagen Sie es mir.«

Ambick lehnte sich zurück. Das war genau die Art politisch motivierten Gedrängels, das er nicht ausstehen konnte. »Sagen Sie ihm, dass wir Hinweisen aus der Bevölkerung nachgehen.«

»Tun Sie das?«

»Ja.«

»Und mit welchem Erfolg?«

»Bis jetzt ohne.«

Der Staatsanwalt fuhr sich über die wieder einmal beeindruckend zurechtgeföhnte Mähne. »Mit anderen Worten, der Racheengel ist weiterhin ein Phantom, die Zahl der Prügeleien nimmt stetig zu und wir stochern im Nebel.«

»Das«, sagte Ambick ungerührt, »beschreibt die Situation ziemlich zutreffend.« Konnte ihm doch egal sein, wenn Ortheil vor seinen Skatbrüdern aus den oberen Etagen der Stadt schlecht dastand. So lief das in der Polizeiarbeit eben. Was dieser Dr. Korbner – so etwas wie der *Spin Doktor* des Oberbürgermeisters – natürlich auch wusste. Es gefiel ihm bloß nicht.

»Ich würde ihm gerne etwas anderes sagen können«, meinte Ortheil.

»Ich würde Ihnen auch gerne etwas anderes sagen«, erwiderte Ambick. »Aber es ist nun mal, wie es ist.«

»Was sind das für Hinweise?«

Ambick erwog, sich in Allgemeinplätze zu flüchten, solange der anonyme Hinweis nichts Handfestes erbracht hatte. Aber dann erzählte er dem Staatsanwalt doch, welcher Spur sie nachgingen.

»Ein Pfarrer, eine Übersetzerin, die ihr Haus nicht verlässt, ein Chemiker, der in den USA lebt, und ein Soldat, der Ausgangssperre hat? *Das* nennen Sie eine Spur?« Ortheil zog einen Stuhl heran und ließ sich darauffallen, ein Bild der Erschütterung bietend. »Und was ist mit den Tätern von damals?«

»Ein Toter, ein Säufer und einer, der die Kurve gekriegt zu haben scheint.«

»Resozialisierung«, übersetzte der Staatsanwalt. »Hört man gerne. Aber ich sehe noch keine Verbindung zu unserem Fall.«

»Ich auch nicht«, gestand Ambick. »Vielleicht, nachdem ich mit den beiden noch lebenden Tätern von damals gesprochen habe.«

Es war der dicke Labortechniker, der ihm den Tag rettete. Genau in dem Moment, in dem Lorenz Ortheil zu einer Standpauke anhob, platzte Kerner zur Tür herein und rief: »Herr Ambick! *Hier* sind Sie!«

Ambick hob die Augenbrauen. Dies war sein Büro, wo sollte er sonst sein, wenn er im Haus war? »Was gibt es?«

»Die Namensliste, die Sie mir gegeben haben«, keuchte der Labortechniker. »Die war der Treffer.«

»Inwiefern?«

Kerner musste erst tief durchatmen, ehe er antworten konnte, war noch ganz aus der Puste. »Wir haben eine Patentschrift ausfindig gemacht. Für eine Kunstfaser mit genau den Eigenschaften, die das Objekt vom Stuttgarter Platz hat: leuchtet unter angelegter Spannung, verlängert sich –«

»Ja, schon verstanden«, unterbrach Ambick ungeduldig. »Und weiter?«

»Als Antragsteller eingetragen sind ein gewisser Sidney J. Westham – und ein Alexander Wenger.«

27 »Was hat das zu bedeuten?«

Die Frage stellten sie sich alle, der Staatsanwalt sprach sie lediglich aus. Sie hatten Enno Kader dazugeholt, der nun an Ambicks Computer saß und es übernahm, durchs Internet zu navigieren. »Deine Farben sind übrigens verschoben«, meinte er und klopfte gegen den Monitor, was natürlich nichts brachte. »Das sollte man mal einstellen.«

»Wenn ich mal keine dringenderen Sorgen habe«, erwiderte Ambick und dachte an die Deckenlampe.

Ortheil stand breitbeinig hinter ihnen, die Arme vor der Brust verschränkt. »Also, mit anderen Worten, der anonyme Hinweis hat uns zu demjenigen geführt, der die Faser erfunden hat, die am Stuttgarter Platz gefunden wurde und deren Funktionsweise Herr Kerner entschlüsselt hat.«

»Richtig«, sagte Enno in einem Ton, als verdankten sie das alles seiner Initiative.

»Damit haben wir die Verbindung, die wir gesucht haben«, resümierte der Staatsanwalt. »Wie geht es weiter? Haben Sie schon überprüft, ob dieser Alexander Wenger in jüngster Zeit nach Deutschland eingereist ist?«

»Das war so ziemlich das Erste, was ich gemacht habe«, erklärte Enno. »Die Antwort war nein, sowohl was Fluggastdaten als auch was Grenzübertritte anbelangt.«

»Aber er könnte jemanden hier mit einer Perücke und einem Mantel aus diesen Fasern ausgestattet haben.« Der Staatsanwalt sah grüblerisch drein. »Oder? Würde eine solche Sendung beim Zoll auffallen?«

»Garantiert nicht«, sagte Kerner, der neben Ambick stand und unangenehm nach Tabak, Leberwurst und Schweiß roch.

»Ganz dumme Frage«, fiel Ambick ein. »Kann man diese Fasern eigentlich irgendwo kaufen? Haben Sie das zufällig nachgeprüft?«

Der dicke Labortechniker schüttelte den Kopf. »Nein. Ich meine, ja, hab ich – das ist immer so das Erste, die Materialanalyse mit den Herkunftsdatenbanken abgleichen –, aber da gab es keine Übereinstimmung.«

Enno deutete auf die Patentschrift auf seinem Schirm. »Ich druck das mal aus«, erklärte er.

Der Drucker schnarrte los, warf Seite um Seite praktisch unlesbares juristisches Englisch aus. Ambick sammelte die Seiten ein, weil er neben dem Gerät stand, betrachtete die ungelenken Zeichnungen langer Molekülketten darauf. »Seine Eltern meinen, er habe eine Firma, die Partybedarf herstellt«, sagte er. »Aber ich frage mich gerade, ob sie sich da nicht irren. Oder einer Tarngeschichte aufgesessen sind. Was, wenn das hier« – er wedelte mit dem Papierstapel – »etwas Militärisches ist?«

»O Gott«, ächzte Ortheil. »Bloß das nicht.«

Ambick legte Enno die Ausdrucke hin und tippte auf die Firmenadresse, die unter der Rubrik *Inventors* eingetragen war. »Schau doch mal, was du da findest.«

Enno beugte sich darüber. »*Wenger-Westham, Inc.*«, las er laut und stieß einen leisen Pfiff aus. »Fällt mir jetzt erst auf. Klingt fast wie *West Wing*, oder? Weißes Haus und so? Spräche für deine Militärthese, Justus.«

Ambick nickte unduldsam. »Ja, ist aber auch vielleicht einfach eine Überinterpretation. Komm, mach.«

Enno ließ die Tastatur klackern. »Da. Es gibt eine Website dazu. Hätte mich auch gewundert, wenn nicht.« Er klickte auf den Link.

Die Internetseite, die daraufhin am Schirm erschien, war geradezu erschütternd nichtssagend. Unter einem ebenso pompösen wie geschmacklos gestalteten Logo stand nur: *Che-*

mieprodukte – Import, Export, Beratung. Darunter die Namen der beiden, eine Adresse in Texas, eine Telefonnummer und eine E-Mailadresse. Das war alles.

»Nicht wirklich werbewirksam, wenn ihr mich fragt«, lautete Ennos Kommentar.

»Vielleicht tatsächlich Tarnung«, meinte der Staatsanwalt finster.

Ambick legte die Hand auf den Telefonhörer. »Wie spät ist es in Texas wohl gerade?«

Staatsanwalt Lorenz Ortheil, der Weltbürger, als der er sich verstand, konsultierte seine entsprechend ausgestattete Armbanduhr. »Müsste kurz nach sieben Uhr morgens sein.«

»Da kann man schon mal anrufen, oder?« Ambick wählte die angegebene Nummer und schaltete den Mithörlautsprecher an.

Sie lauschten gebannt. Es dauerte eine Weile, dann erklärte eine automatische Frauenstimme auf Englisch, der Anschluss sei nicht belegt.

»Hmm.« Ambick legte auf. »Sonderlich gut können die Geschäfte nicht laufen.«

Enno kopierte die Adresse mit der Maus, öffnete ein weiteres Browserfenster. »Mal sehen, was Google Streetview findet«, meinte er.

Die Kamerawagen von Google waren, wie sich zeigte, nicht bis zu der angegebenen Adresse vorgedrungen. Die in Blau als verfügbar angezeigte Route endete an einer Kreuzung, von der aus ein nicht mehr geteerter Weg zwischen Dornbüschen und Gestrüpp verschwand. In etwa hundert Meter Entfernung schimmerte ein weißer Klotz durch das Gebüsch, ein Lagerhaus, Hangar oder dergleichen ohne weitere Beschriftung.

»Laufkundschaft haben die jedenfalls keine«, meinte Enno.

»Gefällt mir gar nicht«, ließ sich Ortheil vernehmen.

»Schau mal, ob die dort im Telefonbuch stehen«, sagte Ambick.

Flink war Enno mit den Fingern, das musste ihm der Neid

lassen. Das Dumme war nur, dass er es ein bisschen zu sehr genoss. Ein Polizist, der lieber am Computer ermittelte statt draußen in der Wirklichkeit, würde es nicht weit bringen.

»Wohnen beide auch in ihrer Firma, wie's aussieht«, stellte Enno fest. »Wie es sich gehört für aufstrebende *Start-up*-Unternehmer.«

Ambick rieb sich die Schläfe, versuchte nachzudenken. Er war erleichtert, dass sich der anonyme Hinweis nicht als Windei entpuppt hatte – das musste er Johannes Barth unbedingt zurückmelden, fiel ihm ein –, aber er hatte trotzdem Kopfweh, sehnte sich danach, aus dem Büro an die frische Luft zu kommen. Es war das Mittagessen; das lag ihm schwer im Magen.

»Hypothese«, verkündete Ortheil. »Wenger arbeitet jemandem hier in Deutschland zu. Einem alten Freund vielleicht. Und da haben Sie gar nicht so unrecht, diesen Blier zu verdächtigen. Soldat, KSK – der hätte auf jeden Fall die nötige Ausbildung.«

»Aber er hat auch Ausgangssperre«, sagte Enno.

»Angeblich«, ergänzte Ambick, dem gerade ganz ähnliche Gedanken wie dem Staatsanwalt durch den Kopf gingen. »Wir sollten ihn noch einmal befragen. Persönlich.« Er sah Ortheil an. »Ich weiß bloß nicht, wie das juristisch gelagert ist. Untersteht Blier in so einem Fall der Militärgerichtsbarkeit? Brauchen wir einen Gerichtsbeschluss, um ihn laden zu können?«

»Ich mache mich kundig«, versprach Ortheil. »Kontaktieren Sie einstweilen Wiesbaden. Das BKA soll die amerikanische Polizei um Amtshilfe ersuchen.«

»Amtshilfe? Aus den USA? Das kann dauern«, gab Ambick zu bedenken, der Lust gehabt hätte, selber in die USA zu fliegen. Er war einmal für Ermittlungen nach Stockholm gereist und ein andermal nach Istanbul; beide Male hatte er es als aufregende Abenteuer in Erinnerung.

Ortheil konsultierte wieder seine Armbanduhr. »In Texas kurz nach sieben, in Washington kurz nach acht … Wenn die beim BKA schnell genug schalten, können die Amerikaner Wenger noch heute vernehmen, spätestens morgen. Das heißt, wir kriegen den Bericht auf jeden Fall vor dem Wochenende.« Er blickte auf, fixierte Ambick. »Ich rufe in Berlin an. Ich kenne im Außenministerium jemanden, dessen Schwager ein hohes Tier beim FBI ist. Der kann dafür sorgen, dass das Ersuchen nirgends hängen bleibt.«

»Okay«, sagte Ambick und dachte: *Schade.*

Nachdem das Amtshilfeersuchen unterwegs war und die zuständige Dame in Wiesbaden umgehende Bearbeitung zugesichert hatte, verließ Ambick das Kommissariat nahezu fluchtartig. Frische Luft! Tageslicht! Und irgendwas, das ihn auf andere Gedanken brachte. Das war es, was er jetzt brauchte.

Er beschloss, einen der drei Täter von damals aufzusuchen, Lutz Rehmers, der zu sieben Jahren Gefängnis verurteilt worden war. Fünf davon hatte er abgesessen. Laut Gewerbeamt betrieb er heute einen Reparier-Service in Bockenfelde. Das war ein Ladengeschäft mit staubigen Scheiben, zu dessen Eingangstür man von der Straße aus zwei Stufen hinabsteigen musste und das selber entschieden reparaturbedürftig aussah. Eine Glocke schepperte, als Ambick die Türe öffnete. Er blieb erst einmal stehen, um sich an das Halbdunkel zu gewöhnen.

Innen war der Laden größer, als man von außen gedacht hätte. Überall standen Regale mit Geräten aller Art: Toaster, Staubsauger, Fernseher, Computer, Heizlüfter, Bügeleisen, Radios, Kassettenrekorder, Telefone und vieles mehr. Eine Treppe ging hinab in eine benachbarte, noch tiefer gelegene Werkstatt, auf deren Boden ein kleines Mädchen in einem roten Anorak saß und hingebungsvoll einer Puppe die Haare bürstete. Sie sah nicht auf. Hinter einer Holztheke hockte ein Mann mit einer dünnrandigen Kassenbrille und grauen Locken, der mit irgendwelchem Papierkram beschäftigt war. Er sah auf, schob die heruntergerutschte Brille wieder hoch und fragte: »Sie wünschen?«

»Ich suche Herrn Rehmers«, sagte Ambick.

»Das bin ich.«

Ambick zückte seinen Ausweis, legte ihn auf die Theke. »Kriminalhauptkommissar Justus Ambick. Ich würde Ihnen gern ein paar Fragen stellen.«

»Ach Gott«, seufzte der Mann, nahm die Brille ab und massierte seine Nasenwurzel. »Geht es um die Sache von damals?«

»In gewisser Weise.«

Rehmers beugte sich vor, spähte zu dem Mädchen hinunter, das nach wie vor selbstvergessen spielte. »Hören Sie«, bat er halblaut, »können wir das unauffällig handhaben? Ich will nicht, dass sie mehr mitkriegt als nötig.«

»Ich hab nur ein paar Fragen.«

»So fängt es immer an.« Er musste Anfang dreißig sein, wirkte aber älter. »Sophie, Schatz?«, rief er in die Werkstatt hinab. »Ich geh mal eben raus, eine Zigarette rauchen. Dauert nicht lange, okay?«

»Okay«, krähte das Mädchen zurück, ohne aufzusehen.

»Kommen Sie«, sagte Rehmers, schnappte seinen Tabak und sein Handy und kam hinter der Theke vor. Die Papiere, über denen er gesessen hatte, waren Formulare des Sozialamts, sah Ambick. Sonderlich gut schien der Laden nicht zu laufen.

Nun, wer ließ auch heutzutage noch etwas reparieren? Geräte wurden ja schon so gebaut, dass sie möglichst nach Ablauf der Garantie kaputtgingen und Reparaturen so teuer waren, dass sie sich nicht lohnten.

»Stimmt«, gab Rehmers unumwunden zu, als Ambick ihn darauf ansprach. »Waschmaschinen, da ist was dran verdient. Da kann man mit Reparaturen echt was sparen. Ansonsten heißt es, ex und hopp, wenn was kaputt ist. Wegwerfgesellschaft eben.« Er hatte seine Zigarette fertig gedreht, steckte sie an, tat den ersten Zug. »Sie sind aber nicht gekommen, um meinen Laden zu kaufen, nehme ich an?«

»Ich mache mir gern ein Bild von den Verhältnissen, in denen jemand lebt«, sagte Ambick.

»Niemand wohnt hier, weil es so eine schöne Gegend ist. Die Mieten sind billig. Bis jetzt jedenfalls. Trotzdem muss ich beantragen, was ich kriegen kann – Wohngeld, Kleiderzuschuss, Zuschuss für den Kindergarten, und so weiter, und so weiter.« Eine große, unheilvoll dunkle Rauchwolke entstieg seinem Mund. »Reicht das für einen ersten Eindruck?«

Ambick nickte. »Was ist mit den anderen? Von damals. Stehen Sie mit denen noch in Kontakt?«

Rehmers schüttelte sich. »Um Gottes willen. Werd froh sein, wenn ich die nie wieder sehe.«

»Wann haben Sie sie zum letzten Mal gesehen?«

Der hagere Mann kratzte sich am Kopf. »Tja, wann war das … Der Pochardt ist mir mal über den Weg gelaufen. In der Stadt, irgendwann im Frühjahr. Aber da war der hackedicht, ist bloß rumgetorkelt. Ich glaub nicht, dass der mich bemerkt hat. Den Hans Brodowski hab ich zuletzt vor vier Jahren getroffen. Das war kurz vor einem EM-Spiel, deswegen weiß ich das so genau. Der war immer noch drauf …« Rehmers hob die Schultern.

»Was heißt das, er war immer noch drauf?«

»Na ja. Hat mit Geld um sich geworfen. Wollte, dass ich bei irgendwas mitmache, hat ohne Ende davon gefaselt, er bräuchte einen Techniker und es sei jede Menge Kohle drin.«

»Und was haben Sie gesagt?«

»Ich hab sofort abgeblockt. Ich mach so Zeug nicht mehr.« Er wurde richtig heftig, gestikulierte mit der Zigarette. »Schauen Sie, ich hab meine Strafe gekriegt, für damals. Hab sie abgesessen. Und mich hinterher echt bemüht, die Kurve zu kriegen. Aber, hey – wer stellt schon einen Knacki ein? Niemand, es sei denn, ein Ausbeuter, der Schlimmeres mit dir vorhat als Papa Staat. Also hab ich das hier aufgemacht. Und jemanden gefunden …«

Er hielt inne, rieb sich die Brust. »Das da drin ist meine Kleine. Fünf ist sie vorige Woche geworden. Fünf. Hat mich mehr verändert als all die Psychotherapeuten, die sich an mir abgerackert haben. Für das Kind will ich ein guter Mensch sein, verstehen Sie? Für sie.«

Ambick nickte. »Und Ihre Frau?«

Rehmers hob die Schultern. »Die kennt mich. Hält es trotzdem mit mir aus. Ich schätze, was Besseres wird mir nicht mehr passieren in meinem Leben.«

»Sind Sie«, fragte Ambick mit Bedacht und leisem Neid, »in letzter Zeit angegriffen worden? Bedroht?«

»Was?« Die Verblüffung Rehmers' wirkte echt. »Wieso? Entschuldigen Sie – Sie werden Ihre Gründe haben, das zu fragen, aber ... Nein.«

Ambick sagte nichts, wartete.

»Nein«, wiederholte der Mann nach weiterem Nachdenken. »Es sei denn, Sie zählen diesen Zeitungsartikel mit, der uns als menschlichen Abschaum beschimpft hat. Aber das war damals. Fünfzehn Jahre her. Dürfte inzwischen verjährt sein, schätze ich.«

»Mir ging's um die letzten zwei Wochen«, sagte Ambick. Er erwog, Rehmers direkt zu fragen, ob er den Eindruck habe, dass sich jemand an ihnen rächen wollte, entschied sich dagegen. Stattdessen fügte er hinzu: »Hans Brodowski ist übrigens tot.«

»Ehrlich?«, fragte Rehmers ohne sichtbare Bestürzung.

»Ein Verkehrsunfall. Vor drei Jahren.«

Rehmers zog ausgiebig an seiner Zigarette. »Na. Wenn das mal tatsächlich ein Verkehrsunfall war.«

»Wie meinen Sie das?«

»Jemand hat mir erzählt, der Brodde sei dick im Geschäft mit geklauten Autos für Osteuropa. Wobei ich nicht weiß, ob das stimmt«, beeilte er sich hinzuzufügen. »Hab ich nur gehört. Und es war keine verlässliche Quelle.«

Ambick räusperte sich. »Vertiefen wir das lieber nicht, sonst muss ich am Ende einen Fall wieder aufmachen, der schon so schön aufgeräumt bei den Akten liegt.«

»Okay. Ich hab nichts gesagt«, meinte Rehmers. Dann schwieg er, dachte nach, rauchte.

Ambick schwieg auch, wartete. Er hatte das Gefühl, dass da noch etwas kommen würde.

»Wenn ich an den Tag zurückdenke«, sagte Rehmers nach einer Weile, »kommt es mir vor, als wären das die Erinnerungen von jemand anderem. Ich kann fast nicht glauben, dass ich das war. Dass ich das gemacht habe. Aber andererseits sehe ich es vor mir. Wie mein Stiefel den Mann trifft. Ich höre noch, wie etwas in seiner Brust bricht.« Er hustete. »Ich hab nicht gegen seinen Kopf getreten. Das war ich nicht.«

Ambick sagte immer noch nichts. Er hatte die Protokolle gelesen. Jeder der drei hatte damals ausgesagt, die anderen hätten die tödlichen Fußtritte gegen den Kopf Holis ausgeführt.

»Wissen Sie, die Zeitung hatte recht«, meinte Rehmers schließlich und ließ die abgerauchte Zigarette fallen.

»Die Zeitung? Womit?«

»Dass wir menschlicher Abschaum waren.« Er zertrat die Kippe mit der Schuhspitze, verrieb sie mit dem Asphalt. »Darf man heutzutage ja nicht sagen, dass es so etwas gibt: menschlichen Abschaum. Will niemand hören. Der Punkt ist bloß: Man hat es selber in der Hand, ob man dazugehört oder nicht. Und wir haben damals dazugehört. Definitiv.«

Keine problematischen Studiogäste heute. Ein Juwelier, der sich mit einer illegalen Waffe gegen einen Räuber verteidigt, diesen versehentlich angeschossen und schwer verletzt hatte und deswegen zu einer Gefängnisstrafe verurteilt worden war, die erst das Berufungsgericht in Bewährung umgewandelt hatte. Ein Geschäftsführer eines Vereins, der abends in seinem Büro überfallen worden war und seither an epileptischen Anfällen litt. Und an Behörden, die diesen Zusammenhang hartnäckig abstritten. Das war es schon. Es versprach, eine ruhige Sendung zu werden.

Trotzdem war da dieses Zittern in seinem Innern. Ein Unbehagen, wenn er eine Straße entlangging. Ein Zusammenzucken jedes Mal, wenn sein Telefon klingelte. Ein Warten auf den nächsten Drohanruf.

Der nicht kam. Das war seltsamerweise schlimmer, als es jeder Anrufterror hätte sein können.

Es tat gut, endlich das Halbdunkel des Studiotrakts zu betreten, umfangen zu werden von dem Geruch heißer Scheinwerfer und verbrannten Staubs, die gedämpften Stimmen und die leisen Schritte auf dem Linoleum zu hören. Als Ingo seine Garderobe erreichte, war das Zittern fast schon verschwunden.

»Wird aber Zeit«, sagte die Maskenbildnerin, obwohl das gar nicht stimmte; er war viel früher gekommen als üblich. Sie sagte das einfach aus Gewohnheit.

Ingo legte seine Mappe ab, zog sein Jackett aus, hängte es an einen Bügel. »Ich muss erst noch für kleine Jungs.«

»Na, dann beeilen Sie sich mal, Sie kleiner Junge«, erwiderte sie, ihre Puderquasten ordnend.

Er beeilte sich nicht, wozu? Viel wichtiger war, zur Ruhe zu finden. Irgendwie beschleunigte sich gerade alles, drehte alles durch. Rado hatte ihm gesagt, er verhandle inzwischen mit dem ZDF über eine Übernahme der Sendung. Angeblich wollten sie in Mainz das komplette Paket, Konzept plus Moderator, ob er sich das vorstellen könne? *Öffentlich-rechtliches Fernsehen*, versuchte Rado ihm den Mund wässrig zu machen. *Die schwimmen in Geld. Da hättest du ausgesorgt.* Rado zweifellos auch, aber diesen Aspekt hatte er natürlich unter den Tisch fallen lassen.

Gelächter aus einem Quergang erregte Ingos Aufmerksamkeit, weil es ungewohnt ausgelassen war, geradezu frivol. Er hielt inne, ging den Lauten nach. Eine angelehnte Tür zu einem Büro, das er nicht kannte. Er blieb stehen, bewegte den Kopf langsam quer zum Türspalt, um zu sehen, was sich dahinter abspielte.

Neci? Konnte das wahr sein? Er trat näher, schaute genauer hin. Eindeutig. Da saß Professor Markus Neci auf einem Stuhl, hatte eine Frau auf dem Schoß sitzen und eine seiner Pranken in ihrer Bluse!

Und es war nicht irgendeine Frau, sondern Diana Fröse, die Produzentin seiner Sendung.

Ingo torkelte einen Schritt zurück, wäre um ein Haar gestolpert. Scheiße, was lief da?

Nichts wie weg, war sein erster Gedanke. Konnte ihm doch egal sein, mit wem es Melanies Macker sonst noch trieb …

Aber er blieb trotzdem stehen, lauschte dem gurrenden Lachen der Produzentin, verfolgte durch den dünnen, hellen Schlitz, wie Neci ihre Brust massierte und an ihrem Hals herumzüngelte. So also machte das ein Mann von Welt.

Und er war keiner. Das war das Problem. Er war bloß ein kleiner, armseliger Streber, der versuchte, es richtig zu machen. Während andere sich einen Dreck darum scherten, was richtig war, sondern einfach wussten, was sie wollten, taten, wonach ihnen war, und damit durchkamen.

War vielleicht eine Gelegenheit, ein bisschen Anschauungsmaterial zu sichern. Ingo zog sein Handy aus der Tasche, schaltete die Videokamera ein. Wenn man schon mal kostenlosen Unterricht bekam. Er trat leise an die Tür, schob die Seite mit der Linse behutsam durch den Schlitz, hielt das Gerät so ruhig wie möglich. Auf dem Bildschirm ließ sich verfolgen, wie die Frau Produzentin dem Herrn Soziologieprofessor den Hosenschlitz öffnete und hineinfasste. Und wie der Herr Professor wollüstig lächelte dabei.

Schritte im Gang. Hastig zog Ingo das Telefon wieder zurück, schob es ein, machte, dass er davonkam.

Auf der Toilette sagte er sich, dass das eine blöde Idee gewesen war. Er sah sich das Video an. Der Fröse baumelte eine Brust aus der Bluse: Okay, das lohnte sich vielleicht auf einem großen Bildschirm genauer anzuschauen, ehe er die Datei löschte.

Abends, als endlich alle Berichte geschrieben waren, blieb Ambick noch eine Weile sitzen, die Arme auf dem Tisch aufgestützt, das Gesicht in den Händen verborgen, und genoss es, dass es einfach nur still war. Draußen auf dem Gang surrte ein Kopierer, irgendwo weit weg klingelte ein Telefon vergebens, ansonsten herrschte Ruhe, war es fast friedlich.

Zeit, nach Hause zu gehen. Und sei es nur, weil diese verdammte Deckenlampe immer noch kaputt war und in ihm Mordgelüste am Hausmeister wachrief.

Es klopfte. Vorbei mit dem Frieden. »Ja?«

Ein junger Polizist vom Bereitschaftsdienst, den er nicht kannte, streckte den Kopf herein. »Herr Ambick? Da ist jemand, der Sie sprechen will.«

»Wer?«

»Ein Bernd Pochardt. Sagt, er sei einbestellt. Wartet schon zwei Stunden; wir dachten, Sie sind noch außer Haus.«

Pochardt? Ach so. Einer der Täter im Fall Holi. Enno hatte erwähnt, dass er den Mann betrunken angetroffen und vorgeladen hatte. »Und wie sind Sie auf die Idee gekommen, nachzusehen, ob ich da bin?«

»Ähm …«, machte der Polizist verlegen.

»Schon gut. Soll reinkommen.« Er hatte nicht die geringste Lust dazu.

Der Mann, der kurz darauf durch die Tür seines Büros trat, roch nach Bier und Zigarettenrauch, obwohl er sich sichtlich Mühe gegeben hatte, ordentlich auszusehen. Es hatte nur nicht viel genützt. Wenn die abgeschabten Sachen, die er trug, seine besten Stücke waren, dann wollte Ambick nicht wissen, wie der Rest seiner Garderobe aussah.

»Na endlich«, grollte Pochardt und setzte sich unwillig auf den Stuhl, den Ambick ihm mit einer Handbewegung anbot. »Ich dacht schon, wie viel Zeit stehlt ihr mir denn noch hier?«

Wofür hätten Sie die Zeit denn ansonsten verwendet? Die Frage lag Ambick auf der Zunge, aber stattdessen sagte er: »Es geht um den Fall Holi.«

»Hä?« Das löste offenbar nichts bei ihm aus.

»Florian Holi. Überallbrücke. Fünfzehn Jahre her.«

»Ach so.« Er zog den Kopf zwischen die Schultern. »Das war

ich nicht. Das war der Brodde. Der zugetreten hat. Brodowski. Ein brutaler Kerl ist das gewesen.«

»Wie praktisch, dass er tot ist und nicht widersprechen kann, hmm?«

»Ich hab meine Strafe abgesessen«, erwiderte Pochardt bockig. »Sie können mir gar nix mehr.«

»Will ich auch nicht.« Ambick schlug seinen Notizblock auf. »Was mich interessiert, ist, ob jemand Sie in jüngster Zeit deswegen bedroht hat. Ob man Ihnen Rache angekündigt hat oder dergleichen.«

»Hä?« Das schien sein Aufnahmevermögen zu übersteigen.

»Hat Sie in den letzten Wochen irgendjemand aufgesucht und auf den Vorfall damals angesprochen?«, versuchte es Ambick noch einmal.

»Nee. Sie halt jetzt.«

»Sonst niemand?«

»Kann sein, dass Ihr Kollege was in der Richtung erwähnt hat. Weiß ich nicht mehr genau. Ich war an dem Tag … indisponiert.«

»Was ist mit den Schlägereien, die zurzeit passieren? Haben Sie damit was zu tun?«

»Ich?« Der Mann bot ein Bild gerechter Entrüstung. »Im Leben nicht, Herr Kommissar.«

Ambick glaubte ihm. In seinem Zustand hätte er in jeder körperlichen Auseinandersetzung den Kürzeren gezogen. »Irgendeine Idee, was da läuft? Ein Bandenkrieg oder so etwas?«

»Keine Ahnung. Echt nicht.«

Ambick zog das Blatt heraus, auf dem Enno die persönlichen Daten der drei Täter zusammengestellt hatte, und stutzte, als sein Blick auf das Geburtsdatum fiel. Ach ja, richtig – Pochardt war erst vierunddreißig, zwei Jahre jünger als er selber! Ihn schauderte. Der Mann sah aus wie fünfzig.

Er musste an seine eigene Jugend denken. Er hatte eine Zeit lang auch ganz gut ausgeteilt, die Fäuste sprechen lassen, wenn Worte nicht genügten. Nur war er irgendwann zur Vernunft gekommen. Hatte die Wut ins Boxen gesteckt, entschlossen, etwas aus seinem Leben zu machen, und die Kurve gekriegt.

Was war der Anlass dazu gewesen? Er wusste es nicht mehr. Und konnte ein Anlass wirklich so entscheidend sein? War ein Anlass nicht nur so etwas wie ein Samenkorn, das auf fruchtbaren Boden fallen muss, um gedeihen zu können?

Zu spät am Abend für derart philosophische Fragen, beschloss Ambick. Er überflog seine Fragenliste, fand nichts mehr, was er seinem Besucher noch zumuten wollte, und sagte: »Okay, danke. Das war's. Sie können gehen.«

Pochardt gab ein Schnauben von sich. »Das war schon alles? Dafür hab ich mich durch die halbe Stadt hergequält?«

»Wir waren bei Ihnen«, sagte Ambick leidenschaftslos und klappte den Notizblock wieder zu. »Das ist unser normaler Service. Sie waren bloß voll wie eine Strandhaubitze.«

»Anders ist diese Gesellschaft ja auch nicht zu ertragen.« Er stand auf, mit mehr Mühe, als das Aufstehen jemandem machen sollte, der erst vierunddreißig war. »Drauf geschissen.«

Ambick sagte nichts, wartete nur, bis der Mann abgezogen war. Dann schaltete er seinen Computer ab, ging auf die Toilette. Die lag am Ende des Flurs; durch das Fenster am Gangende sah er Pochardt noch einmal, wie er unsicheren Schrittes die Straße vor dem Kommissariat überquerte und auf die Spelunke gegenüber zuhielt. Die hieß »Einsatz«, ein Name, der zweifellos auf Polizisten als Kundschaft zielte (»Wo warst du so lange?« »Entschuldige, Liebling, aber ich war im Einsatz. Ehrlich.«). Wobei der Trick nach allem, was Ambick gehört hatte, nicht funktionierte, weil die Kneipe einfach zu schmuddelig war.

»Er hat mich an Händen und Füßen gefesselt, mir den Mund zugeklebt, mich zum Heizkörper gezerrt und dort festgebunden, mit einer Schlinge um den Hals. Ich musste den Kopf oben halten, damit es mich nicht würgt. So hab ich dann gelegen und gehört, wie der Kerl in meinem Büro nach dem Tresorschlüssel sucht«, erzählte der Geschäftsführer. »Als er das Geld aus dem Safe geholt hatte – fünfzehntausend Euro, das Weihnachtsgeld für die Mitarbeiter –, ist er abgehauen. Mich hat er einfach liegen lassen.«

»Wie spät war es da?«

»Halb zehn Uhr abends. Gefunden hat mich unsere Putzfrau am nächsten Morgen um sechs.«

»Achteinhalb Stunden der Qual«, sagte Ingo.

»Ja.« Der Mann, eine massige, quadratschädelige Erscheinung, rieb sich unwillkürlich den Hals. »Später hab ich erfahren, dass die Polizei dem Kerl auf der Spur war. Sie haben ihm aufgelauert, haben ihn überwältigt, als er aus dem Haus gekommen ist, haben die Beute sichergestellt und ihn verhaftet. Bloß auf den Gedanken, sich den Tatort anzuschauen, sind sie nicht gekommen. Sie sind einfach davongefahren, haben den Mann in eine Zelle gesteckt und Feierabend gemacht.«

28 Ich gehe durch die Nacht, die Nacht voller Lichter, voller Schatten, voller Schmerz und voller Sehnsucht. Ich gehe und gehe, meine Schritte sind leicht und federnd, schnell und unhörbar. Ich verschmelze mit dem Dunkel, verschwinde hinter den Passanten, im Strom des Verkehrs, unter den Leuchtreklamen. Niemand, der mir begegnet, wird sich an mich erinnern. Ich bin nicht unsichtbar, aber ich könnte es genauso gut sein.

Ich bin eins mit allem, ein Wächter, dessen Sinne scharf sind und gespannt, der alles wahrnimmt, was geschieht, der alles registriert, der Ausschau hält nach Zeichen, die ein Eingreifen erfordern. Ich bin eins mit allem, ein Krieger, der zu allem bereit ist – bereit, zu gehen, wohin zu gehen erforderlich ist, bereit, zu tun, was nötig ist.

Nicht ich bin es, der meine Schritte lenkt, vielmehr geschehen sie, folgen dem Fluss der Dinge, dem Fluss der Unvermeidlichkeit. Erreiche ich eine Kreuzung, brauche ich mich nur umzusehen: Einer der Wege wird eine Nuance heller leuchten als die anderen, wird mich locken, und dann weiß ich, dass er der Weg ist, den ich gehen muss.

In anderen Momenten wieder spüre ich, dass ich warten muss. Dann verharre ich, im Schatten meist, reglos, nicht wahrnehmbar, lasse die Musik durch mich hindurchströmen, die aus Türen von Bars oder aus den offenen Fenstern vorbeifahrender Autos dringt, lasse mich von dem Strom aus Stimmen, Gelächter, Geschrei und Streit umspülen, der die Stadt erfüllt, gebe mich dem Geruch der Dönerbuden und Bratwurststände hin, dem Duft nach Pommes frites und Bier, Zigarettenrauch und Autoabgasen, all das, und verharre. Weiter geschieht nichts. Es ist nur Zeit, stehen zu bleiben, also bleibe ich stehen. Ich habe keine Erwartungen daran, was geschehen wird, erhoffe nichts, fürchte nichts, wünsche mir nichts. Ich bin nur eins mit allem, ein Werkzeug, ein Instrument des göttlichen Willens.

Und dann, irgendwann, geschieht es. Ich höre etwas. Weit weg, viel zu leise für die Ohren normaler Menschen, kaum auszumachen in der Kakofonie einer Großstadt – doch ich vernehme deutliche Laute, die von Gewalt zeugen, von Schmerz, Geräusche von Faustschlägen auf menschliche Körper, von Fußtritten gegen menschliches Fleisch, das Knacken von Knochen, das Platzen von Haut, das Keuchen von jemandem, dem ein Schlag die Luft aus dem Leib treibt.

Ich folge diesen Lauten. Sie sind das Signal, das den Krieger wachruft. Ich gehe nicht zu schnell, ich gehe nicht zu langsam, ich gehe genau im richtigen Tempo, um rechtzeitig da zu sein, wo ich gebraucht werde.

Die Geräusche führen mich zu einer Sackgasse, die voller Mülleimer und Gerümpel steht. An ihrem hintersten Ende prügeln drei schlanke Gestalten auf jemanden ein, der sich nicht mehr wehren kann, der nur hilflos jammernd die Arme vor den Kopf hält und jeden Moment zu Boden gehen wird. Ich höre gekeuchte, hasserfüllte Ausrufe, die die Faustschläge begleiten, die hellen Stimmen von Jugendlichen. Ich ziehe die beiden Pistolen aus dem Halfter und betätige den Schalter, der meinen Mantel aufleuchten und meine Perücke länger werden und hell erstrahlen lässt, dann trete ich raschen Schrittes auf die Schläger zu, die Rache Gottes in Person.

Der Mann sieht mich kommen, reißt die Augen auf, erzittert vor Ehrfurcht und Hoffnung. Die Schläger sehen mich nicht, obwohl mein Kostüm mittlerweile so hell strahlt, dass ihre Umrisse Schatten zu werfen beginnen. Ich hebe die Pistolen auf die Höhe ihrer Köpfe, die Finger an den Abzügen.

Ich fühle keinen Hass, keinen Zorn, kein Bedauern. Ich fühle überhaupt nichts. Ich bin innerlich kalt und leer, eine Flöte, auf der das Schicksal selber seine Melodie der Unausweichlichkeit spielt. Es wird geschehen, was geschehen muss. Ich bin nur das Werkzeug dazu.

Jetzt merken die drei Schläger, dass etwas nicht stimmt, und fahren erschrocken herum.

Es sind *Mädchen*.

Ich, eben noch im Begriff zu schießen, verharre. Genau wie sie. Sie sind sechzehn Jahre alt, höchstens. Eine ist strohblond, eine hat braune Locken, eine hat dunkle Haut. Alle drei sind Opfer der Mode, haben sich in schrille, zweifellos teure Klamotten gezwängt, in denen sie sich spätestens in einem halben Jahr nicht mehr blicken lassen können, weil dann schon wieder andere Scheußlichkeiten angesagt sein werden. Sie stehen erstarrt, schauen mich an wie das Kaninchen die Schlange, trauen ihren Augen nicht – aber sie haben keine Angst. Sie glauben nicht daran, dass ich sie erschießen werde. Das unterscheidet sie von männlichen Jugendlichen in ihrem Alter.

Es ist ein Moment außerhalb der Zeit. Ich erkenne auf einmal den Mann, auf den sie eingeprügelt haben, erinnere mich sogar an seinen Namen: Bernd Pochardt. Er ist älter als damals im Gerichtssaal, als ich ausgiebig Gelegenheit gehabt habe, ihn anzustarren. Er wirkt aufgedunsen, regelrecht verfallen. Ein Wrack. Ein Loser.

Er jedoch erkennt mich nicht.

Ich trete noch ein Stück näher, hebe die Pistolen noch ein Stück an, setze einen der Läufe auf die Stirn der Blonden, die so etwas wie die Anführerin der Clique ist. »Das nächste Mal«, verspreche ich ihr flüsternd, »seid ihr fällig.«

Ich warte, bis ich sehe, wie sie begreift. Ich warte, bis ich Angst in ihren Augen lese. Dann sage ich: »Haut ab.«

Das bricht den Bann. Sie hasten davon, keuchend, japsend, auf Stöckelschuhen, in denen man kaum gehen kann, geschweige denn rennen. Ich höre sie noch eine ganze Weile, spüre ihre Panik, ihr Entsetzen.

Ich schaue den Mann an, der aus der Nase blutet, aber noch steht. Er schwankt, nicht nur der Schläge wegen, sondern vor allem, weil er getrunken hat. Er keucht, ist erleichtert, will etwas sagen, weiß bloß nicht, was.

»Du erkennst mich nicht«, stelle ich fest.

»Doch!«, beeilt er sich mit schwerer Zunge zu versichern. »Du bist der Racheengel. Du bist der Retter der Hilflosen …«

»Ja«, sage ich. »Genau.« Ich betrachte ihn. Er tut mir nicht leid. Das, was ihm widerfährt, ist nur eine andere Form von Strafe. Auch an ihm geschieht, was unausweichlich geschehen muss. »Geh nach Hause«, sage ich.

Nach Hause. Auch ich will nach Hause gehen.

Das Problem ist: Ich habe keines.

Es war spät, als Ulrich Blier den Wagen am äußersten Ende des Parkplatzes abstellte. Am liebsten wäre er noch einen Moment einfach hinter dem Steuer sitzen geblieben, aber er fürchtete, einzuschlafen, und das durfte er sich jetzt nicht erlauben. Außerdem hatte er das Signal schon vor einer ganzen Weile gegeben; Theo würde längst auf ihn warten.

Er stieg aus. Der Wind rauschte, in der Dunkelheit der Nacht waren vielfältige Tierlaute zu hören. Der Truppenübungsplatz war ein Paradies für Tiere. Solange die Panzer nicht fuhren, verstand sich. Wobei sich inzwischen manche Wildtiere nicht einmal mehr durch Geschützdonner aus der Ruhe bringen ließen.

Ein Blick hinüber zum Wachhaus am Haupteingang, wo ein fahler Schimmer aus den Fenstern sickerte, um mit dem hellgelben Licht der Scheinwerfer über dem Platz zu verschmelzen. Hinter den Scheiben sah er eine Bewegung. Jemand, der nach ihm Ausschau hielt? Wohl nicht. Außerdem war sein schwarzer Mantel eine gute Tarnung.

Er schnupperte an sich, ehe er den Mantel zuknöpfte. Er

roch verschwitzt, unzumutbar im Grunde. Tja. Vorbei. Obwohl es von Anfang an klar gewesen war, fühlte er einen leisen Schmerz deswegen.

Und es begann in seiner Erinnerung schon zu verblassen. Als wäre alles nicht wirklich geschehen, sondern nur ein Film gewesen, den er gesehen hatte. Es begann bereits, sich so tot anzufühlen, wie sein ganzes Leben sich anfühlte. In ein paar Wochen würde er daran zweifeln, das alles wahrhaftig erlebt, wahrhaftig getan zu haben.

Falls er dann noch lebte.

Theo wartete tatsächlich schon auf ihn, schloss ihm stumm auf. Als er ihm die Schachtel mit den Pralinen geben wollte – das übliche Mitbringsel, weil Theo für sein Leben gern Pralinen aß –, tat der, als sehe er das Päckchen gar nicht, wies es ab, als Ulrich es ihm noch einmal aufdrängte.

»Was ist?«, fragte er erstaunt. »Das sind gute! Fuhlsberg. *Conditorei Deutschmann*. Die besten zum Schluss.«

Theo sah die in weißes Papier gehüllte Schachtel an, als vermute er Rattengift darin. »Warst du wirklich bei einer Frau?«

»Ja. Klar.« Er ließ das Päckchen sinken. »Was ist los?«

»Ich hab gehört, dass gestern jemand von der Kripo beim Schermann war. Dass die dich sprechen wollten. Wollten wissen, wo du letzte Woche in der Nacht von Sonntag auf Montag warst, von Montag auf Dienstag. Und so weiter.«

»Was du immer hörst«, sagte Ulrich Blier unbewegten Gesichts.

»Ich war heute in der Bibliothek, hab in den Zeitungen nachgelesen. Du warst immer genau dann unterwegs, wenn dieser *Racheengel* zugeschlagen hat.«

Ulrich Blier schüttelte den Kopf. »Spinnst du jetzt?«

»Gute Frage, wer von uns beiden spinnt, würde ich sagen.« Theo fuchtelte mit seinen bleichen, langfingrigen Händen. »Schau dich einfach nur an. Wie du aussiehst. Wie nach einem Kampf. Also erzähl mir keinen Scheiß, okay?«

»Ich hab dir doch gesagt«, erwiderte Blier geduldig, »es ist eine sehr leidenschaftliche Frau. Und sie ist mit einem Weichei verheiratet, der nichts mit ihr anzufangen weiß. Da hat sich eben viel angestaut.«

»Die Story kannst du dir sparen.« Theos Kehlkopf hüpfte. Er bemühte sich, nicht laut zu werden; immerhin. »Weißt du, was dein Problem ist? Dass du immer alles in dich reinfrisst. Du hast eine Mauer um dich herum gebaut, hast abgeschlossen, zack, bumm, und lässt niemanden an dich heran.« Theo starrte ihn böse an. »Ich glaub dir nicht, Ulrich.«

»Dann lass es«, meinte Ulrich Blier. »Es ist eh vorbei.«

Ich wahre die Fassung, bis ich unter der Dusche stehe, doch dann kommen die Tränen, unsichtbar, mehr zu spüren als zu sehen. Ich beuge mich vor, lehne den Kopf schwer gegen die tristen, weißen Kacheln, lasse das heiße Wasser über mich hinweglaufen. Ich werde hier nie mehr weggehen. Ich werde so stehen bleiben, bis das Wasser mich aufgelöst hat.

Tränen sind dazu da, Schmerz aus der Seele zu spülen. Doch mein Schmerz ist so riesig, dass er nicht kleiner wird, egal, wie viele Tränen fließen.

Ich verschwende mich. Das ist es. Ich verschwende mich an Unwürdige. Mein Leben ist eine einzige Geschichte der Verschwendung.

In den alten Rohren gluckert es. Es klingt, als schluchzten sie mit mir. Ich spüre, dass ich mein Vertrauen verloren habe, dass ich aus der Einheit gefallen bin, dass ich nicht mehr dem Weg des Kriegers folge, sondern mich verirrt habe.

Irgendwann bewege ich mich doch wieder. Greife nach dem Duschgel. Sein Duft nach Blumen, nach Frühling überwältigt mich, ruft Erinnerungen wach, die jetzt gerade unerträglich sind. Ich drehe das Wasser noch heißer, will mich mit dem Brennen auf meiner Haut ablenken. Hunger quält mich. Ich habe ihn schon vergessen geglaubt, aber er ist immer noch da, gibt nicht auf.

Die Hitze und der Dampf lassen meine Beine zittrig werden. In mir dreht sich alles. Jetzt nicht stürzen. Ich fühle mich
schwach. Habe Angst.

Ich bin nicht länger im Zustand der Gnade. Es wird alles
enden. Niemand wird es verhindern können. Und alle Tränen
können nicht den größten Schmerz wegspülen, den es gibt:
Ein Leben zu leben, das nie einen Sinn hatte.

29 Am Donnerstagmorgen raffte sich Ambick endlich dazu auf, die Witwe Florian Holis zu besuchen. Er hatte es die ganze Zeit vor sich hergeschoben, weil er sich gesagt hatte, dass es ohnehin nichts bringen, sondern nur alte Wunden aufreißen würde. Da aber die Gespräche mit den übrigen Beteiligten von damals bisher wenig Verwertbares ergeben hatten, war es unumgänglich, der Vollständigkeit halber sozusagen. Weil es sonst in den Akten schlecht aussehen würde.

Elisabeth Holi wohnte in einem der schlangenförmig gebogenen Hochhäuser auf dem Fuhlsberg, die vor zehn Jahren gebaut worden waren, in einer kleinen Dreizimmerwohnung fast in der obersten Etage. »Seit ich in Rente bin«, erklärte sie Ambick. »Ich habe mir die Wohnung gleich gesichert, als noch welche zum Verkauf standen, und vor drei Jahren dann Eigenbedarf angemeldet. Ging problemlos. Die Hausverwaltung hier arbeitet sehr gut. Wirklich gut. Ich bin sehr zufrieden.«

Man merkte ihr an, dass sie sich bemühte, alles positiv zu sehen, und nur ja keinen Zweifel daran aufkommen zu lassen, dass sie es tat. Sie war klein, grauhaarig und kompakt, und wie sie Ambick da gegenübersaß, mit untergeschlagenen Beinen auf ihrem Sofa, hatte sie etwas von einem weiblichen Buddha. Der dünne Tee, den sie ihm serviert hatte, passte dazu, der Geruch nach Räucherstäbchen, der die Wohnung erfüllte, und die großen Mandala-Bilder, die an den Wänden prangten, ebenfalls. Eine kleine, sanft lächelnde Messingstatue des echten Buddha auf dem Tischchen neben ihr lud zum Vergleich ein.

415

»Florian und ich haben uns in der Firma kennengelernt. Liebe am Arbeitsplatz, wie man so sagt. In unserem Fall ging es gut aus; wir waren sehr glücklich, das darf man bei allem nicht vergessen. Man muss dankbar sein für das, was einem geschenkt wird, sage ich mir immer. Es bringt nichts, sich mit anderen zu vergleichen oder sich zu grämen, was hätte sein können. Es war eben nicht. Das, was ist, ist, und das, was nicht ist, ist nicht. Das lehren alle großen Meister, egal, mit welchem man sich beschäftigt.«

Elisabeth Holi hatte sich offenbar mit einigen davon beschäftigt. Ihre Regale quollen über von Büchern mit Titeln wie *Depression als Chance zur Befreiung*, *Die Kraft des Verzeihens* oder *Seelengeheimnisse der Liebe*.

»Letzten Endes war es ein Glück, dass ich den Job hatte, als das passiert ist. Wenn wir Kinder gehabt hätten, was hätte ich denn gemacht? Das bisschen Hinterbliebenenrente hätte nicht gereicht, und so eine Lebensversicherung hält auch nicht lange vor. Der Staat lässt einen ziemlich alleine, wenn einem so etwas zustößt, das muss man schon sagen. Sie haben Florian nachträglich das Bundesverdienstkreuz verliehen« – sie wies auf eine Wand, wo es, unauffällig gerahmt, hing –, »aber das war es dann. Für den Prozess gegen die Täter und deren Haft hat der Staat weitaus mehr Geld ausgegeben, als ich an Entschädigungen oder Hilfen bekommen habe. Das mitzukriegen war schon ziemlich …« Sie hielt inne, atmete tief ein und aus, lächelte. »Wissen Sie, warum ich diese Wohnung liebe? Weil ich von hier aus den Himmel sehen kann. Die meiste Zeit sehe ich nichts anderes. Nur den Himmel. Das ist sehr wohltuend.«

»Weil die Welt alles andere ist als das?«, fragte Ambick und warf einen Blick aus dem Fenster. Heute war der Himmel rauchgrau und undurchdringlich, so, als habe es noch nie blauen Himmel gegeben.

»Oh, die Welt ist eigentlich schön«, sagte sie. »So wunderbar. Ich bin viel gereist, danach, habe viele wunderbare Erleb-

416

nisse gehabt … Wir Menschen sind es, die die Welt zu einem schrecklichen Ort machen. Weil wir so verblendet sind. Nicht sehen, worauf es ankommt im Leben. Weil wir das Leben selbst gering schätzen. Schauen Sie, ich habe Ihnen gerade gesagt, dass es ein Glück für mich war, dass Florian und ich keine Kinder hatten. Aber was für eine Welt ist das, in der es Glück bedeutet, keine Kinder zu haben? Heute … Ja, ich weiß, es bringt nichts, mit der Vergangenheit zu hadern, aber die Vorstellung, ich hätte jetzt welche … große Kinder, erwachsen wären sie längst, hätten vielleicht schon selber welche … Wie gesagt.« Sie lächelte wieder, obwohl es ihr spürbar mehr Mühe bereitete, je länger das Gespräch dauerte. »*Eure Kinder sind nicht eure Kinder. Sie sind die Söhne und Töchter der Sehnsucht des Lebens nach sich selber.* Das ist von Khalil Gibran, kennen Sie den?«

»Ich habe den Namen schon mal gehört«, räumte Ambick ein.

»Ein arabischer Dichter. Ein weiser Mann. Wenn wir Kinder wirklich so sehen könnten! Stattdessen betrachtet man Kinder als Störenfriede, als künftige Renten- und Steuerzahler, als Arbeitskräfte oder Arbeitslose … Kein Wunder, dass manche um sich schlagen. Wenn sie spüren, da ist gar kein Platz für sie, sie sind nicht willkommen, werden nicht gebraucht …«

Ihr Blick verlor sich. Auf dem Balkon produzierte ein Windspiel, angestoßen von einer kleinen Böe, sphärische Klänge.

»Haben Sie von dem Mann gehört, den die Medien *Racheengel* nennen?«, fragte Ambick.

Elisabeth Holi kehrte zurück in die Realität. Sie nickte, lächelte nicht mehr. »Ich weiß nicht, was ich darüber denken soll. Ein Mann, der die tötet, die Unschuldige angreifen … Wenn ich mir vorstelle, so jemand hätte damals –« Sie holte Luft, als hätte sie das Atmen vergessen. »Aber was bringt das, sage ich mir dann. Wir müssen verzeihen. Das ist der Schlüssel. Verzeihen.«

»Und?«, fragte Ambick behutsam. »Haben Sie den Tätern verziehen?«

Jede Ähnlichkeit mit dem Buddha, der immer lächeln konnte, unberührt von allem Leid und Schmerz in der Welt, war nun verschwunden. »Ich versuche es«, flüsterte Elisabeth Holi. »Ich versuche es.«

Ambick ließ ein wenig Zeit verstreichen, ehe er fortfuhr. »Wir haben Grund zu der Annahme, dass es Verbindungen gibt zwischen dem Fall damals und –«

Sein Telefon klingelte. Ganz ungünstiger Zeitpunkt. Er konnte förmlich sehen, wie die Witwe sich, verschreckt von diesem unerbittlichen Eindringen der Welt in ihr Refugium, innerlich zurückzog.

»Entschuldigung«, sagte er und zerrte das verdammte Ding aus der Tasche. Wie hatte er bloß vergessen können, es auszuschalten? »Ja?«

»Sorry«, vernahm er Ennos Stimme kratzig und wie aus weiter Ferne. »Ich hätte dich nicht gestört, wenn es nicht wirklich wichtig –«

»Ja. Will ich hoffen. Sag schon.«

»Jemand von diesem Truppenübungsplatz hat sich gemeldet. Das Alibi von Ulrich Blier ist geplatzt.«

Das Hochhaus, in dem Elisabeth Holi wohnte, war der reinste Abschirmkäfig, der ideale Wohnort für Leute mit Angst vor Elektrosmog: kein Mobilempfang im Hausflur, keiner im Fahrstuhl, keiner in der Eingangshalle. Erst auf dem Parkplatz konnte Ambick wieder telefonieren.

»Ein gewisser Theo Schwarz hat sich gemeldet, ein Oberfeldwebel, wenn ich das richtig verstanden habe«, berichtete Enno. »Er behauptet, Ulrich Blier hätte den Stützpunkt in allen fraglichen Nächten verlassen und sei immer erst in den frühen Morgenstunden zurückgekehrt. Dieser Schwarz hat ihn jeweils durch einen unbewachten Nebeneingang raus- und wieder reingelassen.«

»Und was ist mit den Nachtübungen, von denen dieser … Wie hieß er? Irgendwas mit Schere.«

»Schermann.«

»Ja, genau. Hat Blier riskiert, bei einem Alarm einfach nicht da zu sein?«

»Das war der Trick. Dieser Theo Schwarz gehört dem Bataillonsstab an und wusste deswegen, wann Übungen angesetzt waren.«

»Und wieso hat er seinen Kameraden jetzt verpfiffen?«

»Weil er mit Mord nichts zu tun haben will. Blier hat ihm gegenüber behauptet, er hätte eine Affäre. Aber Schwarz sagt, das glaubt er ihm inzwischen nicht mehr.«

»Wieso nicht?«

»Blier ist die letzten beiden Male verletzt zurückgekommen. Er hätte ausgesehen wie nach einem Kampf, hat Schwarz gesagt.«

»Verstehe«, meinte Ambick. »Was sagt der Staatsanwalt dazu?«

»Der ist schon unterwegs zur Richterin wegen eines Haftbefehls.«

»Ein Haftbefehl gleich.«

»Verdunkelungsgefahr.«

»Okay.« Ambick suchte seine Taschen nach dem Autoschlüssel ab. »Ich leg jetzt auf und komme so schnell wie möglich. Aber vorher versuche ich noch, Ortheil zu erreichen. Bis nachher.«

»Viel Glück«, meinte Enno skeptisch.

Als er den Staatsanwalt endlich an der Strippe hatte, hielt der den Haftbefehl schon in der Hand. »Die Tinte ist sozusagen noch feucht«, erklärte er mit grimmigem Triumph.

»Ich hab kein gutes Gefühl dabei.« Da. Die Schlüssel. »Das könnte übereilt sein.«

»Oder Handeln in letzter Minute«, sagte Ortheil. »Der Mann gehört einer Eliteeinheit an, die sich seit Wochen auf einen geheimen Einsatz im Ausland vorbereitet. Wenn wir ihn uns heute nicht schnappen, kann er morgen weg sein – in Afghanistan, in Somalia, was weiß ich, wo. Das Risiko gehe ich nicht ein.«

Ambick schloss auf, setzte sich hinters Steuer. »Aber sollten wir nicht zumindest abwarten, was die Vernehmung von Alexander Wenger –?«

»Ach was«, unterbrach ihn Ortheils Replik. »Was können ein paar amerikanische …?« Der Rest des Satzes ging in Verzerrungen unter.

Er stieg wieder aus. »Hallo? Sind Sie noch dran?«

»… Ambick? Die Verbindung war gerade unterbrochen.«

»Ja, das ist hier ganz übel. Dabei sollte man meinen, am Berg … Ich komme einfach so schnell wie möglich.«

»Von Fuhlsberg runter, um die Zeit? So lange will ich nicht warten«, beschied ihn der Staatsanwalt. »Ich nehme Kader und ein paar Männer von der Bereitschaft und fahre los.«

Irgendwie erwischte ihn das jetzt kalt. »Ich wäre wirklich gern dabei. Der erste Eindruck und so.«

»Verständlich, aber ich fürchte, die Situation erfordert rasches Handeln.« Man konnte über das Telefon den Sturmschritt hören, in dem Ortheil durch hallende Gänge marschierte. »Ich stelle Ihnen frei, uns zu folgen; vielleicht reicht es ja noch. Wir fahren auf alle Fälle so schnell wie möglich los.«

Die Sache entglitt ihm. »Gut. Dann breche ich jetzt auf.«

»Bis später«, sagte der Staatsanwalt und legte auf.

Verdammt. Damit war es endgültig Ortheils Fall. Ambick stopfte sein Telefon in die Tasche, stieg wieder ein und ließ den Motor aufheulen. Er hatte gerade große Lust, von einem Streifenpolizisten wegen zu schnellen Fahrens angehalten zu werden.

Leider fand sich dazu keine Gelegenheit. Als er die Fuhlsberger Straße herabkam, sah er schon von Weitem, dass auf der Stadtautobahn Stau herrschte, in beide Richtungen.

Victoria frühstückte an diesem Morgen ausgiebig und vitaminreich, frisierte sich sorgfältig und wählte ihre Garderobe mit mehr Bedacht als gewöhnlich. Dann legte sie die Tabletten bereit, stellte ein Glas Wasser daneben. Diesmal würde sie höchstens drei nehmen, vielleicht sogar nur zwei. Mal sehen.

An Arbeiten war natürlich nicht zu denken. Sie setzte sich in ihren Lesesessel, von dem aus sie die Wanduhr im Blick hatte, und dachte darüber nach, was sie Peter alles sagen musste. Es war still im Haus, aber es war eine gespannte Stille, so, als gäbe es irgendwo hoch oben im Gebälk eine große Feder, die jemand über Nacht aufgezogen hatte und die jetzt, vibrierend vor Kraft, auf den Moment der Entladung wartete. Die Heizung zischte, was heute klang wie das Abbrennen einer Zündschnur.

Dann, als es so weit war, trat sie ans Flurfenster und beobachtete die Straße. Der Briefträger hatte auch seine Gewohnheiten, genau wie sie. Da, sie sah ihn schon den Gehsteig herabkommen. Herr Gellert. Seit zehn Jahren kam er, ein stämmiger, gemütlicher Mann, der in dieser Zeit eine Menge Haare verloren hatte, aber nie seine gute Laune, nicht einmal an regnerischen Tagen. »Bei jedem Wetter draußen sein, das ist im Grunde gesund«, hatte er ihr einmal erklärt. »Stress hab ich bloß, wenn ich im Postamt bin. *Zustellstützpunkt* heißt das inzwischen. Und so, wie das Wort klingt, ist es dort auch.«

Sie hatte ihm von ihrem Problem erzählt und eine Übereinkunft mit ihm getroffen: Wenn sie Briefe aufzugeben hatte, stellte sie eine bestimmte rote Vase ins Fenster, worauf Herr Gellert bei ihr klingelte, um die Sachen mitzunehmen. Sie dürfe nur niemandem etwas davon sagen, hatte er ihr eingeschärft, denn das sei gegen die Vorschriften. Dabei nahm er ihre Briefe nur bis zum Postbriefkasten an der U-Bahn-Haltestelle mit, um sie dort einzuwerfen.

Ihre Sorge war nur, dass Herr Gellert eines Tages einen anderen Bezirk zugewiesen bekommen könnte. Das geschehe ab und zu, hatte er ihr erzählt, und da könne man auch nichts machen.

Jetzt klingelte er bei den Nachbarn oberhalb. Ein Einschreiben, wie es aussah. Die Nachbarn waren erst letztes Jahr eingezogen, Victoria kannte sie nicht. Die Frau unterschrieb das Formular auf dem Mäuerchen neben ihrem Treppenaufgang, machte ein missmutiges Gesicht dabei. Offenbar kein erfreuliches Schreiben. Na, das waren Einschreiben ja auch selten.

Er verabschiedete sich mit einem letzten Kopfnicken, wandte sich ab …

… und ging vorbei. Nicht einmal ein Brief für sie, nicht einmal Werbung.

Victoria trat vom Vorhang zurück, legte die Hand auf die Brust, horchte in sich hinein. War sie nun enttäuscht? Oder im Grunde erleichtert? Schwer zu sagen. Beides.

Sie ging wieder ins Wohnzimmer. Da stand immer noch die Teetasse, aus der der Kommissar getrunken hatte. Ganz eingetrocknet war sie inzwischen. Victoria trug sie in die Küche.

Sie hatte so viele Jahre gewartet, sagte sie sich, da kam es auf einen Tag mehr oder weniger auch nicht mehr an.

Ingo Praise saß über den Unterlagen der heutigen Studiogäste und machte sich Sorgen. Die Quote seiner Sendung sank von Tag zu Tag, und die Leute, die er heute Abend im Studio hatte, würden an diesem Trend nichts ändern: ein junger Mann, der in einem Schnellrestaurant ohne ersichtlichen Grund brutal zusammengeschlagen worden war – es gab ein Video der Überwachungskamera, das die gesamte Szene gestochen scharf zeigte, auch die Gesichter der beiden Angreifer, nach denen die Polizei trotzdem immer noch ergebnislos fahndete –, und eine ältere Frau, die vor fünf Jahren während eines damals ziemlich spektakulären Bankraubs Geisel der Räuber gewesen war und seither unter Angstattacken litt.

Opfer beide. Und Rado hatte recht: Die Geschichten von Opfern wollte niemand hören.

Genau in dem Moment, in dem Ingo das dachte, klopfte es, und Rado streckte den Kopf zur Tür herein. »Komm mal mit«, sagte er. »Schnell.«

Ingo folgte ihm in die düstere Halle vor den Aufzügen, wo auf einem großen Flachbildschirm den ganzen Tag das aktuelle City-TV-Programm lief.

»Da.« Rado wies auf den Schirm. »Die Nachrichten. Fangen gleich an.«

Sie sahen zu, wie die Uhr auf die volle Stunde zu tickte, gefolgt von einer Fanfare und der Animation des City-Media-Logos, mit der jede Nachrichtensendung begann. Das Gesicht von Jürgen Songda, dem Nachrichtensprecher, erschien, der wie immer mit knappem Nicken und seiner sonoren Stimme sagte: »City Media – die Nachrichten – guten Tag.«

Dann verlas er vor einem Standbild aus dem Video von Irmina Shahid die Top-Meldung.

»Im Rahmen der Fahndung nach dem sogenannten ›Racheengel‹ hat die Polizei heute eine erste Verhaftung durchgeführt.« Man sah den Eingangsbereich einer großen militärischen Anlage und einen Mann in Soldatenuniform, der von Polizisten abgeführt wurde. »Nähere Angaben zur Identität des Mannes und zu den Motiven der Verhaftung machte der Staatsanwalt aus, wie es hieß, ermittlungstaktischen Gründen nicht.«

Schnitt auf das hochnäsige Gesicht Lorenz Ortheils, wie er vor einem Wald von Mikrofonen erklärte: »Aus ermittlungstaktischen Gründen kann ich Ihnen weder zur Identität des Mannes noch zu den Motiven seiner Verhaftung etwas sagen.«

Nicht gerade eine journalistische Meisterleistung, diese Meldung, schoss es Ingo durch den Kopf.

Dann traf es ihn wie ein Hammer: War *das* etwa der Racheengel? Ein Soldat, der die Verteidigung in die eigenen Hände genommen hatte? Glühend heiß ging ihm auf, dass das unter Umständen sogar eine Erklärung für das geheimnisvolle Erscheinungsbild sein mochte: eine zweckentfremdete militärische Erfindung.

Ingo spürte seinen Mund trocken werden. Nein. Das konnte nicht sein. Alles in ihm sträubte sich gegen eine so … *profane* Auflösung des Rätsels.

Rado tippte mit dem Fingernagel an den Schirm, während die nächste Meldung verlesen wurde, und erklärte vorwurfsvoll: »Diesen Filmbericht musste ich *kaufen*. Ortheil hat die Presseagenturen und alle großen Sender informiert, nur City Media nicht. Was natürlich volle Absicht war. Er will uns zeigen, dass er uns auf dem Kieker hat.«

»Wegen meiner Sendung«, mutmaßte Ingo benommen. Das klang wie ein Vorwurf. Dachte Rado daran, die Reihe abzusetzen?

Wobei … das war jetzt auch egal. Wenn sie den Racheengel hatten, wenn sich dahinter nicht mehr verbarg als das … wozu dann weitermachen?

»Na klar wegen deiner Sendung«, bestätigte Rado. »Deswegen musst du aus dem Bericht heute Abend was machen. Ich hab die Aufnahmen von der Verhaftung gleich so lizenziert, dass wir sie heute Abend noch einmal verwenden dürfen.«

»Und was soll ich daraus machen?« Ingo fühlte plötzlich unendliche Müdigkeit.

»Keine Ahnung. Lass dir was einfallen. Was Spektakuläres. Etwas, was die anderen nicht bringen.«

»Was bringen denn die anderen?«

»Für die anderen ist das der Racheengel. Sie spekulieren über seine Beweggründe, seinen *Modus operandi*, seine Geschichte, und lästern darüber, wieso die Polizei so lange gebraucht hat.«

»Das ist nicht der Racheengel«, murmelte Ingo. »Das kann er nicht sein. Das *darf* er nicht sein.«

Rado rieb zufrieden die Hände. »Prima. Die Bildtechnikerin sitzt schon drüben im Videoschnitt. Hau rein.«

Ambick verzichtete darauf, dem Konvoi des Staatsanwalts hinterherzufahren. Er kehrte ins Kommissariat zurück und arbeitete in seinem Büro ein wenig von dem Papierkram auf, der in den letzten Tagen liegen geblieben war. Erst als ihn die Nachricht erreichte, dass Blier im Untersuchungsgefängnis eingetroffen war und vernommen wurde, packte er die Akten weg und fuhr ebenfalls hinüber.

Im Eingang kam ihm Enno entgegen, schlecht gelaunt wie selten. »Ich brauch jetzt 'nen Kaffee«, knurrte er nur.

»Und sonst?«, fragte Ambick.

»Vergiss es.« Enno blieb stehen, machte eine Bewegung, als schleudere er ein unsichtbares Glas gegen die Wand. »Ein sturer Hund. Aus dem kriegst du nichts raus.«

»Und dein Gefühl?«

»Mein Gefühl?« Enno sah sinnend ins Leere. »Mein Gefühl sagt mir, dass Ortheil da ins Klo gegriffen hat. Aber mal ganz tief. Und in seinem besten Anzug.« Er schüttelte sich, wandte sich zum Gehen. »Ich brauch 'nen Kaffee. Viel Spaß.«

Die Vernehmungszimmer lagen im Untergeschoss, große, kahle, in ihrer Neutralität ausgesprochen feindselig wirkende Räume. Alle Böden hier unten waren mit einem seltsamen Anstrich versehen, auf dem man Schritte kaum hörte, es roch intensiv nach Desinfektionsmittel, und alles, was man sagte, klang dumpf.

Ulrich Blier saß alleine in Raum 1, reglos, entspannt. Er trug immer noch seine Uniform, weil er als Untersuchungshäftling keine Anstaltskleidung tragen musste; man hatte ihm lediglich scharfe Gegenstände abgenommen.

»Guten Tag, Herr Blier«, sagte Ambick und setzte sich ihm gegenüber an den am Boden festgeschraubten Tisch. Er saß mit dem Rücken zu dem Halbspiegel, hinter dem die Kameras standen, die alles aufzeichneten. »Ich bin Kriminalhauptkommissar Justus Ambick.«

Blier betrachtete ihn unbewegten Gesichts, sagte nichts. Er hatte streichholzkurze, sandfarbene Haare, tiefblaue Augen und einen Zug von Unerbittlichkeit um die Mundpartie. Wenn man ihn ansah, zweifelte man nicht daran, einen Mann vor sich zu haben, der wusste, wie man tötete, und nicht zögern würde, es zu tun, wenn es für die richtige Sache erforderlich war.

»Herr Blier«, fuhr Ambick fort, »letzte Woche, die Nacht von Sonntag auf Montag – wo waren Sie da?«

Blier öffnete langsam den Mund. Zuzusehen, wie Bewegung in seine Züge kam, war, als beobachte man, wie an einem Berghang eine Lawine losbrach.

»Das habe ich Ihrem Kollegen schon erklärt«, sagte er mit desinteressierter Stimme.

»Erklären Sie's mir auch noch mal«, bat Ambick geduldig.

»Wozu?«

Ambick hob die Schultern. »Das macht man bei Vernehmungen so. Man will herausfinden, ob sich jemand in Widersprüche verwickelt.« Als Blier keine Miene verzog, fügte er hinzu: »Ihr Kamerad hat ausgesagt, Sie mehrmals abends aus dem Stützpunkt heraus- und spät nachts wieder hereingeschmuggelt zu haben. Bestreiten Sie das?«

»Nein«, sagte Blier.

»Sie waren also fort.«

»Ja.«

»Trotz der Ausgangssperre, der Sie unterlagen.«

»Ja.«

»Und wo waren Sie?«

Seine Pupillen verengten sich ein ganz kleines bisschen. »Ich war mit einer Frau zusammen.«

»Mit wem?«

»Das«, erklärte Blier, »werde ich Ihnen nicht sagen.«

Ambick lehnte sich nach vorn. »Sie brauchen ein Alibi, Herr Blier.«

Er hob nur kurz die Augenbrauen, sagte aber nichts. Es schien ihm gleichgültig zu sein. Er wirkte überhaupt wie jemand, dem ziemlich viel gleichgültig war. Ein Wunder, dass sich so jemand überhaupt auf eine Affäre einließ, die solche Umstände und Risiken erforderte.

»Sie wollen diese Frau nicht in Schwierigkeiten bringen«, vermutete Ambick.

Blier nickte.

»Sie ist also verheiratet. Mit jemandem, der sehr eifersüchtig würde. Von dem ihr Gefahr droht.«

Zu Ambicks Überraschung entlockte das Blier ein spöttisches Grinsen. »Nein. Ihr Mann ist ein Waschlappen, der sie nicht verdient hat. Aber sie ist eine Dame der höheren Gesellschaft. Es würde ihrem Ruf schaden. Geben Sie's auf. Sie werden ihren Namen nicht aus mir herausbekommen.«

»Eine Frage der Ehre«, sagte Ambick.

Blier nickte, wirkte einen Moment lang positiv überrascht. »Ja, genau. Eine Frage der Ehre.«

»Gut. Lassen wir das.« Ambick zog den Zettel mit den Adressen aus der Tasche. »Sagen Ihnen die Namen Lutz Rehmers, Bernd Pochardt oder Hans Brodowski etwas?«

Blier legte die Stirn in Falten. »Müssten sie mir etwas sagen?«

»Das frage ich Sie ja.«

»Nein. Keine Ahnung, wer das sein soll.«

»Wie sieht es aus mit dem Namen Florian Holi?«

Eine nachdenkliche Pause entstand. Ambick wartete sie geduldig ab, weil er sah, wie es im Gesicht des Soldaten arbeitete.

»Ach so, das«, sagte Blier schließlich leise, in gänzlich verändertem Ton. »Das ist lange her.«

»Fünfzehn Jahre.«

»Ja.«

»Woran erinnern Sie sich?«

»Woran erinnere ich mich?« Sein Blick wanderte zur Seite. »An wenig. Er wollte uns in Schutz nehmen. Waren das ihre Namen? Ich hab sie vergessen. Sie haben ihn umgerannt, zu Boden geworfen. Auf ihn eingetreten. Unten ist eine S-Bahn vorbeigefahren … Es war auf einer Brücke, das weiß ich noch. Wir haben um Hilfe geschrien, aber niemand hat uns geholfen.« Er blinzelte, schüttelte den Kopf. »Wie gesagt, das ist lange her. Ich hab nur ganz dunkle Erinnerungen.«

»Was empfinden Sie, wenn Sie an diesen Moment zurückdenken?«

Blier zuckte nur mit den Achseln.

»Gleichgültigkeit?«, fragte Ambick.

»Bedauern. Aber ich habe eine halbe Ewigkeit nicht mehr an diesen Vorfall gedacht.«

»War er der Grund, warum Sie Soldat geworden sind?«

Der Gedanke schien Blier noch nie gekommen zu sein, zumindest wirkte er verblüfft. »Nein. Nein, das glaube ich nicht.«

»Was war dann der Grund?«

»Braucht man einen Grund?«

»Es interessiert mich nur.«

Blier verschränkte die Arme, sah sinnend auf die blanke, graue Tischplatte zwischen ihnen. »Ich weiß es nicht mehr«, gestand er schließlich. »Ich weiß nicht mehr, was mich dazu bewogen hat. Eigenartig, wenn ich jetzt so darüber nachdenke.«

Er log nicht, dessen war sich Ambick sicher. Er sagte nicht alles, was er wusste, aber er log nicht. Ambick misstraute gefühlsmäßigen Urteilen, vor allem seinen eigenen, doch was Ulrich Blier anbelangte, war sein Gefühl so eindeutig wie selten.

Ingo war innerlich aufgewühlt, als er das Studio betrat, und er war es immer noch, als der Aufnahmeleiter ihm die letzten drei Sekunden an den Fingern herunterzählte und die rote Signallampe an der mittleren Kamera aufleuchtete. »Guten Abend, meine Damen und Herren, zu einer neuen Ausgabe von *Anwalt der Opfer*.« Es kam routiniert. Die Vorstellung und Begrüßung seiner Studiogäste: schon *zu* routiniert. Er konnte hören, wie das Publikum unruhig wurde, wie die Konzentration nachließ. Er war sich seines eigenen Desinteresses an den Schicksalen der beiden bewusst, wusste selber, dass er deren Erlebnisse zu flüchtig abhandelte, zu oberflächliche Fragen stellte, aber er war außerstande, es zu ändern. Seine Gedanken wanderten immer wieder zurück zu den Stunden, die er zusammen mit der froschähnlichen Videotechnikerin vor den Computerschirmen in der Bildbearbeitungsabteilung verbracht hatte, und dann kochte jedes Mal ein Zorn in ihm hoch, den er sich nur hier erlauben konnte, in der dunklen Geborgenheit des Fernsehstudios.

Endlich waren die Interviews abgehandelt, lief die Studiouhr auf die letzten Minuten zu, wurde es Zeit, zu sagen, was heute, was jetzt gesagt werden musste. Ingo stand auf, trat nach vorn an die Bühne.

»Das, was wir heute Abend gehört haben – und auch alles, was wir in den vergangenen Sendungen dieser Reihe gehört haben – über Schmerzen, Beschädigungen und Verletzungen«, begann er, »all das ist Leid, das diejenigen, denen es widerfahren ist, nicht verdient haben. Es wurde ihnen zugefügt von Menschen, die mit ihren Taten bewiesen haben, dass ihnen andere Menschen vollkommen gleichgültig sind – und die, wenn Sie mich fragen, diese minimalen, diese fast nicht spürbaren Strafen, die sie dafür bekommen, ebenfalls nicht verdient haben.«

Die Studioscheinwerfer leuchteten ihm entgegen wie kleine, scharfe Sonnen. Er sah sie gar nicht, sein Blick, sein Empfinden galt dem Dunkel dahinter. Er sprach nicht zu den Kameras, er sprach nicht zu den Menschen auf der Zuschauertribüne, er sprach zu der Dunkelheit hinter ihnen, die mehr war als all das, die die ganze Welt war, Zukunft und Vergangenheit zugleich.

»Doch so unverdient, so ungerecht das Leid der Opfer auch ist, es ist geschehen und nicht mehr zu ändern. Es muss darum gehen, zu verhindern, dass noch mehr solche Dinge passieren – und ungesühnt bleiben. Es muss darum gehen, die Täter abzuschrecken. Unsere Polizei leistet das nicht mehr, unser Rechtswesen noch viel weniger. Ich weiß nicht, was in Richtern vorgeht, die sich gegenseitig darin überbieten, Gewalttäter so schnell wie möglich wieder auf freien Fuß zu setzen, aber Respekt verschaffen sie sich und den Regeln unserer Gesellschaft damit jedenfalls nicht.«

Beifall. Das Publikum war wieder bei ihm. Er spürte einen bitteren Geschmack im Mund.

»Stattdessen verfolgt unsere Polizei und Justiz mit enormem Aufwand alle, die wenigstens *versuchen*, der Gerechtigkeit Respekt zu verschaffen. Heute hat die Staatsanwaltschaft jemanden nicht nur verhaftet, sie hat seine Verhaftung regelrecht inszeniert: Berichterstatter der Medien wurden vorab informiert, um dabei zu sein, um Bilder in alle Wohnzimmer zu übertragen, die zeigen sollen, wie es denen ergeht, die Unschuldige beschützen.«

Ein Wink, und auf der Videowand lief die Sequenz ab, die er heute Mittag das erste Mal gesehen hatte und auf dem Schnittcomputer danach noch hundertmal.

»Wer ist das?«, fragte Ingo. »Die Staatsanwaltschaft hüllt sich in Schweigen, aber sie tut es auf eine Weise, die suggerieren soll: Das ist der Racheengel. Wir haben ihn. Er wacht nicht länger über uns.« Er wies auf die Videowand. »Aber schon ein einfacher Vergleich dieser Aufnahmen mit denen, die wir vom echten Racheengel haben, zeigt, dass das nicht stimmen kann. Sehen Sie selbst.«

In Wirklichkeit war der Vergleich alles andere als einfach gewesen. Die Videotechnikerin mochte hässlich sein wie die Nacht, aber was ihre Geräte anbelangte, hatte sie es drauf, beherrschte sie diese Technik wie niemand, den Ingo je getroffen hatte. Nichtsdestotrotz hatten sie stundenlang mit dem Videomaterial experimentieren müssen, um zwei Sequenzen zu finden, die einander einigermaßen entsprachen und sich optisch ins Verhältnis setzen ließen. Und diesen Vergleich sahen die Zuschauer jetzt.

Zwei, drei Schritte des Mannes, der auf einem Truppenübungsplatz draußen in der Pampa verhaftet worden war: halb transparent, die Umgebung maskiert und ausgeblendet. Anschließend zwei, drei Schritte des überirdisch leuchtenden Racheengels, rasche, federnde Schritte, was man auch in der Zeitlupe noch gut sah. Schließlich beide Sequenzen übereinandergelegt, im gleichen Takt, am Schluss verharrend. Grüne Hilfslinien, die Körpermaße wie Schulterbreiten, Beinlängen und dergleichen miteinander verglichen.

»Wenn es Ihnen jetzt so geht wie mir«, sagte Ingo in die atemlose Stille hinein, »dann sehen Sie hier zwei völlig unterschiedliche Männer. Wenn die Polizei darauf aus war, den Racheengel zu verhaften, dann hat sie den Falschen verhaftet. Dazu passt, dass wir kein Wort dazu gehört haben, ob man die Waffen bei ihm gefunden hat. Kein Wort dazu, wie man sich die engelartige Erscheinung erklärt.«

Beifall. Aber wieso so zögerlich? Empörung kochte wieder in Ingo hoch, erfüllte ihn mit glühender Hitze.

Einem spontanen Einfall folgend, trat er einen Schritt auf die aktive Kamera zu, näher, als man es tun sollte, und sagte in das dunkle Linsenauge hinein: »Racheengel! Ich glaube an Sie! Ich glaube, dass Sie sich heute Nacht zeigen werden, um zu beweisen, dass Sie immer noch da sind. Ich glaube, dass Sie immer noch über uns wachen.«

Er fuhr herum, hatte das Gefühl, dass Funken aus seinen Augen sprühten, als er dem Studiopublikum zurief: »Klatschen Sie, wenn Sie mir zustimmen! Klatschen Sie, wenn Sie wollen, dass es die Gewalttäter sind, die sich fürchten sollen, nicht Sie und ich!«

Jetzt, endlich, toste es. Sie klatschten alle, klatschten wie wild. Sprangen auf, johlten, trampelten mit den Füßen.

»Jawohl!«, feuerte Ingo sie an. »Die Schläger sollen Angst haben! Nicht die unschuldigen Bürger.«

Es hörte gar nicht mehr auf. Die Leute begannen, im Chor zu rufen: »*Ra-che-eng-el! Ra-che-eng-el! Ra-che-eng-el!*« Der Aufnahmeleiter raufte sich die wenigen Haare, schien um sein Studio zu fürchten und um die Stabilität der Tribüne.

»Racheengel«, rief Ingo in den Tumult, »wir glauben an dich!«

Dann sprang die Studiouhr auf null.

Als Theresa Diewers ihre Wohnungstür aufschloss, war da wieder dieser Geruch. »Alex?«, rief sie.

Keine Antwort.

Sie stieß die Tür auf, stellte die Tragetasche mit den Einkäufen auf der Kommode dahinter ab. Der Nachmittagsdienst war ein einziger Stress gewesen, der Supermarkt um diese Zeit ein regelrechtes Kampfgebiet, und außerdem schnitten ihr die Tragegriffe ihres Faltbeutels in die Hand.

»Alex?«

Er stand im Wohnzimmer, hatte seinen langen schwarzen Mantel und die dunkle Perücke an, die ihn so fremd aussehen ließ. So hager und spinnenfingrig erinnerte er sie an eine Fledermaus oder an eine Gestalt wie Nosferatu.

»Hallo, Resi«, sagte er leise, mit einem fiebrigen Lächeln, das ihr Angst machte. Sie hörte den Fernseher knistern. Das tat er, wenn man ihn erst kurz zuvor ausgeschaltet hatte.

»Was hast du vor?«, fragte sie.

»Ich muss los.«

»Jetzt?«

Sie spürte Aufbegehren in sich, unterdrückte es auf dieselbe Weise, wie sie es jeden Tag im Krankenhaus ein Dutzend Mal tun musste. *Wir helfen*, lautete das Motto, das Credo, *indem wir den anderen und seine Bedürfnisse in den Mittelpunkt unseres Handelns stellen und uns selbst zurücknehmen.* »Alex, wir hatten ausgemacht, dass ich heute Abend für uns koche«, erinnerte sie ihn mit aller Geduld, die sie aufbrachte. »Ich habe eingekauft für eine klare Fleischbrühe, für –«

»Morgen«, sagte Alex. »Heute geht es nicht.«

»Aber wieso?« Ganz konnte sie das Aufbegehren nicht zurückhalten. »Was hast du ausgerechnet heute zu tun? In einer Stadt, in der du seit zehn Jahren nicht mehr zu Hause bist?«

Er sah sie eindringlich an. »Eine Pflicht. Ich habe eine Pflicht zu erfüllen.«

Theresa hatte das Gefühl, in sich zusammenzufallen. »Ich weiß nicht, wovon du redest.«

»Das ist auch besser so«, erklärte er und setzte sich in Bewegung, um zu gehen.

Sie stellte sich ihm mit plötzlich auflodernder Entschlossenheit in den Weg. »Nicht«, bat sie. »Bitte geh nicht. Nicht heute. Nicht jetzt. Bitte.«

»Ich muss.«

Wie er das sagte! Mit leiser, dürrer Stimme und doch so, als spreche er einen heiligen Eid. Und mehr sagte er nicht, nur diese zwei einfachen Worte. Dann stand er da, wartete, wartete so unerbittlich, dass sie schließlich nicht anders konnte, als den Weg freizugeben.

30 Die Sonne glühte hoch vom Himmel über San Antonio, Texas, USA, als sich Officer Javier Baderas und Officer Rick Thal vom San Antonio Police Department aufmachten, um einen Job zu erledigen, der am frühen Morgen hereingekommen war.

»Weißt du, was mich daran nervt?«, meinte Ricky, auf einem Zahnstocher kauend, weil er das für besonders männlich hielt. »Dass man's ja im Grunde *gern* tun würde. Ich meine, hey, sind letzten Endes Kollegen, da drüben im alten Europa, nicht wahr? Da hilft man sich. Ich meine, versteht sich irgendwie von selber, oder?«

»Klar«, sagte Baderas, der am Steuer saß und ihren Wagen gemächlich gen Süden lenkte. Das eigentliche Stadtgebiet lag schon hinter ihnen; sie rollten auf immer schmaler werdenden Straßen durch immer ländlichere Randzonen.

»Aber wenn so ein Fuzzi vom FBI anruft und einen auf dicke Hose macht – da hast du doch echt gleich keine Lust mehr, oder?« Ricky nahm den Zahnstocher aus dem Mund und betrachtete das angekaute Ende. »Also, mir geht's jedenfalls so.«

Baderas bremste, wartete, bis der Truck hinter ihnen vorbeigedonnert war, und bog dann nach links ab. »Matus Drive«, sagte er. »Irgendwas klingelt da bei mir. Kann es sein, dass es da gebrannt hat? Am Unabhängigkeitstag?«

»Ja, hey! Stimmt. Irgendwo da in der Nähe.«

»Am vierten Juli.«

»Yep. Mitten rein ins Fest. Irgendeine alte Fabrikhalle, die abgefackelt ist.« Ricky grinste. »Elliot hat gleich angefangen,

434

wegen Verdachts auf Versicherungsbetrug zu ermitteln, bis er festgestellt hat, das Ding war gar nicht versichert.«

Baderas nickte. »Genau. Das war *der* Fall.«

»Mann, war der sauer.«

»Kein Wunder, wie alle nur gelacht haben.«

»Ich könnt heute noch lachen, wenn ich an sein Gesicht denke.«

Als sie einige Minuten später vor einem Tor aus rostigem Drahtgitter hielten, pfiff Ricky Thal durch die Zähne und sagte: »Ist ja interessant. Das war nicht irgendwo in der Nähe. Das war *genau hier.*«

Hinter ein paar Büschen ragten verkohlte Holzbalken in den Himmel, an manchen davon hingen noch verfärbte Wellblechstücke. Es musste ein ziemlich großes Gebäude gewesen sein, vor dem Feuer.

»Hallo?«, rief Ricky über den Zaun. »Ist jemand da?«

Keine Reaktion.

»Wir gehen rein«, entschied Baderas.

Das Tor war nur eingehängt und mit einem Stück gebogenen Drahtes gesichert. Er nestelte ihn weg und stellte das Gitter zur Seite.

Sie umrundeten die Büsche und entdeckten dahinter einen Wohnwagen, den man von der Straße aus nicht gesehen hatte, ein betagtes Modell mit erblindenden Scheiben. Die Tür stand offen, davor ein Klapptisch, auf diesem eine geöffnete, zur Hälfte geleerte Colaflasche. Daneben lag eine dickrandige Brille.

»Hallo?«, rief Ricky. Als sich nichts rührte, trat er an den Wohnwagen und hämmerte dagegen. »Jemand zu Hause?«

Jetzt hörte man Geräusche aus dem Innern des Caravans. Ein Stöhnen, ein Rascheln, dann schwere Schritte.

»*San Antonio Police Department*«, sagte Javier laut und deutlich und legte dabei die Hand an seine Dienstpistole.

Ein dumpfer Schlag war zu hören, gefolgt von einem jammernden: »*Shit!*« Endlich kam in der Tür jemand zum Vorschein: ein pummeliger Mann Anfang dreißig, in Shorts und einem verwaschenen *Garfield*-T-Shirt, mit verschlafenem Gesicht und völlig verwuschelten, hellbraunen Haaren. Er hatte die Hände erhoben und sagte blinzelnd: »Ich hab geschlafen.«

Sie präsentierten ihre Marken. »SAPD, Officers Baderas und Thal«, erklärte Javier. »Wir würden gerne Mister Alexander Wenger sprechen.«

»Der ist nicht da.«

»Wo können wir ihn finden?«

»Wenn ich das wüsste, dann wär ich selber nicht da.« Er trat auf den Boden hinab, rieb sich die Stirn. »Ich find meine Brille nicht. Ich würd gern sehen, mit wem ich rede …«

»Auf dem Tisch«, sagte Ricky.

»Oh. Danke.« Er schnappte sich das Gestell, setzte es auf, betrachtete sie blinzelnd. Er roch unangenehm nach Alkohol, Pommes frites und altem Schweiß, selbst hier draußen. »Worum geht es eigentlich?«

»Wir müssen Mister Wenger ein paar Fragen stellen.« Baderas zückte sein Notizbuch. »Darf ich erfahren, wer Sie sind?«

»Westham«, sagte der Mann. »Sidney James Westham.«

»Gehört Ihnen dieses Grundstück?«

»Ja. Mir und … Mister Wenger.« Er deutete nach hinten. »Der Wohnwagen gehört allerdings meiner Schwester. Marilyn. Falls das wichtig ist.«

»Mister Wenger ist Ihr Geschäftspartner?«

»Als wir noch ein Geschäft hatten. Ja.« Er nickte in Richtung der verkohlten Trümmer des Gebäudes. »Ansonsten waren wir halt Freunde.«

»Mit anderen Worten, Sie sind es nicht mehr?«

»Quatsch. Doch.« Er rieb sich die Augen. So richtig wach und nüchtern wirkte er immer noch nicht. »Das heißt, ich weiß es nicht. Keine Ahnung. Er ist einfach abgehauen, okay? War eines Morgens nicht mehr da. Und seither hab ich nichts mehr von ihm gehört.«

»Haben Sie eine Ahnung, wohin er gegangen ist?«

»Hab ich Ihnen doch schon gesagt. Nein.«

»Wann war das?«

»Ähm …« Er schaute zur Seite, kratzte sich den Wanst. »Vier Wochen? Fünf? Ich hab ein bisschen das Zeitgefühl verloren. So um den Dreh jedenfalls.«

Javier wechselte einen Blick mit seinem Kollegen. Der war genervt, dass sie so weit rausgefahren waren, nur um die zu befragende Person gar nicht anzutreffen. Er beschloss, die Fragen, die die deutschen Kollegen an Wenger hatten, einfach dessen Partner zu stellen, damit sie nicht mit ganz leeren Händen fortgingen.

»Sie haben gesagt, Sie hätten gemeinsam mit Mister Wenger eine Firma betrieben?«

Westham nickte. »*Wenger-Westham Incorporated.* Letztes Jahr gegründet. Ja. Und den verdammten Papierkram hab ich jetzt wohl an der Backe.«

»Was haben Sie hergestellt?«

»Oh. Eine neuartige Kunstfaser, mit der wir die Modewelt aufmischen wollten.« Er ließ den Kopf hängen. »Wahrscheinlich macht Alex das jetzt gerade im Alleingang.«

»Sie verdächtigen Ihren Partner des Betrugs?«

»Nein, Quatsch, das hab ich nur so gesagt. Ich bin sauer, dass er abgehauen ist, das ist alles.« Er begann, seine Hände zu kneten. »Er hat ein paar von den Sachen mitgehen lassen, als er fort ist. Glaube ich zumindest. Zwei Pistolen hat er mir auf jeden Fall geklaut, der Hund.«

Es wurde allmählich interessant, fand Javier. »Was für Pistolen?«

»Zwei Makarow PM. Sowjetisch. Erbstücke von meinem Großvater, verdammt.«

»Besitzen Sie noch weitere Waffen?«

»Nichts Illegales.«

»Davon möchten wir uns gerne selber überzeugen, Sir, falls es Ihnen nichts ausmacht«, sagte Ricky. Er wurde immer besonders höflich, wenn etwas sein Misstrauen weckte.

Westham drehte sich um, betrachtete seinen Wohnwagen zweifelnd. »Ja, okay. Dann kommen Sie halt rein. Aber erschrecken Sie nicht, ich hab nicht aufgeräumt heute.«

Er hatte, überlegte Javier, als sie den Trailer betraten, vermutlich *noch nie* aufgeräumt. Pizza- und Burgerschachteln stapelten sich dutzendweise in allen möglichen Winkeln. Leere Colaflaschen lagen unter dem Tisch, unter den Sitzen, auf dem Boden des Gangs, überall, wo sich keine Schmutzwäsche türmte. Hier ließ sich offenbar jemand völlig gehen.

Westham zog eine Schublade auf, die ein beachtliches Waffenarsenal enthielt: einen Revolver, diverse Pistolen, ein Gewehr, dazu genug Munition für eine ausgedehnte Schießerei. »Hinten beim Bett hab ich noch einen Colt«, erklärte er, »und in irgendeinem Fach da vorne eine 9-Millimeter-Browning.«

»Für alle Fälle«, sagte Javier.

»Genau.«

»Gibt's da auch irgendwelche Papiere dazu?«, fragte Ricky. »Kaufbelege, gegebenenfalls CC-Permit und so weiter?«

»Ja, hab ich alles. Moment …«

Westham drehte sich um, öffnete eine Klappe, holte eine Mappe heraus. Er beherrschte das Chaos, das musste ihm der Neid lassen.

Javier wechselte einen Blick mit Ricky und sagte: »Schon gut. Sagen Sie, da draußen, das Feuer. Wie ist denn das passiert?«

Westham sank in sich zusammen. »Ich war schuld. *Mea culpa.* Ich hab zu viel gesoffen, bin mit der Kippe in der Hand weggepennt. Das Nächste, was ich weiß, ist, dass Alex mich übers Gras zerrt und der Schuppen lichterloh brennt.«

»Da müssen Sie aber ziemlich viel getrunken haben, wenn Sie derart weg waren.«

»Jeder hat so seine Laster.«

»Oder waren Drogen im Spiel?«

»Drogen?« Er schüttelte entschieden den Kopf. »Nein, nein. Mit Drogen hab ich nichts am Hut. Nie gehabt.«

Das kam ein *bisschen* zu schnell und zu entschieden, fand Javier Baderas. Zumal er schon eine ganze Weile den Geruch von Peyote in der Nase hatte. Mit Peyote vertrieben sich hier im Südwesten eine Menge Leute die Zeit. Und die Hirnzellen gleich mit. Man konnte nicht zwanzig Jahre Dienst beim San Antonio Police Department tun, ohne allerhand unerfreuliche Erfahrungen mit Peyoteros zu machen.

Andererseits: Wenn er den Typen deswegen hochnahm, würde sein Anwalt ihnen womöglich einen indianischen Vorfahren präsentieren und sich auf den *American Indian Religious Freedom Act* berufen, der es Angehörigen von Indianerstämmen erlaubte, unter anderem Peyote für religiöse Zwecke zu benutzen.

Javier Baderas beschloss, dass er sich das mit dem Geruch nach Peyote nur einbildete, und fragte: »Wie ist das mit Wenger? Kann der überhaupt schießen? Man hört immer, die Deutschen können das gar nicht.«

»Der?« Westham legte den Ordner beiseite, blies die Backen auf. »Der ist ein verdammtes As, wenn ich je eins gesehen habe. Ich meine, mal ehrlich, ich geh schon mein Leben lang mit Waffen um; mein Vater hat mir und meiner Schwester das Schießen beigebracht, bevor ich in der Schule war. Jeder in meiner Familie kann mit einer Knarre umgehen, okay? Aber Alex ... Ich hab ihm nur mal gezeigt, wie es geht. Dachte, es wäre nett. Gemeinsames Hobby und so. Und es ist immer schön, wenn man selber die Flaschen trifft und die anderen bloß Löcher in die Gegend ballern.«

»Und das war nicht so?«

»Doch. Ungefähr zwei Nachmittage lang.« Er seufzte abgrundtief. »Alex ist seit jeher so verdammt ehrgeizig gewesen. Verbissen. Keine Ahnung, ob die Deutschen alle so sind, aber bei ihm hat man jedenfalls das Gefühl, es treibt ihn etwas. Sein ganz persönlicher Dämon. Das war auch mit der Firma so. Ihm ging's nicht ums Geld. Für ihn geht's immer um den Sinn des Lebens. Mindestens.«

»Dann muss ihn der Brand ziemlich getroffen haben?«

»Mann, das können Sie aber singen! Das war die Mutter aller Tiefschläge. Und ich war schuld.« Er schüttelte den Kopf, wirkte einen Moment lang, als wolle er in Tränen ausbrechen. Aber dann schluckte er es runter und sagte: »Er war echt fertig. Zuletzt hat er so gut wie nichts mehr gegessen, ist regelrecht abgemagert. Scheiße, Mann. Und ich hab bloß gesoffen und mir leidgetan.« Er rieb sich etwas aus dem Auge. »Aber ich wusste nicht, was ich hätte tun können. Ich konnte nichts tun. Das war es eben.«

Javier Baderas konsultierte seine Notizen. »Ich muss noch einmal auf das mit den Waffen zurückkommen. Er kann also gut schießen, habe ich das richtig verstanden?«

»Sagenhaft gut. Beidhändig. Auf irre Entfernungen. Die Kugeln machen einfach, was er will.«

»Weil er so verbissen trainiert hat.«

»Hat er, aber das erklärt es nicht, wenn Sie mich fragen. Nein, nein, der ist ein verdammtes Naturtalent. Er hat's bloß nicht gewusst. Wie auch? Drüben bei denen darf ein freier Bürger ja nicht mal mit Pfeil und Bogen schießen.«

Javier Baderas dachte an die aktuelle Kriminalstatistik, die allein für San Antonio mehr als zwanzigtausend Gewaltverbrechen im laufenden Jahr auswies. Er wusste, bei wie vielen davon Waffen eine Rolle gespielt hatten und was man über die Mordraten in anderen Ländern der Welt hörte. Er hätte nichts gegen ein paar mehr Auflagen für Waffenkäufer gehabt, aber das war eine Meinung, die man in Texas besser für sich behielt. »Woher kannten Sie ihn eigentlich?«

»Wir haben uns an der Uni kennengelernt, in Houston. Wir haben beide Chemie studiert. Er hatte ein Stipendium. Irgendwas mit internationalem Austausch, keine Ahnung. Nach Details dürfen Sie mich nicht fragen.«

»Wie lange ist das her?«

Westham blickte vor sich hin. »Warten Sie … Fast zehn Jahre. Ja. Zehn Jahre. Mann.«

»Und er hat Ihnen wirklich nicht gesagt, wo er hingeht?«

»Nein. Er war eines Morgens einfach weg, hat mir nur einen Zettel dagelassen. Später hab ich gemerkt, dass er den Mantel, die Perücke und die beiden Makarows mitgenommen hat.«

»Was für ein Mantel?«, wunderte sich Ricky. »Was für eine Perücke?«

»Ach, halt so Kleidungsstücke, die wir aus unserer Faser hergestellt haben. Zum Vorzeigen. Um eventuelle Auftraggeber zu überzeugen, okay? Den Mantel hat meine Schwester genäht. Wir hatten noch mehr – Hemden, T-Shirts, Socken, Krawatten, Badehosen –, aber das ist alles verbrannt. Die beiden Sachen haben's überlebt, weil sie zufällig im Kofferraum gelegen haben.«

»Dieser Zettel«, sagte Javier. »Haben Sie den noch?«

»Nein.« Westham schniefte. »Hab ihn wütend in lauter winzige Schnipsel zerrissen.«

»Aber Sie wissen noch, was draufstand.«

»Dass er was vorhat und dass es besser ist, ich weiß nicht, was. Dass ich ihn nicht suchen soll. Und dass er wahrscheinlich nicht zurückkommt.« Er schniefte wieder. »Sonst nichts. Kein Goodbye, kein Gruß, nichts. Scheiße, Mann. Und dabei war Alex der einzige Freund, den ich je hatte.«

31 Er ging mit der Flut, durchquerte die Nacht, als bewege er sich durch einen großen, lebenden Organismus. Es machte nichts, dass er immer wieder stolperte. Gar nichts machte das. Er hörte die Dunkelheit, ihr trauriges Lied, ihren kühlen Atem, bis er husten musste, husten, als wolle es ihm die Lunge zerreißen. Er fühlte die Stimmen, all die Stimmen der Menschen, spürte sie atmen, reden, fluchen und immer wieder, wie sie ihn anrempelten, als sähen sie ihn gar nicht, roch Bieratem, hörte grölendes, dreckiges Lachen. Er sah …

Ja, was? Er sah einen Schleier vor Augen, den er nicht wegbekam, so sehr er auch blinzelte.

Er musste heute Abend einen finden, der den Tod verdient hatte. Er musste vor Zeugen in Erscheinung treten, zum Beweis, dass Ulrich Blier unschuldig war.

Das musste er.

Und das würde er, denn er war eins mit allem, auf dem Pfad des Kriegers, in der Gnade. Das Schicksal selbst lenkte seine Schritte.

Aber Geduld. Die würde er brauchen. Wenn es heute Nacht nur nicht so kalt gewesen wäre! Sein Mantel war nicht dick genug für solche Temperaturen.

Leuchtreklamen, flirrend, pulsierend, in allen Farben, die Sinne verwirrend. Wenn derjenige, den er finden musste, unter einer solchen Lichtkaskade stand, was dann? Wie würde das wirken?

Vertrauen. Er musste vertrauen. Es war alles längst entschieden. Alles würde zur rechten Zeit geschehen.

Dass ihm die U-Bahn vor der Nase wegfuhr – bestimmt hatte es seinen Sinn. Er musste darauf vertrauen.

Aber er fror, siebzehn Minuten lang, bis die nächste kam.

Er lief und lief. Auf dem Pfad des Kriegers. Hochhäuser, scharf und spitz, von eckigen Lichtern durchstochen. Autos, Taxen, Busse, ein endloser Strom. Und er zu Fuß. Es musste sein. Der Pfad. Auf einem Pfad konnte man nicht fahren.

Stunden. Immer wieder Treppen, an denen er verschnaufen musste. So kalt. Und so leer. Nichts gegessen, seit Tagen nicht, kein Wunder, dass er fror.

Motorräder. Menschen, die aus Häusern kamen, in Häusern verschwanden, aus Unterführungen sprudelten, an Haltestellen warteten. Redeten, lachten, schimpften. In ihre Handys schauten, Musik hörten, vor sich hin starrten.

Wirklich Stunden? Er wusste es nicht. Manchmal kam es ihm vor, als sei es nur Minuten her, dass er aufgebrochen war. Dann wieder, als sei er schon tagelang unterwegs.

Vertrauen. Sich der Flut ergeben. Sich der Einheit mit allem ausliefern. Einen anderen Weg gab es nicht, konnte es nicht geben.

Aber warum kamen Aufzüge nicht, wenn er den Knopf drückte? Was hatten sie gegen ihn? Er wollte auf die Glasscheibe schießen, die leer blieb, aber er tat es nicht.

Ruhe. Er musste zur Ruhe finden, unbedingt. Er musste das Auge des Hurrikans werden, spüren, sein. Die Gewalt eines Wirbelsturms in sich verkörpern.

Und dann …

Aber das zu entscheiden war nicht an ihm. Nein, nein. Es gab nichts zu entscheiden. Alles war, wie es war. Alles würde kommen, wie es kommen würde.

Der Zustand der Gnade. Genau. Das war es.

Gut, das zu wissen. Wenn es nur nicht so kalt gewesen wäre. Und ihn nicht dauernd Leute angerempelt, ihn böse angesehen, ihm zerbissene Schimpfworte nachgeworfen hätten.

Er verzieh ihnen. Wie sollten sie wissen, dass er über sie

wachte? Er erinnerte sich zwar gerade nicht daran, warum er das eigentlich tat, aber das spielte keine Rolle, das war nicht wichtig.

Wichtig war, keine Zweifel aufkommen zu lassen. Zweifel zerstörten den Zustand der Gnade, und das durfte nicht geschehen. Auch wenn er schon stundenlang unterwegs war, so lange, dass er kaum noch Gefühl in den Beinen hatte, sich vorkam wie ein Eisklotz, all das war richtig, war richtig, war richtig, unbedingt war es das. Daran durfte er nicht zweifeln.

Würden ihn Zweifel erwärmen? Eben.

Nein, dem Pfad des Kriegers folgen. Eins mit allem. Er war Geduld. Alles würde zur richtigen Zeit geschehen. Es gab nichts zu beschleunigen, nichts zu bremsen, nichts zu verpassen … und nichts zu entscheiden.

Gnade. Krieger. Über die Stadt wachen. Den finden, der den Tod verdient. Den Unschuldigen beistehen. Die Nacht durchqueren wie einen großen, lebenden –

Da.

Er blieb stehen, lauschte atemlos, die Augen weit geöffnet. Ein fernes, leises Stöhnen, übertönt vom Lärm der Stadt, vom Brausen des Verkehrs, unhörbar für gewöhnliche Ohren. Dumpfe Geräusche von Faustschlägen gegen einen menschlichen Körper. Schaben von Stoff über Metall. Er filterte alles aus, was nicht Schmerz, was nicht Angriff, was nicht Ungerechtigkeit war, und so konnte er es hören.

Es kam aus dem Parkhaus dort drüben, jenseits der vierspurigen Schnellstraße. Jetzt sah er auch Bewegungen, auf der dritten Ebene.

Das Signal. Er hatte gefunden, was er gesucht hatte. Er ging los, zügigen, elastischen Schrittes. Die Kälte: Er spürte sie nicht mehr.

Er würde im richtigen Moment am richtigen Ort sein, sagte er sich, während er die Unterführung rasch durchquerte. Er würde das Richtige tun, sagte er sich, während er die Stufen auf der anderen Straßenseite emporstieg.

Eine Imbissbude. Ein Dutzend Männer, Biergläser in der Hand und Bratwürste essend, um einen dröhnend lauten Fernseher versammelt. Geräusche eines Boxkampfs, hektische Moderatorenstimmen. Gleich dahinter das Parkhaus, wo in diesem Moment Gewalt geschah, und niemand außer ihm hörte es.

Er betrat das Gebäude über die Ausfahrt, vorbei an einem Schild »*Kein Zutritt für Fußgänger – bitte benutzen Sie den Eingang bei den Kassen*«. Er stieg die Rampe hinauf, fasste in die Manteltaschen, legte die Hände um die Pistolengriffe und tastete nach dem Schalter, der seinen Anzug aktivieren würde …

Als Professor Doktor Markus Neci das Parkhaus betrat, tat er es beschwingt. Ein erfolgreicher Tag lag hinter ihm. Er befühlte das schmeichelnd weiche Leder der Mappe, die er unter dem Arm trug. Das Manuskript seines Buches war darin gewesen, das er heute persönlich beim Verlag abgegeben hatte, gefolgt von einem Glas Sherry mit dem Verleger und einem Gespräch über zukünftige Projekte: Das hatte sich alles sehr gut angehört.

Das anschließende Treffen mit der Produzentin von City-TV war, man konnte es kaum anders sagen, *in jeder Hinsicht befriedigend* gewesen. Neci grinste breit, während ihm diese Formulierung durch den Kopf ging. Begonnen hatte es als Besprechung im Büro, offiziell, um sich über mögliche Formen der Zusammenarbeit auszutauschen, doch dann hatte Diana Fröse vorgeschlagen, das *Meeting* nach außerhalb zu verlagern …

Der Begriff *Stundenhotel*, dachte Neci, während er die Parkgebühr zahlte, weckte völlig falsche Assoziationen. Für das gepflegte Etablissement, in dem sie sich … nun ja, *ausgetauscht* hatten, war das entschieden nicht das passende Wort.

Er schnupperte an sich. Ob ihr Parfüm noch an ihm haftete? Besser, er war vorsichtig; Melanie hatte eine verdammt gute Nase. Und die letzte Beschwichtigungsaktion war kostspielig gewesen. Er würde gleich duschen, wenn er nach Hause kam. Während er die Treppen hinaufstieg, breitete er die Arme aus: So konnte ihn der frische Wind, der durch das nach allen Seiten offene Parkhaus blies, noch ein wenig durchlüften.

Seine Schritte hallten auf den Betonstufen. Die Lampen an den Wänden waren trübe von Fliegendreck und anderen Ablagerungen, etliche waren ausgefallen. Schmierereien überall, Reste von angeklebten und abgekratzten Plakaten, Kaugummi und leere Dosen.

Ja, er war hochzufrieden mit sich. Vielleicht war es doch an der Zeit, seine Autobiografie zu schreiben, überlegte er, als er auf der dritten Etage anlangte. War es nicht geradezu eine Verpflichtung, seine Erkenntnisse über das Leben und die Kunst, es zu führen, an nachkommende Generationen weiterzugeben?

Moment. Jetzt musste er sich orientieren. Das Parkhaus war verwirrend aufgeteilt, das Parkdeck schlecht beleuchtet, Betonsäulen warfen bizarre Schatten. Es roch nach Benzin, Gummi und kalten Abgasen, der kühle Wind trug den Geruch von Bier, Bratwurst und Zigarettenrauch herein.

Zum Glück war sein Jaguar nicht nur elegant, sondern dank seiner Länge von über fünf Metern in einer Reihe gewöhnlicher Autos auch nicht zu übersehen. Das half in unübersichtlichen Parkhäusern.

Er wollte gerade aufschließen, als unvermittelt jemand neben ihm stand und ihn damit zu Tode erschreckte.

»Ist das dein Auto?«

»Was?« Neci sah entrüstet auf den Kerl hinab. »Kennen wir uns, oder wieso duzen Sie mich?«

Er sah den Schlag nicht kommen, fühlte nur, wie ihm der Kopf herumgerissen wurde und ein Schmerz in seiner Lippe aufflammte. Er torkelte zur Seite, schmeckte Blut, begriff nicht, was geschah, oder vielmehr, begriff es, wollte es aber nicht glauben.

»Was –?«

Der zweite Schlag. Den sah er kommen, doch das half ihm nichts. Mitten rein in die Magengrube, dass es ihm die Luft aus den Lungen trieb. Professor Markus Neci klappte zusammen, fiel schwer gegen sein Auto, fühlte sich wie gelähmt in seiner Fassungslosigkeit darüber, dass ihm so etwas widerfuhr. *Ihm?* Wieso *ihm?*

Weg. Weg hier. Aber da war noch einer, auf der anderen Seite, dessen Faust er in den Weg kam. Sternchen blitzten.

Sie trafen nicht nur seinen Körper. Sie trafen auch sein Weltbild, waren drauf und dran, es zum Einsturz zu bringen.

»Was wollen Sie?«, stieß Neci hervor. »Was habe ich Ihnen denn getan?«

Sie antworteten nicht. Stumm und seltsam unpersönlich droschen sie auf ihn ein, gaben allenfalls knurrende Laute von sich, wenn sie besonders viel Kraft in einen Schlag legten. Sie schlugen ihn gegen den Kopf, gegen die Brust, schienen ihn systematisch zu bearbeiten und nicht so, als ob sie es sonderlich eilig hätten.

Eine Verwechslung!, dachte Professor Doktor Markus Neci. *Das muss es sein. Sie verwechseln mich mit jemandem!*

Er folgte den Geräuschen, ohne selber welche zu machen. Er wurde zum Schatten, der die Spiralrampe hinaufglitt, vorbei an lackverzierten Schrammen entlang der Wand, über Bremsspuren hinweg. Überwachungskameras zu identifizieren und sein Gesicht zu senken oder abzuwenden war eingeübter Reflex, darüber musste er nicht einmal nachdenken.

Zweite Etage. Die Geräusche kamen näher. Von draußen hörte man Verkehrslärm, Stimmen, Musikfetzen, während es hier drinnen unheimlich still war. Nur die dumpfen Laute, als hacke jemand Holz, und das Ächzen und Wimmern. Aber niemand sonst, der jetzt gerade mit seinem Auto wegfahren wollte.

Weil alles so geschah, wie es geschehen sollte.

Drittes Parkdeck. Er hielt sich im Schatten der Ausfahrt, spähte um die Ecke. Da, zwei Jugendliche, die vor einem teuer aussehenden, dunklen Auto auf einen Mann einprügelten. Der hielt sich nur noch mit Mühe aufrecht, hatte die Arme schützend über dem Kopf, wimmerte: »Aber was …? Hören Sie … wir können über alles reden … was wollen Sie denn? Sagen Sie doch …«

Die beiden antworteten nicht, machten einfach weiter, mit langsamen, fast gelangweilt wirkenden Schlägen.

Er glitt näher, lautlos, raschen Schrittes, bis er sie atmen hörte. Sie klangen, als verrichteten sie Schwerarbeit, und sie wirkten dabei so unbeteiligt, als gelte ihre Anstrengung gar nicht wirklich diesem Mann. Da war keine Wut, kein Hass, überhaupt kein Gefühl.

Nun denn. Die Welt würde ihr Fehlen nicht bedauern.

Er betätigte den Schalter, aktivierte den Stromkreis, der den Mantel hell aufleuchten ließ und die Perücke dazu veranlasste, in gleißendem Weiß zu erstrahlen. Dann zog er die Pistolen.

»Da ist er!« Ein Schrei, der über das gesamte Parkdeck gellte.

Er fuhr herum. Auf einmal war da eine Horde, von überall her kamen sie, hinter Säulen hervor, unter Autos, aus dunklen Winkeln. Sie schrien, und sie schossen!

Beton splitterte, Querschläger jaulten durch die Gegend. Das Klirren einer zerbrechenden Fensterscheibe an einem Auto irgendwo brach den Bann, beendete die Schrecksekunde. Er flüchtete, ohne zu denken, rannte in wildem Zickzack davon.

Ein jäher, sonnenheller Schmerz durchstach ihn, ein Schlag gegen den linken Arm wie mit einem Hammer, ein Schlag, der ihn zur Seite schleuderte, ihn taumeln ließ. Er stolperte. Die hinter ihm grölten.

Dann war da die Rampe abwärts und die kreisrunde Wand, die ihn für den Moment abschirmte.

Ein Treffer. Er hatte eine Kugel abbekommen. Wie konnte das sein? Wie, wenn er doch eins war mit allem, auf dem Pfad des Kriegers, in der Gnade, unbesiegbar …?

Von unten hörte er jemanden hochkommen, vernahm leises Klappern von Holz gegen Beton. Baseballschläger. Sie wollten ihn nicht einfach kriegen, sie wollten ihn fertigmachen.

Von oben kamen sie jetzt auch. Viele. Hastiges Laufen, quietschende Sohlen, Keuchen und Ächzen und der Geruch von Kordit.

Er verließ die Spiralrampe im zweiten Geschoss, spurtete zwischen den Autos hindurch. Sie merkten es, folgten ihm, feuerten ein, zwei Schüsse ab, von denen einer ein Auto traf, bei dem die Alarmanlage losging, *wuiii-wuiii-wuiii!* Verwirrung, Rufe, Aufregung. Er rannte weiter.

»Da! Am Rand!«

Doch da hatte er die Brüstung schon erreicht, erklommen, sprang hinaus in die Nacht und schaltete im selben Moment das Leuchten ab: Für seine Verfolger musste es aussehen, als verschwände er einfach in der Dunkelheit.

In Wirklichkeit fiel er, und er hatte Glück, denn er hatte sich tatsächlich richtig daran erinnert, dass auf dieser Seite des Parkhauses groß gewachsene, stabile, winterharte Büsche wuchsen. Er sprang auch nicht zu weit, verfehlte sie nicht, sondern landete vergleichsweise heil darin, krachend und kratzend und unsanft, aber er brach sich nichts.

Dann rollte er sich so klein wie möglich zusammen und unter das Gestrüpp. Er wartete, lauschte den aufgeregten Stimmen in der Höhe: seine Verfolger, die sich über die Brüstung beugten und sich fragten, wo er abgeblieben sein mochte. Als das Geschnatter davonzog, befreite er sich aus der Vegetation, steckte die Pistolen zurück in die Taschen und schüttelte die letzten Blätter und Äste von seinem nun wieder schwarzen Mantel ab. Dann ging er rasch die paar Schritte bis zu der Imbissbude und stellte sich zwischen die Männer, die immer noch dem Boxkampf zuschauten.

Hier war es vergleichsweise warm und außerdem so laut, dass niemand etwas von der Schießerei im Parkhaus mitgekriegt hatte. Bierflaschen wurden angesetzt, Kiefer kauten Currywurst, Finger rissen Brötchen in Stücke, während die Augen unverwandt auf den Fernsehschirm gerichtet waren.

Hinter sich hörte er Getrappel, aufgeregte Stimmen, Gezischel, *Weiß ich doch nicht* und *Er muss irgendwo liegen* und dergleichen. Er wandte nicht den Kopf, blieb regungslos stehen, wartete einfach ab, bis seine Verfolger in eine andere Richtung entschwanden.

»Sie«, sagte ein nicht mehr ganz nüchtern artikulierender Mann neben ihm.

»Ja?«

»Sie haben da Ketchup an der Hand, glaub ich.«

Ketchup? Nein. Das war sein Blut, das ihm den Arm hinablief und von seinen Fingern zu Boden tropfte.

Für Javier Baderas ging ein anstrengender Tag zu Ende. Nachmittags hatten er und Ricky einen Streit in einem Mietshaus schlichten müssen, bei dem Messer und Vierzoll-Holzlatten im Spiel gewesen waren. Danach war ein Überfall auf eine Tankstelle gemeldet worden. Und dies und das und Kleinzeug. Das Übliche eben.

Doch kein Tag durfte sich neigen, ehe nicht erledigt war, was einem die Polizeiarbeit mehr vermiesen konnte als all die Idioten mit den zu dicken Waffen und den zu kleinen Gehirnen da draußen: der Papierkram. Zu jedem Furz, den jemand ließ, musste ein Bericht verfasst werden.

Das Polizeirevier war modern und zweckmäßig eingerichtet und hatte keinerlei Ähnlichkeit mit den trostlosen, heruntergekommenen Büroetagen, die sie in den Filmen so gern zeigten. Jenseits der Mattglasscheiben dunkelte es, die meisten Schreibtische lagen verlassen. Das Kühlaggregat des Trinkwasserspenders summte beruhigend vor sich hin. In der Luft hing der vertraute Duft des Reviers, diese Mischung aus Kaffeedunst und dem Ozon, das die Drucker von sich gaben. Ab und zu klingelte ein Telefon, aber nur interne Rufe, nichts Aufregendes.

Einer der besseren Abende, mit anderen Worten. Wenn

man nicht gestört wurde, war das Abfassen der Berichte nicht mal das Schlechteste. Half einem, den Adrenalinspiegel ein bisschen zu senken, ehe man nach Hause fuhr.

Am Schluss fiel ihm diese Anfrage aus Deutschland wieder ein. Er hatte nur eine verschwommene Vorstellung davon, wo das Land überhaupt lag; irgendwo kurz vor Russland, soweit er wusste. Er rief die Mail auf und studierte die Liste der Fragen.

Tja. Allzu ergiebige Antworten darauf hatte er nicht zu bieten.

Er erwog, die Sache auf morgen zu verschieben. Andererseits hatte seine Frau heute Gäste, ihren Homeshopping-Kreis, der sich reihum jeden Donnerstagabend traf. Versprach laut zu werden und spät; er kannte das.

Ach, was soll's, sagte er sich, ich kann ja wenigstens schon mal anfangen. Er tippte drauflos, schrieb einfach alles auf, was ihm noch einfiel, und ehe er sich's versah, war der Bericht fertig.

»Umso besser«, murmelte Javier Baderas. »Weg damit.« Er klickte auf *Senden*.

Okay. Und jetzt nichts wie raus. Er schaltete den Computer ab, schnappte seine Jacke und den Wagenschlüssel und ging.

In Deutschland war es kurz vor ein Uhr nachts am Freitagmorgen.

Theresa Diewers erwachte vom Zufallen der Wohnungstür, das sich anders anhörte als sonst, wenn Alex zurückkam. Irgendetwas daran alarmierte sie, ließ sie aus bleiernem Schlaf hochfahren und brachte ihr Herz zum Rasen.

Sie schlüpfte in ihren Morgenmantel, im fahlen Licht der Straßenbeleuchtung, die durch die Fensterscheiben fiel. Als sie in den Flur trat, schälte sich Alex gerade aus seinem Mantel, mit schmerzverzerrtem Gesicht.

»Entschuldige«, sagte er atemlos. »Ich wollte dich nicht wecken.«

Straßengeruch ging von ihm aus, eine Mischung aus Abgasen und Fettgeruch. Irgendetwas war mit seinem linken Arm. Der Ärmel seines Hemdes fehlte, war abgerissen, der Arm verkrustet von ... *Blut?*

Sie atmete erschrocken ein. »Alex! Was ist passiert?«

»Das war nur ein Streifschuss«, sagte er.

»Ein *was*?«

Er lächelte müde. »Du könntest mir ein Pflaster draufmachen.«

Jetzt sah sie erst, dass er den abgerissenen Hemdsärmel um seinen Oberarm geschlungen trug. »Aber wieso –?« Sie hielt inne, fasste seinen Arm an. Er war von kaltem Schweiß bedeckt. »Das muss man richtig verbinden.«

»Auch okay«, sagte Alex.

Ihre eingeschliffenen Reflexe waren stärker als ihr Entsetzen, brachten sie dazu, rasch und zügig zu handeln. Zu handeln wiederum ließ ihr keine Zeit für Gefühle, die sie jetzt nicht spüren wollte. Sie holte Verbandszeug, reinigte die Wunde und war irritiert, dass Alex nicht zusammenzuckte, als sie den fleischigen Spalt in seinem Oberarm mit Desinfektionsmittel abtupfte. »Tut das nicht weh?«

»Nicht, wenn ich darauf gefasst bin«, sagte er.

Sie machte ihm einen elastischen Mullverband, nicht zu fest, nicht zu locker. Hätte bei der Prüfung eine tolle Note gegeben. »Den muss ich morgen wechseln, ehe ich zum Dienst fahre.«

»Es war nur ein Streifschuss. Halb so wild.«

»Trotzdem. Wenn sich das entzündet –«

»Es wird sich nicht entzünden.«

Sie spürte, wie sie wieder müde wurde, müde und schwer. »Es wäre besser, du gehst zu einem Arzt.«

»Du bist mein Arzt.«

»Im Ernst.«

»Das ist mein Ernst.«

Er trat vor sie hin, nahm sie in den Arm, und wie immer erschrak sie, wie dünn er geworden war.

»Weißt du«, sagte er leise, »ich hab dir lange nicht verziehen, dass du nicht versucht hast, mehr aus dir zu machen. Ich hätte Robert eine reinhauen können, jedes Mal. Aber inzwischen … heute … heute frage ich mich, ob es überhaupt etwas zu erreichen gibt im Leben.«

»Red nicht so«, bat sie.

»Ich hör schon auf. Ich muss sowieso schlafen.«

Er gab sie frei, bewegte sich schwankend auf sein Bett zu. Er zog sich aus, ohne sich vor ihr zu genieren, ein knochiges Gespenst, und schlüpfte in seinen Schlafanzug. Dann legte er sich hin, zog die Decke über sich, lächelte ihr zu und schlief ein, vor ihren Augen. Sie wartete eine Weile, fühlte, wie ihr kalt wurde, und löschte endlich das Licht mit dem eigentümlichen Gefühl, ihn damit zu verraten.

32 Am Freitagmorgen verschlief Ambick. Er hatte sich am Abend zuvor noch die Boxweltmeisterschaft in Manila angesehen, es war spät geworden wegen des Zeitunterschieds zwischen Deutschland und den Philippinen, und schließlich war er vor dem Fernseher eingeschlafen.

So kam er nachlässig rasiert und verspätet im Büro an und hatte das Gefühl, neben sich zu stehen. Erst mal einen Kaffee. Der zwickte im Magen, machte ihn aber auch nicht wacher.

»Na, den Weg gefunden?«, begrüßte ihn Enno. Er war heftig am Tippen. Seine Tastatur klang lauter als sonst, dröhnte einem in den Ohren. »Guten Morgen.«

Ambick wollte den Gruß erwidern, bloß war irgendwas mit der Deckenlampe. Er musste sie lange anstarren, ehe der Groschen fiel. »Jemand hat eine neue Röhre eingesetzt!«

»Yep. Vor einer halben Stunde. Es geschehen Zeichen und Wunder.«

Ambick ließ sich auf seinen Schreibtischstuhl sinken, behutsam die Kaffeetasse balancierend. »Gibt's was Neues?«

Enno unterbrach das Getippe endlich. »Schwer zu sagen. Wir haben eine Meldung vom Kriminaldauerdienst über eine Schlägerei heute Nacht im Parkhaus Mitte, die in eine Schießerei ausgeartet ist. Ein Verletzter – nichts Gravierendes, er ist schon wieder aus dem Krankenhaus entlassen worden –, ein Dutzend beschädigte Autos.«

»Und kein Racheengel, der eingegriffen hat.«

»Das wissen wir nicht.«

454

Ambick rieb sich das Gesicht. »Parkhäuser sind doch mit Überwachungskameras ausgestattet, oder?«

»Die Objektive der Kameras auf dem fraglichen Parkdeck waren alle zugeklebt.«

»Und keiner in der Zentrale hat's gemerkt.«

»Personaleinsparungen.« Enno griff nach einer Mappe, die oben auf seinem Stapel lag. »Aber es gibt Aufnahmen von einem Mann in einem schwarzen Mantel, der die Ausfahrtrampe hochgeht.« Er zog zwei großformatige Ausdrucke hervor und schob sie ihm über den Tisch.

Ambick beugte sich vor, studierte die Bilder. »Hast du das mit den Videos aus der Passage verglichen? Dominikstraße?«

»Könnte derselbe sein.«

»Weiß Ortheil schon davon?«

Enno schüttelte den Kopf. »Der hat sich heute auch noch nicht blicken lassen. Kann sich vielleicht nicht entscheiden, welche Krawatte er nehmen soll.«

»Vielleicht ist er Boxfan, und keiner hat's geahnt.« Ambick ließ sich wieder nach hinten sinken, nippte an seinem Kaffee. »Wir besprechen das auf alle Fälle erst mit ihm, ehe wir uns den Zeugen vornehmen. Was weiß man über den?«

»Moment.« Enno blätterte in der Mappe. »Das war ein gewisser Professor Doktor Markus Neci, wohnhaft in Blankenhagen –«

»*Neci?*«, entfuhr es Ambick.

»Ja. Spricht man das nicht so aus? Ein c, gefolgt von einem i, ist ein tsch, wenn mich nicht alles –«

»Ich meine, dass ein Professor Neci Gast in der Sendung von diesem Praise war. *Anwalt der Opfer.* City-TV.«

Enno holte geräuschvoll Luft. »Darfst du mich nicht fragen. Den Müll, den die senden, tu ich mir nicht an.«

»Doch, ich glaube. Letzte Woche, Dienstag oder Mittwoch.« Wenn nur sein Hirn endlich mal anfangen würde zu arbeiten! Ambick stemmte sich hoch, trat vor die Stadtkarte. »Welches Parkhaus, hast du gesagt?«

»Parkhaus Mitte. Das am Schwandt-Ring.«

»Schwandt-Ring …« Er fuhr die dicke gelbe Linie, die für vierspurige Schnellstraßen stand, mit dem Finger nach, bis er das Parkhaus gefunden hatte. »Das liegt nur dreihundert Meter vom City-Media-Areal entfernt.«

»Und du denkst, das ist kein Zufall?«

Ambick ließ den Arm sinken. »Keine Ahnung, was ich denke.« Zurück zum Stuhl. »Auf jeden Fall warten wir, bis wir mit Ortheil gesprochen haben.« Vielleicht funktionierte sein Gehirn bis dahin auch wieder.

»Okay«, meinte Enno und fuhr fort, geräuschvoll auf seine Tastatur einzuhacken.

Ambick schaltete seinen Computer ein, starrte vor sich hin, während der alte Kasten hochfuhr. Die Luft im Raum war muffig wie immer, aber heute störte es ihn. Genau wie das impertinente Gluckern und Pfeifen der Heizkörper.

Endlich konnte er seine Mails abrufen. Eine darunter stammte von einem Absender namens SAPD: aus Texas, tatsächlich! »Ganz schön fix, die Amis«, murmelte er und deutete, als Enno aufschaute, auf seinen Schirm. »Der Bericht über die Vernehmung von Alexander Wenger.«

»Und?«

»Ja, langsam«, meinte Ambick. »Ist alles in Englisch. Das geht bei mir nicht so schnell.«

Er begann zu lesen. Enno tippte nicht weiter, sah ihm neugierig zu. »Sie haben ihn gar nicht angetroffen, nur seinen Kompagnon«, resümierte Ambick, unsicher, ob da wirklich das stand, was er zu verstehen glaubte. »Die Firma der beiden ist vor einem halben Jahr abgebrannt. Im Suff abgefackelt von diesem Sidney Westham. Wenger ist vor einem Monat verschwunden, hat einen Mantel und eine Perücke mitgehen lassen, die als Demonstrationsobjekte für Kunden gedacht waren, sowie zwei Makarow-Pistolen.«

»Klingt verdammt so, als ob das unser Mann wäre«, meinte Enno.

Ambick schaute auf. »Wenn du im Ausland wärst, allein, beruflich gescheitert und noch dazu krank, wohin würdest du gehen?«

»Nach Hause.«

»Seine Eltern haben gesagt, sie hätten schon ewig nichts mehr von ihm gehört.«

»Vielleicht decken sie ihn.«

»Glaub ich nicht. Dann wären es die besten Lügner, denen ich je begegnet bin.« Ambick holte sein Notizbuch heraus, blätterte zurück. »Aber Wenger hat eine Schwester. Seine Mutter hat mir die Adresse gegeben, warte … Hier. Theresa Wenger, geschiedene Diewers. Wohnt im Stadtteil Unterthalerried, arbeitet im Ringhospital als Krankenschwester.«

»Auch nicht gerade der nächste Weg«, meinte Enno.

Ambick griff nach seiner Jacke. »Auf. Die fragen wir mal nach ihrem Bruder.«

Er erwachte und fühlte sich hell, klar, wie gereinigt. Und zugleich so zerbrechlich, als habe sich sein Körper in Porzellan verwandelt. Ein Hochseilartist, dachte er, musste sich so fühlen.

Er betastete den Verband an seinem Arm, streichelte ihn. Er begriff jetzt, was die Ereignisse der vergangenen Nacht ihn lehren wollten: dass die Zeit gekommen war, andere Wege zu gehen. Dass der Pfad des Kriegers von nun an in Neuland führte.

Ungewöhnliche Stille herrschte. Der Himmel jenseits der Fenster war grau und konturlos. Ein gesegneter, zeitloser Augenblick.

Ein Glas Wasser stand auf dem niedrigen Tisch neben dem Bettsofa. Er griff danach, nahm einen Schluck, stellte es zurück und legte sich auf den Rücken, wartete, bis es ganz in ihm versickert war. Dann der nächste Schluck, immer so weiter, bis das Glas leer war.

Mehr nicht. Nicht vor dem Ritual.

Er stand bedächtig auf, kramte in seinen Sachen nach dem

Rest Yucca-Wurzel, der ihm geblieben war, ging damit ins Bad, um zu duschen. Keine Seife. Nichts, was Duftstoffe enthielt. Eine der wichtigsten Regeln.

Als er zurückkam, saß seine Schwester im Sessel vor dem Fernseher, in ihrem Nachthemd noch, mit ihrem Kaninchenblick und ihren ungekämmten Haaren. Sie sah ihn mit einer Mischung aus Trotz und Besorgnis an. »Willst du mir nicht erzählen, was los war?«

»Jemand hat geschossen, und der Schuss hat mich gestreift. Das ist alles.«

Sie atmete geräuschvoll. Er verstaute die Yucca-Wurzel wieder, setzte sich auf das Bett.

»Alex – wie lange soll das noch so weitergehen?«, fragte sie schließlich.

Er lächelte sanft. »Nicht mehr lange. Keine Sorge.«

Dann begann er mit dem Ritual. Er bat Theresa nicht, zu gehen. Er wusste, dass sie bleiben würde.

Entkleidet bis auf seine Unterhose, fegte er den freien Platz in der Mitte des Zimmers mit einem kleinen Reisigbündel. Nicht, weil das Zimmer schmutzig gewesen wäre, sondern weil es ein Teil des Rituals war, etwas, das man bedächtig und voller Hingabe vollziehen musste. Er holte die geschnitzten Stöcke aus Zedernholz hervor, mit ihren Verzierungen, die die Schlange symbolisierten, den Jaguar und den Kojoten, und legte sie im Sechseck auf den Boden, ein Tipi darstellend, dessen Öffnung nach Osten wies. Er setzte sich hinein, mit dem Rücken nach Südosten, und stopfte seine Pfeife mit getrocknetem Peyote und den Kräutern, die er mitgebracht hatte. Nach einem Gebet zu Yusun und dem Kind-des-Wassers entzündete er die Pfeife und begann, den Rauch mit geschlossenen Augen zu inhalieren.

Erst hatten sie ihn immer wieder fortgeschickt, die Indianer. Wohin er auch gegangen war, jeder hatte ihm gesagt, das Peyote sei nichts für den weißen Mann, es werde ihn nichts lehren, es werde ihm die Erkenntnis verweigern. Bis er endlich den Schamanen ausfindig gemacht hatte, Einsamer Hirsch, der ihn aufgenommen und unterwiesen hatte. In einem Wohnwagen irgendwo nördlich von Amarillo hatte er gelebt, ganz allein, ein verhutzelter, schweigsamer Greis. Er hatte sich seine Bitten stumm angehört und ihn dann mit einer schlichten Handbewegung hereingebeten. Er hatte ihm die Bärenlieder beigebracht, die Lobpreisungen der Sonne, des Feuers und des Korns und schließlich den Umgang mit dem Peyote. Gemeinsam hatten sie Nächte durchwacht, schweigend, singend, tanzend, und am Ende den Morgen über der besten Welt aufgehen sehen, die es je gegeben hatte.

Er konnte das Peyote nicht mehr essen, aber er war vertraut genug damit, dass auch der Rauch seine Wirkung tat. Die Umgebung versank, die Gedanken kamen zum Stillstand, die Welt hielt an. Der Geist ergriff Besitz von ihm.

Ich besiege die Angst. Ich ergebe mich der Klarheit. Ich werde eins mit der Macht. Ich diene dem Gott der Gerechtigkeit.

Er schlug die Augen wieder auf, sah den Glanz des Lebens rings um sich, war eins mit allem.

Er löschte die Pfeife, tat sie beiseite, sammelte die Zedernstöcke ein, erhob sich. Nicht er war es, der sich bewegte, alle Bewegungen *ereigneten* sich, geschahen aus sich selbst heraus, verwiesen ihn auf den Platz des Zuschauers. So, wie es sein sollte. So, wie es richtig war.

Er zog sich an. Socken, die Hose, die Stiefel. T-Shirt, ein Hemd, schließlich den Mantel. Zum Schluss stülpte er sich die schwarzhaarige Perücke über den kurz geschorenen Schädel und verband das Anschlusskabel mit der Buchse im Kragen.

Dann setzte er sich auf das Bett.

»Und jetzt?«, fragte Theresa skeptisch.

»Jetzt?«, erwiderte sein Mund, ohne dass er nach Worten suchen musste. »Nichts. Ich sitze hier, bis der richtige Moment kommt.«

»Was soll passieren auf diese Weise?«

Sie wusste es nicht besser, lebte gefangen in der Welt der

Glanzlosen, abgeschnitten von der Kraft und ohne jede Ahnung vom Kriegerpfad.

»Was passieren soll«, sagte er geduldig, »das wird passieren.«

Unterthalerried war eine jener gesichtslosen Stadtrandsiedlungen aus den Siebzigern, die inzwischen längst nicht mehr am Rand der Stadt lagen. Um einen blassen Kern aus Einkaufszentrum, Bezirksamt, Post und Ladenstraße im Waschbetonlook gruppierten sich Reihen kaum unterscheidbarer Mehrfamilienhäuser vom Reißbrett eines Stadtplaners. Ambick kannte das von den Entwürfen seiner Schwester: Die Rasenflächen und Bäume zwischen den kasernenartigen Gebäuden hatten im Modell zweifellos großartig ausgesehen.

Er parkte in einer Parkbucht, die einmal eine Bushaltestelle gewesen sein musste. Vor langer Zeit. Er zog den Schlüssel ab, blieb aber erst mal sitzen.

Voreilig. Es war voreilig gewesen, gleich herzufahren. Und er hatte Kopfweh.

»Hast du deine Pistole?«, fragte er.

Enno räusperte sich. »Du meinst, falls er da ist?«

»Ging mir gerade durch den Kopf.«

»Ja. Hab ich.« Er betastete seinen Parka, wie um sich zu vergewissern. »Sag mal, denkst du nicht, dass die Verdachtsmomente ausreichen, um gleich mit Verstärkung zu kommen? Goldlöckchen hin oder her?«

Ambick beobachtete einen breitschultrigen Mann in einer orangefarbenen Jacke, der lustlos einen winzigen Hund Gassi führte und dabei rauchte. »Wenn sie uns abwimmelt, egal mit was für einer Ausrede, gehen wir wieder und kommen mit einem SEK zurück«, entschied er.

»Vielleicht ist ja gar niemand da«, meinte Enno.

»Kann auch sein.«

»Was machen wir in dem Fall?«

»Ins Ringhospital fahren.« Ambick stieß die Tür auf.

Ein trüber Tag. Die vertrockneten Rasenflächen schimmerten fast silbrig. Überall lag Abfall herum, außer in den dafür vorgesehenen Drahtkörben.

Als sie das Haus erreichten, kam gerade jemand heraus, eine untersetzte Frau mit Einkaufstasche, die sie misstrauisch musterte. Sie sagte nichts, als Enno rasch den Fuß in die zufallende Tür setzte. Vielleicht, überlegte Ambick, wirkten sie beide einfach seriös.

Oder es kümmerte hier niemanden, was sonst im Haus geschah.

Sie stiegen die Treppen hinauf. Im zweiten Stock stand an einer der Türen *T. Diewers*. Ambick klingelte.

Erst nichts. Dann hörten sie Schritte, es wurde geöffnet. Eine schmalgesichtige Frau streckte den Kopf heraus. Keine Sicherheitskette, registrierte Ambick.

»Guten Tag«, sagte er. »Sind Sie Frau Diewers?«

»Ja.«

Er hielt ihr seinen Dienstausweis hin. »Mein Name ist Justus Ambick, Kriminalhauptkommissar. Das ist mein Kollege, Kriminaloberkommissar Kader. Wir würden Ihnen gern ein paar Fragen stellen.«

»Bitte«, sagte sie, ohne die Tür auch nur einen Zentimeter weiter zu öffnen.

»Wann haben Sie Ihren Bruder Alexander Wenger zum letzten Mal gesehen?«

Sie seufzte entsagungsvoll. »Vor zwanzig Minuten. Er ist gerade gegangen.«

33 Heute war ein besonders grauer Tag, fand Victoria, während sie am Fenster stand und auf den Briefträger wartete, der nicht kam und nicht kam. Autos fuhren vorbei, Passanten ließen die Köpfe hängen, hielten die Mäntel und Jacken eng um sich geschlungen. Eine rot getigerte Katze überquerte die Straße mit bewundernswerter Gelassenheit.

Wo er nur blieb? Victoria ging immer wieder zurück ins Wohnzimmer, um auf die Uhr zu sehen, durchzuatmen, sich zu sagen, dass es keine Rolle spielte. Dann endlich, mit einer Stunde Verspätung, klingelte er.

»Guten Tag, Frau Thimm«, dröhnte er, als sie die Tür öffnete, »ich hab bunte Papierchen für Sie.«

»Guten Tag, Herr Gellert«, sagte sie. »Sie sind später dran als sonst.«

»Oh, erinnern Sie mich nicht«, bat er, die Mappe mit den Geldsachen aus seiner Tasche fummelnd. »Betriebsversammlung. Heute Morgen. Wir werden mal wieder umorganisiert.« Es war unverkennbar, dass er nichts davon hielt.

»Sie bleiben aber für mich zuständig, oder?«

Er lächelte sie väterlich an. »Keine Sorge. Was das anbelangt, bleibt alles beim Alten.« Er öffnete den Reißverschluss der ledernen Mappe. »Ich hab Ihnen kleine Scheine besorgt, wie üblich, aber einen Hunderter musste ich trotzdem nehmen. Ist das in Ordnung?«

»Ja, ja«, sagte Victoria hastig. »Kein Problem.«

Sie unterschrieb die erforderlichen Formulare und nahm

das Geld in Empfang, ohne nachzuzählen – es stimmte immer.

»Ich muss gleich weiter«, erklärte er danach, verlegen, weil sie normalerweise stets ein wenig plauderten. Aber heute war es Victoria recht. Sie dankte ihm, verabschiedete ihn und schloss die Tür.

Sie legte die Fünfer und Zehner in die Trinkgeldkasse in der obersten Schublade der Flurkommode, gewohnheitsmäßig, denn sie musste immer Trinkgeld griffbereit haben, damit alles funktionierte. Dann fiel ihr ein, dass sie das Geld heute anderweitig brauchen würde, und sie nahm die Scheine wieder heraus.

»Ich hab leider überhaupt keine Zeit«, sagte Theresa Diewers. »Ich bin auf dem Sprung zur U-Bahn, ich muss zum Dienst.«

»Ins Ringhospital?«, fragte Ambick. »Wir fahren Sie hin, dann können wir unterwegs reden.« Als sie ihn zweifelnd ansah, fügte er hinzu: »Keine Sorge, es ist ein Zivilfahrzeug.«

Doch als sie sich hineinsetzten, Enno hinten, Theresa Diewers auf dem Beifahrersitz, kam Ambick unangenehm zu Bewusstsein, dass es sich um ein ziemlich *ungepflegtes* Zivilfahrzeug handelte. Die Scheiben waren verschmiert, die Ablagen steckten voller leerer Schachteln und Packungen, überall lagen Brösel herum, und die Wagenheizung stank nach verbranntem Staub.

Sie schien glücklicherweise keinen Gedanken daran zu verschwenden, war in ihrem Beruf wohl Schlimmeres gewöhnt. »Er hat bis vorhin dagesessen«, erzählte sie, »hat meditiert oder im Sitzen geschlafen, keine Ahnung. Dann ist er plötzlich aufgestanden und hat gesagt, es ist so weit, ich muss los. Ich hab mir gerade die Haare gefönt. Bis ich aus dem Bad war, war er schon aus der Tür.«

»Wie kommt es, dass er bei Ihnen wohnt?«

»Das war vor drei Wochen oder so. Nicht ganz. Da hat er eines Abends vor der Tür gestanden und gesagt, ich muss ihm helfen. Ihn verstecken, niemandem etwas davon sagen, dass er wieder da ist. Auch nicht unseren Eltern.«

»Hat er gesagt, warum?«

»Nein. Nur, dass er was Wichtiges erledigen muss. Etwas Lebenswichtiges, so hat er es gesagt. Lebenswichtig.«

»Lebenswichtig«, wiederholte Ambick nachdenklich.

Theresa Diewers schlang die Arme um sich, starrte geradeaus. »Wenn Sie ihn finden«, fragte sie, »können Sie ihn dazu bringen, zu einem Arzt zu gehen? Ihn zwingen? Die Polizei kann das doch, oder?«

»Das kommt darauf an«, sagte Ambick. »Wieso? Ist er denn krank?«

»Er hat ein Ösophaguskarzinom. Speiseröhrenkrebs«, fügte sie erklärend hinzu. »Unheilbar, praktisch gesehen. Er hat wohl in Amerika eine Therapie angefangen, sie aber gleich wieder abgebrochen, weil er sie sich nicht leisten konnte. Wobei – sie hätte eh nichts gebracht. Er hat einen C15.8, da ist die Prognose denkbar schlecht. Diese Art Karzinome sind so symptomarm, dass sie meistens viel zu spät diagnostiziert werden, erst recht bei jungen Männern, wo sie extrem selten vorkommen.«

Ambick dachte an den Bericht aus den USA. Davon hatte nichts darin gestanden. Hatte Alexander Wenger die Chemotherapie gemacht, ohne seinem Freund etwas von seiner Krankheit zu verraten? Schwer zu sagen. Vielleicht hatte Westham dieses Detail auch einfach nur verschwiegen.

»Und wieso geht er hier nicht zu einem Arzt?«, fragte Ambick.

Sie hob die Schultern. »Ich krieg ihn nicht dazu. Er kann nichts mehr essen. Am Anfang hat er noch flüssige Nahrung heruntergebracht, Suppen, Breie, solche Sachen. Aber inzwischen kann er selbst Wasser nur noch mit Mühe trinken. Er bräuchte eine OP, aber er will nicht. Er will einfach nicht.«

Sie kamen nur langsam vorwärts. Der Verkehr floss träge, wie metallenes Blut durch Adern aus Asphalt.

»Ich glaube ja, das kommt von dem Zeug, das er immer genommen hat«, fuhr sie erbittert fort. »Dieses Peyote. Das wird aus Kakteen gewonnen, die man auf dem Fensterbrett züchten kann – das wusste ich auch nicht. Und die Kakteen zu besitzen ist nicht mal verboten.«

»Hierzulande eine eher seltene Form des Drogenkonsums«, sagte Enno von hinten. »Aus polizeilicher Sicht relativ unproblematisch.«

»Wie war sein Verhältnis zu Drogen früher?«, fragte Ambick. »Bevor er in die USA ist?«

Ihr Blick war glasig, in Erinnerungen verloren. »Er hat alles ausprobiert. Den Sinn des Lebens gesucht. Gut, das macht jeder Jugendliche so, aber bei ihm war es härter, entschlossener, radikaler. Er hat sich mit Religionen beschäftigt, mit Psychologie, mit Philosophie. Hat tausend Bücher gelesen, hat eine Zeit lang für Sartre und Camus geschwärmt, dann für Zen, dann für Yoga … Er ist der einzige Mensch, den ich kenne, der die Bibel von vorne bis hinten durchgelesen hat. Und er hatte einen unglaublichen Verschleiß an Mädchen. Er war da völlig unerschrocken – der Typ, der zu einer einfach hingehen und sagen kann: *Hi, ich würd gern mit dir schlafen.* Und bei dem das auch funktioniert. Ja, und Drogen. Davon hab ich nicht so viel mitgekriegt, aber ich weiß, dass ihn das interessiert hat. Bewusstseinserweiterung. Erfahrungen. Der Sinn des Lebens, wie gesagt.«

»Hatte das etwas zu tun mit –?«

»Mit dem Vorfall auf der Überallbrücke? Ja. Klar. Davor war er ein normaler Junge, der Fußball gespielt und seine Hausaufgaben vergessen hat. Danach hat er sich in einen Berserker verwandelt. Er war übrigens auch auf einmal in der Schule gut, trotz allem, was er sonst getrieben hat. Was heißt gut? Überragend. Sein Stipendium hat er nicht für nichts bekommen.«

»Und wieso Chemie?«

»Er wollte neue Designerdrogen entwickeln.«

»Oh.« Sie näherten sich der Klinik. *Hospital am Weißen Ring* verkündete ein schlichtes Metallschild an der Zufahrt. Ein

Krankenwagen kam ihnen entgegen, gemütlich, ohne Blaulicht. »Hat er Ihnen von seiner Erfindung erzählt?«

»Ein bisschen. Eine Kunstfaser mit irgendwelchen revolutionären Eigenschaften. Und dass ihm die Idee dazu während eines Peyote-Trips gekommen ist. Das war für ihn das Wichtigste daran. Peyote, das ist für ihn irgendwie so, als spricht Gott mit ihm.« Theresa Diewers seufzte. »Er hat gesagt, anfangs habe er geglaubt, das sei der Durchbruch, diese Faser. Seine Bestimmung.«

Sie hielten vor dem Haupteingang. Ein Dutzend Leute in Bademänteln standen vor den Glastüren, manche mit einem Infusionsständer neben sich, rauchten und schauten gleichgültig herüber.

»Was heißt ›anfangs‹?«, fragte Ambick.

»Er meint, er hat sich da geirrt. Das sei nur eine Etappe gewesen. Er hätte eine andere Aufgabe.«

»Und was für eine?«

Sie schüttelte den Kopf. »Das will ich, glaube ich, gar nicht wissen.« Sie legte die Hand auf den Türgriff, drehte sich noch einmal um, sah ihn unsicher an. »Herr Kommissar – ich habe für meinen Bruder eine Packung Morphiumtabletten gestohlen«, gestand sie leise. »Aber die sind seit heute Morgen aus. Er wird bald Schmerzen haben. Werden Sie ihn finden? Meinen Sie, Sie kriegen ihn in ein Krankenhaus?«

Ambick nickte. »Wir tun, was wir können.« Er lächelte. »Was die Tabletten betrifft, hatte ich gerade eine kleine Hörstörung. Enno, hast du mitgekriegt, woher er die hatte?«

Enno hob die Hände. »Oh, du – hier hinten hört man so gut wie nix von dem, was vorne gesprochen wird.«

Sie lächelte wehmütig. »Danke fürs Bringen«, sagte sie. Dann stieg sie aus und ging, ohne sich noch einmal umzudrehen.

Allmählich gewöhnte sich Ingo richtig an das Büro, das ihm Rado zur Verfügung gestellt hatte. Heute war es besonders angenehm, hier oben im Warmen zu sitzen und über die Stadt zu schauen, die in trostlosem Grau versank.

Inzwischen bekam er sogar Post. Ein Päckchen hatte heute Morgen auf dem Tisch gelegen, darin ein T-Shirt mit der Aufschrift *Unter dem Schutz von*; darunter schemenhaft, aber erkennbar die Umrisse des Racheengels. Das beiliegende Schreiben bat, er möge das T-Shirt in seiner Sendung tragen und damit einen Künstler unterstützen. Außerdem zwei Faxe: eine Anfrage von einer Firma in München, die ihn als Eröffnungsredner für einen Kongress über Sicherheitstechnik gewinnen wollte, und eine Einladung aus Leipzig, an einer Podiumsdiskussion mit dem Titel »Mut und Zivilcourage im 21. Jahrhundert« teilzunehmen.

Nur das Telefon funktionierte immer noch nicht. Das musste er Rado gegenüber vielleicht mal ansprechen.

Gerade als Ingo sich in die Unterlagen für die heutige Sendung vertiefen wollte, begannen im Büro nebenan Akkuschrauber zu surren. Dann rumpelte es, hörte gar nicht mehr auf. Er ging nachsehen: Handwerker, die irgendwelche Möbel einbauten. Außerdem verlegten sie einen neuen Teppichboden, denn wenig später erfüllte der durchdringende chemische Geruch des Klebers die Luft.

Seine heutigen Gäste waren schon wieder nicht sonderlich spektakulär: ein Mann, ein ehemaliger Fernfahrer, der in einer Raststätte bei einer Schießerei, mit der er gar nichts zu tun gehabt hatte, schwer verletzt worden und seither arbeitsunfähig war. Er würde etwas über den Dauerclinch erzählen, in dem er mit den für Entschädigungszahlungen zuständigen Behörden lag. Der zweite Gast war ein Sammler historischer Schusswaffen, dem das Gericht die Waffenbesitzkarte aberkennen wollte: Was um alles in der Welt sollte er mit *dem* anfangen?

Er musste wirklich mal mit Rado sprechen.

Sein Handy klingelte. Er beugte sich über das Display. Seine Festnetznummer, eine Weiterleitung also. Er nahm an.

»Hi.« Melanie. Auch das noch.

»Ja?«, knurrte Ingo. »Was gibt's?«

»Markus ist gestern angegriffen worden. Hast du das mitgekriegt?«

Ingo runzelte die Stirn. Was interessierten ihn die Dispute der Soziologenszene? »Nein. Ist mir völlig entgangen, stell dir vor.«

»Na, dann erfährst du es jetzt von mir. Also, Markus war auf dem Rückweg von einer Besprechung in seinem Verlag – er hat sein Manuskript abgegeben, und der Verleger hat bis in die Nacht hinein mit ihm darüber diskutiert –, und als er ins Parkhaus gekommen ist, ist er von zwei Jugendlichen aus heiterem Himmel attackiert und zusammengeschlagen worden.«

»Was?« Ingo begriff, dass sie gar nicht von einem verbalen Angriff unter Kollegen sprach. Er musste unwillkürlich auflachen. »Na, dann weiß er ja jetzt, wie das ist. Da kann er sein Buch gleich umschreiben.«

»Ha!« Da war er wieder, der kämpferische Melanie-Ton. »Markus hat *gewusst*, dass du *genau das* sagen würdest. Deswegen ruf ich überhaupt an. Ich soll dir von ihm ausrichten, dass dieser Vorfall keinerlei Rachsucht in ihm ausgelöst hat, sondern ihn in seinen wissenschaftlichen Ansichten nur bestärkt. So.«

Nebenan krachte etwas gegen die Wand, dass alles wackelte.

»Und was erwartet er jetzt?«, fragte Ingo. »Dass ich ihn in meine Sendung einlade und dazu interviewe?«

»Nein. Erwartet er nicht. Er käme auch nicht. Kannst du vergessen. Auf dieses Niveau lässt er sich nicht mehr herab.«

»Ach so. Niveau will er.« Ingo seufzte. »Mel – ich begreif echt nicht, was du an dem Kerl findest.«

»Ja, ich weiß, und das wirst du auch nie begreifen. Markus ist ein mutiger Mann, verstehst du? Einer, der unbeirrbar seinen Weg geht. Ein *starker* Mann. Auf eine solche Attacke so zu reagieren ist in meinen Augen ein Beweis von Stärke. Und eine Frau will einen starken, unbeirrbaren Mann, weil sie nur zu so jemandem aufsehen kann.«

Ingo musste daran denken, wie unbeirrbar Neci die Brüste der Produzentin befummelt hatte. »Schon verstanden«, meinte er. »Und das war bei mir nicht so.«

»Nein. Leider.« Er hörte es, sie war in Fahrt. Nicht zu bremsen. »Weißt du, ich habe viel darüber nachgedacht in letzter Zeit. Warum unsere Beziehung gescheitert ist.«

»Sag bloß«, murmelte Ingo unbehaglich. »Ehrt mich das jetzt?«

»Erinnerst du dich an die Kneipe, in die wir früher nach dem Kino sind, auf einen Absacker?«

»Das *Psycho*. Klar.«

»Das letzte Mal, als wir dort waren, hat mich einer angemacht, während du auf dem Klo warst. Was heißt angemacht – der hat mich regelrecht bedrängt, mich begrapscht und alles.«

Ingo spürte seinen Mund trocken werden. »Ich erinnere mich. Das hast du mir erzählt.«

»Hab ich, ja. Aber der Punkt ist«, fuhr Melanie unversöhnlich fort, »dass ich dich damals gesehen habe. Du hast im Gang zu den Toiletten gestanden und nichts gemacht, hast nur gewartet, dass ich alleine mit dieser blöden Situation fertigwerde. Der Kellner hat eingegriffen, hat dem Typ gesagt, dass er sich verziehen soll. Dann erst bist du gekommen und hast so getan, als ob nichts wäre. Und ich habe auch so getan, als ob nichts wäre. Als hätte ich dich nicht gesehen.«

Ingo schwieg betreten. Es stimmte. Keine Episode, auf die er stolz sein konnte. Aber er hatte einfach nicht gewusst, was er tun sollte!

»Das war der Riss«, erklärte Melanie. »Daran ist unsere Beziehung letzten Endes zerbrochen. An dem Abend habe ich gelernt, dass ich mich nicht auf dich verlassen kann.«

»Und auf Matschi kannst du dich verlassen?«

Eine Pause auf der anderen Seite. Dann sagte sie kühl: »Weißt du, wenn du alles, was ich sage, nur ins Lächerliche ziehst, hat es keinen Zweck. Tschüss.«

Sie legte auf.

Ingo nahm das stumme Telefon vom Ohr, starrte es an. Da war es wieder, dieses Gefühl, das ihm nur Melanie zu bescheren verstand. Dieses Gefühl, es nie zu schaffen, ohne dass er je begriffen hätte, was es überhaupt war, das er einfach nicht hinkriegte, nicht um alles in der Welt.

Okay. Na gut. Er scrollte durch die Menüs, suchte nach dem Video, diesem verdammten Video von Neci, wie er der Fröse an die Wäsche ging. Das würde er Melanie jetzt schicken, jawohl, kommentarlos. Oder halt, besser: *mit* einem Kommentar. Irgendwas wie: *Ein starker, mutiger Mann geht unbeirrbar seinen Weg.*

Wo war es denn, verflixt?

Noch bevor er es gefunden hatte, summte plötzlich der Alarm, und eine Erinnerungsmeldung poppte auf. Er zuckte zusammen. Richtig, er musste ja Kevin ins Training begleiten. Er hatte es versprochen, und er war spät dran!

Jetzt aber los. Nicht, dass schon wieder eine Frau anfing, ihn für unzuverlässig zu halten.

Victoria Thimm hatte noch nie im Leben ein Taxi benutzt, geschweige denn, eines telefonisch bestellt. Wie man das machte, wusste sie nur aus den Romanen, die sie übersetzt hatte. Aber diese Romane spielten naturgemäß alle außerhalb Deutschlands – woher sollte sie wissen, ob die Gepflogenheiten dort nicht ganz andere waren?

Nun, sie musste sich sowieso erst einmal richtig anziehen. Und kämmen. Im Spiegel fand sie sich zu blass. Sie hätte etwas Rouge oder einen Lippenstift brauchen können, doch derlei besaß sie seit Ewigkeiten nicht mehr. Passte die Bluse zu ihrem Rock? Sie hatte da noch eine in einem anderen Blau … aber die roch muffig, oder? Hatte zu lange ungenutzt im Schrank gehangen. Und davon abgesehen: Stand ihr Blau überhaupt?

Schließlich merkte sie, was sie da tat. Dass sie es vor sich herschob.

Sie betrachtete sich in ihrem Schlafzimmerspiegel. So sah sie eben aus. Blass, weil sie selten Sonne abbekam. Unmodisch gekleidet, weil sie keinen Anlass hatte, sich um die Mode zu kümmern. Unglücklich, weil sie es war.

Sie hängte die andere Bluse zurück auf die Stange und ging zum Telefon. Suchte im Telefonbuch nach der Nummer der Taxizentrale, bis sie merkte, dass die auf jeder Seite in der Kopfzeile stand. Wählte. Sagte, als sich jemand meldete: »Guten Tag, mein Name ist Victoria Thimm. Ich benötige ein Taxi.«

»Für jetzt gleich oder für einen bestimmten Termin?« Eine geschäftig klingende Frau war am Apparat. Im Hintergrund waren viele andere Stimmen zu hören, man hatte den Eindruck allgemeiner Hektik.

»Für jetzt gleich«, sagte Victoria.

»Handelt es sich um einen Krankentransport?«

Das fand sie eine seltsame Frage. »Nein«, erwiderte sie vorsichtig, nicht sicher, ob sie damit die Wahrheit sagte.

»Okay. Wohin soll das Taxi kommen?«

»Igelstraße 14, bitte.«

»Igelstraße, Wanndorf oder Igelstraße, Mooshain?«

»Wanndorf.« Sie hatte nicht gewusst, dass es noch eine Igelstraße gab.

»Wohin soll die Fahrt gehen?«

»Zur Sankt-Jakob-Kirche am Niendorfer Platz.«

Sie hörte die Frau etwas tippen, dann kam: »In Ordnung. Das Taxi kommt in etwa zehn Minuten.«

»Danke«, sagte Victoria und legte auf, war auf einmal so erschöpft, dass sie sich am liebsten erst mal hingelegt hätte.

Aber das kam jetzt natürlich nicht infrage. Zehn Minuten, das war ideal. Da würden die Tabletten gerade anfangen zu wirken. Sie stellte das Glas Wasser vor sich hin, fingerte die Schachtel auf, die seit Tagen bereitlag.

Doch dann, die dunkelgrünen Kugeln in der Hand, zögerte sie. Es fühlte sich falsch an.

Nein, beschloss sie und legte die Pillen wieder weg. Nein, sie würde ihre Gefühle nicht künstlich dämpfen, wenn sie Peter wiedersah.

Auf dem Rückweg ins Kommissariat fiel Ambick die Frage ein, die er vergessen hatte zu stellen. Bis sie ankamen, war ihm aber eine Idee gekommen, wie er trotzdem eine Antwort darauf bekommen konnte.

Eine Viertelstunde später sagte Enno, vor seinem Computer sitzend, das Schengen-Abfragesystem vor sich: »Du hattest recht. Ein Sidney James Westham ist vor knapp drei Wochen über den Flughafen Amsterdam-Schiphol nach Europa eingereist.«

Ambick nickte. »Also hat er seinem Freund auch den Pass geklaut. Das hat der bloß noch nicht bemerkt.« Er beugte sich über Ennos Schulter, betrachtete das Foto auf dem leicht schräg eingescannten US-Pass. Das Bild von Alexander Wenger fiel ihm wieder ein, das ihm dessen Eltern geliehen hatten. Er hatte es noch in der Akte, war bislang nicht dazu gekommen, es kopieren zu lassen und zurückzugeben.

Er holte es heraus, hielt es neben den Bildschirm. »Verblüffend«, sagte er. »Abgesehen von der Brille ähneln sich die beiden wie Brüder.«

»Wie kann das gehen?«, wunderte sich Enno. »Ich dachte, in US-Pässen sind auch die Fingerabdrücke gespeichert, so wie bei uns neuerdings?«

»Noch nicht durchgehend. Die alten Pässe gelten noch eine Weile. Abgesehen davon werden bei der Einreise nach Europa keine Fingerabdrücke geprüft.«

»Und die Pistolen? Wie hat er die mit rübergebracht?«

Ambicks Telefon klingelte. »Oh, da gibt es auch Tricks«, meinte er schulterzuckend und ging hinüber auf seine Seite des Schreibtisches. »Dutzende. Frag mal die Kollegen vom Zoll.« Er hob ab. »Ambick?«

Eine der Frauen aus der Telefonzentrale. Da sei ein Pfarrer, ein gewisser Peter Donsbach, der ihn persönlich sprechen wolle im Fall Todesengel.

»Stellen Sie durch.«

Gleich darauf hatte er eine helle, nervöse Männerstimme am Ohr. »Sie haben den Falschen verhaftet. Ulrich Blier ist nicht der Racheengel.«

»Sondern?«, fragte Ambick.

»Alexander Wenger.«

»Woher wollen Sie das wissen?«

»Er hat es mir gesagt.« Schluckgeräusche. »Und ich kenne ihn seit meiner Kindheit. Ich weiß, dass es stimmt.«

Enno stand auf, gab durch ein Handzeichen zu verstehen, dass er mal kurz auf die Toilette ging. Ambick nickte. »Sie haben mir diesen Brief geschickt, nicht wahr?«

»Ich … ich dachte, ich muss Ihnen einen Hinweis geben. Damit das endlich aufhört. Die Gewalt.«

»Schön, aber da kommen Sie jetzt ein bisschen spät. Das haben wir uns inzwischen selber zusammengereimt. Warum haben Sie nicht einfach das geschrieben, was Sie mir gerade gesagt haben?«

»Das ist schwer zu erklären.« Er fügte hastig hinzu: »Aber einen anderen Hinweis kann ich Ihnen geben. Diese permanenten Schlägereien, bei denen zurzeit jeden Tag irgendwo Leute angepöbelt oder verprügelt werden, ohne dass man einen Anlass erkennt –«

»Ich weiß, was Sie meinen«, unterbrach ihn Ambick.

»Dahinter könnte ein gewisser Dominik Flach stecken. Mit seinen Kumpanen.«

»Wer ist Dominik Flach?«

»Der ältere Bruder von Philipp Flach. Einer der beiden, die beim ersten Auftreten des Racheengels getötet worden sind.«

Ambick runzelte die Stirn, während er sich den Namen notierte. »Und wozu das?«

»Das ist, was ich gehört habe«, erwiderte Donsbach ausweichend. So, als wisse er mehr, wolle es aber nicht verraten.

Na gut, der Mann war Pfarrer. Vielleicht brach er gerade das Beichtgeheimnis.

»Danke«, sagte Ambick. »Das war jetzt hilfreich. Wir kümmern uns darum.«

Als Enno wieder zur Tür hereinkam, fragte er ihn: »Sagt dir der Name Dominik Flach etwas?«

Enno furchte die Stirn. »Jep«, meinte er. »Sagt mir was.« Er warf sich in seinen Schreibtischstuhl, ließ die Finger über die Tastatur sausen. »Genau. Hat schon eine dicke Akte. Vorstrafen aller Art, Therapien, gemeinnützige Arbeit. Das übliche Profil.«

»Schreib mir mal seine Adresse auf«, bat Ambick. Er würde einfach bei ihm vorbeigehen und mit ihm reden. Ihm zu verstehen geben, dass sie Bescheid wussten. Sie konnten ihm zwar im Moment nichts beweisen, aber das musste er ihm ja nicht auf die Nase binden. Vielleicht schaffte er es, ihm genug Angst einzujagen, dass diese Überfälle aufhörten.

»Übrigens, Ortheil ist jetzt da«, fiel Enno ein. »Hab ihn gerade vorne bei Schmidt und Schmitt gesehen.« Ingmar Schmidt und Ludwig Schmitt waren zwei Drogenfahnder, die das letzte Büro vor den Toiletten hatten.

»Gut, dann schnapp ich mir den gleich mal«, meinte Ambick und stand auf.

Er erwischte den Staatsanwalt auf der Treppe ins Erdgeschoss. Ortheil sah heute ausgesprochen schlecht aus – weiß wie eine Wand, in sich gekehrt, gebeugt wie unter einer schweren Last. Seine Locken waren durcheinander und ließen jeden Glanz vermissen. Sogar seine Krawatte hatte er nur schlampig gebunden. Er sah aus wie ein Mann, der entweder im Begriff stand, ernsthaft krank zu werden, oder der gerade den Schock seines Lebens erlitten hatte.

Als Ambick ihm mit gedämpfter Stimme von ihren neuesten Erkenntnissen berichten wollte, winkte Ortheil nach wenigen Sätzen ab. »Ja, ja«, sagte er. »Wir lassen Blier wieder frei. Ich bin schon unterwegs zur Richterin.«

Damit drehte er sich um und ging.

»Es war Ortheils Frau«, erklärte Johannes Barth später in der Teeküche, seinen Teebeutel fortwährend eintunkend und herausziehend. »Sie hatte eine Affäre mit Blier, und die hat sie ihm gestern Abend gestanden.«

»Sag bloß«, meinte Ambick, während die Kaffeemaschine gurgelte und pfiff.

»Haben sich bei einem Empfang im Oberbürgermeisteramt kennengelernt, am Tag der Deutschen Einheit. Er war als Begleitung eines Generals dort, sie als Begleitung ihres wichtigen Mannes, des Oberstaatsanwalts. Obere Zehntausend und so. Und dann begegnet man sich am Büfett, ein Wort gibt das andere … Tja. So etwas passiert.«

Der Kaffee roch mal wieder seltsam, irgendwie ölig. Ambick tat zwei Stück Zucker und einen Schuss Milch hinein. »Blier hat also die Wahrheit gesagt.«

»Von seiner Seite aus verständlich«, räsonierte der Psychologe. »Bettina Ortheil ist nun wirklich keine Frau, die man von der Bettkante stoßen würde. Von ihrer Seite aus dagegen ein ziemliches Risiko – allein der Verlust an gesellschaftlichem Status, wenn ihr Mann sich scheiden lassen sollte. Da dürfte dieser bevorstehende Auslandseinsatz eine Rolle gespielt haben, nehme ich an. Ist ja nicht gesagt, dass man als Soldat da unversehrt zurückkommt.«

Die Milch flockte aus. Ambick roch an der Milchtüte und verzog das Gesicht. Sauer. »Man könnte meinen, du wärst dabei gewesen«, meinte er.

Johannes Barth zog den Teebeutel endgültig heraus und ließ ihn in den Mülleimer fallen. »Ich gebe nur wieder, was der Flurfunk meldet. Die gewöhnlich gut unterrichteten Kreise. Du weißt schon.«

»Ja«, sagte Ambick, leerte seinen Kaffee in den Ausguss und die brockigen Überreste der Milch ebenfalls. »Bloß hilft uns das nicht weiter. Damit wissen wir, dass irgendwo da draußen ein mit indianischen Rauschmitteln vollgedröhnter Mann herumläuft, der ein Superheldenkostüm trägt, zwei geladene Pistolen in der Tasche und nichts mehr zu verlieren hat. Wir wissen nicht, wo er ist, wir wissen nicht, was er vorhat, und wir haben keine Ahnung, wie wir ihm zuvorkommen sollen.«

Kevin war, gelinde gesagt, äußerst unbegeistert, von Ingo begleitet zu werden. Auf dem Weg zur Haltestelle marschierte er so straffen Schrittes vornweg, als wolle er sagen: *Wenn du nicht mithalten kannst, umso besser.* Und als er neben Ingo in die U-Bahn stieg, fauchte er: »Ich bin doch kein Baby. Ehrlich.«

»Es ist der Wunsch deiner Mutter«, erwiderte Ingo, der auch Besseres mit seiner Zeit anzufangen gewusst hätte.

Sie setzten sich einander gegenüber. »Das sieht einfach blöd aus«, maulte Kevin weiter.

»Ich geh nicht mit hoch«, meinte Ingo. »Keine Sorge.«

Kevin knurrte nur unwillig, holte sein Handy heraus und begann, ein Spiel darauf zu spielen, das enorm nervende Piep-Geräusche von sich gab. Nicht unbedingt das, was die Verkehrsbetriebe in ihren Bahnen schätzten, aber Ingo beschloss, nichts zu sagen, solange sich niemand beschwerte.

Kevin war eigentlich ein gut aussehender Junge, überlegte Ingo, sobald er mal für einen Moment das Geduckte, Vorsichtige verlor. Wenn er ein bisschen aus sich herausging, so wie jetzt gerade. Er hatte einen wachen Blick, war flink, intelligent – er versteckte das alles nur unter langen, schwarzen Haaren, die er sich meistens wie eine Tarnung ins Gesicht fallen ließ. *Piep. Piep-piep. Piep.*

Plötzlich sagte Kevin erbittert: »Ach, Kacke.«

»Verloren?«, fragte Ingo.

»Nee. Batterie leer.« Er schüttelte das Gerät, was natürlich nichts half. »Ich bräuchte schon lange ein neues. Bei dem geht der Saft dauernd aus, obwohl ich's echt jeden Abend ans Ladegerät häng.«

Vielleicht eine Geschenkidee, überlegte Ingo. Es war nicht mehr weit bis Weihnachten. Wobei ... wann hatte Kevin denn

Geburtstag? Das musste er mal unauffällig in Erfahrung bringen.

»Sag mal«, begann Ingo nach einer Weile, in der Kevin nur dumpf Löcher in die Luft gestarrt hatte, »was ist eigentlich mit deinem Vater? Wenn ich das fragen darf.«

»Der ist weg«, erwiderte Kevin finster.

Kein gutes Thema, dachte Ingo und wollte es auf sich beruhen lassen, aber Kevin fuhr fort: »Der ist abgehauen, als ich noch ganz klein war. Ich kann mich kaum an ihn erinnern. Ich hab ein Foto, aber … Ja, und er hat meine Mutter bei der Scheidung übers Ohr gehauen. Keine Ahnung, wie und was. Sie sagt bloß, er hat die besseren Anwälte gehabt und da kann man nichts machen. Keine Ahnung, wo er heute ist. Interessiert mich auch nicht. Er interessiert sich ja auch nicht für mich.«

»Schöner Blödmann«, meinte Ingo. »Ich wär stolz, wenn ich einen Sohn wie dich hätte.«

Kevin grinste schief, sagte nichts, wirkte aber fast ein wenig versöhnt.

»Gut, dass Sie mich gefragt haben und nicht meine Mutter«, sagte er nach einer Weile. »Die kann sich nämlich ziemlich aufregen bei dem Thema.«

»Verstehe.«

Sie lächelten einander an, zwei Männer, die es beide nicht leicht hatten mit den Frauen.

Ingos Telefon summte. Er zog es heraus, sah auf das Display. Schon wieder seine eigene Festnetznummer, schon wieder ein weitergeleiteter Anruf.

Vermutlich noch einmal Melanie.

Passte ja.

»Ja, hallo?«, meldete er sich.

»Hallo, Herr Praise.« Es war nicht Melanie. Es war eine heisere, dünne Stimme, die klang wie nicht von dieser Welt. »Hier spricht der … Racheengel.«

34 Der Taxifahrer trug einen Turban und sprach Deutsch mit einem lustigen Akzent. Er öffnete Victoria die Tür und war überhaupt sehr freundlich, fast so, als spüre er, wie unsicher sie sich fühlte.

Immerhin: Sie hatte die Treppenstufen bis hinab auf die Straße geschafft, ohne in Schweiß gebadet zu sein. Nur ihr Herz raste. Und ihre Hand zitterte.

Die Tür fiel ins Schloss, so schwer und satt, als sei es die Tür eines Safes. Das Radio dudelte leise, man hörte fast nichts. Victoria befühlte das Leder des Rücksitzes. Glatt, kühl, geduldig. Es roch nach Rauch und fernöstlichen Düften.

Auf dem Beifahrersitz sah sie ein Buch liegen, dessen Umschlag in Gurmukhi-Schrift bedruckt war: eine in Panjabi verfasste religiöse Schrift, wie es aussah. Demnach war der Fahrer ein Sikh.

Zum ersten Mal bedauerte Victoria es, dass sie die Sprachen, die sie gelernt hatte, nicht auch sprechen konnte.

»Ich möchte zur Sankt-Jakob-Kirche«, erklärte sie, als der Mann den Wagen umrundet hatte und wieder hinter dem Steuer Platz nahm. »Am Niendorfer Platz. Wissen Sie, wo das ist?«

»Sankt-Jakob-Kirche. Ja. Alles klar«, sagte der Fahrer, legte den Gang ein und fuhr los.

Was ihm eine Kirche wohl bedeutete? Vermutlich nichts. Ein Bauwerk einer fremden Religion, über die er vielleicht so wenig wusste wie sie über den Sikhismus. Sie sah sich um, hielt nach anderen Texten Ausschau, an denen sich ihr Blick festsaugen konnte, damit sie nicht hinaussehen, sich nicht mit der Tatsache befassen musste, dass sie ihr Zuhause zurückließ. Eine Zeitung lag noch da, eine Ausgabe des *Rodenthaler Anzeigers. Racheengel verhaftet!*, lautete die erste Schlagzeile, gleich darunter hieß es: *Schließung der Rodenthaler Porzellanmanufaktur bedroht 200 Arbeitsplätze.*

Die Umgebung wahrzunehmen ließ sich nicht vermeiden. Sie näherten sich der Überallbrücke, der Blick ging ins Weite, der Wagen dagegen geriet in einen Stau, kam zum Stillstand. Ihr Herz schlug heftig, ihre Hände begannen zu kribbeln. Der Impuls, aus dem Auto zu stürzen und nach Hause zu rennen, so schnell sie konnte, war schier übermächtig.

Dann dachte sie an Peter und blieb sitzen, saß da wie gelähmt, ließ sich Meter um Meter über die Brücke transportieren. Es schien Ewigkeiten zu dauern, bis sie endlich vor der Kirche ankamen, der Fahrer hielt und ihr den Fahrpreis nannte. Siebzehn Euro. Lächerlich wenig im Grunde. Dafür hätte sie nicht erst Bargeld bestellen müssen; so viel war immer in der Trinkgeldkasse. Aber sie hatte es eben nicht gewusst. Sie wusste so vieles nicht.

Sie gab ihm zwanzig, verstand nicht, was er meinte, als er fragte, ob sie einen Beleg wolle, stieg aus und sah ihm nach, wie er davonfuhr. Sie, allein vor der riesigen, aus der Nähe wurmstichig wirkenden Kirche. Durch einen Fluss und eine Brücke von ihrem Zuhause getrennt.

Das hieß, es gab jetzt keinen anderen Weg mehr für sie als den zum Portal. Ihre Beine zitterten, aber sie trugen sie vorwärts. Der Metallgriff der Kirchentür lag schwer in ihrer Hand. Kühle schlug ihr entgegen, als sie das Dunkel dahinter betrat.

Die Kirche lag leer und verlassen. Kerzen brannten, es roch nach Kellergewölbe und kaltem Weihrauch, nach Sünderschweiß und Steinstaub. Niemand da, nicht einmal das sprichwörtliche alte Mütterlein, das in Seitenkapellen für sein Seelenheil betet.

Sie ging den Mittelgang entlang, bis ganz nach vorn zum

Altar, setzte sich in die erste Bank. Es war still bis auf das Echo ihrer Schritte, das ewig nachzuhallen schien. Still und erhaben.

Sie blickte zu dem gewaltigen Kreuz über ihr auf, an dem Jesus hing, und einen Moment lang war ihr, als sähe sie das Gesicht von Herrn Holi in seinen Zügen.

Unsinn natürlich. Sie wusste nicht mehr, wie Florian Holi ausgesehen hatte.

Völlige Ruhe. Als sei auf einmal alles zum Stillstand gekommen.

Aber wenn das hier wirklich Peters Kirche war, musste er ja irgendwann auftauchen. Sie würde einfach warten. Sie verstand sich aufs Warten. Und sie hatte alle Zeit der Welt.

Der Racheengel am Telefon! Ingo verschlug es die Sprache.

Jetzt keinen Fehler machen. Das war womöglich *die* Chance seines Lebens. *Die* Chance zu beweisen, was in ihm steckte. Das durfte er jetzt nicht versauen.

»Woher weiß ich, dass Sie das wirklich sind?«, fragte er zurück. Die U-Bahn rumpelte in eine Kurve. Draußen vor den Fenstern rasten die kahlen Betonwände des Tunnels vorbei.

Die Stimme am anderen Ende der Leitung klang unnachsichtig. »Verschwenden wir keine Zeit mit so etwas. Ich biete Ihnen ein Interview an. Heute. Jetzt gleich. Das können Sie schon heute Abend senden.«

Ein Interview! Aber hoffentlich nicht per Telefon, oder? »Gut«, sagte Ingo mit angehaltenem Atem. »Wann und wo?« Wenn bloß die Verbindung nicht abriss!

»Kommen Sie um fünfzehn Uhr dreißig zum Peter-Meding-Platz in Dahlow. Nur Sie und eine Videokamera.«

»Meding-Platz. Eine Kamera.« Wo zum Teufel sollte er jetzt so schnell eine Kamera herbekommen? »Ich allein.«

»Genau. Bis dann.« Weg war er.

Ingo ließ das Telefon sinken, sah sich um, musste gegen das Gefühl ankämpfen, alles nur zu träumen. Die U-Bahn hielt, die Türen öffneten sich zischend, Leute stiegen aus, stiegen ein, die meisten mit gelangweilten Gesichtern. Manche telefonierten, andere lasen oder hörten Musik. Es roch nach Knoblauch, Parfüm und Kaugummi.

Okay. Jetzt hieß es, das irgendwie auf die Reihe zu kriegen.

Er sah auf sein Handy hinab. Sollte er Evelyn bitten, Kevin doch abzuholen? Oder ihn alleine nach Hause fahren lassen?

Ganz schlechte Idee. Er hatte es ihr versprochen. Und Frauen wollten Männer, die hielten, was sie versprachen, das hatte er ja gerade unter die Nase gerieben bekommen.

»Kevin«, sagte er und beugte sich vor. Der Junge merkte auf. »Du weißt, was ich von Beruf bin?«

»Fernsehmoderator.«

»Nicht ganz. Eigentlich bin ich Journalist. Reporter.«

Der Junge nickte. »Ach so.«

»Ein Reporter muss immer auf dem Sprung sein; muss sofort reagieren, wenn sich irgendwo was Wichtiges ereignet.«

»Und was ereignet sich gerade?«, fragte Kevin mit einem Blick auf Ingos Handy.

Cleveres Bürschchen. »Ich hab die Chance, eine sehr wichtige Person zu treffen und zu interviewen. Das Dumme ist, dass es jetzt gleich sein muss und ich nicht weiß, wie lange das Ganze dauern wird.«

»Das heißt, ich soll allein heimfahren.«

Ingo hustete. »Damit mir deine Mutter den Kopf herunterreißt? Nein, ich würde dich gern bitten, nach dem Training auf mich zu warten. Zur Not auch eine Stunde oder noch länger; es ist ja Betrieb bis spätabends.«

Kevin verzog das Gesicht. »Ach, Mann. Das ist blöd. Ich hab nichts zu lesen dabei, das Handy tut's nicht …«

»Ich mach's wieder gut«, versprach Ingo. »Ich meine, du hast bestimmt den einen oder anderen Wunsch … oder?«

Kevin musterte ihn, sah beiseite. »Eigentlich wünsch ich mir bloß Freunde. Und die kann man nicht kaufen.«

»Aber wir zwei könnten Freunde sein«, schlug Ingo vor. »Das wäre doch ein Anfang?«

Kevin musterte ihn wieder, nickte dann, ein zaghaftes Lächeln um die Lippen. »Okay.«

Danach saß Ingo wie auf glühenden Kohlen. Die Zeit lief, und es kam ihm auf einmal unerträglich langsam vor, wie sich die U-Bahn vorwärtsschob, Metall auf Metall schleifend, ein schwerer, rumpelnder Koloss.

Noch drei Stationen. Noch zwei. Noch eine. Endlich.

Er begleitete Kevin bis vor das Gebäude, um seine Pflicht fürs Erste erfüllt zu haben. »Also, abgemacht, du wartest auf mich, ja?«, vergewisserte er sich noch einmal.

»Ja, klar«, sagte Kevin ungeduldig.

»Gut. Dann viel Spaß.«

Der Junge nickte nur und machte, dass er durch die Tür kam. Wahrscheinlich, damit ihn nicht doch noch jemand zusammen mit seinem Aufpasser sah, überlegte Ingo.

Okay. Los. Er machte sich auf den Rückweg zur U-Bahn-Station, zückte sein Handy, rief Rado an. Betete dabei, dass er den Chefredakteur diesmal erreichen würde. Keine Besprechung mit der Geschäftsleitung, bitte, und auch keine von Rados geheimnisvollen Auszeiten.

Seine Gebete wurden erhört. »Ja?«, bellte Rado ihm ins Ohr.

Er verklickerte ihm die Situation in Kurzform: ein Interview mit dem Racheengel, exklusiv. Er brauchte eine Kamera. Und das Ganze bis in einer Stunde. »Bis in fünfundfünfzig Minuten, um genau zu sein«, korrigierte er sich mit Blick auf die Uhr über dem Abgang zur U-Bahn.

Allein die Fahrt bis zum Sender würde so lange dauern.

»Das machen wir anders«, sagte Rado. »Ich schick ein Team los –«

»Ich soll allein kommen«, widersprach Ingo. »Ausdrückliche Bedingung.«

»So?« Boah, klang das misstrauisch. Glaubte ihm Rado nicht? Dachte er, Ingo wolle die Sensation für sich ausschlachten?

Tja. Falls er das dachte, hatte er vollkommen recht.

Ingo musste grinsen. Es fühlte sich gut an, endlich mal auf der Erfolgswelle zu reiten.

»Gut, dann lass mich mal nachdenken«, meinte Rado grimmig. »Du bist gerade wo?«

»In Spannwitz.«

»Blöd. Da könntest du ja fast laufen.« Man hörte ihn in Unterlagen kramen.

»Wenn ich zufällig eine Videokamera bei mir hätte.«

Rado raschelte weiter herum, gab brummende Geräusche von sich, und die Zeit verrann. »Okay, pass auf, ich hab's«, meldete er sich schließlich. »Wir machen es so: Du fährst jetzt mit der Linie 9 bis zur Haltestelle Losing-Mitte. Ich schick derweil einen Fahrer mit Kamera und Batteriepack los, der dich dort abholt. Ein Wagen mit City-TV-Logo, findest du. Der fährt dich dann nach Dahlow.«

Ingo überschlug die Strecken, schnappte nach Luft. Das würde knapp werden. Zumal jetzt, am Freitagnachmittag, im einsetzenden Berufsverkehr. »Bis Losing fahre ich allein zwanzig Minuten«, gab er zu bedenken. »Vorausgesetzt, ich kriege gleich eine Bahn.«

»Ja«, erwiderte Rado unleidig, »deswegen würd ich vorschlagen, du hörst auf zu jammern und beeilst dich. Tschüss.«

Sie hätte ihn um ein Haar nicht erkannt, als er plötzlich aus dem Dunkel auftauchte. Fast fünfzehn Jahre lang hatte sie Peter nicht gesehen. Im Talar eines Priesters wirkte er seltsam fremd, fast entrückt.

Der Talar stand ihm gut, fand sie. Fast zu gut. Groß, schlank und feingliedrig sah er eher wie ein Filmschauspieler aus, der einen Priester nur spielte. Und sein Haar zeigte erste graue Strähnen, konnte das sein? Oder war das nur das Licht?

Er dagegen erkannte sie sofort. »Victoria?« Fassungslosigkeit sprach aus der Art, wie ihm das entfuhr, grenzenlose Verblüffung.

Sie blieb sitzen, sah zu ihm auf. Sie hätte in diesem Moment nicht aufstehen können. »Ich habe erfahren, dass du hier bist. Zurück.«

Er suchte nach Worten. »Ja, ich … Ja. Das ist jetzt meine … Aber du, ich dachte, du seist … Hast du das, ähm … *überwunden*?«

Victoria sah ihn an. Er hatte immer noch diese ausgeprägte Nase und diese dichten Wimpern. »Heute das erste Mal«, sagte sie. »Und es war nicht leicht.«

»Ich … ich weiß nicht, was ich sagen soll«, bekannte Peter.

Das war offensichtlich. Victoria fühlte einen wehmütigen Schmerz in der Brust, wusste nicht mehr, was sie sich von dieser Begegnung eigentlich versprochen hatte. Da waren sie nun, doch irgendwie schien alles, was einmal zwischen ihnen gewesen war, verloren gegangen zu sein, begraben zu liegen unter dicken Schichten aus Zeit und Vergessen. Sogar das Reden fiel ihnen schwer. Sogar das, was ihnen nie schwergefallen war.

»Hast du das mit dem Racheengel gehört?«, fragte sie, um einen Anfang zu machen.

»Natürlich.«

»Hast du auch dieses Video gesehen?«

»Ja.«

»Hattest du nicht den Eindruck, dass du von der Art der Bewegungen Alex wiedererkennst?«

»Er ist es. Er hat es mir selber gesagt.«

Victoria sah sich um, betrachtete die hohen, trüben Fenster, die biblische Szenen zeigten, die endlosen, leeren Reihen der Kirchenbänke, das dunkle Schnitzwerk überall. »Alex war bei dir?«

»Er hat vor zwei Wochen plötzlich im Beichtstuhl gesessen.«

Er setzte sich neben sie. Victoria wandte sich ihm zu. Seltsam, so eine Kirche. Jede Bewegung rief raschelnde Echos hervor, ihre Stimmen hallten nach, sodass man unwillkürlich leise sprach. »Alex? Aber der ist doch gar nicht katholisch.«

»Er hat auch nicht gebeichtet. Ich war gar nicht durch das Beichtgeheimnis gebunden. Das ist mir nur erst später bewusst geworden.« Peter blickte finster drein. »Er war schon immer ziemlich raffiniert.«

»Damals hat er gesagt: Wenn es einen Gott gäbe, der uns beschützt, dann hätte er auf der Brücke einen Engel geschickt, um die drei Kerle direkt in die Hölle zu werfen«, sagte Victoria. »Einen strahlend weißen Engel – das hat er gesagt. Weißt du noch?«

Peter nickte. »Das habe ich mir hundertmal anhören müssen. Vor allem, als er spitzgekriegt hatte, dass ich Priester werde.«

Victoria faltete die Hände. »Alex also. Hab ich mich nicht getäuscht.« Sie atmete tief durch. »Und was machen wir jetzt?«

Peter zuckte mit den Schultern. »Da gibt es nichts mehr zu überlegen. Ich habe der Polizei alles gesagt, was ich weiß.«

»Wann?«

»Heute Mittag.«

Victoria musterte ihn, suchte nach dem Jungen, der ihr einmal so viel bedeutet hatte. »Mit anderen Worten, du hast ihn verraten. Deinen Freund.«

Er zuckte zurück. »Was heißt hier verraten? Das geht doch nicht. Er kann doch nicht –«

»Wie du alle verraten hast. Dich selber, weil du in Wirklichkeit nie an Gott geglaubt hast. Und wie du mich verraten hast.«

Das Training war wieder toll. Das war was total anderes als der Sport in der Schule, den Kevin inbrünstig hasste. Hier im Krav Maga ging es nicht um Noten oder darum, wer in irgendeiner blöden Sportart besser als jemand anders war; es ging nur darum, etwas zu *können* – etwas, das *nützlich* war. Und guttat.

Heute machte David Kraftübungen und ein Geschicklichkeitstraining mit ihnen. Das war klasse, obwohl auch viele Ältere, Erfahrenere mitmachten. Vielleicht war es gerade deswegen klasse, weil die einen eben nicht duckten oder piesackten, wie es die Spacken in der Schule taten, sondern weil sie einem halfen, Tipps gaben, einen sogar manchmal lobten. Die Zeit verging im Flug, zumal die Anfänger eine halbe Stunde eher aufhören mussten, da die anderen noch ein paar spezielle Sachen üben sollten.

Er ließ sich Zeit beim Umziehen. Keine Spur von Ingo, klar. Der war sicher noch schwer beschäftigt. Kevin trödelte absichtlich herum, während die anderen Anfänger nach und nach die Fliege machten, wartete, bis er allein war. Dann zog er sich rasch an und ging so unauffällig wie möglich. Draußen suchte er sich vor dem Hauseingang eine Bank, die abseits lag und trotzdem so, dass er den Weg von der U-Bahn-Haltestelle her im Blick hatte, damit er Ingo sah, wenn er kam.

Er seufzte. Fertigmachen zum Langweilen. Er checkte sein Handy, doch das hatte sich nicht auf magische Weise wieder aufgeladen. Und ansonsten? Er sah den Autos nach, die vorbeifuhren, aber das hatte nur begrenzten Unterhaltungswert. Außerdem war es scheißkalt, hier so zu sitzen.

Er duckte sich, als kurz darauf die Großen aus dem Gebäude kamen. Dummerweise gingen die nicht zur U-Bahn, sondern bogen in seine Richtung ab. Alle neun.

Die Schande!

»Hi, Kevin«, rief ihm einer zu, Sebastian, der schon siebzehn war. »Was machst du denn hier?«

»Warten«, gestand Kevin. »Ich werd abgeholt.«

»Hast du nicht Lust, mitzukommen?«, fragte ein anderer, Erik. »Wir gehen noch ins Europacenter rüber, ein bisschen kegeln, 'ne Stunde oder so.«

Sebastian gab ihm einen Schubs mit dem Ellbogen. »Hast du's auf den Ohren? Er hat doch grade gesagt, er wird abgeholt.«

Kevin verfluchte insgeheim, dass er Ingo versprochen hatte zu warten. Kegeln! Er hatte noch nie gekegelt, aber unbändige Lust, es mal zu probieren.

»Ja, aber vielleicht hat er ja trotzdem Zeit, Mann«, verteidigte sich Erik. Er wandte sich an Kevin. »Wann wirste denn abgeholt?«

»Weiß ich nicht genau.« Das war die Chance, sein Gesicht zu wahren! »Es ist der neue Freund meiner Mutter. Der ist beim Fernsehen, hat heute Abend um sechs 'ne Sendung und grade ein Interview, von dem unklar ist, wie lange es dauert. Ich schätze, er wird schon rechtzeitig vor sechs kommen.«

Einer der anderen, dessen Name Kevin nicht mitgekriegt hatte, blies die Backen auf. »Um sechs? Das ist ja noch ewig!« Ein anderer sagte: »Beim Fernsehen, cool.«

»Hey, häng dem doch einfach oben einen Zettel an die Tür, wo du bist, und komm mit«, schlug Erik vor.

Ein anderer, der Michael hieß, meinte: »Das wär gut, dann könnten wir zwei Mannschaften zu fünf machen.«

»Der Laden heißt *Bowlingcenter*, ist nicht zu übersehen«, sagte Sebastian. »Wir warten hier auf dich.«

Sie wollten ihn dabeihaben! Kevin wagte kaum zu glauben, dass sie ihn nicht verarschten.

Womöglich … würden sie irgendwann Freunde sein!

»Okay«, sagte er und stand auf. »Super Idee.«

Der Peter-Meding-Platz war ein moderner, großzügig angelegter Platz inmitten eines Büroviertels. Ein kolossales Sportgeschäft und zwei Banken bildeten ein Halbrund um einen Springbrunnen, ansonsten sah man viele Bürofenster und hinter manchen davon jemand, der an einem Computer saß.

Der Fahrer, ein stiernackiger, schweigsamer Mann mit Backenbart, hatte ihn in Losing erwartet und ihm eine mehrere Kilo schwere Videokamera mit Schulterstütze mitgebracht. Nun hielt er mit dem Wagen vor dem Rondell und sah Ingo fragend im Rückspiegel an.

»Das ist alles, was ich weiß«, sagte Ingo. »Meding-Platz.« Er fasste nach dem Türgriff. »Ich steig mal aus.«

Kaum stand er draußen, klingelte sein Handy.

»Nehmen Sie die Kamera und schicken Sie den Fahrer weg«, befahl die dünne Stimme.

»Okay.« Ingo beugte sich zurück in den Wagen, griff nach der Kameratasche und sagte zu dem Fahrer: »Er will sich erst zeigen, wenn Sie wieder weg sind.«

»Was heißt das? Soll ich irgendwo in der Nähe auf Sie warten?«

»Gute Idee. Wie erreiche ich Sie?«

Der Mann gab ihm eine Visitenkarte mit City-TV-Logo. *Charly Rontas, Fahrdienst.* »Meine Handynummer.«

»Danke. Dann bis nachher.« Er wuchtete die Kameratasche heraus, schlug die Tür zu, steckte die Karte ein und sah dem Wagen nach, wie er davonfuhr.

Sein Handy klingelte wieder. Wieder die Stimme, die wie ein gespannter Draht klang. »Gehen Sie jetzt hinüber zum Europacenter. Warten Sie dort vor dem Haupteingang.«

Er unterbrach die Verbindung, ohne Ingos Antwort abzuwarten.

Zum Europacenter. Na toll. Das hieß, die halbe Strecke zurück nach Spannwitz zu Fuß. Und das mit schwerem Gepäck.

Aber was tat man nicht alles für Ruhm und Erfolg. Ingo hievte sich die Kameratasche auf die Schulter, überquerte den Platz und bog in den Fußweg ein, der hinaus ins Nichts führte.

Das Europacenter war, je nachdem, wie man es betrachten wollte, eine Bauruine oder eine Dauerbaustelle. Man konnte es von hier aus sehen, es lag mitten im Brachland zwischen Spannwitz und Dahlow. Ursprünglich hatten auf diesem Gelände einmal ein neues Stadion und eine Konzerthalle entstehen sollen; die Stadt hatte vorsorglich eine U-Bahn-Linie gebaut und eine unterirdische Haltestelle, die als luxuriöse Ladenpassage mit zahlreichen Freizeitangeboten gedacht gewesen war. Dann war die Finanzierung beider Projekte geplatzt, und seither dümpelte die Sache vor sich hin: Die Haltestelle Europacenter wurde vor allem von Leuten frequentiert, die zwischen der Linie 7 und der Linie 10 umsteigen mussten, die

Ladenpassage bestand hauptsächlich aus Schaufenstern, in denen riesige *Zu-vermieten*-Schilder hingen, und der größte Teil der Anlage war nach wie vor Baustelle und würde es, wie es aussah, bleiben. Zwar war derzeit die Rede davon, auf dem Gelände zwischen dem Europacenter und der alten Heisigstraße ein Technologiezentrum und eine Reihe von Wohnhäusern zu errichten, aber kaum jemand glaubte noch, dass daraus je etwas werden würde. Und was das Gebiet auf der anderen Seite anbelangte, das matschige, freudlose Grasland, das Ingo gerade straffen Schrittes durchquerte, gab es nicht einmal Pläne.

Er hatte kalte Ohren, als er vor dem Haupteingang ankam, und war außer Puste. Eine Weile geschah nichts, dann klingelte wieder sein Handy. Ein Spiel, das Ingo zu nerven begann. »Ja?«

»Sehen Sie rechter Hand die Rampe, die abwärts führt?«, fragte die heisere Stimme.

»Seh ich«, sagte Ingo. »Da steht ein Schild: *Zutritt verboten.*«

»Gehen Sie dort hinunter und unter dem Absperrband hindurch.« Diesmal unterbrach er die Verbindung nicht.

»Okay.« Ingo sah sich um, ob ihn jemand beobachtete. Niemand. Er setzte sich in Bewegung und tat wie geheißen.

Hinter der Öffnung, die wohl eine Zufahrt für Lieferanten hatte werden sollen, war alles ewige Baustelle. Zementsäcke lagen herum, längst zu Stein verfestigt und unbrauchbar, Bauschutt, Holzsplitter.

»Und jetzt geradeaus«, sagte die Stimme.

Mit jedem Schritt, den Ingo tat, wurde es dunkler. Kahle Säulen, Durchgänge, Betonwände, aus denen ungenutzte Kabelrohre ragten, Türen, Rampen, Treppen ins Nichts. Unter seinen Schuhen knirschten Steine, raschelte altes Papier, Kartonstücke oder Fetzen von dicker Kunststofffolie. Ab und zu trat er gegen leere Bierdosen. Es roch nach Zementstaub und Pisse; vermutlich war das hier ein Unterschlupf für Penner und lichtscheues Volk.

Er sah kaum noch etwas, als die Stimme, die ihn leitete, befahl: »Jetzt rechter Hand die Treppe hinunter. Vorsicht, sie hat kein Geländer.«

»Danke für den Hinweis«, murmelte Ingo. Als ob irgendeine der Treppen bisher ein Geländer gehabt hätte.

Plötzlich zitterte der Boden unter seinen Füßen, und er hörte ein enormes, metallenes Grollen in der Tiefe vorbeiziehen: eine einfahrende U-Bahn. In den leeren Räumen ringsum hallte das Geräusch, dass einem unheimlich werden konnte.

Er stieg die Treppe hinab, vorsichtig, einen Schritt nach dem anderen. Unten angekommen, blieb er stehen, weil er die Umgebung nur noch schemenhaft wahrnahm.

»Schalten Sie jetzt die Kamera ein«, flüsterte die Stimme aus dem Handy.

»Moment.« Ingo steckte das Telefon in seine Jacke, setzte die Tasche ab, hievte das Gerät heraus, schaltete es ein. Zum Glück waren die Tasten hintergrundbeleuchtet. Eine Aufsatzlampe war auch dabei – bloß: Wie machte man die fest? Das hatten sie in dem Kurs damals an der Journalistenschule nicht behandelt.

»Sie brauchen keine Lampe«, hörte er die Stimme aus seiner Jacke. »Schalten Sie einfach die Kamera ein, Bild und Ton, und filmen Sie.«

»Wie Sie wollen«, sagte Ingo, wuchtete sich das Ding auf die rechte Schulter und drückte den Aufnahmeknopf. Eine rote LED ging an, strahlte unglaublich hell in der Finsternis ringsum.

»Schwenken Sie jetzt langsam nach links«, befahl die Stimme. »Noch ein bisschen weiter … Stop. Bleiben Sie so.«

Ingo blieb so, filmte die Dunkelheit, nichts geschah. Die Sekunden verstrichen, er konnte die Zeit im Display laufen sehen, und ganz allmählich wurde er das Gefühl nicht los, schlicht und einfach verarscht worden zu sein. Womöglich lauerten da im Dunkeln Kameras mit Restlichtverstärkern, die ihn ihrerseits aufnahmen, um ihn in irgendeiner Blödelsendung durch den Kakao zu ziehen.

Er wollte die Kamera gerade wieder ausschalten, als er vor sich einen Lufthauch und ein kaum hörbares Geräusch wahrnahm.

Im nächsten Augenblick erschien die leuchtende Gestalt des Racheengels.

35 Peters Blick mied den ihren, streifte sie allenfalls kurz und wanderte ansonsten umher, als hielte er Ausschau nach irgendetwas, das ihn aus dieser Begegnung erlösen möge.

»Es tut mir leid«, meinte er mühsam. »Dass ich dir nicht öfter geschrieben habe, meine ich. Im Priesterseminar wurde so etwas nicht gern gesehen, weißt du?«

Victoria ließ ihn nicht aus den Augen. »Peter«, sagte sie langsam, »du hast mir auch davor nicht geschrieben. Ich habe drei Briefe von dir bekommen – drei. In fünfzehn Jahren.«

Seine Stimme bekam einen wehleidigen Klang. »Ja. Das ist nicht viel. Ich weiß.«

Wilde, gefährliche Gefühle stiegen in ihr auf, Gefühle, von denen sie sich nicht fortreißen lassen durfte, das wusste sie. Erinnerungen, die wehtaten. Erinnerungen an weiche, warme, innige Küsse, an denen dieser Mund beteiligt gewesen war, diese Lippen, die jetzt so blutleer und schmal wirkten. Erinnerungen an seinen Geruch und daran, wie sich seine Haut angefühlt hatte, wie ihre Hand über seine Brust gewandert war, eine nach allen Maßstäben harmlose Erkundung eines anderen Körpers, die ihr Herzrasen beschert hatte und ein Glück, das ihr damals unfasslich erschien, alles übersteigend, was je einem Menschen zugestoßen sein konnte, ein Glück, für das sie in dem Moment jeden Himmel und jedes Paradies bedenkenlos eingetauscht hätte.

Und dann war sie um genau dieses Glück betrogen worden.

»Warum?«, flüsterte sie. »Warum bist du nicht zu mir gekommen? Nicht ein einziges Mal?« Es war ihr nicht so ergangen wie anderen Mädchen, die ihre Liebschaften vor ihren Eltern hatten geheim halten müssen. Ihre Eltern hatten Peter gekannt, akzeptiert, gemocht. Victorias Mutter hatte mit ihr lange, offene, praktische Gespräche über Sex, Empfängnisverhütung und derlei Dinge geführt (*lustige* Gespräche waren das gewesen, an die sie mit warmer Dankbarkeit zurückdachte; eine ihrer kostbarsten Erinnerungen an ihre Mutter). Er hätte nicht das Geringste zu befürchten gehabt und hatte das auch gewusst!

»Ich konnte nicht.« Auf seiner Wange erschienen seltsame Flecken, fast so, als würde er vor ihren Augen zu Marmor. »So wie du nicht aus dem Haus konntest, so konnte ich nicht zu dir kommen.«

»Hattest du eine andere? War es deshalb?«

»Ach was. Es gab nie eine andere.«

»Dann versteh ich es nicht.«

Er schwieg. Sie fühlte steinerne Kälte in sich eindringen. Die Dunkelheit der Kirche schien sich um sie herum zu schließen, als sei die Welt ringsum verschwunden und die Zeit zum Stillstand gekommen.

»Ich war zu Hause eingesperrt«, sagte sie mit dem Gefühl, eine Anklageschrift zu verlesen. »Wenn ich nur einen Schritt vor die Tür gemacht habe, habe ich Angstzustände bekommen, Atemnot, Schweißausbrüche. Der bloße Gedanke, aus dem Haus zu gehen, hat mir den Hals abgeschnürt. Ich bin mehr als einmal ohnmächtig auf der Schwelle zusammengebrochen, trotz Hypnose, trotz progressiver Muskelentspannung, trotz Psychoanalyse. Je mehr ich es versucht habe, je mehr ich es *wollte*, desto schlimmer ist es geworden. Mein Vater hat den Gegenwert eines Mittelklassewagens für Psychotherapeuten ausgegeben, von denen mir keiner helfen konnte. Und du bist nicht gekommen, nicht ans Telefon gegangen, hast dich verleugnen lassen ...« Wut erfüllte sie, eine unbändige, uralte, kraftvolle Wut, die wie Feuer in ihrem Inneren brannte. »Und ich hab es nicht verstanden. Wir hatten uns doch geliebt! Wir waren jung, fast noch Kinder, ja – aber für mich war trotzdem klar, dass wir uns einander versprochen hatten, dass wir unser Leben teilen wollten … Und dann war plötzlich alles aus. Nach diesem schrecklichen Vorfall, nach dem ich dich mehr denn je gebraucht hätte, hast du nicht einmal mehr mit mir geredet! Warum? Ich habe es nicht verstanden, und ich verstehe es heute noch nicht. Und dann, eines Tages, endlich, kommt ein Brief von dir – in dem du mir nur schreibst, dass du Priester wirst. Priester! Ausgerechnet du!« Sie hielt inne, legte die Hände auf den Bauch, spürte, wie ihr Zorn sich in eiserne Entschlossenheit verwandelte. »Warum? Ich gehe nicht, ehe du mir das erklärt hast.«

In Peters Gesicht loderte blankes Entsetzen. Sie befürchtete schon, er würde einfach aufspringen und blindlings davonstürzen, doch er schlug nur die Augen nieder und flüsterte: »Ich hatte Angst, dir die Wahrheit zu sagen.«

»Beginnen Sie«, sagte die Lichtgestalt, die, überirdisch und unwirklich, vor ihm stand. Hauchdünne, wehende, in hellem Weiß leuchtende Haare umflorten ein fast schon unmenschlich hageres Gesicht, das man wahrhaftig für das eines Engels halten konnte.

Ingo fühlte seinen Mund trocken werden. Jetzt war er gefordert. Jetzt galt es.

»Mein Name«, sagte er laut und mit so fester Stimme, wie es ihm möglich war, »ist Ingo Praise, und ich stehe in diesem Augenblick vor dem mittlerweile legendären Racheengel.« Hoffentlich nahm das Mikrofon der Kamera mit seiner Richtcharakteristik das überhaupt auf. »Meine erste Frage lautet: Was ist Ihre Botschaft?«

Sein Gegenüber klang, als habe er Stimmbänder aus Glas. »Ich wache über diese Stadt. Wer seine Hand erhebt gegen einen Unschuldigen, wird von nun an durch meine Hand sterben, noch bevor er seine Tat vollendet hat.«

Ingos Hirn raste. Er hatte alle Mühe, die Kamera stabil zu halten. Wie viel wog das Teil? Einen Zentner? Wie sollten einem da gute Fragen einfallen?

»Sie tauchen immer im genau richtigen Augenblick am genau richtigen Ort auf«, fragte Ingo laut weiter. »Wie ist das möglich? Wie machen Sie das? Können Sie Gedanken lesen? Die Zukunft vorhersehen? Besitzen Sie die Gabe der Allgegenwart?«

»Ich werde geführt«, erwiderte die Stimme, an der kaum noch etwas Menschliches war. »Wenn ich mich durch die Stadt bewege, bin ich eins mit allem. Ich spüre die Anwesenheit aller Menschen in kilometerweitem Umkreis, ihre Sorgen, ihre Gefühle. Alles, was geschieht, sehe ich vor mir wie ein leuchtendes Netz. Alles, was ich tun muss, ist, den Signalen zu folgen. Ich bin im Zustand der Gnade: Deshalb bin ich zur richtigen Zeit am richtigen Ort, um das Richtige zu tun.«

»Ist das, was Sie tun, das Richtige? Zu töten?«

»Ich töte nicht einfach, ich richte. Ich bereinige. Ich merze aus.«

Ein Frösteln befiel Ingo, ein unbehagliches Gefühl, das ihm kalt die Wirbelsäule emporkroch, eine unbestimmte Vorahnung von etwas Entsetzlichem.

Oder war es nur die seltsame Luft hier unten?

Ja. Bestimmt.

Er zwang sich, bei der Sache zu bleiben. Gut möglich, dass er gerade das Interview seines Lebens führte. Gut möglich, dass dies die Story war, die sein Leben in ein Davor und ein Danach teilen würde, eine von den Reportagen, von denen die Menschen noch Jahrzehnte später redeten. Konzentration also. Er hatte sich die Fragen unterwegs zurechtgelegt, er musste sie nur stellen.

»Was ist das Geheimnis Ihres ... nun, Ihres *Kostüms*?«, fragte er. »Wieso leuchten Sie?«

Der Racheengel bewegte sich eine Winzigkeit rückwärts. Sein Mantel umwallte ihn auf beeindruckende Weise, schien aus purem Licht zu bestehen. »Es ist ein Zeichen«, erklärte er. »Ein Symbol für die überirdische Kraft, die meine Schritte und mein Handeln lenkt.«

»Wie lange werden Sie das tun? Wie lange gedenken Sie über unsere Stadt zu wachen?«

Ein schauerlicher Blick traf Ingo aus Augen, deren Pupillen farblos zu sein schienen. »Von nun an für alle Zeit«, sagte der Racheengel. »Ich werde erst dann nicht mehr in Erscheinung treten, wenn alle ausgestorben sind, die nicht verstehen, was für sie auf dem Spiel steht.«

»Glauben Sie, dass –?«

»Schsch!« Er hob die Hand, brachte Ingo damit zum Schweigen, wandte den Kopf zur Seite und lauschte in die Dunkelheit.

Ingo hielt den Atem an, warf mal wieder einen Blick ins Sucherdisplay. Was für Bilder! Was für *geile* Bilder! Wenn er das heute Abend sendete, würde morgen die ganze Welt von nichts anderem mehr reden.

Mit einer unglaublich schnellen Bewegung holte der Racheengel zwei Pistolen aus den Manteltaschen, entsicherte sie mit elegantem, synchronem, wie beiläufig wirkendem Daumenschnipsen.

»Ein Signal«, erklärte er knapp. »Jemand ist in Gefahr. Kommen Sie. Dokumentieren Sie das.«

Damit drehte er sich um und rannte los, unglaublich schnell und leichtfüßig, die Pistolen in den erhobenen Händen, einem Geist ähnlicher als einem lebendigen Wesen.

Irgendwo hatte Kevin aufgeschnappt, dass das Europacenter seit ewigen Zeiten eine Baustelle sei, aber er hatte sich darunter nichts vorstellen können. Nun sah er es mit eigenen Augen: breite Passagen, die einem Angst machen konnten in ihrer Verlassenheit. Zwei Drittel aller Schaufenster zugeklebt, die Läden leer. Ecken, in denen sich zerrissene Chipstüten, trockene Blätter und anderer Abfall sammelten und langsam verstaubten, weil sich niemand darum kümmerte. Er hörte ein fernes, irgendwie gruseliges Wummern, von dem er erst nach einer Weile merkte, dass es von den Rolltreppen stammte, die hinab zur U-Bahn führten. Und die Durchsagen (»*Achtung an Gleis 1; U-10 Richtung Wanndorf fährt ein.*«) hallten an manchen Stellen so seltsam, dass es einem vorkam, als höre man Stimmen aus der Unterwelt.

Aber immerhin, ein paar Geschäfte gab es: eine Apotheke, einen kleinen Supermarkt, eine Videospielothek mit einem Schild *Zutritt ab 16 Jahre* an der Tür, einen Zeitschriftenladen, einen Schuhladen (der allerdings gerade Räumungsverkauf machte: »*Nur noch 10 Tage! Alles muss raus! Bis zu 80 % reduziert!*«), einen Laden, der Kristalle verkaufte (und in dem sich sogar Kunden befanden, in rege Diskussionen mit der Verkäuferin vertieft) – und schließlich das *Bowlingcenter*.

Erik war der Erste am Eingang. Er packte die Türgriffe … und nichts rührte sich. »Was ist denn jetzt?«, rief er und rüttelte heftig. »Kacke – haben die jetzt auch dichtgemacht?«

»Reg dich ab, Mann«, meinte Sebastian und las die Zettel, die in einem Schaukasten neben der Tür hingen. »Die haben die Öffnungszeiten geändert. Die machen erst in einer halben Stunde auf. In vierzig Minuten«, korrigierte er sich nach einem Blick auf die Uhr.

»Das sind doch voll die Toastbrote, ey. Wieso das denn? Wir sind jeden Freitag um die Zeit hier.«

»Ja, aber sonst halt niemand«, sagte Sebastian.

Michael drängte sich neben ihn, las ebenfalls, was im Schaukasten stand. »Kommt, wir gehen bis dahin zu den Videospielen«, schlug er vor. »Die haben jetzt zwei Formel-I-Spiele, wo du dich in einen Rennwagen reinsetzen kannst, der sich in die Kurve legt und so. Das muss voll der Hammer sein. Mein Bruder hat letztens fuffzig Euro an so nem Ding verbraten.«

»Wow«, sagte Erik. »Super.«

Die Idee stieß auf allgemeine Begeisterung. Kevin machte

sich ganz klein, und als irgendwie die Reihe an ihm war, was zu sagen, meinte er kleinlaut: »Ich wart dann halt draußen.«

Jetzt sahen ihn alle an. »Wieso?«, wollte Erik wissen. »Hast du kein Geld mit? Ich kann dir was leihen.«

»Ich bin erst vierzehn«, sagte Kevin. »Vierzehneinhalb. Aber das reißt's auch nicht raus.«

Die anderen wechselten vielsagende Blicke. Jetzt würde es losgehen, das Gespöttele, die blöden Sprüche, der Spaß auf seine Kosten. Kevin kannte das.

»Also, Leute«, meinte Sebastian, »wegen mir muss es nicht sein. Ich meine, hey, was ist schon 'ne halbe Stunde? Und vielleicht machen sie ja doch ein bisschen eher auf.«

Erik nickte. »Stimmt eigentlich. Nicht dass uns die gute Bahn 1 durch die Lappen geht.«

»Ich komm eh morgen mit meinem Bruder her«, sagte Michael. »Und ich kann's kaum erwarten, euch abzuziehen. Alle Neune, aber voll!«

»Angeber«, meinte Erik abfällig.

Auch die anderen winkten ab, waren sich einig, dass es das nicht brachte, wenn einer von ihnen draußen warten musste.

Einer von ihnen! Kevin traute seinen Ohren nicht, als er das hörte. Ein warmes Gefühl des Glücks erfüllte ihn. Noch nie im Leben war er mit der Wendung *einer von uns* gemeint gewesen. Noch nie im Leben hatte er *dazugehört*.

Was für ein Tag. Den würde er sich rot im Kalender anstreichen.

»Was heißt hier Angeber?«, stritt sich Michael inzwischen mit Erik. »Im Training hab ich vier von euch ausgehebelt, schon vergessen?«

»Vier Hänflinge«, entgegnete Erik. »Du hast dir halt die dünnsten und leichtesten ausgesucht.«

»Ich nehm's auch mit der doppelten Zahl auf«, behauptete Michael. »Kein Problem.«

»Kannst du haben. Wir sind gerade zu zehnt, wenn Kevin mitmacht.«

Sebastian erklärte ihm, wovon die Rede war: Es ging um eine Übung, bei der einer am Boden lag, von mehreren Angreifern attackiert wurde und sich gegen deren Widerstand aufrichten und aus ihrem Kreis freikämpfen musste. Man trug, wenn man das trainierte, spezielle Schutzkleidung, damit der Betreffende wild strampeln und mit voller Kraft um sich schlagen konnte.

»Also, her mit euch Witzfiguren«, rief Michael, ließ seine Sporttasche zu Boden plumpsen und ging in Verteidigungsstellung. »Greift mich an.«

»Komm, lass den Scheiß«, meinte Sebastian. »Wir sind zum Kegeln hier.«

»Wieso?« Michael hüpfte schattenboxend umher. »Passt doch. Ich hau euch genauso um. Alle Neune.«

»Es reicht, wenn du das am Montag im Training beweist.«

»Vergiss es. Mehr als vier Gegner erlaubt David nicht.«

Erik stieß Sebastian in die Seite. »Komm, mir machen ihm den Spaß. Kegelt sich bestimmt prima mit 'nem blauen Auge. Da kann man besser zielen.«

»Du weißt wohl, wovon du redest«, höhnte Michael. »Also, los, ich will's wissen!«

Erik senkte den Schädel. »Das wird dein Untergang, Mann.«

Kevin sah zu Sebastian hinüber, unsicher, wie ernst die ganze Sache gemeint war. Doch der verdrehte nur seufzend die Augen.

Ingo musste das Letzte aus sich herausholen, um mit dem Racheengel Schritt zu halten. Die geisterhaft leuchtende Gestalt vor ihm war schnell wie der Wind, schien im Dunkeln sehen zu können, wirkte, als flöge sie, als gälten die Gesetze der Schwerkraft für sie nicht.

Ingo dagegen keuchte unter der Last der schweren Profikamera mit ihrem Gehäuse aus massivem Metall. Er verstand, warum Kameramänner nach spätestens zehn Jahren in dem

Job unter Rückenbeschwerden litten. Seine Schritte führten ihn über Betonboden; immer wieder stieß er gegen Holzstücke, Styroporteile, Säcke von irgendetwas; immer wieder war er dicht daran, zu stolpern und der Länge nach hinzuschlagen.

Was ihm unter keinen Umständen passieren durfte. Wenn er das hier vermasselte, eine Chance, wie man sie nur einmal im Leben bekam, dann konnte er seine weitere Laufbahn als Journalist vergessen.

Er war längst außer Atem, als es eine Treppe hinaufging, von der er nicht mal sah, wohin sie führte. Einfach dem leuchtenden Mann nach, der wenig Neigung zeigte, auf ihn zu warten.

Ingo fragte sich schnaufend, was um alles in der Welt der Racheengel hören mochte? Er hörte nichts außer seiner eigenen Lunge, die arbeitete wie ein Blasebalg, und dazu das Geräusch seiner eigenen Schritte.

Er war eben nicht im Zustand der Gnade. Daran musste es liegen.

Wieder erschütterte eine unter ihnen hindurchfahrende U-Bahn das Bauwerk. Der Racheengel blieb stehen, wartete, bis Ingo heran war.

»Wir müssen uns beeilen«, sagte er mit kalter Erbarmungslosigkeit in der Stimme.

Ingo war außerstande, irgendetwas zu sagen, nickte nur, vergewisserte sich, dass die Kamera immer noch lief. Keine Atempause, es ging weiter. Während er der strahlend hellen Gestalt folgte, kam ihm zu Bewusstsein, was er da im Begriff war zu tun: Er würde eine Aktion des Racheengels filmen. Das hieß, er würde unter Umständen – sehr wahrscheinlich sogar! – filmen, wie ein oder mehrere Menschen aus nächster Nähe erschossen wurden. Böse Menschen, das schon, aber trotzdem. Man würde ihm eine Mitschuld an ihrem Tod geben, ihn zum Mitwisser erklären, und durchaus nicht zu Unrecht. Wie würde er sich da später herausreden? Was würde er antworten auf die Frage, wieso er die Tat nicht verhindert habe?

Auf keinen Fall die Wahrheit: dass er sie gar nicht verhindern *wollte*.

Und dann, plötzlich, hörte er es auch.

Die Schreie.

Viele.

Real!

Und so aggressiv, dass es ihm eine Gänsehaut über den ganzen Körper jagte.

Eine Chance war es, ja. Aber es war auch eine Gefahr. Nicht nur eine juristische, sondern eine ganz konkrete Gefahr für Leib und Leben. Eine Gefahr, als schwarzes Kreuz auf einer Karte des Brachlands zwischen den Stadtteilen Dahlow und Spannwitz zu enden.

In diesem Augenblick kam sie ihm, die Idee, die ihn für den Rest seines Lebens verfolgen sollte. Die ihn quälen sollte, wann immer er einen Tropfen Blut sah. Die ihn den Tränen nahebringen sollte, wann immer er eine Unterführung durchquerte. Die er sich niemals vergeben sollte.

Doch das ahnte Ingo Praise in dem Moment noch nicht. Im Gegenteil, er hielt diese Idee für eine geniale Eingebung, weswegen er sie sofort umsetzte, ohne zu zögern.

»Ausgerechnet jetzt«, sagte er, für das Mikrofon der Kamera bestimmt, »ist mir das Schuhband gerissen.« Er stolperte etwas, blieb stehen, ging rasch in die Knie. Er achtete darauf, das Objektiv der Kamera ins Leere blicken zu lassen, denn tatsächlich hatte er gar keine Schuhe zum Schnüren an, sondern schon seine uralten, gefütterten Winterstiefel mit Reißverschluss.

Während er tat, als fingere er an seinen Schuhen herum, behielt er den Racheengel im Blick, ließ ihn Vorsprung gewinnen, zwanzig, dreißig Meter. Dann richtete Ingo sich wieder auf und eilte ihm nach. Ein guter Abstand, beglückwünschte er sich. Er würde alles sehen, was geschah, dokumentieren, wie es geschah, und doch in Sicherheit sein, nicht betroffen, außer Gefahr.

Da vorne wurde es jetzt hell, zeichneten sich blasse Rechtecke ab, Glastüren, die mit Packpapier abgeklebt waren. Der Racheengel öffnete eine von ihnen, stieß sie auf, verblasste vor dem Neonlicht, das den Raum jenseits davon erfüllte. Ein Durchgang in die Ladenpassage, wie es aussah. Jetzt hörte man das Kampfgeschrei überdeutlich. Es klang nach einem regelrechten Massaker.

Doch der Racheengel war ja zur Stelle, am richtigen Ort zur richtigen Zeit. Genau wie er es versprochen hatte.

Ingo holte auf. Jetzt. Voll mit der Kamera drauf, wie der Racheengel hinaus in die Passage trat, die Pistolen hob, zielte. Eine Sekunde, bevor Ingo ihn erreicht hatte und sah, was überhaupt los war, schoss er, zwei Mal.

PENG! PENG!

Der Knall dröhnte markerschütternd laut, lauter, als sich Ingo so etwas je vorgestellt hatte. Mit dem Gefühl, taub geworden zu sein, schwenkte er die Kamera herum, um die Szenerie zu erfassen. Er sah im Sucher mehrere Jugendliche, die bis eben offensichtlich heftig miteinander gekämpft hatten. Zwei von ihnen sanken gerade zu Boden.

Und einer davon war …

»KEVIN!«

36 Der Aufschrei des Journalisten ließ Alex in der Bewegung erstarren. Alles an diesem Schrei klang falsch, so entsetzlich falsch, dass ihm das Bild des Ganzen entglitt, dass er die Einheit mit allem verlor, dass der Pfad des Kriegers unsichtbar wurde.

Was war hier los? Das musste er herausfinden. Das musste er klären, ehe er irgendetwas tun durfte.

Der Journalist stürzte an ihm vorbei, kümmerte sich nicht mehr um seine Kamera, hielt das Gerät nur noch achtlos am Haltebügel, rannte auf die Jungen zu – wieso tat er das? –, rief: »Kevin! Oh mein Gott, oh mein Gott, nein, nein … Was machst du denn hier? Was macht ihr denn alle hier?«

Alex stand immer noch erstarrt, begriff nicht, fühlte sich, als habe ihn ein Zauber in eine Statue aus Porzellan verwandelt, inwendig hohl.

Und in diesen Innenraum sickerte nun eiserne Verzweiflung.

Er hatte nicht genau getroffen. Den einen Jungen, den, den der Journalist gerade vom Boden aufhob und in seine Arme schloss, hatte er in die Brust getroffen, dem anderen hatte sein Schuss nur das Ohr abgerissen. Heulend vor Schmerz lag der nun da, hielt sich die Seite des Kopfes, während Blut in hellem Schwall zwischen seinen Fingern hindurchquoll.

Wieso hatte er verfehlt? Wieso, wenn doch geschah, was geschehen musste? Wieso, wenn er doch geleitet war und seine Kugeln immer ihr Ziel fanden?

Der Journalist, unter dem Jungen am Boden sitzend, die

Kamera umgestürzt neben sich, fummelte tränenüberströmt an seinem Mobiltelefon und schrie ihn an: »Sie Idiot! Sie haben auf die Falschen geschossen! Das sind bloß Kampfsportler, die hier trainiert haben!«

Die Worte trafen Alex, wie ihn Kugeln nicht hätten treffen können. Wie Teufelsgeheul klangen die Schreie des Journalisten, die Schreie der anderen Jugendlichen wie Hohngelächter aus der Unterwelt. Der Boden unter seinen Füßen bebte – tat er das wirklich nur, weil gerade eine U-Bahn einfuhr?

Er ließ die Pistolen sinken, begriff. Er hatte Unschuldige getroffen. Er hatte diesmal selber Unschuldige angegriffen. Er hatte selber den Tod verdient.

War er denn nicht mehr geleitet?

War er es je gewesen?

Der Bann brach. Das Chaos um ihn herum, die Schreie, das Stöhnen, das Blut, all das schlug über ihm zusammen. Die Jungen, die unverletzt geblieben waren, setzten sich in Bewegung, kamen auf ihn zu, kamen von allen Seiten, entschlossen, ihn zu stellen, zu fangen, niederzuwerfen und zu richten. Und er konnte nicht mehr schießen, würde es nie mehr können, jetzt, da er aus der Gnade gefallen war und sich fragen musste, ob er je darin gewesen war.

Er warf sich herum und flüchtete. In weiten, seine letzten Kräfte verzehrenden Sätzen raste er die Passage entlang, von Entsetzen getrieben. Erwischte die Rolltreppe abwärts, rannte die Stufen hinab, stolperte, fiel, schlug hart gegen irgendetwas. Ein scharfer Schmerz durchbohrte ihn, als die Wunde der vorigen Nacht wieder aufriss, lähmte ihn einen schweren, mühsamen Herzschlag lang.

Da stand eine U-Bahn. Das Signal ertönte, die bevorstehende Abfahrt ankündigend. Alex kam hoch, plötzlich befeuert von einer Kraft, die ein widerliches Eigenleben in ihm führte, rannte los und schaffte es gerade noch in den nächsten Wagen, ehe die Türen krachend zuschlugen.

Die Bahn fuhr los. Alex ließ sich gegen eine Trennwand

sinken, rutschte langsam daran zu Boden wie von einer übermenschlichen Last niedergedrückt. Er hob den rechten Arm, sah, dass sein Mantel wieder schwarz war, aber er erinnerte sich nicht mehr, wann er das Licht abgeschaltet hatte.

Kevins Blut war überall, an den Händen, den Klamotten, auf dem Boden.

»Hallo?«, schrie Ingo ins Handy, als sich endlich jemand unter der Notrufnummer meldete. »Schnell, kommen Sie schnell. Hier hat es eine Schießerei gegeben, zwei schwer verletzte Kinder, eins in Lebensgefahr. Ich bin in der Passage des Europacenters.«

Der Mann sagte irgendetwas, aber Ingo verstand ihn nicht in all dem Lärm, all dem Geschrei, das in der riesigen, gekachelten, menschenleeren Passage widerhallte. Und dann entglitt ihm das Telefon, rutschte ihm aus den klebrigen Händen, schlitterte einfach davon, und was sollte er machen, er hielt doch Kevin in den Armen, hielt ihn auf dem Schoß, und der Junge keuchte in heller Panik, kein Wunder, so, wie ihm das Blut aus der Brust sprudelte, Blasen schlug, ein Strom, der nicht zu stoppen war …

Zwei der Jungs kamen mit einem Verbandskasten angestürmt, ein dicker, rotgesichtiger Mann in einem weißen Kittel hinterher, kurzatmig, der Apotheker vielleicht, aber was wollten sie denn machen, was denn, mit Mullkompressen und Pflastern?

»Die sollen einen Krankenwagen schicken!«, schrie Ingo, so laut er konnte. »Nein, einen Hubschrauber! Und schnell, verdammt noch mal, schnell!«

»Die sind schon unterwegs«, sagte einer der Jungen, ein großer, ruhiger. Er hob Ingos Handy auf, wischte es an seinem T-Shirt ab. »Müssen jeden Moment da sein.«

»Okay …«, konnte Ingo nur sagen, was denn sonst? Was blieb ihm denn anderes übrig?

Eine winzige Bewegung, ein kaum merkliches Schwererwerden des Körpers auf seinem Schoß. Kevin war ohnmächtig geworden.

»He!« Ingo tatschte ihm die Wangen. »Kevin! Dableiben. Du musst wach bleiben, he. Nicht abhauen.« Jemand – der Mann im weißen Kittel – drückte etwas auf Kevins Wunde, irgendwas Weißes, Pralles, Stoffiges, legte Ingos Hand darauf, und Ingo presste, ja, presste mit der einen Hand und versuchte mit der anderen, Kevin zurückzuholen. »He, Sportsfreund. Komm. Wach bleiben!«

Kevin schlug die Augen flatternd wieder auf, dunkle, müde Augen, die aussahen, als hätten sie bereits einen Blick in eine andere Welt geworfen. »Ich hätt besser drüben gewartet, was?«, hauchte er.

»Hach …« Ingo sah ihn hilflos an. Was sollte er denn sagen? Was denn?

»Ich wollte halt … dazugehören«, wisperte der Junge weiter. »Ich hab noch nie irgendwo dazugehört.«

»Kevin?« Die Lider flatterten schon wieder, die Augäpfel drehten sich nach oben. »Kevin, verdammt noch mal!«

Alex blieb einfach sitzen. Eine leere Bierflasche rollte jedes Mal, wenn die U-Bahn hielt, zwischen zwei Sitzen nach vorn, und wenn die Bahn anfuhr, rollte sie wieder zurück. *Grlrlrlrl* – *BONK. Ronglronglrongl* – *DONK.*

Der Wagen war leer. Wenn die Bahn hielt, gingen die Türen auf, manchmal standen Leute draußen, doch wenn sie ihn sahen, stiegen sie nicht ein, sondern suchten sich einen anderen Waggon. Niemand wollte wissen, was mit ihm war, niemand hielt den Zug an, niemand tat irgendetwas.

Alex lehnte den Kopf nach hinten, schloss die Augen, horchte auf das Rattern der Räder und das Surren der Motoren. Er war bereit, aufzugeben. Alle Kraft in ihm war erloschen, ausgepustet, wie man eine Kerze ausblies.

Aber irgendwann zog er sich doch hoch, mühsam, musste sich festhalten, weil die U-Bahn so schwankte und schaukelte.

Er hatte das Gefühl, aus gebranntem Ton zu bestehen. Ein Schlag und *klirr*, er würde in tausend Stücke zerspringen.

Was jetzt? Wohin?

Er betrachtete die leeren Sitze. Manche waren zerschnitten und wieder repariert worden, andere waren bemalt, mit sinnlosen Symbolen. Über den Fenstern die üblichen Plakate. *Lernen Sie jetzt Business-Englisch, mühelos und schnell. Schwarzfahren kostet 60 €. Jesus liebt dich.* Er fühlte Blut an seinem linken Arm herabrinnen, Blut und Schweiß. Nur die Tränen fehlten, aber die würden schon noch kommen.

Wohin war er überhaupt unterwegs?

Da war eine Anzeige. Linie 10. Ein Leuchtpunkt zeigte die nächste Haltestelle an. Alex starrte darauf, versuchte herauszufinden, in welche Richtung sie fuhren. Da, Haltestelle Europacenter. Also ging der Zug in Richtung Wanndorf.

Die übernächste Haltestelle war der Niendorfer Platz. Darunter prangte ein kleines i in einem Quadrat, daneben der Hinweis für Touristen: *Sankt-Jakob-Kirche.*

Lag es an der früh einsetzenden Dämmerung, an der seltsamen, muffigen Kirchenluft, am Widerschein der Kerzen? Oder lag es an aufbrechenden Erinnerungen? Auf jeden Fall wurde Peters Gesicht zu einer starren Maske, fast, als würde es zu Holz.

Er flüsterte. Sein Blick ging ins Leere, in eine Vergangenheit, die immer noch lebendig war. »Als sie auf Herrn Holi eingetreten haben … Ich hab ganz vorne gestanden, erinnerst du dich? Ich hab gesehen, wie sie seinen Kopf gegen das Geländer getreten haben, wieder und wieder. Ich hab gesehen, wie sein Gesicht sich richtiggehend verformt hat, zu einer blutigen Masse geworden ist …« Er hielt inne. Sein Atem ging nur noch stoßweise. »Ich hatte so Angst. Ich war mir sicher, wenn sie mit ihm fertig sind, machen sie mit uns das Gleiche.«

Victoria konnte seine Angst spüren, diese uralte Angst, die all die Jahre eingekapselt in seiner Seele vor sich hin geeitert hatte. Es war, als übertrage sie sich in diesem Moment auf sie, um sich mit ihrer eigenen Angst zu verbinden.

Sie flüsterte: »Ich hatte gar kein Geld mit. Ich dachte, sie zerschneiden mir bestimmt das Gesicht dafür. Wer so etwas mit einem Mann macht, hab ich gedacht, der zerschneidet auch einem Mädchen das Gesicht.«

»Wir haben da gestanden wie hypnotisiert.«

»Wohin hätten wir denn sollen?« Victoria sah es noch vor sich. Sie hatten die Brücke zu etwa einem Drittel überquert, waren gerade über den S-Bahn-Schienen gewesen. Sie hätten mindestens hundert Meter weit rennen müssen, um von der Brücke herunterzukommen und die Chance zu haben, zu entfliehen.

Und sie waren noch *Kinder* gewesen!

»Ich hatte so Angst«, stieß Peter unter Qualen hervor, »dass ich in dem Moment zu Gott gebetet habe.«

Victoria riss die Augen auf. Schnappte nach Luft. Starrte ihn fassungslos an.

Er sah es nicht. Den Blick starr ins Dunkel gerichtet, fuhr er fort: »Lieber Gott, habe ich gefleht, wenn du mich verschonst, werde ich dir dafür dienen. Dann werde ich Priester.«

»Du?«, entfuhr ihr.

»So war das. Das war der Moment.« Er sah sie kurz an, schaute gleich wieder weg. »Ich konnte es dir nicht sagen. Nicht damals. Ich kann es jetzt kaum.«

»Aber …« Sie musste den Kopf schütteln. »Wie um alles in der Welt bist du auf diese Idee gekommen? Ausgerechnet du?«

»Ich weiß nicht. Es war eben so. Genau so.«

»Aber ausgerechnet du! Du hast immer erklärt, Gott gibt es nicht, kann es nicht geben, auf jeden Fall nicht so, wie es die Kirchen sagen. Du hast über die Bibel gespottet, hast jedem die ganzen Widersprüche darin um die Ohren gehauen, hast immer über den Papst geschimpft …«

Sie brach ab. Unnötig, das weiter auszuführen. Er wusste, was sie meinte.

Peter nickte langsam. »Ja. Ich kann es mir auch nicht erklären. Vielleicht war es so wie bei Saulus, habe ich mal überlegt. Der hat die Anhänger Jesu erst verfolgt und ist dann, nach einem Bekehrungserlebnis, zu seinem Apostel geworden …«

Victoria stieß unwillkürlich einen Schrei aus, der im Kirchenschiff schauerlich widerhallte. »Das glaubst du doch nicht im Ernst, oder? Dass Gott Herrn Holi hat umbringen lassen, um dich, Peter Donsbach, zu bekehren?«

Er sank in sich zusammen. »Wenn man es so formuliert, klingt es tatsächlich bescheuert, das muss ich zugeben.«

»Weil es bescheuert *ist*, deshalb.«

»Ja.« Er nickte matt. »Du hast recht. Es war auch … nicht das, was ich wirklich geglaubt habe. Nur ein Gedanke. Eine Frage. Eine … Was auch immer.«

Er versank in brütendes Schweigen.

»Und weiter?«, fragte Victoria endlich.

»Nichts weiter. Das war der Grund, warum ich Priester geworden bin. Ein Gelübde.«

»Deswegen hättest du mich trotzdem nicht einfach fallen zu lassen brauchen.«

Peter atmete geräuschvoll aus. »Stimmt. Das war nicht richtig.«

»Du hättest es mir wenigstens *sagen* können. Mir *erklären*. Anstatt mich fünfzehn Jahre lang rätseln zu lassen, was passiert ist.«

»Ja. Theoretisch.«

»Was heißt theoretisch?«

Er holte so mühsam Luft, als sei eine Metallfeder um seinen Brustkorb gespannt. »Es war ein Gelübde, das ich da auf der Brücke abgelegt habe, verstehst du nicht? So habe ich es empfunden. Ein heiliges Versprechen. Und danach … nach dem Vorfall …«

»Ja?«

»Ich hatte Angst, es zu brechen. Klar, ich hätte mir sagen

können, das war nur der Moment, ich habe mich halt gefürchtet, da denkt man schon mal so Zeug – aber ich hatte Angst, dass mir dann was Schlimmes passieren würde. Dass ich eine grässliche Krankheit bekomme. Oder in einem Unfall sterbe. Egal, irgendwas Schreckliches halt. Dass mich Gott strafen würde.«

»Das ist doch Aberglaube«, sagte Victoria.

»Ja. Ich weiß. Das hab ich mir damals auch gesagt. Aber es war stärker als ich. Ich hab nicht gewusst, dass ich so abergläubisch bin.« Er lachte kurz und traurig auf. »Später habe ich gehofft, Priester zu werden hilft mir vielleicht wenigstens, meinen Aberglauben zu überwinden.«

Victoria sank gegen die Lehne der Kirchenbank, strich sich erschöpft die Haare zurück. »Ich verstehe es trotzdem nicht.«

Er sagte nichts, saß nur schweigend da, den Blick auf den Boden gerichtet, auf die jahrhundertealten Steinfliesen.

»Peter?«, hakte sie nach. »Du hättest kommen und mir *auch das* erklären können. Vielleicht hätte ich es nicht verstanden. Wahrscheinlich wäre ich schrecklich enttäuscht gewesen. Aber du hättest es wenigstens *versuchen* können.«

Er schluckte schwer und flüsterte dann: »Ich hatte Angst, du redest es mir aus.«

»Was?«

»Ich hatte Angst, wenn ich es dir sage, redest du es mir aus.«

»Nicht im Ernst.«

Jetzt sah er sie an. »Du hättest damals genauso geredet wie heute. Mir all das vorgehalten, was ich selber gegen die Kirche, die Religion, die Bibel gesagt hatte. Du hättest mich dazu gebracht, es zu verwerfen, zu sagen, ach, zum Teufel damit, es war nur ein blöder Gedanke in einer schrecklichen Situation.« Er seufzte. »Aber die Angst vor der Strafe Gottes … die hättest du mir nicht genommen. Ich hätte bei jedem Husten gedacht, ich hätte Lungenkrebs. Ich hätte bei jeder verpatzten Prüfung geglaubt, dass ich zum Scheitern verurteilt bin. Ich hätte bei allem, was ich an Schönem erlebt hätte, Angst bekommen, dass es mir genommen wird, genau dann, wenn es am meisten wehtut.«

Victoria schüttelte fassungslos den Kopf. »Oh, Peter … Das kann nicht wahr sein.«

»Doch. So war es.«

»Ich hätte dich so gebraucht.«

Er blinzelte hilflos. »Es ging nicht. Das war ja nicht alles. Ich wusste ja, dass ich … Ein Priester muss keusch leben. Das war das Opfer, das ich bringen musste. Und das hätte ich nicht gekonnt, wenn ich dich wiedergesehen hätte. Dazu habe ich dich viel zu sehr begehrt.«

»Ah so.« Victoria fühlte ihre Wangen feucht werden. »Toll. Immerhin.« Sie barg ihr Gesicht in den Händen, blieb eine Weile so, wischte sich dann die Augen frei und sah ihn wieder an. »Mit anderen Worten, du hast mich im Stich gelassen, weil du Angst gehabt hast, der Gott, an den du nie geglaubt hast, könnte dir unsere paar Zungenküsse übel nehmen und dass du ein, zwei Mal an meinen Busen gefasst hast.«

»Wenn man es so formuliert, klingt es ziemlich … *drastisch*.«

»Aber es ist nicht unwahr, oder?«

»Nein. Ist es nicht.«

Er überlegte, setzte zu einer Erwiderung an, von der Victoria immer noch hoffte, es würde eine Entschuldigung werden, irgendetwas, das ihr ihn wieder näherbrachte. Doch ehe er etwas sagen konnte, schnitt ihm das Knarzen des Kirchenportals das Wort ab.

Jemand kam. Sie fuhren beide herum, um zu sehen, wer.

37 Es war ein Mann, der, nachdem die Kirchentür mit einem dumpfen Schlag hinter ihm zugefallen war, unentschlossen im Halbdunkel stehen blieb. Er war groß, so viel konnte man sagen, und trug einen voluminösen, irgendwie fleckigen Parka.

Und er störte. Am liebsten hätte Victoria ihm zugerufen, er solle wieder gehen, aber erstens tat man das in einer Kirche nicht, und zweitens hätte es sowieso nichts mehr genützt: Die Unterbrechung hatte die Intensität ihres Gesprächs unwiderruflich zerstört.

Der Mann setzte sich zögernd in Bewegung, kam mit behutsamen, abwägenden Schritten den Mittelgang entlang. Das Geräusch, das seine Schuhe machten, hallte durch das Kirchenschiff, löschte alle anderen Laute aus.

Etwas an der Art, wie er sich bewegte, kam Victoria bekannt vor. Heißer Schreck durchfuhr sie. Diese breiten Schultern … diese Aura von Bedrohlichkeit, die von ihm ausging …

Einer der Täter von damals!

Er kommt, um mir das Gesicht zu zerschneiden!

Sie spürte, wie sie zu zittern begann. Sie hätte doch zu Hause bleiben sollen! Zu Hause bleiben, das hatte sich bewährt, all die Jahre, es hatte funktioniert, es hatte sie geschützt. Was hatte sie nur dazu gebracht, ihr Leben aufs Spiel zu setzen?

Sie sah sich um. Da, diese Seitentür im Dunkel eines mächtigen Steinbogens: Ging es dort zur Sakristei? Ob die Tür unverschlossen war? Noch konnte sie aufspringen und vor dem Mann hindurch sein, die Bohlentür hinter sich verriegeln, entkommen. Zurück nach Hause, mit einem Taxi, irgendwie. Ihr Herz schlug wild, ihre Finger kribbelten.

Der Mann blieb stehen. Erst jetzt schien ihm einzufallen, wie man sich in einer Kirche benahm. Er blickte zum Altar, bekreuzigte sich, neigte leicht den Kopf. Kerzenschimmer beleuchtete kurz geschorene Haare.

Peter neben ihr reckte den Kopf nach vorn. »Ulli?«, fragte er verwundert. »Bist du das?«

»Ah, Peter.« Das Zögerliche, Angespannte fiel von dem Mann ab, er kam schnellen, leichten Schrittes heran. »Dich hab ich gesucht. Vicky? Du bist ja auch da. So was. Fast ein Klassentreffen.«

Es war tatsächlich Ulrich. Victoria war außerstande, ein Wort herauszubringen. Sie sah ihn fassungslos an, mit einer Erleichterung, die ihr nachträglich den Schweiß ausbrechen ließ. Groß war er, eine geradezu überdimensionale Ausgabe des pummeligen, schweigsamen Jungen, an den sie sich erinnerte. Seine Gesichtszüge waren noch dieselben, aber härter, wie von einem Bildhauer herausgemeißelt, der eine Vorliebe für scharfe, klare Kanten hatte.

»Der Kommissar hat erwähnt, dass du jetzt hier Pfarrer bist«, fuhr Ulrich fort. »Dachte, ich komm mal vorbei. Weiß nicht, wieso, ehrlich gesagt. Vielleicht hast du ja auch gar keine Zeit, zu reden.«

»Doch, hab ich. Ist ja sozusagen mein Beruf«, sagte Peter, der ebenfalls erleichtert wirkte.

Aber vielleicht war er es nur, weil Ulrich ihn aus dem unangenehmen Gespräch erlöst hatte, dachte Victoria.

»Hallo«, flüsterte sie. Ulli lächelte ihr zu, in derselben neutralen Art wie früher. Sie war nie sein Typ gewesen; das schien sich nicht geändert zu haben.

»In den Nachrichten hieß es, sie hätten dich verhaftet«, sagte Peter.

Ulrich nickte. Knapp. Militärisch. »Haben sie auch. Aber sie haben mich wieder laufen lassen. War ein Irrtum.«

»Sie haben den Racheengel gesucht.«

»Ja. Aber da haben sie sich bei mir vertan. Ich lauf nicht nachts durch U-Bahnhöfe und knall Leute ab.« Ulrich hüstelte. »Und wenn, würde ich's nicht mit 'ner russischen Knarre machen.«

»Die Polizei weiß inzwischen, dass es Alex ist.«

»Alex? Echt jetzt?« Ulrich blies die Backen auf, entließ die Luft mit einem leisen Prusten wieder. Er wirkte verdutzt, aber nicht so, als erschüttere ihn das sonderlich. »So was. Späte Rache, oder? Nein, kann nicht sein. Der hat ja irgendwelche jungen Schlägertypen umgelegt, die einen alten Mann fertigmachen wollten.« Er schüttelte den Kopf. »Ich hab ehrlich gesagt fast alles vergessen, was damals passiert ist. Wie hieß der Mann, der uns verteidigt hat? Hohl, irgendwas mit Hohl.«

»Holi«, sagte Peter. »Florian Holi.«

»Holi. Genau.«

»Und er hat uns nicht einfach verteidigt, er ist für uns gestorben.«

»Stimmt. Sozusagen. Hässliche Geschichte, ja.«

Victoria richtete sich auf, was seinen Blick auf sie wandern ließ. »Wie kann man so etwas vergessen?«, fragte sie und spürte Entsetzen bei der Vorstellung.

Ulrich hob die Schultern, wirkte milde verlegen. »Na ja. Als es vorbei war, war es vorbei. Ich hatte keine Lust, viel darüber nachzudenken. Hätte ja nichts genutzt. Niemanden wieder lebendig gemacht.«

Die Welt schloss sich wie eine Blase um Ingo und Kevin. All das Gerenne, Geschreie und Gejammere verschwamm zu fleckigem Nebel, der den Rest des Universums ausfüllte. Es gab nur noch ihn und Kevin, der schlaff und zitternd in seinen Armen lag, ein magerer, irgendwie zerbrochen wirkender Körper mit blasser, feuchter Haut, der sich ihm ganz ergeben hatte, sich ihm restlos anvertraute. Kevin hatte die Augen geschlossen, hechelte mit halboffenen, bleichen Lippen.

»Halt durch«, flüsterte Ingo wieder und wieder. »Sie sind unterwegs, sie kommen jeden Moment. Das kriegen die hin, wirst schon sehen. Gar keine Frage. Die moderne Medizin kann heutzutage Sachen, da macht man sich gar keine Vorstellung …«

Kevins tapfer schlagendes Herz pumpte immer weiter Blut unter der Mullbinde hervor, hellrotes Blut, das Blasen schlug bei jedem seiner hektischen Atemzüge. Warm und klebrig rann es über Ingos Finger, machte sie glitschig, lief und lief, unentwegt, tränkte T-Shirts, Hosenbeine, Jacken, sammelte sich auf dem gekachelten Boden zu einer unfassbar großen Lache.

»Durchhalten. Kevin. Sie sind gleich da. Ich glaube, ich kann sie schon hören.« Das war gelogen; er hörte gar nichts, aber wenn es dem Jungen half, durchzuhalten, dazubleiben, warum nicht? »Kann sich nur noch um Augenblicke handeln, hey, was sagst du dazu? Du schaffst das. Ich weiß, dass du das schaffst. Ein so toller Junge wie du schafft alles, was er will –«

Kevin bäumte sich auf. Seine Augen flatterten, seine Lippen waren inzwischen fast blau.

»*Mama*«, wollte er rufen, doch die zweite Silbe ertrank in Blut, das ihm urplötzlich aus dem Mund quoll.

Dann starb Kevin. Ingo konnte nur zusehen, wie es geschah, aber nichts dagegen tun; ihn nicht halten, nicht zurückholen, nichts. Den Verband auf die Wunde zu pressen nützte einen Scheißdreck. Er hielt den Jungen fest, ganz fest, aber das Leben entwich trotzdem aus ihm. Er konnte spüren, wie es davonzog und nur den Körper zurückließ, der plötzlich reglos wurde, leer, sich schwerer anfühlte als vorher, nicht mehr wie ein Mensch, sondern nur noch wie ein weicher, schwerer Gegenstand.

Das Blut hörte auf zu sprudeln. Die Zeit kam zum Stillstand. Von nun an würde er so sitzen bleiben, Kevins Leib auf dem Schoß, die Kleidung durchweicht von erkaltendem Blut. Bis in alle Ewigkeit würde er so verharren und über ihn wachen, über den ewigen Schlaf des Jungen.

Doch irgendwann tauchten weiße Hosenbeine vor ihm auf, die zu Männern in orangeroten Jacken gehörten. Der eine Sanitäter löste mit sanfter Gewalt die Arme, die Ingo um Kevin geschlungen hatte, der andere nahm ihm den Jungen weg.

Haltestelle Niendorfer Platz. Der Bahnsteig voller Leute. Leute, die ihn komisch anstarrten. Schweigend. Befremdet. Wie man einen Freak anschaute.

Wahrscheinlich war er einer. Wahrscheinlich war es gar nicht die Umgebung, die schwankte, sondern er selber. Wahrscheinlich.

Ah … sie gingen ihm aus dem Weg. Gut. Konnte er gerade brauchen.

Wo war eigentlich die Rolltreppe? Jeder Tiefbahnsteig hatte doch … Ah, da. Genau.

Tat gut, sich fahren zu lassen. Aufwärts. Sich abstützen zu können auf dem schwarzen Handlauf, der ein bisschen langsamer war als die Treppe selber. Seltsam, warum eigentlich? Darüber hatte er noch nie nachgedacht. Aber jetzt fiel es ihm auf.

Das obere Ende. Aufpassen. Nicht fallen. Das war wichtig. Wenn er stürzte und hinfiel, würde er in tausend Scherben zerspringen. Eine Mordssauerei würde das geben.

Geschafft. Klar doch. Kein Problem.

Und jetzt? Eine Unterführung. Sie hatten das alles umgebaut, seit er … seit … Ach ja. Lange her. War wohl nötig gewesen. Außerdem waren da ja Schilder. *Sankt-Jakob-Kirche* nach links.

Ein Mann kreuzte seinen Weg, ein Penner mit verfilzten Haaren, der nach Schweiß und Bier stank. Er sah an ihm herab und sagte: »Ich glaube, du blutest.« Es klang wie: *Isch glaab du bluudest*.

Aber wo er recht hatte, hatte er recht. Da tropfte es rot aus seinem Ärmel. Dicke, dunkelrote Tropfen gab das auf den Bodenfliesen.

»Ja, Mann. Du blutest wie ein Schwein.« *Jamann. Du bluudes wien Schwain.* Alex starrte den Mann verwundert an. Das schien den zu beunruhigen.

»Schon okay«, sagte Alex. »Halb so wild. Gibt Schlimmeres. Viel Schlimmeres. Danke. Machen Sie sich keine Sorgen.«

Der Mann glaubte ihm nicht, das sah er, aber darum konnte er sich jetzt nicht kümmern. Er musste weiter. Höchste Zeit. Lass es tropfen. Das waren Keramikfliesen, da ließ sich Blut ganz einfach wieder abwaschen. Die paar Tropfen.

Es war weit. Eine riesige Unterführung. Wurde zusehends düster, das reinste Labyrinth. Etwas knirschte unter seinen Schuhen, und als er nachsah, war es eine Injektionsnadel.

Üble Sache. Verdammte Stadt.

Warum war er bloß zurückgekommen?

Höhere Macht. Geleitet. Seine Mission. Und dann schoss er auf die Falschen. So eine Kacke!

Na endlich. Der Aufgang. Rolltreppe außer Betrieb. Darauf kam es jetzt auch nicht mehr an. Obwohl es anstrengend war, die ganzen Stufen. Echt. Er war außer Puste, als er oben ankam, auf dem Platz vor der Kirche.

Erst mal verschnaufen. Umschauen. Alles beim Alten. Keine Verfolger. Da drüben die Bushaltestelle. Dort war er das letzte Mal angekommen. Letzte Woche. Kam ihm vor wie Jahre.

Am linken Arm tropfte es immer noch. Sein Hemd fühlte sich nass und klebrig an.

Besser, er ging weiter. Nur noch ein paar Schritte bis zur Kirche. Fünfzig Meter oder so. Freier Platz. Mittwochs war hier früher Markt gewesen. Ob das wohl noch so war? Den Bratwurststand gab es nicht mehr. Der Typ, der ihn betrieben hatte, war vielleicht längst in Rente.

Was sah ihn der Hund da so komisch an? Jetzt schon die Hunde. »Schsch!« Das schien er zu kapieren. Trollte sich.

Tropf, tropf, tropf. Mann, er zog eine richtige Spur hinter sich her. Leicht zu verfolgen. Leichter als die Brotspur bei Hänsel und Gretel.

Nicht lachen. Lachen tat weh.

Da, die Kirchentür. Unverschlossen, schwergängig, massives Eichenholz, Jahrhunderte alt. Und ganz schön laut, wenn sie hinter einem zufiel.

Na so ein Zufall. Da standen sie alle, sahen ihm erstaunt entgegen. Peter, Victoria, Ulrich.

Wieso staunten sie so? *Alles war eins. Was geschehen muss, geschieht.*

Der Kreis hatte sich geschlossen.

Er ging auf sie zu, Schritt um Schritt, doch irgendwann auf dem Weg holte ihn die Dunkelheit ein.

Sie standen wie erstarrt, während Alex sich ihnen näherte, langsam, schwerfällig, laut atmend, am Ende seiner Kräfte. Victoria kam es einen Moment lang so vor, als fürchteten sie alle drei, er würde plötzlich schießen, wenn sie sich bewegten.

Doch das tat er nicht. Stattdessen brach er auf halbem Weg zusammen.

Ulrich rannte als Erster los, handelte rasch und effizient, beinahe emotionslos. »Ruf den Notarzt«, befahl er im Laufen. »Schnell.«

»Okay«, erwiderte Peter, sah sich fahrig um, als sei ihm entfallen, wohin es zum nächsten Telefon ging.

Ulrich kniete neben Alex nieder, untersuchte ihn mit Handgriffen, die verrieten, dass er wusste, was in so einem Fall zu tun war. »Gibt's hier irgendwo einen Verbandskasten?«, rief er Peter nach, der sich gerade in Bewegung setzte.

Peter blieb wieder stehen, irritiert. »Ja, in der Sakristei müsste –«

»Bring ihn auf dem Rückweg mit«, sagte Ulrich. »Erst der Notruf.«

»Okay«, sagte Peter noch einmal. Nun rannte er.

Victoria eilte zu Ulrich, obwohl sie keine Ahnung hatte, was sie tun sollte. Sie sah zu, wie Ulrich Alex' Körper abtastete, registrierte, wie sich seine Brauen dabei hoben.

»Völlig abgemagert«, konstatierte er. »Ist wohl der Kreislauf.« Er zog seinen Parka aus, hüllte Alex darin ein, hob dessen Beine an und bat: »Kannst du ihm die so hochhalten?«

»Ja.« Victoria umfasste die Beine, hielt sie und erschrak, wie dünn und knochig sie sich anfühlten. Als hielte sie ein Skelett.

Ulrich lockerte Alex' Kleidung, schälte ihn aus dem Mantel, riss den blutigen linken Ärmel mit einer raschen, entschlossenen Bewegung auf. »Ein Streifschuss«, meinte er. »Nur eine Fleischwunde.« Er nestelte an einem Gewirr blutdurchtränkter Streifen herum. »Hat schon mal jemand verbunden.«

Peter kam eilig angeschlurft, einen grauen, verstaubten Plastikkoffer in der einen Hand und etwas, das aussah wie ein zu groß geratenes, knallrotes Kofferradio in der anderen. »Krankenwagen kommt so schnell wie möglich«, erklärte er keuchend. »Und das ist das, was wir an Notfallausrüstung haben. Verbandskasten und Defibrillator.«

Ulrich nahm ihm den grauen Koffer ab. »Den Defi kannst du wieder wegtun, den brauchen wir nicht.« Er öffnete den Verbandskasten, schien genau zu wissen, wonach er greifen musste. »Hast du einen Hocker oder so etwas, auf dem wir seine Beine hochlagern können? Er ist so dürr wie ein Gulag-Flüchtling, aber auf die Dauer wird er Vicky trotzdem zu schwer, schätze ich.«

»Es geht noch«, sagte sie tapfer.

»Ich schau mal, was ich finde.« Peter eilte wieder davon.

Ulrich erneuerte den Verband mit knappen, sicheren Handbewegungen. Als er merkte, wie ihn Victoria dabei beobachtete, lächelte er flüchtig und meinte: »Das lernen wir alle. Angeschossene Kameraden versorgen, bis der Arzt eintrifft. Zur Not im Dunkeln und bei Windstärke zehn.«

»Hätte man Herrn Holi auf die Weise damals retten können?«, fragte sie leise und beklommen.

Er überlegte kurz, schüttelte dann den Kopf. »Nein. Holi hat vermutlich ein tödliches Schädel-Hirn-Trauma erlitten. Die Tritte gegen seinen Kopf, verstehst du? Die haben draufgetreten, wie man gegen einen Fußball tritt. Und ein Fußball fliegt danach hundert Meter weit. Kannst dir vorstellen, wie viel Energie das ist.« Er zurrte den Verband fest. »Solche Tritte sind so tödlich wie eine Waffe.«

Victoria horchte auf, angerührt von dem kaum merklich veränderten Klang seiner Stimme bei dem letzten Satz. Da hatte zum ersten Mal, seit er durch die Tür gekommen war, so etwas wie Gefühl mitgeschwungen.

Sie betrachtete ihn und fragte sich, ob es ihm womöglich im Grunde genauso ergangen war wie ihr. Nur, dass er sich nicht in einem Haus versteckt hatte, sondern in seiner eigenen Seele.

Peter kam an, brachte einen Polsterschemel mit, der aussah, als sei er aus der Zeit der Nierentische übrig geblieben. Sie schoben ihn unter Alex' Beine, legten sie behutsam darauf ab.

»Jetzt ist natürlich Berufsverkehr«, meinte Peter. »Ich hoffe, die kommen trotzdem durch.«

»Dafür gibt's ja Blaulicht.« Ulrich deckte Alex vollends zu und stand auf. Sein Hemd war olivfarben, sah aber nicht aus wie ein Uniformhemd.

Alex bewegte sich, schlug mühsam die Augen auf, sah sie der Reihe nach an.

»Na so was«, sagte er mit leiser, klarer Stimme. »Erstaunlich. Wirklich.«

»Was?«, fragte Ulrich. »Was findest du erstaunlich?« Victoria hatte den Eindruck, dass er versuchte, Alex wach zu halten.

»Dass wir uns vor dem Ende noch einmal treffen«, erklärte Alex. »Alle vier. Als gäbe es doch so etwas wie Bestimmung. Wie Schicksal. Oder? Sagt es mir. Gibt es das Schicksal? Ich weiß es nicht. Ich war mir mal sicher, aber ich bin es nicht mehr.«

»Das kann niemand wissen«, erwiderte Ulrich. Er räusperte sich. »Stimmt es, was Peter sagt? Dass du der Racheengel bist, den sie suchen?«

Alex antwortete nicht, lächelte nur schmerzlich und fasste

mit der rechten Hand in die Tasche seines Mantels. Im nächsten Augenblick leuchtete der Mantel hell auf, wurden Alex' Haare länger und begannen weiß zu erstrahlen. Victoria hielt den Atem an. Das Licht schien von ihm wegzufließen, als sei es etwas Flüssiges, schien sich auszubreiten, als wolle es das Kirchenschiff anfüllen und alle Dunkelheit daraus vertreiben. Ein Engel, der vom Himmel herab auf die Erde gestürzt wäre, hätte nicht anders aussehen können.

Dann machte er, was er gemacht hatte, rückgängig, und das Licht erlosch von einem Moment zum anderen. Auch die Haare schrumpften wieder ein.

»Ich dachte«, sagte Alex matt, »wenigstens ihr würdet mich verstehen.«

Victoria nickte. »Ich verstehe dich.«

»Ich nicht«, erklärte Peter entschieden. »Tut mir leid. Ich kann so etwas nur verurteilen.«

Ulrich sah von einem zum anderen. »Wovon redet ihr?«

Alex ließ den Kopf nach hinten sinken. »Florian Holi ist für uns gestorben«, rief er laut, mit einer Stimme, die plötzlich aus Glas zu sein schien. »Ein Mann hat sich für uns geopfert – für dich, Ulli, für dich, Peter, für dich, Vicky, und für mich. Aber wozu? Habt ihr euch das nie gefragt? Habt ihr euch nie gefragt, was das für einen Sinn haben soll, wenn ein Mensch sein Leben gibt, damit vier andere weiterleben können? Ich hab mich das gefragt. Ich habe nach dem Sinn hinter allem gesucht. Ich wollte es verstehen, wollte es wirklich verstehen. Ich habe gedacht, wenn einem so etwas passiert, wenn einem so etwas zustößt, dann ist man für ein besonderes Schicksal ausersehen. Dann hat man eine außergewöhnliche Aufgabe im Leben zu erfüllen. Dann hat man die Bestimmung, etwas Einzigartiges aus seinem Leben zu machen. Und das habe ich versucht. Ich habe mir gesagt, das schulde ich Florian Holi: es zu versuchen.« Er hob den Kopf wieder. »Habt ihr euch das nicht gesagt? Dass ihr ihm etwas schuldet?«

Niemand sagte etwas. Victoria war starr vor Scham, dass ihr

dieser Gedanke, der so einleuchtend war, wenn man ihn hörte, all die Jahre nie gekommen war. Dabei wusste sie sogar die Antwort darauf, hätte schon immer sagen können, was sie Florian Holi schuldete: Zu leben!

Alex sank wieder zurück. »Ich hab mich wirklich ins Zeug gelegt. Kann niemand das Gegenteil behaupten. In der Schule. Gute Noten. Ein Stipendium. Amerika. Ich war gut, ohne Scheiß. Die Profs drüben sind fast ausgeflippt, haben mich gefördert, wollten mir helfen, Karriere zu machen. Aber Karriere, das war es nicht. Was ist schon eine Karriere? Dafür muss kein anderer sterben. Also hab ich abseits gesucht, nach neuen Wegen, neuen Ansätzen. Ja, Drogen. Das war ein Teil der Suche. Was ist unser Geist, unser Bewusstsein? Wie hängt es mit seiner stofflichen Grundlage zusammen, dem Gehirn, den Nervenzellen, der Materie? Und wie wird es dadurch eingeengt? Das waren so Fragen. Ja, und dann plötzlich diese … ja, diese Eingebung. Aus dem Nichts. Völlig anderes Gebiet. Nano, Polymere, Werkstoffkunde. Und es hat funktioniert, genau so, wie ich es in meiner Vision gesehen hatte. Das muss es sein, habe ich gedacht. Das muss meine Bestimmung sein.« Er hustete, trocken und schmerzhaft. »Und dann krieg ich Krebs! Gottverdammt! Warum lässt du einen Mann sterben, damit ich leben kann, und fünfzehn Jahre später krieg ich einen verdammten Krebs?«

Die Worte verhallten im weiten Raum der Kirche. Niemand sagte etwas darauf.

»Ach ja, und dann ist meine Firma abgefackelt, alle Maschinen, in denen all unser Geld gesteckt hat. Damit ich's auch wirklich kapiere, dass das nicht der Weg ist.« Er drehte den Kopf zur Seite, sodass er in Richtung des Altars schaute. »Ich hab viel nachgedacht, während diese blöde erste Chemo in mich reingelaufen ist, die überhaupt nichts gebracht hat, außer, dass mir die Haare ausgefallen sind. Ich war ein Idiot. Hab ich wirklich geglaubt, das Schicksal … Gott … lässt einen Menschen sterben, damit ich die *Modewelt* revolutioniere? Ich hab nicht wegen der Medikamente gekotzt, sondern aus lauter Ekel vor meiner Blödheit. Ich hab nicht mehr gewusst, was das alles soll. Mein Leben. Alles.«

Er breitete die Arme aus, atmete so schwer, als lege sich eine unsichtbare Last auf ihn.

»Sid hat gelitten wie ein Tier. Meine Krankheit hat ihn fast noch mehr fertiggemacht als mich. Er konnt nicht mal drüber reden. Hat wieder angefangen zu trinken. Nur deshalb ist ihm das mit dem Feuer passiert. Wir waren wie Brüder. Blutsbrüder. Ich hab all die Jahre hindurch wirklich geglaubt, wir würden zusammen was aufziehen, was richtig Großes … Es war so hart, ihn zurückzulassen. Brutal. Gemein. Aber es musste sein.«

Er begann zu weinen. Tränen rannen aus den Winkeln seiner Augen, ließen seine Schläfen schimmern. Sein Atem ging stockend.

»Ich hab damals wieder Peyote genommen, gegen die Schmerzen, gegen den Hunger. Und da hatte ich die Erleuchtung. Die Eingebung, was ich tun muss. Jetzt weiß ich's, hab ich gedacht. So macht mein Leben doch noch einen Sinn, auf den letzten Metern wenigstens, auf der Zielgeraden. Ich hatte ja nichts mehr zu verlieren, versteht ihr? Das hieß, ich konnte machen, was ich wollte. Alles hat gepasst. Das Kostüm. Meine Geschichte.« Er lachte auf, oder vielleicht war es auch ein Schluchzen; man hörte den Unterschied nicht. »*Unsere* Geschichte. Wie viele Holis hat es seither gegeben? Dutzende. Bloß, dass man sie heute nicht mehr feiert. Heute verschweigt man sie.«

Keuchen. Tränen, die dunkle Seen rechts und links von seinem Kopf bildeten.

»Ich habe nur einen Weg gesehen, das Andenken an Florian Holi zu ehren; nur einen einzigen: dafür zu sorgen, dass nie wieder jemand so sterben muss. Ich hab geglaubt, das sei die Aufgabe, für die ich ausersehen gewesen bin. Ich wollte dort auftauchen, wo Unschuldigen Gewalt angetan wird, und die, die es tun, auf der Stelle richten. Angst und Schrecken unter ihnen verbreiten, weil das die einzige Sprache ist, die sie kapieren. Und es hat funktioniert. Anfangs. Ich hab mich geleitet gefühlt. Ich war mir sicher, das Richtige zu tun, so sicher …«

Er zog die Arme wieder an sich, drehte sich wieder in Richtung des Altars.

»Aber jetzt … jetzt weiß ich es nicht mehr. Jetzt kommt es mir so vor, als hätte ich es versiebt. Als hätte ich mein Leben letzten Endes einfach verpfuscht, genauso wie jeder von diesen Idioten …«

Victoria kniete sich, einem Impuls folgend, neben ihn auf den Boden und nahm seine Hand in die ihre. »Du hast dein Leben nicht verpfuscht«, sagte sie ruhig.

Er sah sie an, mit Augen, die fiebrig glänzten, schon in eine andere Welt zu blicken schienen. »Meinst du?«, fragte er kläglich.

»Ich bin mir ganz sicher.«

Alex musterte sie, lange. Dann flüsterte er: »Gut.« Seine Augen fielen zu, im selben Moment, in dem die Kirchentür geöffnet wurde.

38 Es regnete *beinahe*. Das an den Friedhofsbäumen verbliebene Blattwerk schimmerte feucht, ab und zu spürte man einen Tropfen. Die Wolken hingen tief, schienen sich aber nicht entschließen zu können. Jeder der zahlreichen Trauergäste hatte einen Schirm dabei, doch niemand spannte einen auf.

In Peter wirkten noch die chaotischen Tage nach, die hinter ihnen lagen – die Befragungen durch die Polizei, stundenlang, bis jedes Detail auf Band und in Protokollen erfasst war. Die aufgeregten Fernsehleute, die es am liebsten gehabt hätten, man hätte alles vor ihren Kameras noch einmal aufgeführt. Die Wälder von Mikrofonen, die man ihnen vor die Gesichter gereckt hatte. Die aufdringlichen Reporter. Die Blitzlichtgewitter. So, wie sie in Filmen dargestellt wurden, hatte Peter es immer für Übertreibung aus dramaturgischen Gründen gehalten: Nun wusste er, dass eher das Gegenteil der Fall war.

Würde er selber vor Gericht kommen? Vermutlich, zumindest meinte das sein Anwalt. Die Polizei hatte sich sehr für den genauen zeitlichen Ablauf aller Ereignisse interessiert. Wer wo wann was gemacht, wer wann welchen Wissensstand gehabt, wer mit wem in Kontakt gestanden hatte. Eine wichtige Rolle würde spielen, bis wann er sich irrtümlich durch das Beichtgeheimnis gebunden geglaubt hatte – aber wie wollte man das, was er dazu sagte, beweisen oder widerlegen? Auf alle Fälle hatte er in letzter Zeit schlecht geschlafen.

Die Beerdigung kam ihm nun vor wie eine Atempause. Besonders, weil er darauf gefasst gewesen war, dass die Presse den Friedhof belagern würde. Alle waren sie darauf gefasst gewesen – und nun war gar niemand gekommen. Keine Kameras, keine Reporter. Nur die Familie, Freunde von früher, ein paar Schulkameraden, die er ewig nicht mehr gesehen hatte.

Alexander war noch am selben Wochenende im Krankenhaus gestorben, am Sonntag um die Mittagszeit, wobei sich die Ärzte nicht einig waren, woran eigentlich. Seiner Schwester Theresa hatte der behandelnde Stationsarzt erklärt, Alex' Allgemeinzustand sei so schlecht gewesen, dass er längst hätte tot sein müssen. Eine Ärztin aus dem Notfallbereich hatte eingestanden, dass man zu wenig über die Drogen wusste, die Alex vor allem in den letzten Monaten seines Lebens in enormen Dosen zu sich genommen hatte.

Alexanders Eltern hatten sich dagegen entschieden, Peter mit der Beisetzung zu betrauen, und sich einen anderen Pfarrer ausgesucht. In Anbetracht der Umstände und der zurückliegenden Ereignisse konnte man ihnen das nicht verdenken. Wobei der Pfarrer, der nun vorne am Grab stand, die Familie auch nicht besser kannte. Zumindest hatte er Peter angerufen und mit allerhand Fragen gelöchert.

Doch er machte es gut. Man merkte die Erfahrung, die Routine.

Ulrich verabschiedete sich, kaum dass er sein Schäufelchen Erde auf den Sarg geworfen und der Familie kondoliert hatte.

»Wohin geht es?«, fragte Peter, mehr aus Höflichkeit als aus wirklichem Interesse.

Ulrich neigte den Kopf. »Darf ich nicht sagen. Aber es eilt.«

»Pass auf dich auf.«

»So gut ich kann«, erwiderte er.

Damit ging er, festen Schrittes, unerschütterlich. Nicht wenige weibliche Blicke folgten ihm.

So waren am Ende nur noch sie beide übrig, Victoria und er. Inmitten der anderen Trauergäste und der ringsum ausbrechenden Konversationen traten sie einander gegenüber. Peter sah sie an und hatte wieder dieses verblüffende Gefühl, dass eigentlich gar keine Zeit vergangen war, dass sie immer noch dieselben waren wie damals. Er spürte noch immer dieselbe Verbundenheit, erinnerte sich an alles, als sei es gestern gewesen.

»Ich hab darüber nachgedacht, was du gesagt hast«, erklärte er. »Dass ich gar nicht an Gott glaube. Du hast recht.«

»Ich weiß«, sagte sie.

»Tja, und was ... also, meinen Beruf ... also, was das anbelangt ...« Er hatte sich das alles so sorgfältig zurechtgelegt, doch nun fiel ihm nichts mehr davon ein. »Theoretisch, meine ich. Falls ich, na ja, den Priesterrock wieder an den Nagel hängen würde. Man kann das, weißt du? Jedenfalls, was ich dich fragen wollte – glaubst du, es gäbe noch eine Chance für uns? Dass wir noch einmal anknüpfen könnten an das, was mal war?«

Im selben Moment, in dem er die Frage aussprach, merkte er, wie unangebracht sie war.

Victoria, die heute ohnehin auffallend still gewesen war, wurde noch stiller. Sie schüttelte den Kopf. »Nein«, sagte sie. »Da kommst du zu spät. Viel zu spät.«

»Tut mir leid«, meinte er, und zum Teil meinte er damit auch, überhaupt gefragt zu haben.

»Mir auch.« Sie reichte ihm die Hand. »Leb wohl.«

»Du auch«, sagte er. Ihre Hand war warm, lebendig, zart. Die einzige Frauenhand, die je seinen Körper erkundet hatte. »Du auch.«

Sie ging. Er sah ihr nach. Sie war eine schöne Frau, man konnte es nicht anders sagen. Kein Wunder, dass draußen vor dem Friedhofstor, in der Welt der Lebenden, ein Mann auf sie wartete. Peter brauchte einen Moment, ehe er den Kommissar wiedererkannte, Justus Ambick. Victoria hakte sich bei ihm ein, und so gingen die beiden dann davon.

Es regnete seit dem frühen Morgen, ein kalter, widerlicher, unerbittlicher Regen, so penetrant, als wolle er nie wieder

527

aufhören. Als weine der Himmel, dachte Ingo. Was irgendwie passte, wenn ein Kind zu Grabe getragen wurde.

Unglaublich, wie viele Menschen gekommen waren. Schon von Weitem sah man jenseits der Friedhofsmauern ein Meer aus schwarzen Regenschirmen wogen. Wenn Kevin keine Freunde gehabt hatte: Wer waren diese Leute dann alle?

Sensationslüsterne, vermutlich. Die Presse war jedenfalls da. Männer in Regenmänteln saßen mit meterlangen Teleobjektiven auf den Dächern ihrer Fahrzeuge und warteten darauf, dass etwas geschah. Erstaunlich, denn eigentlich war der Vorfall schon aus dem Fokus der Medien verschwunden. Die öffentliche Diskussion drehte sich derzeit vor allem um Sven D., den der Racheengel am Leben gelassen hatte.

Kurz vor dem Friedhofstor verließ Ingo der Mut. Er blieb stehen, ließ andere vorbei, wurde zum Hindernis im Strom. Sein Inneres fühlte sich wund an, aufgerissen, unheilbar. Das würde jetzt schrecklich werden.

Es half nichts. Er atmete tief durch und setzte sich wieder in Bewegung.

Doch gerade als er das Tor passiert hatte, vertrat ihm jemand den Weg, ein alter Mann, der zu ihm sagte: »Sie will nicht, dass Sie kommen.«

Ingo brauchte eine Schrecksekunde, um Erich Sassbeck zu erkennen.

»Aber ich …«, stotterte er, »ich würde ihr gerne sagen, wie leid mir das alles –«

Sassbeck schüttelte unnachgiebig den Kopf. »Sie will Sie nicht sehen. Nie wieder«, erklärte er. »Und ich, ehrlich gesagt, auch nicht.«

Evelyn hatte keinen seiner Anrufe angenommen, auf seine Mails nicht reagiert, den Brief, den er ihr geschrieben hatte, ungeöffnet zurückgeschickt. »Aber –«

»Es ist besser, Sie gehen jetzt«, beharrte der alte Mann.

Ingo betrachtete Sassbecks grimmiges, entschlossenes Gesicht, nickte schließlich. »Okay«, sagte er leise. »Verstehe.

Tut mir leid. Ich wollte das nicht. Ich … Ja. Ich gehe wohl besser.«

Dann ging er, ging wie betäubt, sah niemanden mehr, ging einfach nur davon und merkte nicht einmal, wie er nass und nässer wurde.

Sie dachte, dass er schuld sei an Kevins Tod. Vielleicht glaubte sie, er sei schuld, weil er Kevin hatte warten lassen, anstatt ihn nach Hause zu schicken. Oder weil er das Interview nicht hatte sausen lassen. Vielleicht glaubte sie sogar, er sei schuld, weil er Kevin überhaupt erst für Krav Maga interessiert hatte. Was Unsinn war, denn tatsächlich war das etwas, das Kevin schon viel früher hätte anfangen sollen.

Trotzdem hatte Evelyn recht. Er *war* schuld – bloß aus einem ganz anderen Grund, einem, von dem sie nichts wissen konnte und den sie nie erfahren würde: Weil er, Ingo Praise, den Racheengel absichtlich hatte Vorsprung gewinnen lassen. Wäre er ihm auf den Fersen geblieben, hätte er verhindern können, was geschehen war.

Mit dieser Schuld würde er von nun an leben müssen.

Am Nachmittag räumte er sein Büro im City-TV-Gebäude aus. Viel war es nicht, was er mitnehmen musste – ein paar Papiere, seine externe Festplatte, Krimskrams. Passte alles in seine gute, alte Ledertasche.

Während er seine Dateien vom Rechner löschte, hantierte schon jemand in einem blauen Overall an der Tür herum, brachte ein Namensschild an. *Dr. Rüdiger Sanftleben, Programmplanung* las Ingo, als er den Raum zum letzten Mal verließ.

Niemand verabschiedete ihn, niemand grüßte ihn. Rado ließ sich verleugnen oder war tatsächlich nicht im Haus. Als Ingo vor dem Aufzug wartete, liefen auf dem gigantischen Fernsehschirm dort gerade Ausschnitte aus einer Rede des amtierenden Oberbürgermeisters: Die Stadt werde, verkündete er, im Hinblick auf die Prävention jugendlicher Gewaltkriminalität kurzfristig einhundert neue Sozialarbeiter und Soziologen einstellen, eine Zahl, die er im Falle seiner Wiederwahl massiv aufzustocken versprach. Außerdem werde er sich, fügte er hinzu, in Berlin entschieden dafür einsetzen, die Strafrahmen des Jugendstrafgesetzes drastisch zu senken; Hilfe zur Sozialisierung müsse Vorrang vor Strafe haben. »Jugendliche«, erklärte er unter Beifall, »haben in Gefängnissen nichts verloren.«

Ingo verfolgte die Rede mit ungläubigem Staunen. Der Aufzug kam, doch er ließ ihn weiterfahren, weil er nicht glauben mochte, dass das ernst gemeint war, dass der OB das wirklich gesagt hatte. Das war Satire, oder? Das *musste* einfach Satire sein!

So kam es, dass er den Spot zu sehen bekam, der für *Anwalt der Jugend* warb, den Nachfolger seiner Sendung. Moderator würde »der bekannte Soziologe, Professor Doktor Markus Neci« sein. Mit hochdynamischem Schritt, wehendem Haar und gewinnendem Lächeln kam er auf die Kamera zumarschiert: ein Mann, der wusste, was er wollte, und unbeirrbar seinen Weg ging.

Ingo nahm die Treppe.

Auf dem Weg nach unten holte er sein Handy aus der Umhängetasche. Er hatte es gründlich gereinigt, aber es kam ihm vor, als rieche es immer noch nach Kevins Blut. Er suchte nach dem Video von Neci und der Fröse, fand es diesmal, schaute es sich noch einmal an.

Sah so die Emanzipation aus? Dass sich jetzt die Männer hochschliefen? Er konnte nur den Kopf schütteln, sowohl über das, was er auf dem winzigen Bildschirm sah, als auch darüber, wie mächtig ihn das noch vor Kurzem aufgeregt hatte.

Dabei ging es ihn nicht das Geringste an, sagte er sich und drückte auf *Löschen*.

Zu Hause empfing ihn eine Wohnung, die ihm kalt und abweisend vorkam, ungemütlich und düster. Wie hatte er es nur so lange hier ausgehalten? Es war ihm ein Rätsel.

Nun, das würde sich jetzt sowieso alles ändern.

Er stellte seine Tasche ab, trat ans Telefon, wählte eine Nummer.

»Wie gesagt«, meinte David Mann, nachdem Ingo ihm sein Anliegen vorgetragen hatte. »Kommen Sie, wann immer Sie wollen.«

»Ginge es heute noch?«

»Haben Sie es eilig?«

»Ja«, sagte Ingo.

Danach schlurfte er in die Küche, zog die Schublade auf und holte die alte Weltkarte mit den roten Punkten und dem schwarzen Kreuz heraus. Er betrachtete das vergilbte Stück Papier, während es in ihm arbeitete, ohne dass er hätte sagen können, was genau ihm durch den Kopf ging. Am Ende zerriss er die Karte, riss sie in lauter kleine Fetzen, die er in den Mülleimer warf.

Dann kehrte er zum Telefon zurück und wählte noch eine Nummer.

Es klingelte lange. Ingo wartete.

Endlich hob jemand ab. »Guten Tag.« Eine dunkle, ruhige Stimme. »Kinderhilfswerk Nord-Süd, Simon Schwittol am Apparat.«

39 Silvesterabend, fand Ingo, war ein seltsamer Zeitpunkt, um zu verreisen.

Der Abflugbereich lag so still da, als sei der Lufthansa-Flug nach Belém der einzige, der heute starten würde. Und als habe man selbst den vergessen. Die Läden waren bis auf einen winzigen Kiosk geschlossen. Kein Duty-Free heute, keine Mitbringsel, keine Auswahl aus zweitausend Zeitschriften. Die wenigen Mitreisenden, die am Gate warteten, wirkten alle irgendwie einsam; sie lasen, lenkten sich mit Computerspielen ab, waren schweigsam. Ein trostloses Häuflein Verlorener, und er war einer von ihnen.

Zwei Frauen setzten sich neben ihn, unterhielten sich leise über ein türkisches Mädchen, das Selbstmord begangen hatte. »Man kriegt ja so wenig mit«, klagte die eine. »Man lebt im selben Haus, begegnet sich auf der Treppe, sagt guten Tag, und das war's. Ich weiß nur, dass sie Gülay hieß. Der Vater ist Ingenieur. Eine moderne Familie, hatte ich immer den Eindruck. Aber wie gesagt, man kriegt ja so wenig mit … Schlaftabletten, angeblich. Und war erst sechzehn. Das muss man sich mal vorstellen.«

»Wer weiß, was da passiert ist«, seufzte die andere, gewichtig nickend.

So etwas mit anzuhören war Ingo gerade zu viel. Er stand auf, vertrat sich die Beine, blieb nach einer Weile vor einem Fernsehschirm stehen, der ohne Ton lief. Einer dieser Jahresrückblicke kam, wie sie zu Silvester üblich waren. Bei diesem ging es um die peinlichsten TV-Momente des Jahres: ausrastende Politiker, unabsichtliche Entblößungen, außer Kontrolle geratene Talkshows und dergleichen.

Rasche Schritte. Ein Mann und eine Frau in Uniform betraten das Gate, nahmen den Abfertigungsschalter in Betrieb. Also hatte man den Flug doch nicht vergessen. Allerdings hantierten die beiden erst mal nur hinter ihrer Theke herum, ordneten Unterlagen, unterhielten sich, telefonierten ein Dutzend Mal. Dann, endlich, begann das Boarding.

Ingo ließ die anderen vor. Der angekündigte Schnee war ausgeblieben, aber es war kalt. Garantiert wartete es sich hier drinnen besser als draußen im Flughafenbus, der sie zur Maschine bringen würde.

Auf Platz 6 der Hitparade, sah er in diesem Moment, war die letzte Sendung der Reihe *Anwalt der Jugend* gelandet. Ingo verfolgte den Ausschnitt fasziniert; er hatte nur davon gehört, den Vorfall selber aber nie gesehen. Er sah Markus Neci mit wallendem Professorenhaar und selbstgefälligem Grinsen am Bühnenrand stehen, als plötzlich Melanie aus dem Zuschauerraum auftauchte, ihn ansprang wie eine Furie, ihn zu Boden riss und anfing, ihm das Gesicht zu zerkratzen. Es dauerte eine kleine Ewigkeit, bis man sie von ihm wegzerrte.

Hatte sie es also doch irgendwie mitgekriegt. Und ja, es tat gut, das zu sehen. Das Grinsen, das Ingo in seinen Zügen spürte, würde lange halten.

»Sir?«

Er drehte sich um. Die Frau vom Schalter, ungeduldig, sich zu einem Lächeln zwingend.

»Das Boarding, Sir«, sagte sie. »Sie sind der Letzte.«

»Ah. Entschuldigen Sie.« Ingo nahm seinen Rucksack auf die Schulter und reichte ihr die Bordkarte. Sie wünschte ihm einen guten Flug, gab ihm den Abschnitt mit seiner Sitznummer zurück. Er trat durch die Tür, hinaus, wo der Bus auf ihn wartete.

Die anderen Frauen in Victorias Geburtsvorbereitungskurs hatten alle gesagt, der achte Monat sei der schlimmste. Man stünde dicht vor dem Platzen, komme sich vor wie ein Walfisch und fände keine Schlafhaltung mehr, bei der einem der Bauch nicht im Weg sei.

Sie hatten recht.

Trotzdem war sie glücklich, so glücklich, dass es ihr manchmal Angst machte.

Nein, nicht nur manchmal. Jeden Tag.

Vor der Heirat hatte sie Justus, der sehr besorgt gewesen war, ob sie mit seinem Beruf zurechtkommen würde, erklärt, sie habe keine Angst. Erstens, weil er ein vernünftiger Mann mit einem Job sei, der im Wesentlichen am Schreibtisch stattfand, und zweitens, weil sie so lange allein gelebt habe, dass sie das immer können würde, gesetzt den schlimmsten Fall. Das hatte er ihr schließlich auch geglaubt.

In Wirklichkeit starb sie jeden Tag tausend Tode, bis sie endlich abends seinen Schlüssel unten im Schloss hörte. Aber das würde sie ihm niemals verraten.

Heute war er nur eine halbe Stunde verspätet. Weniger kam selten vor. Sie lauschte erleichtert seinen schweren Schritten auf der Treppe, lächelte, als er hereinkam und leise »Hallo« sagte, sie behutsam umarmte und küsste. Sie konnte spüren, wie es ihn glücklich machte, sie zu sehen, einfach nur zu sehen, und das zu spüren machte sie wiederum glücklich.

Anfangs war es ungewohnt gewesen, dass das Haus nicht mehr nur ihres war, sondern auch seines, genau wie ihr Leben nicht mehr nur ihres war. Seinen Rasierapparat im Badezimmer vorzufinden, Bierflaschen in den Kühlschrank zu stellen, Kartoffelchips zu kaufen. Einen Fernseher im Wohnzimmer stehen zu haben, ein riesiges, lautes Ding, weil Justus ab und zu gern Sport guckte, Boxen, Fußball, Formel-I-Rennen. Verblüffend, festzustellen, dass auch sie einem Boxkampf etwas abgewinnen konnte.

Sie lebte. Dinge veränderten sich. Sie hatte, solange ihr

Bauchumfang es noch ermöglicht hatte, angefangen, hinten im Garten Blumen zu pflanzen, die sie selber ausgesucht hatte. Ein Kinderzimmer, frisch gestrichen und voller knallbunter Möbel, wartete auf das Baby.

Abends machte sie immer belegte Brote, die sie am Küchentisch sitzend verzehrten. Justus machte sich gern einen Kräutertee dazu und erzählte von seinem Tag. Das war seine Art, abzuschalten, zu Hause anzukommen.

»Es gibt wieder einen ›gefallenen Engel‹«, erzählte er heute. »In München diesmal. Wollte in eine Auseinandersetzung zwischen einer Prostituierten und einem Mann eingreifen, aber der war wohl ihr Zuhälter und schneller mit der Waffe.«

»Schlimm«, sagte Victoria.

Er nahm einen Schluck. »Wieder die identische Ausrüstung. Derselbe Mantel, dieselbe Perücke. Nur die Pistole war eine andere, eine SIG Sauer.«

»Das heißt, die Sachen werden nach wie vor verkauft.«

»Über's Internet. Klar. Es ist auch aussichtslos, die Firma dazu bringen zu wollen, ihren Betrieb einzustellen. Offiziell ist alles Partybedarf, daran ist nichts Illegales, und dass dieser Mantel und diese Perücke die Bestseller sind ... tja. Ist halt so.«

»Aber dieser Sidney Westham müsste doch die Adressen aller Besteller haben, oder?«

»Ja, bloß kommt man an die nicht so ohne Weiteres ran.« Justus griff nach dem nächsten Brot. »Der lässt sich auch nicht davon abbringen. Beharrt auf dem Standpunkt, dass er das zum Andenken an seinen besten Freund tut.«

»Und wenn es so wäre?«

»Ja, aber natürlich tut er's auch für sein Bankkonto. Der Medienrummel damals hat ihm den Durchbruch beschert, und das nutzt er jetzt aus.« Er biss ab, kaute und meinte dann: »Wenn du mich fragst – das sind die Medien. Ohne die würde das alles nicht passieren.«

Victoria streichelte sich den dicken Bauch. Sie war schon

wieder satt, von einem halben Brot. Mehr passte nicht mehr hinein.

»Das kannst du nicht wissen«, sagte sie. »Wenn die Zeitungen nichts mehr darüber schreiben würden, würde es sich über's Internet verbreiten.«

»Es kommt halt darauf an, was sich verbreitet«, meinte Justus. »Neulich hat ein Vater seinen sechsjährigen Sohn wegen irgendwas auf offener Straße geohrfeigt. Plötzlich taucht so ein leuchtender Engel auf und schießt auf ihn. Sie haben den Mann in einer Notoperation retten können, zum Glück, aber denk mal, das Kind.«

Victoria erschauerte. »Schrecklich.«

»In Stockholm war das.«

»Man ohrfeigt seine Kinder allerdings auch nicht.«

Justus nickte. »Man erhebt besser gegen niemanden mehr die Hand in der Öffentlichkeit; man weiß nie. Und die Medien stürzen sich zu gern auf solche Fälle, feiern sie geradezu ab und lassen es so aussehen, als sei es immer und überall ein und derselbe Kerl.«

»Neulich hast du gesagt, den Statistiken zufolge nähme die Gewalt auf den Straßen ab.«

»Ist auch so. Die Kurven sind sozusagen im freien Fall.«

»Erstaunlich, oder? Wenn der Racheengel angeblich nur ein Medienphänomen ist.«

»Das ist so, weil all diese Schlägertypen nicht intelligent genug sind, um zu kapieren, dass der Racheengel nicht immer dieselbe Person sein kann. Und weil die Medien Informationen unter den Tisch fallen lassen. Zum Beispiel ist der Typ, den sie in Stockholm festgenommen haben, seit Langem psychisch auffällig gewesen, mit einer zehn Zentimeter dicken Krankenakte. So etwas erfährt man nur, wenn man zufällig bei der Polizei arbeitet.«

Victoria legte ihre Hand auf seine. »Versprich mir, dass du unser Kind niemals ohrfeigen wirst.«

Justus lächelte, blinzelte, als erwache er aus einem bösen

Traum. »Ich verspreche dir, dass ich keines unserer vier bis fünf Kinder jemals schlagen werde.«

»Vier bis fünf?«, japste sie. »Neulich war noch von zwei bis drei die Rede.«

»Ich hab's mir anders überlegt.«

»Wart, bis das erste da ist und dir den Nachtschlaf raubt.«

»Netter Versuch. Aber mir ist es lieber, Babygeschrei hält mich wach als ein ungelöster Fall.« Er küsste sie warm und innig.

Später, als sie im Wohnzimmer auf der Couch lagen, eine Decke über sich gezogen, meinte er: »Hab ich übrigens schon erzählt, dass dieser Pochardt gestorben ist? Das ist einer von den drei –«

»Ich weiß, wer das ist«, sagte Victoria.

»Leberzirrhose. Hat eine Woche lang tot in seiner Wohnung gelegen, ehe man ihn gefunden hat.«

»Die armen Leute, die das jetzt sauber machen müssen.«

Justus musterte sie befremdet. »Du strahlst bei diesem Thema irgendwie immer so etwas Unversöhnliches aus.«

»Ja?« Victoria horchte in sich hinein, spürte eine harte, kalte, unnachgiebige Stelle auf dem Grund ihrer Seele. *Unversöhnlich* war gar kein so falsches Wort dafür. »Kann schon sein. Dieser Mann hat nie bereut, was er getan hat, ist mit einer läppischen Strafe davongekommen und hat sich die ganze Zeit nur selber bemitleidet. Vielleicht gibt es jemanden, der bedauert, dass er tot ist, aber ich jedenfalls nicht. Fände ich viel verlangt.«

EPILOG   Die anderen nannten ihn den Mann mit den traurigen Augen. Er war nicht mehr jung, hatte graue Haare und einen gebeugten Rücken und strich durch die Favelas von Belém, seit Lucas denken konnte. Es kursierten die absonderlichsten Geschichten darüber, was der *Alemão* hier eigentlich zu suchen hatte, doch von denen glaubte Lucas keine einzige.

Man tat gut daran, solche Geschichten grundsätzlich nicht zu glauben.

Sie interessierten ihn auch nicht. Das Einzige, was ihn interessierte, war die abgeschabte, lederne Umhängetasche, die der Mann immer mit sich herumtrug. Niemand wusste, was darin war, aber sicher war es etwas Wertvolles. Ein Computer vielleicht oder zumindest ein Telefon, das man zu Geld machen konnte. Lucas kannte jemanden in Ponta Grossa, der einem für solche Dinge Geld gab, ohne Fragen zu stellen. Und Geld, das brauchte er. Dringend sogar. Nicht nur, weil er hungrig war – an Hunger war er gewöhnt; Hunger konnte man aushalten, wenn es sein musste –, sondern weil er Felipe Geld schuldete. Und Felipe hatte gedroht, ihm den kleinen Finger zu brechen, wenn er nicht zahlte.

Man tat gut daran, solche Drohungen grundsätzlich ernst zu nehmen.

Also kam es wie gerufen, dass der Mann mit den traurigen Augen mal wieder auf dem Betonklotz mit dem Loch in der Mitte saß. In dem Loch hatte einmal ein großes eisernes Kreuz gesteckt, bis es jemand herausgerissen und als Altmetall verkauft hatte. Der Mann saß oft hier, ein Notizbuch auf dem Schoß, in dem er Seite um Seite vollschrieb, total konzentriert und ohne aufzusehen.

Seine lederne Tasche lag schräg hinter ihm, einfach so. Sie zu schnappen und damit wegzurennen würde ein Kinderspiel sein. Bis zur nächsten Quergasse waren es zwanzig, dreißig Schritte, und wenn Lucas es erst einmal bis dahin geschafft hatte, würde ihn der *Gringo* nie mehr erwischen, das stand fest.

Er musste nur nahe genug an ihn herankommen.

Lucas bewegte sich ganz allmählich. Es war ihm gelungen, sich unauffällig hinter den Rücken des Mannes zu manövrieren; nun blieb nur noch, sich geräuschlos in Reichweite der Tasche zu bringen. Langsam, aber trotzdem rasch genug, dass niemand sonst merkte, was er vorhatte, und womöglich auf die Idee kam, ihm die Tasche wegzuschnappen.

Noch ein Stück näher. Der Mann hörte und sah nichts. Sein Kugelschreiber bewegte sich kratzend über das Papier, glänzte in der Sonne.

Lucas rückte noch eine Armlänge weiter nach vorn. Von hier aus brauchte er nur die Hand auszustrecken, um die Tasche zu packen.

Er sah sich ein letztes Mal um, ob ihn jemand beobachtete. Niemand. Er holte tief Luft.

Jetzt.

Im selben Moment, in dem er zufassen wollte, tauchte wie aus dem Nichts eine Hand auf, die die seine mit stählernem Griff am Gelenk packte. Als er erschrocken aufschaute, sah er direkt in die traurigen Augen.

»Du wolltest mir gerade die Tasche stehlen«, sagte der Mann.

»Nein«, rief Lucas, »ich …« Aber das, was der Mann gesagt hatte, und vor allem, wie er es gesagt hatte, war so wahr, dass ihm keine Ausrede einfallen wollte. »Ja«, gestand er also.

Der Mann erwiderte nichts, sah ihn nur an und hielt ihn fest, als sei seine Hand ein Schraubstock.

»Sie könnten mir ein bisschen Geld geben«, schlug Lucas vor. »Ich hab Hunger.«

»Wenn du Hunger hast«, meinte der Mann, der mit einem merkwürdigen Akzent sprach, »dann wäre es besser, ich gebe dir was zu essen, oder?« Er legte das Notizbuch beiseite, öffnete mit der freien Hand seine Tasche und holte zwei Sandwiches heraus, bei deren Anblick Lucas das Wasser im Mund zusammenlief: dick belegt, frisch, in Folie eingewickelt.

»Wo sind deine Eltern?«, wollte der Mann wissen, die Sandwiches in der Hand.

»Ich hab keine«, erwiderte Lucas trotzig.

»Und wo wohnst du dann?«

»Nirgends.«

Der Mann sah ihn forschend an. »Würdest du denn gern irgendwo wohnen? Zusammen mit anderen Kindern, die keine Eltern haben? Wo du immer was zu essen kriegen würdest?«

Lucas musterte ihn skeptisch. Bei solchen Angeboten musste man vorsichtig sein, er hatte da schon allerhand schlimme Geschichten gehört.

Andererseits waren da die Sandwiches. Die wollte er sich nicht durch die Lappen gehen lassen, deswegen sagte er: »Vielleicht.«

Der Mann ließ ihn los, gab ihm die beiden Sandwiches. Lucas riss die Folie von einem davon ab, begann hastig zu essen.

»Du müsstest allerdings in die Schule gehen«, sagte der Mann. »Und erst mal baden, übrigens.«

»Und was noch?«, fragte Lucas. Komisch, irgendwie hatte der Mann etwas an sich, dass er ihm glaubte.

»Dich an Regeln halten. Nichts stehlen. Keine Drogen. So was in der Art.«

»Und was noch? Müsste ich irgendwelche Sexsachen machen?«

»Nein«, sagte der Mann. »Nur die Regeln.«

Lucas überlegte. »Das will ich mir erst ansehen.«

»Okay.« Der Mann suchte wieder in seiner Tasche herum.

»Hast du Schulden bei jemandem? Don Pedro? Felipe? Maria Batista? So jemand?«

Lucas hörte auf zu kauen. »Das darf ich nicht sagen.«

»Aber du hast Schulden. Wie viel?«

»Zweihundert *Real*.«

»Na, das geht ja.« Der Mann reichte Lucas ein paar Geldscheine. »Hier. Geh deine Schulden zahlen und komm wieder her. Dann zeig ich dir das Haus.«

Lucas sah fassungslos die Scheine in seiner Hand an, dann wieder den Mann.

»Wieso tun Sie das?«, fragte er.

»Was?«, fragte der Mann.

»Wieso sind Sie so … freundlich zu mir?«

Der Mann mit den traurigen Augen schaute ihn an. Im ersten Moment sah es aus, als wolle er etwas sagen, das er in solchen Fällen immer sagte, eine Antwort, die nichts mit ihm, Lucas, zu tun hatte. Doch er sprach es nicht aus, sondern betrachtete ihn nur, als müsse er über diese Frage wirklich gründlich nachdenken.

»Du erinnerst mich an jemanden«, sagte der Mann mit den traurigen Augen schließlich, und an der Art, wie er es sagte, erkannte Lucas, dass es die Wahrheit war und dass sie damit zu tun hatte, dass man ihn so nannte, wie man ihn nannte.

– ENDE –

Gibt es ein Video von Jesus Christus?

Andreas Eschbach
DAS JESUS-VIDEO
Thriller
704 Seiten
ISBN 978-3-404-17035-7

Bei archäologischen Ausgrabungen in Israel findet der Student Stephen Foxx in einem 2000 Jahre alten Grab die Bedienungsanleitung einer Videokamera, die erst in einigen Jahren auf den Markt kommen soll. Es gibt nur eine Erklärung: Jemand muss versucht haben, Aufnahmen von Jesus Christus zu machen! Der Tote im Grab wäre demnach ein Mann aus der Zukunft, der in die Vergangenheit reiste – und irgendwo in Israel wartet das Jesus-Video darauf, gefunden zu werden. Oder ist alles nur ein großangelegter Schwindel? Eine atemberaubende Jagd zwischen Archäologen, Vatikan, den Medien und Geheimdiensten beginnt ...

Bastei Lübbe

Wenn Sie mit einer Zeitmaschine in die Zeit von Jesu' Kreuzigung reisen könnten – würden Sie versuchen ihn zu retten?

Andreas Eschbach
DER JESUS-DEAL
Thriller
736 Seiten
ISBN 978-3-431-03900-9

Wer hat das originale Jesus-Video gestohlen? Stephen Foxx war immer überzeugt, dass es Agenten des Vatikans gewesen sein müssen und dass der Überfall ein letzter Versuch war, damit ein unliebsames Dokument aus der Welt zu schaffen. Es ist schon fast zu spät, als er die Wahrheit erfährt: Tatsächlich steckt eine Gruppierung dahinter, von deren Existenz Stephen zwar weiß, von deren wahrer Macht er aber bis dahin nichts geahnt hat – die Gruppe ist schon so mächtig, dass in den USA niemand mehr Präsident werden kann, der sie gegen sich hat. Die Videokassette spielt eine wesentliche Rolle in einem alten Plan von unglaublichen Dimensionen – einem Plan, der nichts weniger zum Ziel hat als das Ende der Welt, wie wir sie kennen …

Bastei Lübbe